D1100311

Overmacht

Bezoek onze internetsite www.awbruna.nl
voor informatie over al onze boeken en dvd's.

Peter Robinson

Overmacht

A.W. Bruna Uitgevers B.V., Utrecht

Oorspronkelijke titel
All the Colours of Darkness
© 2008 by Eastvale Enterprises Inc.
Published by arrangement with Lennart Sane Agency AB.
Vertaling
Valérie Janssen
Omslagbeeld
© Paul Knight/Trevillion Images (landschap)
© Sarah Hadley/Arcangel Images/Imagestore (man)
Omslagontwerp
Wil Immink Design
© 2009 A.W. Bruna Uitgevers B.V., Utrecht

ISBN 978 90 229 9501 3
NUR 305

Citaat van William Shakespeare (blz. 7): afkomstig uit *Othello* (vert. Willy Courteaux), Meulenhoff/Manteau, 2007.

Voor mijn vader en Averil

'De wereld kent veel leed, maar ook veel voorbeelden
van het overwinnen ervan.'

– Helen Keller

'*Want als ik ooit door houding en gebaar*
De roerselen en neiging van mijn hart
Verraad, geloof dan maar dat ik niet lang
Daarna mijn hart zal dragen op mijn hand
Als kraaienvoer. Ik ben niet wat ik ben.'
– William Shakespeare, *Othello*

'*Het gif werkt!*'
– Puccini, *Tosca*

1

Inspecteur Annie Cabbot vond het bijzonder jammer dat ze een van de mooiste dagen die het jaar tot dusver had gekend moest doorbrengen op de plek van een misdrijf, een ophanging nota bene. Ze had vreselijk het land aan ophangingen. Zeker wanneer die plaatsvonden op vrijdagmiddag, zoals nu. Annie was samen met brigadier Winsome Jackman naar Hindswell Woods even ten zuiden van Eastvale Castle gestuurd, omdat een paar schooljongens die op die dag, de laatste dag van hun voorjaarsvakantie, bij de rivier de Swain speelden, telefonisch hadden gemeld dat ze dachten daar een lichaam te hebben gezien.

De rivier, op die plek breed en ondiep, stroomde vrij snel, had de kleur van versgetapt bier en golfde schuimend om de bemoste stenen. Aan het voetpad langs de rivier stonden voornamelijk essen, elzen en ruwe iepen met lichtgekleurde, haast doorschijnende groene blaadjes die trilden in de zachte bries. De geur van daslook hing in de lucht, boven het water zweefden hele zwermen muggen en de weiden aan de overkant stonden vol boterbloemen, aardkastanje en ooievaarsbek. Kievieten schoten kwetterend heen en weer, nerveus omdat de mensen te dicht bij hun nest op de grond kwamen. Een paar donzige wolken dreven traag langs de hemel.

Vier schooljongens, allemaal van een jaar of tien, elf zaten in elkaar gedoken met een handdoek of vochtig T-shirt om zich heen geslagen op de stenen langs de waterkant; hier en daar waren stukken bleke huid zichtbaar, zo wit als trijp, en al het enthousiasme van hun vrolijke spel van eerder was verdwenen. Ze vertelden de politie dat ze op het pad door het bos ten noorden van de rivier achter elkaar aan hadden gezeten en toen op een lichaam waren gestuit dat aan een van de schaarse eiken hing die daar nog groeiden.

Ze hadden hun gsm bij zich, dus had een van hen het alarmnummer gebeld. Daarna waren ze aan de overkant van de rivier blijven wachten. Toen de politieagenten en ambulancemedewerkers arriveerden en het lichaam zagen, constateerden ze meteen dat ze niets meer konden doen, dus waren ze op veilige afstand gebleven en hadden ze de grote jongens erbij geroepen. Nu was het aan Annie om de situatie in te schatten en te beslissen wat er moest worden gedaan.

Annie droeg Winsome op de verklaringen van de jongens op te nemen en klom achter de agent aan de helling naar het bos op. Tussen de bomen links van hen zag ze hoog op de heuvel de ruïne van Eastvale Castle liggen. Al snel ving ze vóór hen boven aan de helling een glimp op van een gedaante die bijna een halve meter boven de grond aan een stuk gele waslijn aan een lage tak bungelde. De aanblik vormde een opvallend contrast met het lichte groen van het bos, want hij of zij – Annie kon nog niet met zekerheid zeggen of het een man of een vrouw was – was gekleed in een oranje shirt en een zwarte broek.

De boom was een oude eik met een knobbelige, dikke stam en knoestige takken, en stond helemaal alleen in een bosje kreupelhout. Hij was Annie tijdens haar wandelingen door het bos al eerder opgevallen, omdat er verder zo weinig eiken stonden dat hij erg in het oog sprong. Ze had zelfs een paar schetsen van het tafereel gemaakt, maar dat had nooit tot een echt schilderij geleid.

Agenten in uniform hadden het gebied rond de boom met tape afgezet en het aantal mensen dat daarachter mocht komen, werd heel beperkt gehouden. 'Ik neem aan dat jullie hebben gecontroleerd of er nog een hartslag te vinden was?' vroeg Annie aan de jonge agent die zich naast haar een weg door de lage begroeiing baande.

'Dat heeft de ambulancebroeder gedaan, inspecteur,' antwoordde hij. 'Zo goed en zo kwaad als dat ging zonder de plaats delict aan te tasten.' Hij zweeg even. 'Je hoeft er niet eens heel dichtbij te komen om te zien dat hij dood is.'

Een man dus. Annie dook onder het afzettape door en liep met kleine stapjes verder. Onder haar voeten knapten twijgjes en ritselden de laatste herfstbladeren. Ze wilde er niet al te dicht bij in de buurt komen, omdat ze dan misschien belangrijke sporen en bewijzen vernielde of verpestte, maar ze moest wel een duidelijk beeld hebben van de situatie waarmee ze te maken had. Toen ze op een meter of drie afstand bleef staan, hoorde ze ergens vlak bij haar een goudplevier fluiten. Verder weg, dichter bij de heide, klonk de treurige roep van een wulp. Vlak achter zich hoorde Annie de agent nahijgen van hun wandeling naar de top van de heuvel en ook ving ze het geluid van een lichte bries op die door de bladeren suisde, die echter te vers en te vochtig waren om te ritselen.

Verder was er alleen de doodse stilte rond het lichaam.

Annie zag nu zelf ook dat het een man was. Zijn hoofd was vrijwel helemaal kaalgeschoren en het beetje haar dat er nog op zat, was blond geverfd. Hij bungelde niet zacht wiegend aan het uiteinde van het touw, zoals lijken in films vaak doen, maar hing zwaar en zwijgend als een stuk rots aan de strakgespannen gele waslijn, die diep in de asgrauwe huid van de hals sneed die nu een paar centimeter langer was dan oorspronkelijk het geval was geweest. Zijn lippen en oren waren blauw verkleurd. Zijn uitpuilende ogen zaten vol gebarsten haarvaten en zagen er vanaf de plek waar Annie zich bevond rood uit. Ze schatte zijn leeftijd tussen de veertig en vijfenveertig jaar, maar dat was slechts een ruwe schatting. Zijn vingernagels waren afgebeten of heel kort geknipt en ook daar ontdekte ze sporen van cyanose. Verder zat hij wel heel erg onder het bloed voor iemand die het slachtoffer was van ophanging.

De meeste ophangingen betroffen geen moord, maar zelfmoord, wist Annie, om de eenvoudige reden dat het erg lastig was om iemand die leefde en zich bewoog op te hangen. Tenzij het natuurlijk het werk was van een groep lynchers of als hij eerst was bedwelmd.

Als het om zelfmoord ging, waarom had de dode dan deze plek uitgekozen om een eind aan zijn leven te maken? vroeg Annie zich af. Waarom deze boom? Had deze sterke persoonlijke associaties voor hem of was het gewoon de gemakkelijkste plek geweest? Had hij beseft dat hij door kinderen kon worden gevonden en wat het effect van het zien van zijn dode lichaam op hen kon zijn? Waarschijnlijk niet, bedacht ze. Wanneer je op het punt staat er een eind aan te maken, denk je niet echt meer aan anderen. Zelfmoord is de meest egoïstische van alle daden.

Annie wist dat ze de technische recherche er zo snel mogelijk bij moest halen. Dit betrof een sterfgeval onder verdachte omstandigheden en het was beter om meteen alle registers open te trekken dan voorbarig tot de conclusie te komen dat er niet zo heel veel hoefde te worden gedaan. Ze haalde haar gsm tevoorschijn en belde Stefan Nowak, de coördinator plaats delict, die haar verzocht te wachten en zei dat hij zijn team bij elkaar zou roepen. Vervolgens liet ze een berichtje achter voor hoofdinspecteur Catherine Gervaise, die in een vergadering zat op het hoofdkantoor van het graafschap in Northallerton. Het was nog te vroeg om al te bepalen hoe uitgebreid het onderzoek zou worden, maar de hoofdinspecteur diende wel op de hoogte te worden gesteld van het gebeurde.

Verder was er Banks nog – senior inspecteur Alan Banks, haar directe chef – die normaal gesproken de leiding zou hebben over een zaak als deze. Moest ze hem bellen? Hij had vrij genomen en was die ochtend naar Londen gereden om het weekend bij zijn vriendin door te brengen. Annie kon er niets van zeggen. Banks had nog heel wat vrije dagen tegoed en zelf was ze net terug van een verblijf van twee weken bij haar vader in St. Ives, waar ze voornamelijk had geschetst en op het strand had gelegen om bij te komen en nieuwe energie op te doen na een bijzonder traumatische periode in haar leven.

Ze besloot dat Banks wel even kon wachten. Het was tijd om terug te gaan naar de rivier en te zien wat Winsome van de jongens te weten was gekomen. Arme donders, dacht Annie bij zichzelf, terwijl ze met gestrekte armen om haar evenwicht te bewaren achter de geüniformeerde agent aan langs de helling omlaagschuifelde. Aan de andere kant waren kinderen heel veerkrachtig en wanneer ze maandagochtend weer op school waren, hadden ze hun vriendjes wel een waanzinnig mooi verhaal te vertellen. Ze vroeg zich af of docenten Engels nog steeds opdrachten uitdeelden met het onderwerp 'Wat ik in mijn vakantie heb gedaan'. Als dat het geval was, stond hun een flinke verrassing te wachten.

Nadat de schoolkinderen naar huis waren gestuurd en de agenten van de uniformdienst naar het parkeerterrein aan de overkant van de rivier waren vertrokken om te kijken of de overledene zijn auto daar misschien had laten staan, stond Annie zwijgend en op haar gemak samen met Winsome tegen een boom geleund en sloeg de mensen van de technische recherche gade, die samen met de politiearts, dokter Burns, en de politiefotograaf, Peter Darby, in hun witte wegwerpoveralls de plaats delict onderzochten. Toen ze klaar waren met het fotograferen en onderzoeken van het lichaam, sneden ze het voorzichtig los om de knoop heel te laten en legden ze het op de brancard die de lijkschouwer had gestuurd.

Zulke lugubere bezigheden kregen op zo'n prachtige dag iets onnatuurlijks, vond Annie, bijna alsof het slechts een training of praktijkoefening betrof. Er was echter een man dood; dat stond in elk geval vast. Ze telde haar zegeningen en was maar wat blij dat ze het tot dusver hadden gered zonder de komst van verslaggevers of televisiecamera's.

De jongens hadden bijna niets kunnen vertellen. Zo'n beetje het enige interessante gegeven dat Winsome uit hen had gekregen was dat ze, toen ze om een uur of een, net na de lunch, vanuit Eastvale via het pad langs de rivier bij het ondiepe gedeelte aankwamen en twee van hen stoeiend langs de helling achter elkaar aan hadden gezeten, de man niet hadden zien hangen. Het telefoontje naar het alarmnummer was om zeventien over drie geregistreerd, wat een tijdsspanne van net iets meer dan twee uur vrijliet. Met een beetje geluk konden de technische recherche en dokter Glendenning, de gerechtelijk patholoog-anatoom, de doodsoorzaak snel vaststellen, en zou ze haar weekend niet in rook hoeven zien opgaan, zoals haar in het verleden al zo vaak was overkomen.

Niet dat ze zulke spectaculaire plannen had; het huis schoonmaken, een paar wassen draaien, op zaterdag lunchen met een voormalige collega van het politiebureau in Harkside. In de afgelopen maanden had Annie geprobeerd meer grip te krijgen op haar leven en ze koesterde de uren die ze alleen kon doorbrengen. Ze was minder gaan drinken, zorgde ervoor dat ze meer lichaamsbeweging kreeg en was zelfs lid geworden van de sportschool in Eastvale. Ook maakte ze thuis meer tijd vrij voor yoga en meditatie, en al met al zat ze veel prettiger in haar vel.

Inspecteur Stefan Nowak zette zijn mondkapje en beschermende bril af, dook onder het afzetlint door en kwam over de platen die inmiddels de toegangsroute van en naar de plaats delict markeerden naar Annie en Winsome toe. Hij liep heel bedaard, maar dat deed hij eigenlijk altijd. Annie was blij dat hij eindelijk tot inspecteur was bevorderd en tot coördinator plaats delict benoemd. Soms werd ze een tikje cynisch van de invasie van bedrijfsterminologie in de wereld van de politie – tegenwoordig werd je doodgegooid met termen als coördinator, commissieleden en visie – maar ze moest toegeven dat een plaats delict in sommige opzichten wel iets van een bedrijf weg had en inderdaad zorgvuldig diende te worden gecoördineerd.

Winsome floot: 'Who Are You?'

Nowak rolde met zijn ogen en negeerde haar. 'Jullie hebben mazzel,' zei hij.

'Zelfmoord?'

'Sectie moet onze bevindingen natuurlijk nog bevestigen, maar voor zover dokter Burns en ik hebben kunnen zien, heeft hij alleen een wond in zijn hals, die is veroorzaakt door de waslijn en precies op de plek zit waar je hem zou verwachten. Uiteraard is het best mogelijk dat hij eerst is vergiftigd en we zullen zeker een volledig toxicologisch onderzoek laten uitvoeren, maar er bevinden zich geen zichtbare sporen van zwaar, fysiek letsel op het lichaam, afgezien dan van enkele die hoogstwaarschijnlijk verband houden met de ophanging. Ik heb begrepen dat dokter Glendenning weer aan de slag is gegaan?'

'Klopt,' zei Annie. 'Hij is weer terug. Waar komt al dat bloed vandaan, als het dat tenminste is?'

'Het is inderdaad bloed. We hebben uiteraard monsters genomen. Het gekke is alleen…' Nowak fronste zijn voorhoofd.

'Wat?'

'Tja, het kán afkomstig zijn uit de schrammen die hij heeft opgelopen toen hij in de boom klom – een flink aantal sporen op de grond en in de bast wijst er overigens op dat hij dat helemaal alleen heeft gedaan, zonder de hulp van een menigte lynchers – maar er is beduidend meer bloed aanwezig dan ik van een paar schrammen zou verwachten. Het vaststellen van het bloedtype gebeurt tegenwoordig vrij snel, dit weekend zelfs al, maar zoals jullie weten, duurt het aanzienlijk langer om het DNA te bepalen en het lichaam op giftige stoffen te testen.'

'Zo snel mogelijk graag,' zei Annie. 'Het touw?'

'Een goedkope nylon waslijn die je vrijwel overal kunt krijgen.'

'En de knoop?'

'Die komt volledig overeen met het soort knoop van een potentiële zelfmoordkandidaat. Beslist geen beulsknoop. Je hoeft niet eens bij de padvinderij te hebben gezeten. Hij zat trouwens linksom, wat op een linkshandige persoon duidt en aangezien hij zijn polshorloge om zijn rechterpols droeg... zou ik zeggen dat alle beschikbare aanwijzingen duiden op zelfmoord door ophanging.'

'Enig idee wie hij was, een naam, adres?'

'Nee,' zei Nowak. 'Hij had geen portemonnee bij zich.'

'Sleutels?'

'Nee. Ik vermoed dat hij met de auto hiernaartoe is gekomen en dat hij ze in zijn auto of misschien wel zijn jas heeft laten zitten. Hij had ze immers niet meer nodig.'

'Nee, dat lijkt me ook niet,' zei Annie. 'We zullen zijn naaste verwanten moeten opsporen. Is er een afscheidsbrief gevonden?'

'Nee, niet op of bij het lichaam. Ook die kan echter in de auto zijn achtergelaten.'

'Dan gaan we daar zeker naar op zoek zodra we die hebben gevonden. Ook wil ik graag weten waar hij vanmiddag is geweest. Voor zover wij weten heeft hij zich tussen een en drie uur van kant gemaakt. Of het nu zelfmoord is of niet, er zijn een paar vragen die we moeten beantwoorden voordat we naar huis kunnen. Het belangrijkste is dat we zijn identiteit achterhalen.'

'Dat is gemakkelijk,' zei een van de technisch rechercheurs, een civiele bodemexpert die Tim Mallory heette.

Annie had niet in de gaten gehad dat hij achter hen stond. 'O ja?' vroeg ze.

'Jazeker. Wat zijn achternaam was weet ik niet, maar iedereen noemde hem altijd Mark.'

'Iedereen?'

'In het theater in Eastvale. Daar werkte hij. U weet wel, dat gerestaureerde, achttiende-eeuwse theater in Market Street.'

'Dat ken ik wel, ja,' zei Annie. De plaatselijke amateurtoneelvereniging en het plaatselijke operagezelschap waren voor het opvoeren van de stukken van Terence Rattigan en komische opera's van Gilbert en Sullivan jarenlang aangewezen geweest op het wijkcentrum en op verschillende kerkzalen in de Dale, maar onlangs had de gemeenteraad dankzij een uit de opbrengst van een loterij afkomstig bedrag van de plaatselijke kunstcommissie en dankzij particuliere steun van lokale bedrijven een oud achttiende-eeuws theater kunnen laten restaureren dat vroeger als opslagplaats voor een tapijthandel was gebruikt en daarna jarenlang was verwaarloosd. Het afgelopen anderhalve jaar waren daar alle toneelvoorstellingen in de stad opgevoerd, evenals een paar folk- en kamermuziekconcerten. 'Weet je zeker dat hij het is?' vroeg ze.

'Heel zeker,' zei Mallory.

'Wat deed hij daar voor werk?'

'Hij had iets te maken met rekwisieten en decor. Achter de schermen. Mijn vrouw is lid van het amateuroperagezelschap,' ging Mallory verder. 'Daar ken ik hem van.'

'Kun je verder nog iets over hem vertellen?'

'Nee, niet echt.' Mallory zwaaide met een slap handje. 'Behalve dan dat hij een beetje flamboyant was, zogezegd.'

'Homoseksueel?'

'Hij deed er niet geheimzinnig over. Bijna iedereen weet het.'

'Weet je ook waar hij woonde?'

'Nee, maar dat moet iemand van de theatergroep jullie kunnen vertellen.'

'Familie?'

'Geen idee.'

'Ik neem aan dat je niet weet wat voor auto hij had?'

'Sorry.'

'Oké. Bedankt.' Met de informatie die ze van Mallory en Nowak had gekregen, werd haar werk er in elk geval heel wat gemakkelijker op. Ze begon zowaar te geloven dat Winsome en zij toch nog voor het donker thuis zouden zijn. Ze stootte Winsome zachtjes met haar elleboog aan. 'Kom mee, we gaan naar het theater,' zei ze. 'Hier kunnen we toch verder niets meer doen.'

Precies op dat moment kwam een jonge agent in uniform buiten adem over het pad aan hollen. 'Pardon, inspecteur, we denken dat we de auto hebben gevonden. Wilt u hem zien?'

De auto was een donkergroene Toyota die zelfs nog ouder was dan Annies bejaarde paarse Astra en had beslist betere tijden gekend. Hij stond op het geasfalteerde parkeerterrein naast de camping voor caravans tussen de rivier en de hoofdweg naar Swainsdale. De agenten hadden hem snel gevonden, omdat er slechts drie andere auto's op het terrein stonden. Ze wisten natuurlijk nog niet zeker of hij inderdaad het eigendom van de overledene was, maar toen Annies oog op het verveloze duveltje-uit-een-doosje en de olifantpootvormige paraplubak op de achterbank viel, moest ze meteen aan toneelattributen denken.

Het portier aan de bestuurderskant was niet afgesloten en de sleutel zat in het contact, wat de aandacht van de geüniformeerde agenten had getrokken. Binnen in de auto was het een enorme bende, maar wel typisch het soort rommel dat iemand in zijn eigen auto maakt, iets wat Annie uit eigen ervaring maar al te goed wist. De passagiersstoel was bezaaid met plattegronden, benzinebonnetjes, snoeppapiertjes en cd-hoesjes. De cd's bevatten voornamelijk opera, zag Annie, iets wat Banks wel zou hebben gewaardeerd. Op de achterbank lagen naast de rekwisieten een kapotte ruitenwisser, een nog ongeopende zak gedroogde uitgebakken varkenszwoerdjes en een rol huishoudfolie. Ook lag er een zwart windjack met een rits.

In een zijzak van het jack vond Annie de portemonnee van de overledene, evenals een sleutelbos. Er zat vijfenveertig pond aan biljetten in, creditcards en bankpassen op naam van Mark G. Hardcastle, een paar visitekaartjes van plaatselijke meubelmakers en leveranciers van toneelspullen, een rijbewijs met een foto en een adres ergens in het centrum van de stad plus een geboortedatum waaruit ze opmaakte dat hij zesenveertig was. Annie kon geen afscheidsbriefje ontdekken. Ze doorzocht de portemonnee nogmaals, inspecteerde toen de berg troep op de passagiersstoel, en keek zelfs op de vloer en onder de stoelen. Niets. Vervolgens controleerde ze de kofferbak, waarin ze alleen een grote kartonnen doos vol oude tijdschriften en kranten vond, een lekke reserveband en enkele plastic flessen met antivries en ruitenvloeistof.

Annie ademde de frisse buitenlucht eenmaal diep in.

'Iets gevonden?' vroeg Winsome.

'Hoe groot schat je de kans dat hij puur bij toeval een stuk waslijn bij zich had?'

'Niet heel erg groot,' antwoordde Winsome. Ze gebaarde met een rukje van haar hoofd naar de auto. 'Aan de andere kant, moet je al die andere spullen zien die hij in de auto had liggen. Wie zal het zeggen? Misschien was het wel een toneelattribuut.'

'Je hebt helemaal gelijk. Hoe dan ook, ik hoopte eigenlijk dat er een bonnetje zou liggen. Als hij van plan was zichzelf op te hangen en géén geschikt stuk touw in zijn auto had liggen, heeft hij dat er natuurlijk speciaal voor moeten aanschaffen. We zullen Harry Potter eens navraag laten doen bij de plaatselijke winkels. Het kan niet al te ingewikkeld zijn om dat te achterhalen.' Annie liet Winsome een handvol bonnetjes uit Hardcastles portemonnee zien.

'Drie hiervan komen uit Londen – Waterstone's, HMV en een Zizzirestaurant. Allemaal met de datum van afgelopen woensdag. Er zit ook een bon bij van een tankstation bij Watford Gap aan de M1 van donderdagochtend.'
'Is er ook een gsm?' vroeg Winsome.
'Nee.'
'Wat doen we dus nu?'
Annie wierp een blik over haar schouder naar de auto en staarde toen over de rivier heen naar het bos. 'Ik denk dat we maar eens navraag moesten gaan doen in het theater, als daar op dit tijdstip tenminste iemand aanwezig is,' zei ze. 'Nu we echter zijn adres hebben, gaan we eerst bij hem thuis langs. God verhoede dat daar iemand op hem zit te wachten.'

Branwell Court is een zijstraat van Market Street ongeveer honderd meter ten zuiden van het marktplein. Het is een brede straat met klinkers, aan beide zijden omzoomd door platanen, en de belangrijkste gebouwen zijn een pub die The Cock and Bull heet en de rooms-katholieke kerk. De huizen, die tot de oudste van Eastvale behoren, zijn allemaal van verweerde kalksteen met flagstone daken en hoewel ze broederlijk naast elkaar staan, verschillen ze wel enorm in breedte en hoogte, en zitten er vaak smalle steegjes tussen. Veel ervan zijn gerenoveerd en in appartementen opgesplitst.
Nummer zesentwintig had een paarse deur en naast de bel voor de bovenste verdieping hing een koperen plaatje met de naam Mark G. Hardcastle erin gegraveerd. Annie belde eerst aan, voor het geval er iemand thuis was. Ze hoorde het geluid door het gebouw weergalmen, maar verder niets. Er kwam niemand naar beneden.
Annie probeerde de sleutels uit die ze uit de zak van Mark Hardcastles windjack had gehaald. De derde paste en gaf toegang tot een gewitte gang die naar een trap met ongelijke houten treden leidde. Aan een van de haakjes achter de deur hing een regenjas. Op de vloer lagen een paar enveloppen. Annie raapte ze op om ze later te bekijken en klom gevolgd door Winsome de smalle, krakende trap op.
Het appartement, ooit de bovenste verdieping van een kleine cottage, was piepklein. In de woonkamer was amper voldoende ruimte voor een televisie en een bank, en het eetgedeelte werd gevormd door een smalle doorgang met daarin een tafel en vier stoelen tussen de woonkamer en de keuken, die slechts een paar vierkante meter groot was, met linoleum op de vloer en omringd door een aanrecht, een hoge voorraadkast, een fornuis en een koelkast. Achter de keuken was het toilet, een soort capsule die aan de achtergevel van het gebouw hing. Een ladder voerde vanuit de eetruimte naar een omgebouwde

zolder met een tweepersoonsbed dat recht onder de claustrofobisch aanvoelende, uit houten balken bestaande nok in de vorm van een omgekeerde V stond. Annie klom naar boven. Er was nauwelijks genoeg ruimte voor een nachtkastje en een ladekast. Heel sfeervol, dacht ze bij zichzelf, maar praktisch onbewoonbaar. Hierbij vergeleken was haar kleine cottage in Harkside net Harewood House.

'Rare plek om te wonen, hè?' zei Winsome, toen ze eenmaal naast Annie op de zolder stond; ze had haar hoofd en schouders gebogen, niet uit eerbied, maar omdat ze ruim 1 meter 80 lang was en er met geen mogelijkheid rechtop kon staan.

'Echt heel snoezig.'

'Er zit tenminste niemand thuis op hem te wachten.'

'Ik betwijfel of daar voldoende plek voor zou zijn,' zei Annie.

Het bed was beslapen: het dekbed met bloemenpatroon lag schots en scheef, en de kussens waren ingedeukt, maar het viel met geen mogelijkheid te zeggen of er een of twee mensen in hadden gelegen. Winsome nam een kijkje in de laden van de kast en trof daar sokken, ondergoed en een paar opgevouwen T-shirts aan. Een beduimeld exemplaar met de werken van Tennessee Williams uit de reeks Penguin Plays lag naast de leeslamp op het nachtkastje.

Toen ze weer beneden waren, keken ze in de keukenkastjes, waarin een paar potten en pannen stonden, blikjes champignonsoep, zalm en tonijn, en diverse kruiden en specerijen. De koelkast herbergde een aantal verlepte slablaadjes, een vrijwel leeg kuipje Floramargarine, wat flinterdun gesneden ham met een uiterste houdbaarheidsdatum van 21 mei en een halfleeg pak halfvolle melk. In het vriesvak lagen twee porties kip kiev met boter en knoflook, en een steenovenpizza margherita. De kleine buffetkast in het eetgedeelte bevatte messen, vorken en lepels, en een set effen witte borden en kommen. Drie goedkope flessen wijn en een verzameling kookboeken stonden erbovenop. Het broodblik werd bijna volledig ingenomen door een oudbakken halfje Hovisbrood.

In de woonkamer stonden geen familiefoto's op de schoorsteenmantel en er stond al evenmin een handig afscheidsbriefje tegen de koperen klok geleund. De boekenkast naast de televisie bevatte een paar populaire paperbacks, een Frans-Engels woordenboek, diverse geschiedkundige boeken over kostuums en een goedkope editie van het complete werk van Shakespeare. De paar dvd's die Mark Hardcastle bezat, waren van komische televisieprogramma's en -series – *The Catherine Tate Show*, *That Mitchell and Webb Look*, *Doctor Who* en *Life on Mars*. Ook stonden er een paar 'Carry On'-films bij en een aantal westerns met John Wayne. De cd's bevatten vooral opera- en musicalmuziek: *South Pacific, Chicago* en *Oklahoma!* Een zoektocht achter de kussens van de bank leverde een muntstuk van twintig pence en een witte knoop op. Boven de open haard hing een oude poster van een opvoering van *Omzien in wrok* door een repertoiregezelschap in Stoke-on-Trent waarop Mark Hardcastles naam bij de medewerkers stond vermeld.

Annie bekeek de enveloppen die ze op de salontafel had gelegd vluchtig. De oudste had een poststempel van een week eerder en het waren allemaal gas-, water of elektriciteitsrekeningen en reclamefolders. Tja, bedacht Annie, dat was ook niet echt verwonderlijk. Sinds de komst van e-mail behoorden geschreven brieven tot een uitstervende kunstvorm. Mensen schreven elkaar gewoon niet meer. Ze herinnerde zich de penvriendin uit Australië met wie ze in haar jeugd had geschreven, hoe spannend het altijd was geweest om luchtpostbrieven te krijgen met het poststempel van Sydney en exotische postzegels, en te lezen over Bondi Beach en The Rock. Ze vroeg zich af of mensen tegenwoordig nog penvrienden hadden. Ze was eigenlijk wel benieuwd wat de hare nu deed.

'Wat denkt u ervan?' vroeg Winsome.

'Is het jou ook opgevallen dat hier vrijwel geen persoonlijke spullen liggen?' zei Annie. 'Geen adresboekje, geen agenda. Zelfs geen computer of telefoon. Het lijkt wel alsof hij hier maar een deel van de tijd woonde, maar een deel van zijn leven doorbracht.'

'Misschien was dat ook wel zo,' opperde Winsome.

'Laten we dan maar eens gaan kijken of we kunnen ontdekken waar hij de rest van de tijd woonde,' zei Annie. 'Wat dacht je van een theaterbezoekje?'

Het theater van Eastvale was werkelijk prachtig gerestaureerd, vond Annie, en bood met zijn twee verdiepingen van nog geen veertien meter breed ruimte aan een enorme hoeveelheid mensen. De oorspronkelijke bezoekers hadden duidelijk geen behoefte gehad aan wijnbars en restaurants, dus waren die in dezelfde steensoort en ontwerp aan de zijkant van het oorspronkelijke pand aangebouwd. Alleen de grote, hoge vlakglazen ramen van de aanbouw oogden iets moderner. Naast de ingang hingen posters van de grootste productie die op dat moment werd opgevoerd, een versie van *Othello* door de amateurtoneelgroep van Eastvale.

In de foyer was het veel bedrijviger dan ze op dat tijdstip van de dag had verwacht, omdat de kindermatineevoorstelling van *Calamity Jane* van het amateuroperagezelschap net was afgelopen. Annie en Winsome liepen direct door naar de kassa, waar een bijzonder zwaar opgemaakte vrouw een gesprek voerde via haar gsm.

Ze lieten hun politiepas zien. 'Pardon,' zei Annie. 'Is de manager aanwezig?' De vrouw drukte het telefoontje tegen haar omvangrijke boezem en zei: 'Manager? Bedoelt u misschien de toneelmeester?'

'Ik bedoel degene die hier de leiding heeft,' zei Annie.

Een troepje kinderen holde onder het zingen van 'The Deadwood Stage' voorbij, terwijl ze net deden alsof ze elkaar neerschoten. Ze renden Annie bijna omver. Een van hen bood achteruitlopend zijn excuses aan, maar de anderen raceten gewoon verder alsof ze haar niet eens hadden gezien. Een van hen floot bewonderend naar Winsome.

De vrouw in het kassahokje glimlachte. 'Kinderen,' zei ze. 'U zou eens moeten zien hoeveel werk onze schoonmaakploeg heeft na zo'n voorstelling. Kauwgum, kleverige snoeppapiertjes, gemorste cola en noem maar op.'

Het klonk een beetje als het aftandse plaatselijke bioscoopje in St. Ives waar Annie vroeger altijd met haar vriendje naartoe ging. 'De manager?' vroeg Annie nogmaals.

De vrouw verontschuldigde zich, zei iets in haar mobieltje en beëindigde het gesprek. 'Die hebben we eigenlijk niet,' zei ze. 'Wel een toneelmeester en de regisseur, maar die zijn niet echt...'

'Iemand die verantwoordelijk is voor de rekwisieten en decors dan?'

'O, dan moet u Vernon Ross hebben. Die gaat over alle technische zaken.' De vrouw keek Annie onderzoekend aan. 'Wat is er eigenlijk aan de hand?'

'Alstublieft?' zei Annie. 'We hebben haast.'

'Alsof dat voor de rest van ons niet geldt. Ik ben hier al sinds...'

'Als u ons even wijst waar we moeten zijn, kunt u daarna naar huis,' zei Winsome glimlachend.

'Ach, nou ja...' De vrouw keek Winsome fronsend aan en gebaarde met haar hoofd naar de zaaldeur. 'Als u door die deur naar binnen gaat en het gangpad volgt naar het toneel, komt u Vernon vanzelf tegen. Als hij daar niet is, moet u een van de deuren ernaast hebben. Ze zijn bezig met opruimen en alles klaarzetten voor vanavond.'

'Mooi. Dank u wel,' zei Annie.

Ze gingen door de dubbele deuren naar binnen. Zowel de stalles als het balkon waren uitgerust met gerestaureerde houten banken die net zo krap waren als kerkbanken. Dichter bij het podium bevonden zich ook enkele loges voor hoogwaardigheidsbekleders. Misschien hadden de restaurateurs beter de binnenkant kunnen moderniseren, dacht Annie bij zichzelf, ook al begreep ze wel waarom ze de authentieke achttiende-eeuwse sfeer hadden willen behouden. De zitplaatsen waren echter hard en oncomfortabel. Ze had er ooit, kort na de feestelijke heropening, een opvoering van *The Mikado* gezien, de enige keer dat ze er was geweest. De burgemeester had vrijwel de hele avond met een zeer ongelukkig gezicht heen en weer zitten schuiven op zijn plek, ondanks de chagrijnige blikken van zijn vrouw naast hem, en Annies achterste en rug hadden een week lang pijn gedaan. Ze wist dat Banks er met Sophia naar optredens van Kathryn Tickell, Kate Rusby en Eliza Carthy was geweest, hoewel Annie had begrepen dat Sophia eigenlijk niet zo veel met folkmuziek ophad, maar ze had hem er niet over gehoord. Ongetwijfeld had zíjn achterste op een wolk van gelukzaligheid een halve meter boven het harde oppervlak gezweefd. Ach ja, líéfde.

De zaalverlichting brandde en een groep in spijkerbroek en oude T-shirts gehulde mensen was druk bezig meubelstukken te verplaatsen en het achtergronddecor te verwisselen. Toen Annie en Winsome dichterbij kwamen, keek een jonge vrouw op.

'De voorstelling is afgelopen,' zei ze. 'Het spijt me. We zijn gesloten.'

'Dat weet ik,' zei Annie. 'Ik ben op zoek naar Vernon Ross.'

Een man kwam over het podium naar hen toe. Hij was ouder dan de anderen, had krullend grijs haar en een vuurrood gezicht, alsof de inspanning hem zwaar was gevallen. Hij had een kaki overall aan en een geruit houthakkersoverhemd waarvan hij de mouwen had opgerold. Zijn harige onderarmen zaten vol schrammen. 'Ik ben Vernon Ross,' zei hij. Hij stak zijn hand beurtelings naar hen uit. 'Waarmee kan ik u van dienst zijn?'

De jonge vrouw ging verder met haar werk, maar wierp zo nu en dan een blik over haar schouder in hun richting. Annie zag dat ze haar oren spitste om geen woord te missen van wat er werd besproken. Ze schudde Vernon Ross' hand. 'Inspecteur Annie Cabbot en brigadier Winsome Jackman, afdeling Ernstige Delicten van het hoofdbureau van politie van de westelijke divisie.'

Ross fronste zijn wenkbrauwen. 'Zo, dat is een aardige mondvol,' merkte hij op. 'Bij mijn weten hebben hier geen ernstige delicten plaatsgevonden.'

'Nee,' zei Annie glimlachend. 'Dat hoop ik niet, tenminste.'

'Waarover wilde u me dan spreken?'

'Was u bevriend met Mark Hardcastle?'

'Wás? We zijn allemaal met hem bevriend. Ja. Hoezo?' Er verscheen een diepe rimpel op zijn voorhoofd. 'Wat is er aan de hand? Is er iets met Mark gebeurd? Heeft hij een ongeluk gehad?'

Annie merkte dat alle werkzaamheden op en rond het podium waren gestaakt. Iedereen had de stoelen, borden, tafels of andere zaken die ze in hun handen hadden gehad neergezet, was op de rand gaan zitten en staarde nu naar Ross en haar. Winsome haalde haar opschrijfboekje tevoorschijn. 'Weet u toevallig of hij familie heeft?' vroeg Annie.

'Mijn god,' zei Ross, 'het is dus echt heel ernstig?'

'Meneer Ross?'

'Nee. Nee,' zei Ross. 'Zijn ouders zijn dood. Hij heeft het weleens over een tante in Australië gehad, maar volgens mij hadden ze zelden contact met elkaar. Hoezo? Wat...'

Annie draaide zich om en keek nu naar de andere aanwezigen. 'Ik vind het heel erg om jullie dit te moeten vertellen,' zei ze, 'maar het heeft er veel van weg dat Mark Hardcastle dood is aangetroffen in Hindswell Woods.' Ze keek weer naar Vernon Ross. 'Meneer Ross, misschien kunt u ons helpen het lichaam te identificeren, nadat ik iedereen een paar vragen heb gesteld?'

Zoals Annie al had verwacht, hield iedereen na haar aankondiging de adem in. Vernon Ross trok wit weg. 'Mark? Hoe dan? Waarom?'

'Daar kunnen we nog geen antwoord op geven,' zei Annie. 'Dat is deels ook de reden dat ik hier ben. Heeft iemand van jullie meneer Hardcastle vandaag gezien?'

'Nee. Hij is hier vandaag niet geweest,' zei Ross. 'Ik... Het spijt me, maar ik kan het allemaal nog niet bevatten.'

'Dat is heel begrijpelijk, meneer,' zei Annie. 'Wilt u misschien even gaan zitten?'

'Nee, nee. Het gaat alweer.' Hij wreef met de rug van zijn handen over zijn ogen en leunde tegen de rand van het toneel. 'Vraagt u alstublieft wat u wilt weten. Hoe eerder dit achter de rug is, des te beter.'

'Uitstekend. Neemt u me niet kwalijk als het lijkt alsof ik niet weet waarover ik het heb, maar momenteel tasten we eigenlijk vrijwel volledig in het duister. Zou meneer Hardcastle hier vandaag langskomen?'

'Nou, hij had gezegd dat hij het zou proberen. Hij is een paar dagen naar Londen geweest met Derek Wyman, de regisseur.'

'Is meneer Wyman vandaag aanwezig?'

'Nee. Die zit nog in Londen. Hij wordt morgen terugverwacht.'

'Jullie hebben hem niet nodig bij de voorstelling van vanavond of vanmiddag?'

'Nee. *Calamity Jane* is een opvoering van het operagezelschap. Ze hebben hun eigen regisseur en spelers. Dat staat helemaal los van ons.' Hij gebaarde naar zijn collega's. 'Mark en wij zijn de enigen die echt in dienst zijn van het theater – en het kassapersoneel, uiteraard. Wij zijn de enige vaste krachten, zou u kunnen zeggen. Voor vanavond is alles geregeld. We redden ons best een paar avonden zonder Derek.'

'Derek Wyman is dus niet in dienst van het theater, maar meneer Hardcastle was dat wel?'

'Dat klopt. Derek is docent drama op de openbare scholengemeenschap van Eastvale. Amateurtoneel is puur een hobby van hem. Mark heeft echt een opleiding gevolgd voor toneelkostuums en decorontwerp.'

'Hebben de acteurs er net als meneer Wyman ook allemaal een andere baan naast?'

'Ja. Het is immers een amateurgezelschap.'

'Zodra hij terug is, wil ik graag met meneer Wyman praten.'

'Natuurlijk. Sally van de kassa weet zijn adres wel.'

'Wanneer is Mark Hardcastle precies naar Londen vertrokken?'

'Woensdag.'

'Was het de bedoeling dat hij vanochtend weer terug zou zijn?'

'Hij zei dat hij donderdagmiddag zou terugrijden.'

'U was niet ongerust toen hij vandaag niet op zijn werk verscheen?'

'Niet echt. Zoals ik al zei, is Mark onze decor- en kostuumontwerper. Zo vlak voor de première zit zijn werk er grotendeels op. Het sjouwwerk laat hij aan ons over. Hij sleept geen lampen en boekenkasten over het podium heen en weer – hoewel de eerlijkheid me gebiedt te zeggen dat hij heus wel helpt met het verplaatsen van zware spullen als dat nodig is. Hij is vooral verantwoordelijk voor het creëren van de aanblik van een productie, de blauwdruk van elke scène en elk kostuum. In samenwerking met de regisseur, natuurlijk.'

'In dit geval dus Derek Wyman?'

'Ja. Om een of andere reden hebben ze voor *Othello* een Duits-expressionistisch decor gekozen met allemaal enorme, ongebruikelijke, uitgezaagde vormen, licht en donker, hoeken en schaduwen. Een beetje in de trant van *Nosferatu*. Daarom zijn ze ook naar Londen gegaan, daarom zit Derek daar trouwens nog steeds. Het National Film Theatre organiseert een retrospectief van de Duits-expressionistische film.'

'Weet u of Mark Hardcastle een gsm had?'

'Nee. Hij ergerde zich groen en geel aan die dingen. Ging altijd helemaal over de rooie wanneer er tijdens een voorstelling een overging. Wat trouwens vaker gebeurt dan je zou denken, gezien de waarschuwingen vooraf. Wat is er met Mark gebeurd? Ik snap er nog steeds helemaal niets van. U zegt dat hij dood is aangetroffen. Heeft hij een ongeluk gehad? Heeft iemand hem vermoord?'

De anderen luisterden zittend op de rand van het podium aandachtig mee.

'Waarom denkt u dat?' vroeg Winsome.

Ross keek haar aan. 'Nou ja, omdat jullie hier zijn, hè? Van de afdeling Ernstige Delicten.'

'We weten nog helemaal niet waarmee we van doen hebben, meneer Ross,' zei Winsome. 'Bij elk sterfgeval onder verdachte omstandigheden moet er een bepaald protocol, een vaste procedure worden gevolgd.'

'Hij heeft dus niet het loodje gelegd vanwege een hartaanval?'

'Had hij dan een zwak hart?'

'Bij wijze van spreken, bedoelde ik eigenlijk.'

'Nee, hij heeft niet het loodje gelegd vanwege een hartaanval. Was hij ziek?'

'Zijn gezondheid was uitstekend,' zei Ross. 'Voor zover bij ons bekend was tenminste. Hij zag er altijd gezond uit, levendig, bruisend van energie en heel vitaal. Mark was gek op het leven.'

'Gebruikte hij drugs?' vroeg Annie.

'Niet dat ik weet.'

'Iemand anders misschien?' Annie liet haar blik door de ruimte glijden. Iedereen schudde het hoofd. Ze telde zes mensen op het podium; met Ross erbij dus in totaal zeven. 'Ik wil jullie te zijner tijd allemaal individueel spreken,' zei ze. 'Kan iemand van jullie me echter nu al iets vertellen over de recente geestelijke toestand van meneer Hardcastle?'

'Heeft hij zelfmoord gepleegd?' vroeg een jonge vrouw die vanaf het begin ingespannen had meegeluisterd. Ze had een vriendelijk, hartvormig gezicht zonder een spoortje make-up en haar lichtbruine haar zat in een paardenstaart naar achteren gebonden. Net als de anderen was ze gekleed in een spijkerbroek en T-shirt.

'Wie ben jij?' vroeg Annie.

'Maria. Maria Wolsey.'

'Goed, Maria, waarom vraag je dat?'

'Zomaar. Gewoon door wat jullie tweeën zeggen. Als het geen ongeluk of hartaanval was, en hij niet is vermoord...'

'Zelfmoord is een van de mogelijkheden,' zei Annie. 'Was hij depressief of bezorgd over iets?'

'Hij was de laatste tijd een beetje gespannen,' zei Maria. 'Dat is alles.'

'Gespannen? Hoezo? Waarom?'

'Dat weet ik niet. Het leek gewoon alsof... nou ja, alsof hij ergens over piekerde.'

'Ik heb begrepen dat meneer Hardcastle homoseksueel was,' zei Annie.

'Mark kwam openlijk uit voor zijn seksuele voorkeur,' zei Vernon Ross. 'Openlijk zonder dat hij... nou ja, zonder dat hij het overdreef, als u begrijpt wat ik bedoel.'

'Dat reisje naar Londen met Derek Wyman,' ging Annie verder. 'Zat daar iets achter?'

Het duurde even maar toen begon het Ross te dagen. 'Lieve help, nee,' zei hij.

24

'Derek is gelukkig getrouwd. Hij heeft kinderen. Is al jarenlang samen met zijn vrouw. Nee, ze zijn gewoon collega's met een gemeenschappelijke interesse voor toneel en film, meer niet.'

'Had Mark Hardcastle een partner?'

'Volgens mij wel,' zei Ross, die zich duidelijk geneerde bij het idee.

'Maria?'

'Jazeker. Laurence.'

'Weet je ook wat zijn achternaam is?'

'Dat heeft hij volgens mij nooit verteld.'

'Was je erg goed met Mark bevriend?'

'Dat zou u wel kunnen zeggen. Ik dacht zélf in elk geval van wel. Voor zover dat mogelijk was, dan. Hij hield iedereen altijd een beetje op afstand. Ik denk dat hij het erg moeilijk heeft gehad. Hij had geen gemakkelijk leven. Hij was echter een van de geweldigste mensen die ik ooit heb gekend. Hij kan toch niet zomaar dood zijn? Zo plotseling?'

'Kende hij zijn partner al lang?'

'Een halfjaar ongeveer. Vanaf vlak voor Kerstmis, denk ik,' zei Maria. 'Hij was erg gelukkig.'

'Hoe gedroeg hij zich daarvoor?'

Maria dacht even na en zei toen: 'Ik zou niet durven zeggen dat hij ongelukkig was, maar hij was veel rustelozer en oppervlakkiger. Hij leefde voor zijn werk en ik kreeg ook de indruk dat hij wel actief was, u weet wel, verschillende partners had, in seksueel opzicht, zeg maar, maar dat hij niet echt gelukkig was. U moet het niet verkeerd opvatten, hoor. Vanbuiten was hij altijd opgewekt en even vriendelijk tegen iedereen. Ik denk alleen dat hij diep vanbinnen erg ongelukkig was en dat hij weinig plezier had in het leven tot hij Laurence leerde kennen.'

'O, alsjeblieft zeg,' zei Ross. Hij keek naar Annie. 'U moet het Maria maar niet kwalijk nemen,' zei hij. 'Ze is de romanticus van de groep.'

Maria werd knalrood, waarschijnlijk zowel van woede als van verlegenheid, vermoedde Annie. 'Dat zal ik zeker niet doen,' zei ze tegen Ross en daarna tegen Maria: 'Praatte hij vaak over zijn relatie?'

'Nooit heel uitgebreid. Hij was gewoon... meer op zijn gemak, rustiger, ontspannener dan ik hem ooit eerder had meegemaakt.'

'Tot kort geleden?'

'Ja.'

'Heb je Laurence weleens ontmoet?'

'Een paar keer, hier in het theater.'

'Kun je hem beschrijven?'

'Ongeveer 1 meter 80 lang, een beetje een aristocratisch type. Donker haar met hier en daar wat grijs bij de slapen. Slank, atletisch. Heel charmant, maar nogal gereserveerd. Een beetje een snob. U weet wel, zo iemand van rijke komaf die op een dure kostschool heeft gezeten.'

'Weet je ook wat Laurence in het dagelijks leven doet? Wat hij voor de kost doet?'

'Daarover heeft Mark nooit iets gezegd. Het is best mogelijk dat hij al met pensioen is. Of misschien koopt en verkoopt hij antiek of kunst, iets in die richting.'

'Hoe oud?'

'Begin vijftig, schat ik.'

'Weet je waar hij woont? We willen hem graag spreken.'

'Het spijt me,' zei Maria. 'Ik zou het echt niet weten. Volgens mij is hij best rijk, of in elk geval zijn moeder, dus hij zal wel een duur huis hebben. Ik weet wel dat Mark steeds vaker bij hem thuis zat. Ik bedoel, ze woonden zo goed als samen.'

Annie zag dat Winsome dat noteerde. 'Dat veranderde gedrag dat je de laatste tijd bij meneer Hardcastle opmerkte,' vervolgde ze. 'Kun je me daar iets meer over vertellen?'

'Hij was de afgelopen weken een beetje chagrijnig,' zei Maria. 'Hij schreeuw-de een keer tegen me omdat ik een tafel op een verkeerde plek op het toneel had gezet. Dat doet hij normaal gesproken nooit.'

'Wanneer was dat?'

'Dat kan ik me niet precies meer herinneren. Een dag of tien geleden.'

Vernon Ross staarde kwaad naar Maria, alsof ze staatsgeheimen prijsgaf. 'Een ruzietje tussen geliefden, als u het mij vraagt,' zei hij.

'Een ruzietje dat twee weken duurt?' zei Annie.

Ross wierp Maria nogmaals een strenge blik toe. 'Het kwam op dat moment niet echt ernstig over,' zei hij. 'Maria had die tafel nu eenmaal op de ver-keerde plek neergezet. Het was een domme vergissing. Daardoor had de ac-teur volledig uit zijn concentratie kunnen raken. Meer had het echter niet om het lijf. Zo erg was het nu ook weer niet. Mark had gewoon een slecht hu-meur. Dat overkomt ons allemaal weleens. Er was verdorie absoluut niets wat hem tot zelfmoord kan hebben aangezet.'

'Mits hij tenminste zelfmoord heeft gepleegd,' zei Annie. 'Hebt u enig idee wat er allemaal aan de hand was, meneer Ross?'

'Ik? Nee.'

'Weet iemand van jullie of meneer Hardcastle buiten de toneelwereld nog iemand had met wie hij een hechte band had? Iemand met wie hij kon praten en bij wie hij zijn hart kon uitstorten? Afgezien van Derek Wyman.'

Niemand zei iets.

'Weet iemand dan waar hij oorspronkelijk vandaan kwam?'

'Barnsley,' zei Maria.

'Hoe weet je dat?'

'Hij maakte er altijd grapjes over, zei dat hij in zijn jeugd noodgedwongen supporter van het plaatselijke voetbalteam was, omdat iedereen anders zou denken dat hij een nicht was. Dat kwam natuurlijk ter sprake toen Barnsley de halve finale van de FA Cup op Wembley bereikte en iedereen het erover had dat ze Liverpool en Chelsea hadden verslagen. Jammer dat ze de finale niet hebben gehaald. Mark heeft het ook één keer over zijn vader gehad. Hij vertelde toen dat hij in de mijnen werkte. Ik had het idee dat het geen gemakkelijke plek was voor een homoseksueel om op te groeien.'

'Dat kan ik me wel indenken,' zei Annie, die nog nooit in Barnsley was geweest. Het enige wat ze erover wist was dat het in Zuid-Yorkshire lag en dat er vroeger veel kolenmijnen waren. Ze had zo het vermoeden dat de bewoners van de meeste mijndorpen homoseksuelen niet direct met open armen zouden ontvangen.

Ze richtte het woord tot de andere aanwezigen. 'Is er afgezien van mevrouw Wolsey en meneer Ross nog iemand anders die een goede band had met Mark Hardcastle?'

Een meisje antwoordde: 'We hadden allemaal een goede band met Mark. Hij gaf je het gevoel dat je bijzonder was. Je kon met hem over alles praten. En niemand was zo vrijgevig als hij.'

'Besprak hij zijn problemen met jou?'

'Nee,' zei het meisje, 'maar hij luisterde wel naar die van anderen en gaf goede raad, als ze daar behoefte aan hadden. Hij drong zich niet op. Hij was heel wijs. Ik kan het niet geloven. Ik kan dit allemaal gewoon niet geloven.'

Ze begon te huilen en haalde een zakdoek tevoorschijn.

Annie keek zijdelings naar Winsome ten teken dat ze klaar waren, pakte toen een paar visitekaartjes uit haar tas en deelde deze uit.

'Als iemand van jullie nog iets te binnen schiet, aarzel dan niet en bel ons, alsjeblieft,' zei ze. Toen keek ze Vernon Ross weer aan en zei: 'Meneer Ross, zou u met ons willen meegaan naar het mortuarium, alstublieft, als het schikt?'

2

'Hebbes!' zei Annie. Ze stak opgetogen een gebalde vuist in de lucht. Het was zaterdagochtend halfnegen, en Winsome en zij zaten samen met agent Doug Wilson in de gemeenschappelijke werkruimte van het hoofdbureau van politie van de westelijke divisie. Nadat Vernon Ross het lichaam van Mark Hardcastle had geïdentificeerd, hadden ze het de avond ervoor om zeven uur voor gezien gehouden en was iedereen na één drankje naar huis gegaan.

Wilson was bij de lokale winkels langsgegaan en had ontdekt dat Mark Hardcastle op vrijdagmiddag rond kwart voor een in de ijzerwarenwinkel die het eigendom was van een zekere meneer Oliver Grainger een stuk gele waslijn had gekocht. Er had bloed op zijn handen en gezicht gezeten, en Grainger dacht dat hij zichzelf misschien bij een of andere timmerklus had verwond. Toen hij ernaar vroeg, had Hardcastle heel nonchalant gereageerd alsof er niets aan de hand was. Zijn zwarte windjack zat helemaal tot boven aan toe dichtgeritst, dus Grainger had niet gezien of er ook bloed op zijn armen zat. Hardcastle had ook sterk naar whisky geroken, hoewel hij zich niet gedroeg alsof hij dronken was. Volgens Grainger kwam hij juist opmerkelijk kalm en berustend over.

Tijdens het doornemen van de rapporten van de technische recherche die op haar bureau lagen, kwam Annie erachter dat grondig speurwerk tussen de kranten en tijdschriften in de kofferbak van Mark Hardcastles auto een brief had opgeleverd. De inhoud van de brief was niet belangrijk, een oude wijn-aanbieding van John Lewis, maar hij was geadresseerd aan Laurence Silbert, Castleview Heights 15, en op een of andere manier tussen het oud papier beland. Castleview Heights was ontzettend chique.

'Wat?' vroeg Winsome.

'Volgens mij heb ik zijn vriend gevonden. Hij heet Laurence Silbert en woont in de Heights.' Annie stond op en griste haar jasje van de rugleuning van haar stoel. 'Winsome,' zei ze, 'zou jij hier op de winkel willen passen en een begin maken met de gesprekken als ik niet op tijd terug ben?'

'Natuurlijk,' zei Winsome.

Annie draaide zich om naar Doug Wilson. Met zijn jeugdige uiterlijk – dat hem, in combinatie met zijn bril, op het bureau de bijnaam 'Harry Potter' had opgeleverd – zijn weifelende houding en de neiging te gaan stotteren wanneer hij onder druk stond, was hij niet de geschiktste persoon om gesprekken te leiden, maar het enige waaraan het hem ontbrak, meende Annie, was iets meer zelfvertrouwen, en dát kreeg hij alleen maar door praktijkervaring. 'Zin om mee te gaan, Doug?' vroeg ze.

Winsome gaf Wilson een knikje om hem ervan te verzekeren dat het goed was en dat ze zich niet achtergesteld voelde. 'Nou en of, inspecteur,' zei hij. 'Heel graag.'

'Moeten we niet eerst iets meer over de situatie zien te achterhalen?' vroeg Winsome.

Annie stond al bij de deur, met Wilson in haar kielzog. Ze draaide zich om. 'Zoals wat?'

'Nou ja… u weet wel… het is een vrij chique buurt, de Heights. Misschien is die Silbert wel getrouwd of zo? Ik bedoel, u kunt daar toch niet zomaar naar binnen banjeren zonder iets meer van zijn thuissituatie af te weten? Stel dat hij een vrouw en kinderen heeft?'

'Dat lijkt me sterk, want volgens Maria Wolsey woonden Mark en hij praktisch samen,' merkte Annie op. 'Als Laurence Silbert inderdaad getrouwd is en kinderen heeft, dan hebben zijn vrouw en kinderen volgens mij het recht op de hoogte te worden gesteld van Mark Hardcastle, vind je ook niet?'

'Misschien hebt u wel gelijk,' zei Winsome. 'Ik wilde alleen maar aangeven dat u er goed aan doet dit voorzichtig aan te pakken. Pas op dat u niemand beledigt. Heel wat van de bewoners daar zijn bevriend met de hoofdcommissaris en assistent-hoofdcommissaris McLaughlin, weet u. Geeft u me een belletje om me te laten weten hoe het is gegaan?'

'Ja, mam.' Annie glimlachte om haar stekelige reactie te verzachten. 'Zodra ik meer weet,' voegde ze eraan toe. 'Doci.'

Agent Wilson zette zijn bril op en vloog achter haar aan de deur uit.

Winsome had zich nog heel voorzichtig uitgedrukt toen ze de Heights, zoals de wijk in de directe omgeving bekendstond, als 'vrij chique' omschreef, vond Annie toen Wilson de auto op straat voor nummer 15 stilhield. Het was ontzettend chique en had de reputatie een exclusieve club te zijn voor de rijken en geprivilegieerden van Eastvale. Als je hier een huis met een miljoen pond afrekende, kreeg je daar vrijwel geen wisselgeld voor terug. Als je er tenminste al een vond dat te koop stond, en áls de bewonersvereniging en de buurtwachtcommissie je referenties goedkeurden, natuurlijk. Blijkbaar hadden ze

Laurence Silbert goedgekeurd, dacht Annie bij zichzelf, wat inhield dat hij geld en status bezat. Zijn homoseksualiteit hoefde niet per se een probleem te vormen, zolang hij zich maar discreet gedroeg. Wilde feesten met schandknapen die tot in de kleine uurtjes voortduurden, zouden daarentegen enige plaatselijke afkeuring kunnen oproepen.

Toen Annie uit de auto stapte, wist ze meteen weer waarom de buurtbewoners hun uiterste best deden hun leefomgeving te beschermen tegen en af te schermen voor het gepeupel. Ze was er sinds ze in Eastvale was komen werken een paar keer geweest, maar was haast vergeten hoe schitterend het uitzicht er was.

Recht voor haar in zuidelijke richting kon ze over de daken van leisteen en flagstone en de kromme schoorstenen van de rijen huizen onder haar helemaal tot aan het marktplein kijken, waar kleine menselijke stipjes druk bezig waren met hun eigen beslommeringen. Links van de Normandische kerktoren, aan de andere kant van de Maze, stond de kasteelruïne op de heuvel en daarvoor, aan de voet van de kleurrijke tuinen tegen de heuvelhelling, klaterde de rivier de Swain over een serie watervalletjes, en wierp een witte nevel van druppels en schuim op. Direct aan de overkant van het water lag The Green met zijn achttiende-eeuwse twee-onder-een-kapwoningen en indrukwekkende, oeroude bomen. Het gebied daarachter, met de rijtjeshuizen van rode baksteen, twee torenflats en maisonnettes van de wijk East Side die door de gaten in het groene gebladerte opdoken, en de daarachter gelegen treinsporen, was heel wat lelijker. Nog verder weg zag Annie achter de Vale of York de steile helling van Sutton Bank oprijzen.

In het zuiden, achter het marktplein en het kasteel, ontwaarde ze op de linkeroever ook het begin van Hindswell Woods, maar de plek waar Mark Hardcastles lichaam was aangetroffen, lag voorbij een bocht in de rivier en was aan het zicht onttrokken.

Annie ademde de buitenlucht in. Het was alweer een prachtige dag, geurig en mild. Agent Wilson stond met zijn handen in zijn zakken op instructies te wachten en Annie keek naar het huis. Het vormde een indrukwekkende aanblik: een ommuurde tuin met een zwarte, gietijzeren toegangspoort omringde het met puntgevels gesierde, uit plaatselijk gewonnen kalksteen opgetrokken landhuis met enorme ramen met sierspijlen en muren die schuilgingen onder klimop en clematis.

Een korte, met kiezels bedekte oprit leidde van de poort naar de voordeur. Rechts van het huis stond een oud koetshuis waarvan het onderste gedeelte was omgebouwd tot garage. De dubbele deuren stonden open en Annie zag een buitengewoon fraai gestroomlijnde, schitterende, dure zilveren Jaguar staan. Er was voldoende ruimte over voor Hardcastles oude Toyota, schatte Annie. Dat was bepaald niet het type auto dat de buren graag in hun straat geparkeerd zouden zien, hoewel de huizen hier over het algemeen vrij ver van elkaar af stonden en zo goed van elkaar werden afgescheiden door hoge muren en brede gazons dat de mensen die erin woonden zo min mogelijk met elkaar van doen hoefden te hebben.

Mark Hardcastle had dus niet alleen geluk gehad in de liefde, maar ook nog eens een rijke vriend aan de haak geslagen. Annie vroeg zich af hoe belangrijk dat voor hem was geweest. Zijn recente leven had mijlenver afgestaan van dat als mijnwerkerszoon uit Barnsley en Annie werd steeds nieuwsgieriger naar de mysterieuze Laurence Silbert.

Annie tikte met de koperen klopper in de vorm van een leeuwenkop op de voordeur. Het gebonk weerkaatste door de hele wijk, waar het erg rustig was, afgezien van het gegons van het verkeer uit de lager gelegen stad en het gekwetter van de vogels in de bomen. Binnen in het huis bleef het echter stil. Ze klopte nogmaals. Nog steeds niets. Ze voelde aan de klink. De deur zat op slot.

'Zullen we de achterkant even proberen, inspecteur?' vroeg Wilson.

Annie tuurde door de ramen aan de voorkant naar binnen, maar ontwaarde slechts schemerige, lege kamers. 'We zijn er nu toch,' zei ze.

Tussen het koetshuis en het hoofdgebouw door liep een paadje naar een uitgestrekte achtertuin, compleet met heggen, een goed onderhouden gazon, een houten schuurtje, bloembedden en een slingerend tegelpad. In het voorbijgaan legde Annie haar hand op de motorkap van de Jaguar. Koud. In de tuin stond een witte metalen tafel met vier stoelen in de schaduw van een plataan.

'Zo te zien is er niemand thuis,' zei Wilson. 'Zou die Silbert misschien op vakantie zijn?'

'Zijn auto staat anders in de garage,' merkte Annie op.

'Misschien heeft hij er wel meer dan een… zo'n rijke vent als hij… een Range Rover bijvoorbeeld? Voor een tocht langs zijn landerijen?'

Wilson had een levendige fantasie, dat moest Annie hem nageven. Aan de achterkant van het huis was een ruime serre aangebouwd, compleet met ruwe, gewitte muren en een rustieke houten tafel met stoelen. Ze voelde aan de deurklink en kwam tot de ontdekking dat de deur open was. Op de tafel lag een stapeltje kranten van de vorige zondag.

De deur die toegang gaf tot het huis zelf zat wel op slot, dus klopte ze erop en riep ze Silberts naam. Er volgde een diepe stilte waardoor de haren in haar nek recht overeind gingen staan. Er was iets goed mis; dat voelde ze gewoon.

Had ze een goede aanleiding om zich zonder huiszoekingsbevel toegang te verschaffen? Zij vond zelf van wel. Er was een man dood aangetroffen en een brief in zijn bezit toonde duidelijk een verband aan met dit adres.

Annie wikkelde een van de kranten om haar hand en sloeg het raam recht boven het slot in. Ze had geluk. Aan de binnenkant zat een flinke sleutel die het nachtslot opende toen ze hem omdraaide. Ze konden naar binnen.

De binnenkant van het huis deed somber en kil aan na de lichte, warme serre, maar toen haar ogen eenmaal gewend waren en ze doorkreeg dat ze zich in de woonkamer bevond, zag Annie dat deze vrij vrolijk was ingericht met kleurrijke, moderne schilderijen aan de muren – reproducties van Chagall en Kandinsky – en verf en behang in lichte, luchtige tinten. Er kwam beneden alleen niet zoveel licht binnen. De kamer was leeg, op een driedelige zithoek, een zwarte vleugel en een reeks in de muren ingebouwde boekenkasten met voornamelijk oude, in leer gebonden boeken na.

Ze liepen naar de keuken, die voorzien was van de allernieuwste snufjes, met glanzend witte tegels, een aanrecht van geborsteld staal en alle mogelijke soorten keukengerei die een chef-kok zich maar kon wensen. Alles was smetteloos schoon. Het kookgedeelte werd door een lang kookeiland van de eetkamer gescheiden. Het was duidelijk dat Hardcastle en Silbert graag gasten ontvingen en dat minstens een van hen het leuk vond om te koken.

Een brede, met tapijt beklede trap met glanzende leuningen en lambrisering voerde vanuit de gang naar de eerste verdieping. Terwijl ze naar boven liepen, riep Annie af en toe hardop Silberts naam, voor het geval hij ergens anders in het huis was en hen niet had gehoord, maar als antwoord kreeg ze telkens dezelfde kille, spookachtige stilte. Op de overloop lag dikke, donkere vloerbedekking met daarin een patroon geweven en hun voeten maakten geen enkel geluid toen ze rondliepen en de kamers inspecteerden.

Achter de derde deur vonden ze Laurence Silbert.

Gelukkig konden ze vanaf de drempel het lichaam al zien dat met gespreide armen en benen op een kleed van schapenvacht voor de open haard lag. Silbert – Annie ging er tenminste vanuit dat het Silbert was – lag met uitgestrekte armen op zijn rug in de vorm van een kruis op het kleed. Zijn hoofd was tot moes geslagen en een donkere krans van bloed was in de schapenwol eromheen gesijpeld. Hij had een bruine katoenen broek aan en een overhemd dat ooit wit was geweest, maar nu overwegend donkerrood was gekleurd. Het gedeelte tussen zijn benen was ook bloederig, maar Annie durfde niet te zeggen of dat door andere verwondingen kwam of door bloed dat uit de hoofdwonden was gestroomd.

Ze rukte haar ogen met moeite los van het lichaam en keek de kamer rond.

Net als de rest van het huis vormde ook de zitkamer boven, compleet met Adamhaard, een vreemde mengeling van antiek en modern. Boven de lege haard hing een ingelijste prent die Annie heel erg aan Jackson Pollock deed denken. Misschien was het echt een Jackson Pollock. Zonlicht stroomde door het hoge schuifraam naar binnen en verlichtte de Perzische tapijten, het antieke bureau en de bruine leren sofa.

Annie werd zich er vaag van bewust dat Wilson kreunde en hoorde hem voordat hij de badkamer had weten te bereiken al op de overloop overgeven. Bleek en trillend deed ze de deur dicht en tastte ze naar haar gsm. Ze belde eerst hoofdinspecteur Gervaise op haar privénummer en legde uit wat er aan de hand was. Dat deed ze niet omdat ze niet wist wat ze moest doen, maar omdat je bij een ernstige kwestie als deze je baas daar direct van op de hoogte bracht, want anders kon de hele zaak weleens een akelig staartje krijgen. Zoals verwacht zei Gervaise dat zij zelf de technische recherche, fotograaf en politiearts zou bellen, en ze vervolgde: 'Zeg, inspecteur Cabbot?'

'Ja?'

'Ik denk dat het tijd wordt om inspecteur Banks terug te halen. Ik weet dat hij vakantie heeft, maar dit kon weleens een heel lastige aangelegenheid worden en het gaat tenslotte wel om de Heights. Het is belangrijk dat we een ervaren, gezaghebbend iemand aan het hoofd van het onderzoeksteam hebben staan. Dat is niet als kritiek aan jouw adres bedoeld.'

'Zo heb ik het ook niet opgevat, hoofdinspecteur,' zei Annie, die eigenlijk vond dat ze de situatie heel goed zelf afkon met Winsome en Doug Wilson. 'Zoals u wilt.'

Terwijl ze tegen de muur geleund naar de asgrauwe Wilson keek die met zijn hoofd tussen zijn handen geklemd op de trap zat en Banks mobiele nummer opzocht in het adressenbestand van haar BlackBerry, bedacht Annie dat haar telefoontje Banks vast en zeker zou storen bij zijn zaterdagse vrijpartij. Toen sprak ze zichzelf inwendig bestraffend toe voor die lelijke gedachte en drukte ze op de beltoets.

Alan Banks rekte zich uit en stak genietend zijn hand uit naar het kopje lauwe thee op het nachtkastje. De zon scheen, de zalige ochtendwarmte gleed door het op een kier openstaande raam naar binnen, de vitrage wapperde zacht. Op de digitale wekker op de dock van zijn iPod zong Tinariwen 'Cler Achel', de elektrische gitaar liet zo nu en dan van zich horen met een Bo Diddley-achtige riff, en het geluk lachte hem aan alle kanten toe. De kleine halve cirkel van gebrandschilderd glas boven het grote raam liet het zonlicht in een gloed van rood, groen en goud door. De eerste keer dat Banks in die kamer wakker werd, had hij een flinke kater gehad en had hij heel even het gevoel gehad alsof hij was doodgegaan en in de hemel beland.

Sophia moest helaas werken, gelukkig alleen de ochtend maar. Banks zou haar bij Western House ophalen en dan met haar gaan lunchen in The York-shire Grey, een kleine pub vlak bij Great Portland Street die ze allebei erg leuk vonden. Die avond gaven ze een dinertje en ze zouden de middag gebruiken om ingrediënten in te slaan op een van haar favoriete boerenmarkten, waar-schijnlijk in Notting Hill. Banks wist precies hoe het zou gaan. Hij was al een paar keer eerder met Sophia mee geweest en vond het leuk toe te kijken hoe ze vreemd gevormde, apart gekleurde fruit- of groentesoorten uitkoos, ze met een blik van kinderlijke verwondering en concentratie op haar gezicht in haar handen woog, en met het puntje van haar tong tussen haar tanden geklemd de stevigheid en schil controleerde. Ze maakte vaak een praatje met de markt-kooplui, vroeg hun van alles en nog wat, en vertrok meestal met meer spullen dan ze aanvankelijk van plan was geweest te kopen.

's Avonds zou hij voor de vorm aanbieden om te helpen met koken, maar hij wist allang dat Sophia hem alleen maar uit de keuken zou zetten. Hij mocht hooguit wat groente snijden of een salade klaarmaken, maar daarna werd hij geheid met een glas wijn naar de tuin verbannen om daar wat te lezen. De bijzondere kunst van het koken was alleen aan Sophia voorbehouden. Hij moest toegeven dat ze dat dan ook voortreffelijk en met flair deed. Hij had in jaren niet zo heerlijk gegeten, of eigenlijk nóóit, als hij eerlijk was. Zodra de gasten weer waren vertrokken, ruimde hij de vaatwasser in, terwijl Sophia hem met een glas wijn in haar hand tegen het aanrecht geleund aan een kruis-verhoor onderwierp over de verschillende gangen, waarover ze een eerlijk oordeel verlangde.

Banks zette zijn kopje neer en liet zich achteroverzakken. Hij rook aan het kussen naast hem waarop Sophia had gelegen. De geur van haar haren was als een herinnering aan de appels die hij eens op een prachtige herfstdag in zijn jeugd met zijn vader in de boomgaard had geplukt. Zijn vingers voelden de aanraking van haar huid en dat veroorzaakte de enige rimpel in de warme omhelzing van de zee van zijn gelukzaligheid.

De vorige avond had hij tijdens het vrijen tegen haar gezegd dat ze een prach-tige huid had, waarop ze lachend had geantwoord: 'Ja, dat heb ik vaker ge-hoord.' Wat hem dwarszat, was niet de milde ijdelheid, haar besef van haar eigen schoonheid – dat vond hij juist best sexy – maar de somber stemmende wetenschap dat andere mannen vóór hem ook zo dicht bij haar waren ge-weest dat ze haar dat konden vertellen. Een dergelijke gedachtegang leidt tot waanzin, hield hij zichzelf voor, of op zijn minst diepe ellende. Als hij toegaf aan beelden van een naakte, lachende Sophia met iemand anders, wist hij niet of hij zijn geestelijk evenwicht kon bewaren. Hoeveel minnaars ze ook had gehad, wat hij en zij samen deden was voor hen de eerste keer. Zo moest hij het zien en niet anders. John en Yoko hadden gelijk: *Two Virgins*.

Afgelopen met dat geluier en die sombere gedachten, sprak Banks zichzelf streng toe. Het was negen uur, tijd om op te staan.

Nadat hij had gedoucht en zich had aangekleed, ging hij naar beneden. Hij besloot die ochtend naar het Italiaanse buurtrestaurantje te gaan om daar de kranten te lezen, terwijl de rest van de wereld aan hem voorbijtrok, en misschien had hij daarna nog net genoeg tijd om onderweg naar Fitzrovia bij de HMV in Oxford Street binnen te wippen om te kijken of de nieuwe cd van Isobel Campbell en Mark Lanegan al was verschenen.

Sophia's rijtjeshuis stond in een smalle zijstraat van King's Road. Dat had ze overgehouden aan haar echtscheiding, want anders had ze zich een dergelijke locatie nooit kunnen veroorloven. Inmiddels was het ongetwijfeld een fortuin waard. Het had een pastelblauwe voorgevel die Banks een beetje deed denken aan het blauw van Santorini, wat waarschijnlijk ook de bedoeling was, aangezien Sophia half-Grieks was, met wit houtwerk en wit geschilderde, houten luiken. Er was geen voortuin, maar op ongeveer een meter van de voordeur stond een laag, bakstenen muurtje, zodat de deur niet direct op de straat uitkwam. Hoewel het vanbuiten heel smal oogde, liep het perceel vrij ver door naar achteren en verbreedde de ruimte zich op Tardisachtige wijze zodra je eenmaal binnen was: aan de rechterkant de woonkamer, links de trap, aan het uiteinde van de gang de eetkamer en keuken, en helemaal achteraan een tuintje waar je in de schaduw kon zitten, en waar Sophia kruiden had geplant en een paar bloembedden had aangelegd.

Op de eerste verdieping waren twee slaapkamers, waarvan een met een aangrenzende douche en toilet, en openslaande deuren die toegang gaven tot een piepklein gietijzeren balkon met een paar stoelen, een rond ijzeren tafeltje en enkele flinke terracotta potten met planten. Ze hadden al een tijdje niet buiten gezeten vanwege de regen en de eindeloos durende, rumoerige verbouwingswerkzaamheden in het pand ernaast. Boven de slaapkamers bevond zich een verbouwde zolder die dienstdeed als Sophia's werkkamer.

Het huis stond vol spullen. Op tafels met dunne pootjes en een ivoren of paarlemoeren tafelblad stonden smaakvol opgestelde fossielen, stenen potjes, amforen, victoriaanse schelpendoosjes, Limoges-porselein, kristallen, agaten, zeeschelpen en gladde kiezels die Sophia van overal ter wereld had verzameld. Ze wist precies waar elk stuk vandaan kwam en hoe het heette. Aan de muren hingen olieverfschilderijen, voornamelijk abstracte landschappen van kunstenaars die ze persoonlijk kende, en in elk hoekje en gaatje stond wel een beeld-houwwerk, modern van aard en van materiaalsoorten variërend van speksteen tot koper.

Sophia was ook dol op maskers en had een heel aardige verzameling. Ze hin-gen tussen de schilderijen, exemplaren van donker hout uit Afrika, kleinere van gekleurde glazen kralen uit Zuid-Amerika, beschilderde keramische mas-kers uit het Verre Oosten. Verder waren er pauwenveren, gedroogde varens en bloemen, een brok van de Berlijnse Muur, kleine dierenschedels uit de woes-tijn van Nevada en spondylusschelpen uit Peru, en aan de schoorsteenmantel hingen veelkleurige kralenkettingen uit Istanbul. Sophia zei dat ze gek was op al haar spulletjes en zich er verantwoordelijk voor voelde; ze droeg er slechts tijdelijk de zorg voor en ze zouden nog lang nadat zij er niet meer was voort-bestaan.

Een flinke verantwoordelijkheid, had Banks opgemerkt, en daarom had Sop-hia ook een super-de-luxe beveiligingssysteem laten installeren. Soms had hij het gevoel dat haar huis een museum was en zij de conservator. Misschien was hij ook wel een stuk uit de collectie, dacht hij bij zichzelf: haar eigen tamme huisagent die bij kunstzinnige aangelegenheden mocht komen op-draven. Maar dat was niet eerlijk. Ze had nooit iets gedaan om hem dat ge-voel te geven. Soms wilde hij echter maar dat hij beter begreep wat ze dacht, wat haar beweegredenen waren, wat ze echt belangrijk vond. Hij besefte dat hij haar eigenlijk nauwelijks kende; in wezen was ze heel gesloten en om-ringde ze zich graag met mensen om zelf verborgen te kunnen blijven.

Banks dacht eraan de beveiligingscode in te toetsen voordat hij vertrok. Sop-hia zou het hem nooit vergeven als hij dat vergat en er iemand inbrak. Aan de verzekering had ze in dat geval niets. De spullen waren geen van alle waarde-vol, afgezien van een paar schilderijen en beelden misschien, maar voor haar bezat alles een onschatbare waarde. Het waren ook typisch voorwerpen waar-op een inbreker zijn frustratie zou botvieren over het feit dat hij niets aantrof wat geld opbracht.

Banks ging bij een kiosk langs om de *Guardian* te kopen, die volgens hem op zaterdag de beste bijlage met recensies had, en liep toen naar het Italiaanse restaurantje voor een espresso en een chocoladecroissant. Waarschijnlijk niet het gezondste ontbijt dat je je kon voorstellen, maar wel verrukkelijk. Hij hoefde gelukkig niet op zijn gewicht te letten. Cholesterol was een andere kwestie. Zijn dokter had hem een kleine dosering statins voorgeschreven, waarna hij zelf de conclusie had getrokken dat het probleem daarmee uit de wereld was en hij min of meer kon eten wat hij wilde. Hij hoefde immers alleen maar te letten op wat hij at als hij de pillen níét slikte?

Hij liep met zijn espresso en croissant naar een van de tafeltjes bij het raam, maar voordat hij goed en wel zat ging zijn gsm over. Hij drukte op de antwoordtoets en hield het telefoontje bij zijn oor. 'Met Banks.'

'Alan. Sorry dat ik je tijdens je vrije weekend stoor,' zei Annie, 'maar er is hier een crisis op handen. De hoofdinspecteur denkt dat we jouw hulp nodig hebben.'

'Hoezo? Wat is er dan?'

Annie vertelde hem wat ze wist.

'Dat klinkt typisch als een geval van moord gevolgd door zelfmoord,' zei Banks. 'Allemachtig, Annie, kunnen Winsome en jij dat niet afhandelen? Sophia geeft vanavond een etentje.'

Hij hoorde dat Annie haar adem inhield en de veelzeggende stilte die daarop volgde. Hij wist dat ze Sophia niet mocht en weet dat aan pure jaloezie. Een versmade vrouw, dat idee. En dat terwijl hij haar nooit echt had versmaad, hoewel hij haar een tijdje terug wel de deur had gewezen toen ze in een dronken bui naar zijn cottage was gekomen met de bedoeling hem te verleiden. Er was eerder sprake van dat zíj hém had versmaad. De meeste mensen waren blij voor hem – zijn zoon Brian en diens vriendin Emilia, zijn dochter Tracy, Winsome Jackman, voormalig hoofdinspecteur Gristhorpe, zijn beste vriend. Alleen Annie niet.

'Dit is niet mijn idee,' zei ze ten slotte. 'Ik snap ook echt niet hoe je daarbij komt. Sophia's etentje verpesten door jou weg te roepen is wel het laatste wat ik wil. De opdracht komt van hogerhand. Je weet dat we enorm onderbezet zijn. Bovendien kon dit weleens een belangrijke, lastige zaak worden. Het gaat om welgestelde inwoners – Castleview Heights – en de homoseksuele gemeenschap. Ja, ik ben het met je eens dat het tot dusver veel weg heeft van een moord gevolgd door zelfmoord, maar de resultaten van het forensisch onderzoek zijn nog niet binnen en we weten bijna niets af van de slachtoffers.'

'Je weet best dat het forensisch rapport op zijn vroegst pas halverwege volgende week binnenkomt. Je had dat ook eerst even kunnen afwachten voordat je mij belde.'

'Ach, val toch dood, Alan,' zei Annie. 'Hier zit ik echt niet op te wachten. Ik geef alleen de boodschap maar door. Kom hierheen en doe je werk. Als je daar bezwaar tegen hebt, ga je maar klagen bij de hoofdinspecteur.'

Ze hing op en liet Banks luisterend naar de stilte achter, met de chocoladecroissant halverwege zijn mond.

Annie stond achter het afzetlint dat zigzaggend voor de deur van de woonkamer was gespannen en sloeg Peter Darby, hun fotograaf, gade, die voor de tweede keer in twee dagen tijd hard aan het werk was. Inwendig was ze nog altijd razend op Banks, maar vanbuiten was ze een en al zakelijkheid. Ze was geschokt door wat ze had gezien en had daardoor iets te fel gereageerd, dat was inderdaad waar, maar ze ergerde zich tegenwoordig om het minste of geringste aan Banks zonder dat die daar veel voor hoefde te doen. Wie dacht hij verdorie dat hij was, dat hij haar wel even zou vertellen wat ze wel en niet moest doen?

Stefan Nowak had op dat moment de leiding. Hij stond met een klembord in zijn hand naast Annie taken af te vinken, terwijl zijn team van technisch rechercheurs van top tot teen uitgerust klaarstond om aan de slag te gaan zodra het kon. Enkele teamleden waren al aan het werk op de overloop, waar bloedvlekken op het tapijt zaten en vegen op de muur, alsof de moordenaar daar per ongeluk tegenaan was gekomen toen hij ervandoor ging.

De kamer was niet erg groot en hoe minder mensen er tegelijkertijd in aanwezig waren, des te beter, had Nowak gezegd, dus hield hij het aantal aanwezigen beperkt en handhaafde hij een strenge toegangscontrole. Iedereen die naar binnen ging, diende uiteraard volledig in beschermende kleding te zijn gestoken en hun namen werden op een lijst bijgehouden. Zelfs Annie en Doug Wilson hadden zich in de juiste uitrusting gehuld. Dokter Burns, politiearts en forensisch patholoog, had geconstateerd dat het slachtoffer was overleden en onderzocht het lichaam nu om te zien wat voor informatie hij kon vergaren.

Het huis en de tuin waren helemaal als plaats delict afgezet, maar deze kamer vormde het middelpunt van het onderzoek en werd streng bewaakt. Alleen degenen die toestemming hadden gekregen van Nowak kwamen verder dan de deur en dan alleen in de volgorde die hij had bepaald. Gelukkig hadden Annie en Wilson het lichaam gevonden en waren zij geen van tweeën de ruimte binnengegaan, dus had Nowak voor de verandering eens te maken met een plaats delict die zo ongerept was als hij zich maar kon wensen.

Annie liep naar Wilson, die in zijn witte overall nog steeds op de trap bij zat te komen en sloeg een arm om zijn schouders. 'Gaat het, Dougie?'

Wilson knikte met zijn bril losjes in zijn hand. 'Sorry, inspecteur, u zult me wel een ontzettend watje vinden.'

'Welnee, joh,' zei Annie. 'Zal ik wat water voor je halen of zoiets?'

Wilson kwam wankel overeind. 'Ik haal het zelf wel, als u het niet erg vindt,' zei hij. 'Je niet laten kisten, zo heet dat toch?' Hij strompelde naar beneden. Ook daar waren mensen van de technische recherche aan het werk, wist Annie, en zij zouden er wel voor zorgen dat Wilson overal van afbleef.

Toen Annie terugkwam bij de deur van de woonkamer had dokter Burns net het uitwendig onderzoek afgerond. Zodra hij de kamer had verlaten, stuurde Nowak de sporenexperts naar binnen om bloed, haar en alle andere monsters die ze konden vinden te verzamelen, en onder hen bevond zich ook een expert op het gebied van bloedpatronen. Voor een onervaren leek oogde de kamer als één grote puinhoop, maar een deskundige als Ralph Tonks las hem als een plattegrond en zag wie er was geweest, wat deze persoon een ander had aangedaan en waarmee.

Annie ging met hem mee naar binnen. Ze moest het stoffelijke overschot van dichtbij bekijken. Ze nam het Wilson niet kwalijk dat hij misselijk was geworden. Zelf had ze inmiddels de nodige plaatsen delict gezien, maar deze keer werd ook zij flink van haar stuk gebracht: de blinde razernij waarvan alles getuigde, het bloed en de stukken hersenen die overal aan kleefden, het gevoel van zinloze agressie. Gelakte antieke tafeltjes waren omvergeworpen en vernield, vazen aan diggelen gesmeten, spiegels en kristallen voorwerpen aan gruzelementen geslagen, evenals een fles single malt whisky en een karaf port, en de vloer was bezaaid met felgekleurde bloemen, donkere vlekken en glasscherven. Nu ze er dichterbij stond, ontdekte Annie tussen de brokstukken op de vloer een ingelijste foto waarvan het glas een spinnenweb van barsten vertoonde: Mark Hardcastle met zijn arm om de schouders van de dode man. Ze keken allebei glimlachend naar de camera.

Ook zag ze dat een van Silberts ogen uit de oogkas bungelde, dat zijn voortanden een grillige rij vormden, en dat zijn lippen waren gespleten en verschrompeld. Hij was herkenbaar, maar daar was dan ook alles mee gezegd, en Annie zou niet graag degene zijn die straks een familielid moest verzoeken hem te identificeren. Via DNA kwamen ze in dat opzicht gelukkig al een heel eind.

Ze keek aandachtig naar de ingelijste prent aan de muur die ze in eerste instantie voor een Jackson Pollock had aangezien en ontdekte dat het om een boslandschap ging dat bedekt was met bloedvlekken. Het bleek trouwens helemaal geen schilderij te zijn, maar een uitvergrote foto, waarschijnlijk een digitale, en als Annie zich niet vergiste, was deze in Hindswell Woods genomen en stond helemaal links de eik waaraan Mark Hardcastle zich had opgehangen. Ze voelde een rilling langs haar rug lopen.

Ze verliet de kamer, dook onder het afzetlint door en voegde zich bij dokter Burns op de overloop. Hij stond geconcentreerd aantekeningen te maken in een zwart opschrijfboekje en ze wachtte zwijgend tot hij klaar was.

'Jezus Christus,' fluisterde Burns. Hij stopte het opschrijfboekje weg en keek haar aan. 'Zo'n brute aanval heb ik zelden meegemaakt.'

'Kunt u me al iets vertellen?' vroeg Annie.

Burns zag bijna net zo krijtwit als Wilson. 'Afgaand op de lichaamstemperatuur en de mate van lijkstijfheid schat ik dat hij twintig tot vierentwintig uur dood is,' zei hij.

Annie rekende snel terug. 'Gisteren tussen negen uur 's ochtends en een uur 's middags dus?'

'Bij benadering.'

'Doodsoorzaak?'

Dokter Burns wierp een blik over zijn schouder op het lichaam. 'Dat kun je zelf ook wel zien. Met een stomp voorwerp op zijn hoofd geslagen. Ik kan nog niet zeggen welke klap hem fataal is geworden. Het zou die op zijn keel kunnen zijn geweest. Daardoor is ongetwijfeld het strottenhoofd gebroken en de luchtpijp verbrijzeld. Dokter Glendenning zal je tijdens de lijkschouwing beslist meer kunnen vertellen. Het kan ook de klap op zijn achterhoofd zijn geweest; in dat geval liep hij waarschijnlijk juist bij de moordenaar vandaan en heeft de aanval hem totaal verrast. Het is mogelijk dat hij zich tijdens de val heeft omgedraaid en daarna heeft geprobeerd overeind te krabbelen, waardoor de andere klappen op de voorkant van zijn schedel en keel belandden.'

'Toen hij al lag?'

'Ja.'

'Jezus. Gaat u verder.'

'Op de rug van zijn handen zitten wonden en enkele knokkels zijn verbrijzeld, alsof hij zijn handen voor zijn gezicht heeft gehouden om de aanval af te weren.'

'Is de houding van het lichaam natuurlijk?'

'Zo te zien wel,' zei Burns. 'Jij denkt zeker dat iemand hem in de vorm van een kruis heeft neergelegd?'

'Ja.'

'Ik betwijfel het. Ik denk dat zijn armen vanzelf zo zijn neergekomen toen hij stierf en ze liet vallen. Een geposeerd lichaam zou veel symmetrischer ogen. Dat is in dit geval niet zo. Zie je hoe krom die rechterarm erbij ligt? Die is overigens gebroken.'

'Het wapen?'

Burns gebaarde met zijn hoofd naar de kamer achter hen. 'Dat is al in handen van de technische recherche. Een cricketbat.' Hij lachte ruw. 'Voor zover ik heb kunnen zien een die is gesigneerd door het complete Engelse team dat in 2005 de Ashes heeft gewonnen. Ik laat het aan jou over te bepalen of dat een speciale, diepere betekenis heeft.'

Annie was niet van plan zich daar nu al in te verdiepen. Misschien had de

cricketbat daar toevallig gelegen, een geschikt wapen dat zo voor het grijpen lag? Of had de moordenaar het ding meegebracht? Een boze Australië-fan? Met voorbedachten rade. Dat moest later worden vastgesteld. 'Hoe zit het met de andere verwondingen... u weet wel...' zei Annie. 'Die tussen zijn benen?'
'Na een eerste oppervlakkig onderzoek zou ik zeggen dat die ook met de cricketbat zijn toegebracht en dat het bloed dat je daar ziet afkomstig is uit de hoofdwonden.'
'Dat moet dan dus zijn gebeurd nádat hij was overleden?'
'Tja, het is mogelijk dat hij zich met zijn laatste beetje wilskracht aan het leven vastklampte, maar het bloed is daar pas na het toebrengen van de hoofdwonden terechtgekomen, zou ik zeggen. Vermoedelijk is er veel inwendige schade. Ook daarover zal de autopsie uitsluitsel moeten geven.'
'Een misdaad met een seksuele achtergrond?'
'Dat mogen jullie uitmaken. Het lijkt mij dat het bewijs daar inderdaad op duidt. Waarom zou je anders na het hoofd de genitaliën aanvallen?'
'Een misdaad uit haat misschien? Antihomo?'
'Ook dat is heel goed mogelijk,' zei Burns. 'Het kan ook eenvoudigweg een jaloerse minnaar zijn geweest. Zulke dingen komen wel vaker voor en de woeste razernij waarmee dit is gedaan wijst eveneens in die richting. Hoe het ook zij, er spelen hierbij zeker een aantal emoties met een hoog octaangehalte mee. Zo'n aanval van blinde woede heb ik nog niet eerder meegemaakt.'
Dat kun je wel stellen, dacht Annie bij zichzelf. 'Hebben er seksuele handelingen plaatsgehad?'
'Voor zover ik heb kunnen nagaan heeft er geen anale of orale penetratie plaatsgevonden en er zijn geen spermasporen zichtbaar op of naast het lichaam. Je kunt echter met eigen ogen zien dat het daarbinnen een enorme bende is, dus het is moeilijk zulke dingen definitief vast te stellen. Ik stel dan ook voor dat je het volledige rapport van de technische recherche en dokter Glendennings autopsieresultaten afwacht voordat je conclusies trekt.'
'Dank u wel, dokter,' zei Annie. 'Dat zal ik zeker doen.'
Dokter Burns beende met grote stappen de trap af.
Annie wilde hem al volgen, maar zag dat Stefan Nowak met een in leer gebonden boekje in zijn gehandschoende hand naar haar toe kwam. 'Ik dacht dat dit je misschien wel van pas zou komen,' zei hij. 'Het lag op het bureau.'
Annie nam het boekje van hem aan en keek erin. Het was een adresboek. Er stonden niet heel veel namen in, maar twee ervan trokken haar aandacht: Mark Hardcastle in Branwell Court en 'moeder' met daarachter een telefoon-

41

nummer en adres in Longborough, Gloucestershire. 'Dank je, Stefan,' zei Annie. 'Ik zal de plaatselijke politie op de hoogte stellen en ervoor zorgen dat iemand naar haar toe gaat om het haar te vertellen.' Annie herinnerde zich dat Maria Wolsey had gezegd dat Silberts moeder rijk was, en ook dat moest worden nagetrokken, evenals zijn eigen bankrekeningen. Geld was altijd een goed motief voor moord.

Annie stopte het boekje in een zakje, bleef nog een paar minuten naar de technisch rechercheurs staan kijken en vertrok toen in dezelfde richting waarin ook dokter Burns en Doug Wilson waren verdwenen. Ze had behoefte aan frisse lucht en ze waren hier voorlopig nog wel even bezig. In de achtertuin trof ze Wilson aan, die water stond te drinken en met hoofdinspecteur Gervaise praatte die zojuist was gearriveerd. Tot Annies verbazing was hoofdcommissaris Reginald Murray er ook bij.

'Hoofdinspecteur Gervaise, hoofdcommissaris Murray,' zei Annie.

'Inspecteur Cabbot,' zei Gervaise. 'Hoofdcommissaris Murray is hier, omdat hij bevriend was met het slachtoffer.'

'Bevriend is misschien iets te sterk uitgedrukt,' zei Murray, terwijl hij aan zijn kraag plukte. 'Ik kende Laurence van de golfclub. We speelden weleens een paar holes samen en kwamen elkaar af en toe tegen bij feesten op de club. Een moord in de Heights. Een afschuwelijk voorval, inspecteur Cabbot, werkelijk afschuwelijk. Dit dient zo spoedig mogelijk te worden opgelost. Ik neem aan dat inspecteur Banks op de hoogte is gesteld?'

'Hij is onderweg, meneer,' zei Annie.

'Uitstekend,' zei Murray. 'Uitstekend. Ik weet dat assistent-hoofdcommissaris McLaughlin een hoge dunk van hem heeft. Hoe eerder we dit tot op de bodem hebben uitgezocht, des te beter.' Hij wierp een blik op Gervaise. 'U vertelt Banks wel... ik bedoel...?'

'Ik zal hem heel kort houden,' zei Gervaise.

Annie glimlachte stilletjes. Iedereen wist dat Banks in de omgang met de rijke elite niet op zijn best was. 'Wilt u de plaats delict misschien bekijken, nu u hier toch bent?' vroeg ze.

Murray verbleekte. 'Dat is niet nodig, inspecteur Cabbot. Ik heb het volste vertrouwen in de mensen van mijn team.'

'Natuurlijk, meneer. Wat u wilt.'

Murray, die er bepaald niet om bekendstond dat hij een sterke maag had, slenterde met zijn handen op zijn rug weg alsof hij de rozenstruiken aan een inspectie onderwierp.

Gervaise keek Annie streng aan. 'Dat was volstrekt onnodig,' zei ze. 'Hoe gaat het tot dusver? Al ideeën?'

Annie gaf Silberts adresboekje aan Doug Wilson, verzocht hem terug te gaan naar het bureau en daar contact op te nemen met de politie in Gloucestershire. Hij keek opgelucht bij de gedachte dat hij de Heights mocht verlaten. Toen keek ze Gervaise aan. 'Nog niet echt, hoofdinspecteur.' Ze vertelde in het kort wat dokter Burns had gezegd. 'Het tijdsbestek past prima bij de moord-zelfmoordtheorie,' voegde ze eraan toe.

'Je denkt dus dat Mark Hardcastle dit heeft gedaan?'

'Het is mogelijk, ja,' zei Annie. 'Voor zover wij hebben kunnen achterhalen is hij donderdag vanuit Londen teruggereden naar Eastvale. Hij had een appartement in het centrum van de stad, maar het ziet ernaar uit dat hij daar maar heel af en toe was. Volgens Maria Wolsey van het theater woonden Laurence Silbert en hij zo goed als samen. Het kan zijn dat hij is teruggegaan naar Branwell Court en op vrijdagochtend hiernaartoe is gekomen, maar hij kan donderdagavond ook direct hiernaartoe zijn gereden en hier hebben geslapen.

Het enige wat we weten is dat Silbert vrijdag tussen negen uur 's ochtends en een uur 's middags is vermoord, en dat Hardcastle zichzelf diezelfde dag tussen een en drie uur 's middags heeft opgehangen. De hoeveelheid bloed op Hardcastles lichaam komt niet overeen met de paar schrammen die hij waarschijnlijk heeft opgelopen toen hij in de boom klom om zich op te hangen. Grainger, de man die hem het stuk waslijn heeft verkocht, meldde dat hij onder het bloed zat toen hij in de winkel was, opmerkelijk bedeesd was en naar alcohol rook.'

'Misschien is de zaak dus toch in een vloek en zucht geklaard,' merkte Gervaise half in zichzelf op. Ze stond op. 'Nu ja, laten we maar hopen dat we inspecteur Banks niet voor niets van zijn vrije weekend hebben teruggeroepen.'

'Ja, hoofdinspecteur,' zei Annie met opeengeklemde kaken. 'Laten we dat inderdaad hopen.'

Het was al lastig genoeg om Londen uit te komen, maar op de M1 was het verkeer een nog veel grotere nachtmerrie. Vlak bij Newport Pagnell waren wegwerkzaamheden aan de gang, waardoor de snelweg bijna drie kilometer lang tot één rijbaan was teruggebracht, ook al was er nergens een wegwerker te bekennen. Een stuk verderop waren twee rijbanen afgesloten vanwege een ongeluk even ten noorden van Leicester. De Porsche zoefde rustig voort, wanneer hij tenminste niet stilstond, en Banks was blij dat hij had besloten hem te houden. De auto zag er inmiddels zo gebruikt uit dat hij zich er helemaal op zijn gemak in voelde. De stereo was fantastisch en Nick Lowes 'Long Limbed Girl' klonk geweldig.

Banks was nog steeds geïrriteerd over hoofdinspecteur Gervaises beslissing om hem terug te roepen. Hij begreep ook wel dat het niet Annies schuld was, ook al had ze de indruk gewekt de taak met alle plezier uit te voeren. Bovendien kwamen ze inderdaad mensen tekort. Ze hadden zelfs nog niet eens een vervanger voor Kevin Templeton en hij was al sinds maart weg. Het was ook waar dat twee sterfgevallen op zijn minst een enorme berg papierwerk en mediabelangstelling zouden opleveren, plus een grote hoeveelheid vragen die moest worden gesteld én beantwoord. De jonge 'Harry Potter' was veelbelovend, maar nog veel te groen om de verantwoordelijkheid voor zoiets als dit te dragen en als de homoseksuele gemeenschap van Eastvale, voor zover daarvan sprake was, bij deze misdaad betrokken was, vormde brigadier Hatchley vermoedelijk eerder een blok aan het been dan een aanwinst. Nick Lowe was afgelopen en Banks zette Bowies *Pin Ups* op.

Hoewel Banks Sophia tijdens een bijzonder lastige moordzaak had leren kennen, besefte hij dat dit pas de eerste keer was sinds ze een relatie hadden dat hij vanwege een dringende kwestie was weggeroepen. Dat was tijdens zijn carrière en huwelijk met eentonige regelmaat voorgekomen en zijn ex-vrouw Sandra had er herhaaldelijk over geklaagd, totdat ze besloot haar eigen weg te gaan en hem te verlaten. Zelfs de kinderen hadden in hun jeugd gemopperd dat ze hun vader nooit zagen.

De laatste tijd was het juist erg rustig geweest. Sinds zijn kennismaking met Sophia waren er geen moorden meer gepleegd. Ook waren er geen grootschalige inbraken of ernstige zedendelicten geweest, alleen de gebruikelijke, alledaagse saaie dingen, zoals gestolen verkeerskegels. Eastvale gedroeg zich voor de verandering eens keurig. Tot nu dus. Uitgerekend dít weekend.

Hij kon een tijdlang lekker doorrijden en even voorbij de koeltorens van Sheffield ging zijn gsm. Hij zette 'Sorrow' zachter en nam op. Het was Sophia, die vanuit Western House belde.

'Wat is er?' vroeg ze. 'Is er iets aan de hand? Ik kom net uit de opnamestudio. Sorry dat ik zo laat ben. Ik kreeg net van Tana te horen dat ik je moest bellen. Waar ben je?'

'Iets ten noorden van Sheffield,' zei Banks.

'Wat?'

'Er is niets aan de hand. Met mij is alles goed. Ik ben alleen teruggeroepen vanwege mijn werk.'

'Je werk? Ik begrijp het niet. Je hebt dit weekend toch vrij?'

'Een vrij weekend is helaas niet heilig. Niet in mijn vak.'

'En het etentje dan?'

'Ik weet het. Het spijt me. Ik beloof je dat ik het zal goedma…'

44

'O, dit is echt het toppunt. Het is te laat om alles nu nog af te zeggen. Bovendien zijn Gunther en Carla uit Milaan alleen dit weekend hier.'

'Waarom zou je het afzeggen? Laat het lekker doorgaan. Geniet ervan. Ik ontmoet hen vast en zeker een andere keer wel. Zeg maar tegen iedereen dat het me spijt.'

'Wat heb ik daar nou aan? Shit, Alan! Ik had me er juist zo ontzettend op verheugd.'

'Ik ook,' zei Banks. 'Sorry.'

Er viel een korte stilte. Toen klonk Sophia's stem weer. 'Waar gaat het eigenlijk om? Wat is er zo belangrijk?'

'Dat is me nog niet helemaal duidelijk,' zei Banks, 'maar er zijn in elk geval twee mensen dood.'

'Een ernstige zaak, dus?'

'Dat zou kunnen.'

'Die verrekte baan van jou ook!'

'Ik weet hoe je je voelt. Heus. Ik kan er alleen niets aan veranderen. Zulke dingen gebeuren soms nu eenmaal. Dat heb ik je toch wel verteld?'

'Had je geen nee kunnen zeggen?'

'Dat heb ik geprobeerd.'

'Duidelijk niet overtuigend genoeg. Wie heeft er gebeld?'

'Annie.'

Opnieuw een korte stilte. 'Er zijn toch zeker wel andere mensen die dit kunnen afhandelen? Zijzelf bijvoorbeeld? Hoe briljant jij ook bent, je bent toch zeker niet de enige ervaren inspecteur in Yorkshire? Bakt zij er soms niets van?'

'Natuurlijk wel, maar zo werkt dat niet. We vormen een team. Bovendien kampen we met een tekort aan mankracht. Annie doet echt wat ze kan.'

'Je hoeft haar tegen mij heus niet te verdedigen, hoor.'

'Ik probeer alleen maar de situatie uit te leggen.'

'Hoe lang blijf je weg?'

'Geen idee. Je komt volgend weekend toch nog wel hierheen, zoals gepland?'

'En dan het risico lopen dat ik daar in mijn eentje zit? Dat weet ik nog niet, hoor.'

'Je kent hier anders heel veel mensen. Om te beginnen Harriet. En je ouders zouden toch ook deze kant uit komen? We gaan zondag toch met hen lunchen? Trouwens, we hebben ook een theaterafspraak staan.'

'Een weekend met mijn ouders en tante Harriet is niet direct wat ik in gedachten had. In mijn uppie naar het theater gaan trouwens evenmin.'

'Ik zal heus wel wat tijd kunnen vrijmaken. Sophia, ik kan hier ook niets aan doen. Je denkt toch zeker niet dat ik op dit moment niet veel liever bij jou zou zijn dan op weg naar mijn werk?'

Ze zweeg even en antwoordde toen tamelijk knorrig: 'Dat zal dan wel.'

'Laat je het etentje gewoon doorgaan?'

'Er zit weinig anders op, hè? Ik zal je wel missen. Het zal niet hetzelfde zijn.'

'Ik zal jou ook missen. Bel je me straks?'

'Als ik tijd heb. Ik moet als een speer aan het werk. Ik heb nog zoveel te doen, helemaal nu ik er alleen voor sta.'

'Soph…'

Ze had de verbinding echter al verbroken. Banks vloekte. In tegenstelling tot wat ze had gezegd, nam ze het hem nog steeds kwalijk. Een akelig gevoel van déjà vu maakte zich van hem meester, alle ruzies met zijn ex-vrouw Sandra voordat ze hem in de steek liet. Hij wist dat hij Sophia had gewaarschuwd dat dergelijke dingen konden gebeuren, dat zijn werk privéplannen in de war kon schoppen, maar hoe serieus nemen mensen zo'n waarschuwing zolang alles op gelukzalig makende rolletjes verloopt? Misschien was het juist wel goed dat Sophia al zo snel ervoer hoe veeleisend zijn baan kon zijn.

Hij zette Bowie weer harder. Hij zong: 'Where Have All the Good Times Gone?' Banks hoopte maar dat het nummer geen profetische waarde had.

3

Op zaterdagmiddag stonden er even na vijven thee en koekjes klaar in de vergaderkamer van het hoofdbureau van de westelijke divisie, wat Banks eraan deed denken dat hij de lunch had overgeslagen, een maaltijd die hij eigenlijk samen met Sophia zou hebben genoten in The Yorkshire Grey in Londen. Ach, dacht hij bij zichzelf, thee met koekjes was altijd nog beter dan niets.

Ze zaten met hun vieren met pen en opschrijfblok voor zich zo dicht mogelijk bij het whiteboard aan het uiteinde van de lange, ovale tafel: Banks, Annie, Stefan Nowak en hoofdinspecteur Gervaise. De anderen hadden Banks al bijgepraat over de gebeurtenissen in Hindswell Woods en Castleview Heights. Terwijl Banks onderweg was, waren Annie en haar team de hele dag druk in de weer geweest en het whiteboard stond volgekrabbeld met namen, cirkels en verbindingsstrepen.

'Wat we volgens mij het eerst moeten regelen,' zei Banks, 'is dat we het forensisch rapport over het bloed in handen krijgen.'

'Wat bewijst dat dan?' vroeg Annie.

'Als het bloed op het lichaam van Mark Hardcastle inderdaad dat van Laurence Silbert is en van niemand anders, zijn we heel hard op weg om aan te tonen dat de moord-zelfmoordtheorie correct is.'

'Dan zijn we er nog lang niet,' wierp Annie tegen. 'Als Hardcastle Silbert dood heeft aangetroffen, zou het een heel natuurlijke reactie zijn geweest om hem aan te raken, hem vast te houden, te proberen hem te reanimeren, iets in die geest. Misschien is Silberts bloed zo op hem terechtgekomen. Het is nog steeds mogelijk dat iemand anders Silbert heeft vermoord. Dan kan het nog steeds om moord en zelfmoord gaan, maar zou er ook nog steeds een moordenaar op vrije voeten zijn.'

'Goed opgemerkt, inspecteur Cabbot,' zei Gervaise. 'Inspecteur Banks?'

'Ik denk dat het forensisch rapport ons veel meer kan vertellen over wat er precies is gebeurd. Stefan?'

'Klopt,' zei Nowak. 'We zijn ermee bezig. We doen ons best het bloedonderzoek zo snel mogelijk uit te voeren, maar jullie weten hoe het er in het weekend in de labs aan toegaat.'

'Hoe staat het met vingerafdrukken?' vroeg Banks.

'De enige afdrukken die Vic Manson tot dusver op de cricketbat heeft aangetroffen, zijn van Mark Hardcastle. Die bat hoorde overigens in de kamer thuis. Er stond een speciale houder naast de buffetkast, compleet met koperen plaatje. We hebben ook nog niet-geïdentificeerde vingerafdrukken aangetroffen in de woonkamer boven en in andere delen van het huis, maar het kan wel even duren voordat die kunnen worden afgestreept. We zullen ze allemaal door NAFIS halen.' Nowak zweeg even. 'Ik verkondig niet graag een ongefundeerde mening,' ging hij verder, 'maar deze plaats delict oogt niet als een moord begaan door een inbreker die bij zijn bezigheden is gestoord. Niets wijst erop dat er in het huis is ingebroken. Er zijn daar heel veel waardevolle spullen aanwezig, met name schilderijen en antieke voorwerpen, en zelfs een aantal zeldzame, dure flessen wijn, zoals Château Yquem, maar er is zo te zien niets ontvreemd. Zonder een overzicht van alle bezittingen kunnen we dat natuurlijk niet met zekerheid zeggen, maar... Hoe dan ook, de aanval op het slachtoffer was emotioneel en zeer persoonlijk van aard, en de enige kamer waarin vernielingen zijn aangericht of iets bijzonders lijkt te zijn voorgevallen, is de woonkamer boven, en dat komt overeen met de theorie dat er in een vlaag van waanzin een agressieve aanval heeft plaatsgehad.'

'Zijn er sporen van braak?' vroeg Banks aan Annie.

'Nee,' zei ze. 'Alleen die van ons. Doug en ik moesten een ruit in de achterdeur inslaan om binnen te komen.'

'En de buren? Heeft iemand iets gezien of gehoord?'

'De geüniformeerde politie heeft vanmiddag met vrijwel alle bewoners van de Heights gesproken,' zei Annie, 'maar tot dusver heeft niemand gemeld dat hij of zij iets heeft gezien of gehoord. Dat is trouwens ook niet verwonderlijk,' vervolgde ze. 'Het zijn allemaal vrijstaande huizen, de meeste zijn ommuurd, en de mensen zijn erg op zichzelf en op hun hoede. Het is niet bepaald een gemeenschap waarin mensen veel met elkaar omgaan. Met geld kun je alle rust en eenzaamheid kopen die je je maar wenst.'

'Jawel, maar zulke types zijn toch juist ook heel oplettend?' zei Banks. 'Een buurtwacht en noem maar op.'

'In dit geval niet,' zei Annie. 'Hoewel we met vrij grote zekerheid kunnen aannemen dat het niet onopgemerkt zou zijn gebleven als een bewoner uit East Side door de straat was gewandeld.'

'Als het inderdaad een moord betreft,' merkte Banks peinzend op, 'kan het dus heel goed iemand zijn geweest die eruitzag alsof hij in de wijk thuishoorde.'

'Waarschijnlijk wel,' zei Annie.

'Ik neem aan dat niemand op vrijdagochtend in de buurt van Castleview Heights 15 een bebloede gedaante in een oranje T-shirt in een donkergroene Toyota heeft zien stappen en wegrijden?' vroeg hoofdinspecteur Gervaise.

'Nee,' zei Annie. 'Niemand heeft iets gezien. Ze willen er niet bij betrokken worden.'

'Kan het zijn dat iemand liegt?'

'Het is niet onmogelijk,' zei Annie. 'We gaan nogmaals met iedereen praten en verder moeten we nog verschillende bewoners opsporen, mensen die een weekendje weg waren. Ik verwacht er alleen niet al te veel van. Het enige lichtpuntje is dat er bij een aantal huizen beveiligingscamera's hangen, dus als we de opnames te pakken kunnen krijgen… Er slopen vanmiddag trouwens ook een paar verslaggevers rond, dus het nieuws zal zich snel verspreiden. We hebben geprobeerd het te vertragen door hun te vertellen dat we de naam van het slachtoffer pas kunnen vrijgeven nadat de naaste familie op de hoogte is gebracht – wat inmiddels wel zou moeten zijn gebeurd – maar ze kunnen er vrij gemakkelijk achter komen wiens huis het is. We hebben een paar agenten op wacht gezet bij de toegangspoort en ook een binnen.'

'Uitstekend,' zei Gervaise. 'Ik neem de pers wel voor mijn rekening. Is er al iets bekend over zijn moeder?'

'Nog niet,' zei Annie. 'We weten zelfs haar naam niet. Dat is ook iets waar we achteraan zullen gaan. Harry Potter heeft het korps van Gloucestershire rond lunchtijd gebeld en ze hebben toegezegd dat ze haar op de hoogte zullen stellen.'

'Hebben we al iemand gevonden die Silbert en Hardcastle persoonlijk kende?'

'Ook daar zijn we nog mee bezig,' zei Annie met een licht geërgerde klank in haar stem. 'Van degenen die we tot nu toe hebben gesproken, geeft in elk geval niemand toe hen regelmatig op de borrel of te eten te hebben gehad. De mensen die er nog het dichtst bij in de buurt komen, zijn Maria Wolsey en Vernon Ross van het theater, maar zij kenden Silbert geen van beiden goed. Afgaande op de keuken en het eetgedeelte in Castleview Heights nodigde Silbert regelmatig mensen bij hem thuis uit. Hij was duidelijk een man van de wereld, had een uitstekende opleiding genoten, was erg schrander en waarschijnlijk ook zeer welgesteld, hoewel de indruk bestaat dat het geld van zijn moeder is. Mark Hardcastle daarentegen was de zoon van een mijnwerker uit Barnsley. Verder kwam Hardcastle heel openlijk uit voor zijn homoseksualiteit, is ons verteld.' Annie wierp een blik op Gervaise. 'Kon hoofdcommissaris Murray ons nog iets vertellen over Laurence Silbert?' vroeg ze. 'Koetjes en kalfjes bij de negentiende hole, zoiets?'

Gervaise kneep haar fraai gewelfde lippen op elkaar. 'Niet echt. Hij zei dat hij hem weinig toeschietelijk vond. Ze waren niet echt bevriend, speelden alleen af en toe samen golf in een foursome, en dronken weleens wat op de club. Ik vermoed dat de hoofdcommissaris graag enige afstand wil bewaren inzake deze kwestie. Hij heeft echter nog meer vrienden in de Heights en zal dus over onze schouder meekijken. Wat vind jij eigenlijk van dit alles, inspecteur Banks? Jij hebt nog een verse kijk op de zaak.'

Banks tikte met het uiteinde van zijn gele potlood op tafel.

'Ik denk dat we in afwachting van de forensische resultaten vooral moeten blijven doorvragen,' zei hij. 'Proberen ons een beeld te vormen van het leven van Hardcastle en Silbert. Verder moeten we een gedetailleerd overzicht vergaren van alles wat ze de afgelopen twee of drie dagen hebben gedaan.'

'We hebben Hardcastles onderbuurvrouw in Branwell Court gesproken,' zei Annie nu, 'en zij bevestigt dat Hardcastle daar alleen sporadisch even was. Verder beweert een van Silberts buren dat het haar was opgevallen dat er de laatste tijd heel vaak een groene Toyota bij Silberts huis stond, wat erop zou kunnen duiden dat ze inderdaad samenleefden. Ze klonk niet echt enthousiast. Over de auto, bedoel ik.'

'Tja, dat is natuurlijk ook wel logisch,' zei Banks. 'Zoiets tast het cachet van de buurt aan.'

'Typisch een reactie van een Porsche-eigenaar,' zei Annie.

Banks glimlachte. 'Jij gelooft dus dat ze samenwoonden?' zei hij.

'Ja,' zei Annie. 'In elk geval een groot deel van de tijd. Ik heb even heel snel een kijkje genomen in de rest van het huis en ben vrij veel persoonlijke eigendommen van Hardcastle tegengekomen,' ging ze verder. 'Kleding, pakken die in dezelfde kast hingen als die van Silbert, boeken, een laptop, schetsblokken, notitieblokken. Hij gebruikte een van de kamers boven als werkruimte.'

'Waarom heeft hij het appartement dan aangehouden?' vroeg Banks. 'Hardcastle kan onmogelijk veel hebben verdiend in het theater. Waarom zou hij geld verspillen aan een appartement dat hij maar een enkele keer gebruikte? Je vertelde ook dat hij zijn post daar nog altijd liet bezorgen. Waarom had hij geen adreswijziging doorgegeven?'

'Daar zijn verschillende verklaringen voor,' zei Annie. 'Onzekerheid. Een toevluchtsoord. Een privéplekje, voor het geval dat. Wat die post betreft: voor zover ik heb kunnen ontdekken waren dat alleen maar rekeningen en reclamefolders. We zullen beide panden grondig moeten doorspitten en ik stel voor dat we met Castleview beginnen.'

'Wat mij betreft kunnen inspecteur Banks en jij morgen gaan rondsnuffelen

in dat huis,' zei Gervaise. 'Als inspecteur Nowak het goed vindt, tenminste.'
'Ik vind het prima. Waarschijnlijk zijn een paar van mijn mensen daar dan nog wel aan het werk, maar zolang jullie elkaar niet in de weg lopen...'
'Kijk maar wat jullie er kunnen vinden,' vervolgde Gervaise. 'Privépaperassen, bankafschriften, dat soort zaken. Zoals al eerder is opgemerkt weten we nog altijd niet wat Silbert voor werk deed of hoe hij aan zijn geld kwam. Hoe zat het met Hardcastle? Had hij familie?'
'Een verre tante in Australië,' zei Annie. 'Jaren geleden geëmigreerd.'
'Weten we hoe het zit met zijn belgedrag?'
'Daar wordt aan gewerkt,' zei Annie. 'Mark Hardcastle had geen mobiele telefoon, blijkbaar had hij de pest aan die dingen, maar we hebben er wel een gevonden in de zak van het colbertje van Silbert, evenals zijn portemonnee. Tot dusver heeft dat niets bijzonders opgeleverd. Eigenlijk heeft het tot dusver helemaal niets opgeleverd.'
'Geen gespreksoverzicht, telefoonlijst of opgeslagen sms'jes?' vroeg Banks.
'Helemaal niets.'
'Hij had toch wel een adresboekje?'
'Ja, maar daar stond ook bijna niets in.'
'Dat is op zich best raar, nietwaar?' zei Gervaise. 'Ik heb begrepen dat jullie ook met de schoonmaakster hebben gesproken?'
'Ja,' zei Annie. 'Mevrouw Blackwell. Heeft een uitstekende reputatie in de Heights, hebben we ons laten vertellen. Ze kon ons niet echt helpen. Zei dat meneer Hardcastle er tegenwoordig vaker wel dan niet was, dat wil zeggen, wanneer meneer Silbert thuis was. Kennelijk was hij vaak op reis. Een aardig stel, betaalde haar altijd op tijd, soms zelfs met een leuk extraatje erbij, bla bla bla. Ze waren meestal niet thuis wanneer zij kwam poetsen, dus een gezellig kletspraatje was er niet bij. Als ze al op de hoogte is van diepe, duistere geheimen, dan heeft ze daar niets over gezegd. We kunnen, indien nodig, nog een keer met haar gaan praten.'
'Ik vraag me af wat die twee bij elkaar heeft gebracht,' zei Banks. 'Hoe hebben ze elkaar leren kennen? Wat hadden ze in vredesnaam met elkaar gemeen?'
Annie keek hem koeltjes aan. 'Je kent het spreekwoord toch? De liefde is blind.'
Banks ging er niet op in. 'Zou het door het theater komen? Oppervlakkig gezien had Silbert misschien geen banden met dat wereldje, maar je kunt nooit weten. Of was het puur en alleen een kwestie van geld? Hoe rijk was Silbert eigenlijk precies?'
'We hebben nog geen tijd gehad om zijn bankrekeningen en overige bezit-

tingen na te trekken,' zei Annie. 'Dat komt deels doordat het weekend is. Misschien komen we maandag iets te weten en hopelijk kan zijn moeder ons iets meer vertellen zodra ze over de eerste schok van het verlies heen is. Zoals ik echter al zei, moet hij aardig wat poen hebben gehad om hier te kunnen wonen en die schilderijen te kunnen kopen. En die auto van hem is ook al geen oud barrel. Trouwens, nu ik eraan denk...' Annie haalde een in een plastic mapje gestoken velletje papier uit haar dossiermap. 'Dit hebben we zojuist gevonden in het dashboardkastje van de Jag. Het is een parkeerbonnetje van Durham Tees Valley Airport, van vrijdagochtend vijf voor halftien. De auto heeft daar drie dagen gestaan.'

'Waar hij ook is geweest, hij moet daar dus op dinsdag naartoe zijn gegaan,' zei Banks.

'Blijkbaar.'

'Heb je de aankomsttijden van de vluchten nagetrokken?'

'Nog niet,' zei Annie. 'Nog geen tijd voor gehad. Aan een aantal restaurantbonnen te zien die in zijn portemonnee zaten was hij in Amsterdam.'

'Interessant,' zei Banks. 'Het moet geen probleem zijn om de passagierslijsten van de vluchten te controleren. Dat is wel iets voor Doug. De vraag is dus: wat trof Silbert thuis aan toen hij op vrijdagochtend terugkeerde? Hoe ver is het hiervandaan naar het vliegveld: drie kwartier, een uur?'

'Drie kwartier, als het verkeer op de A1 meezit,' zei Annie. 'Volgens mij wordt er vanaf Durham Tees Valley niet rechtstreeks op veel bestemmingen gevlogen. Het is een vrij klein vliegveld.'

'Dat kan ik me ook herinneren,' zei Banks. 'We zijn niet zo heel lang geleden vanaf dat vliegveld naar Dublin gevlogen. Ik geloof dat BMI ook op Heathrow vliegt. Goed, hij is dus waarschijnlijk rond kwart over tien, halfelf in Castleview Heights aangekomen.'

'En om één uur was hij dood,' voegde hoofdinspecteur Gervaise eraan toe.

Ze zwegen allemaal om dit te laten bezinken. Toen zei Banks: 'Staat het echt vast dat Mark Hardcastle op woensdag en donderdag in Londen was?'

'Ja,' zei Annie. 'Hij was daar samen met Derek Wyman, de regisseur van *Othello*. In de portemonnee van Hardcastle zat een restaurantbon met de datum van woensdagavond erop en ook een voor benzine van donderdagmiddag vier voor halfdrie van het benzinestation bij Watford Gap, aan de snelweg in noordelijke richting.'

'Toen was hij dus op weg naar huis,' zei Banks. 'Als hij om vier voor halfdrie bij Watford Gap was en direct is doorgereden naar huis, moet hij hier rond halfzes zijn aangekomen, misschien zelfs iets eerder. Welk restaurant was het?'

'Een van de Zizziketen, in Charlotte Street. Een pizza trentino en een glas Montepulciano d'Abruzzo. Aan de prijs te zien een groot glas.'

'Hmm,' merkte Banks peinzend op. 'Dat zou erop wijzen dat Hardcastle in zijn eentje heeft gegeten. Of Wyman en hij betaalden ieder apart, of ze deelden een pizza. Enig idee waar Hardcastle woensdagavond heeft geslapen?'

'Nee,' zei Annie. 'We hopen eigenlijk dat Derek Wyman ons dat kan vertellen. Hij is nog niet terug. Ik ben van plan morgenochtend met hem te gaan praten.'

'Enig idee wat Hardcastle op donderdagavond heeft gedaan, toen hij weer terug was in Eastvale?' vroeg Banks.

'Wie het weet, mag het zeggen,' zei Annie. 'Hij is ongetwijfeld lekker thuisgebleven, hoogstwaarschijnlijk in Castleview. De onderbuurvrouw van Branwell Court zegt dat ze hem al een week niet heeft gezien en de meeste brieven hebben inderdaad die datum of een latere als poststempel. We hebben niemand gevonden die hem heeft zien vertrekken. Hij was niet in het theater. Het enige wat we weten is dat hij de volgende dag rond lunchtijd ruikend naar alcohol de winkel van Grainger heeft aangedaan, daar een stuk waslijn heeft aangeschaft en zichzelf daarmee in Hindswell Woods heeft verhangen. Tussen donderdagmiddag en vrijdagochtend heeft hij dus wat gedronken, of misschien wel heel veel, en mogelijk Laurence Silbert vermoord.'

'Zat er iets interessants in Silberts portemonnee?' vroeg Banks.

'Creditcards, wat contant geld, een visitekaartje, bonnetjes, rijbewijs. Hij is trouwens in 1946 geboren, dus hij was tweeënzestig. Helemaal niets wat er ook maar enigszins op duidt wat zijn beroep was of zijn inkomstenbron.'

'Een visitekaartje? Van wie? Hemzelf?'

'Nee.' Annie schoof de plastic map naar hem toe.

'Julian Fenner, import-export,' las Banks hardop voor. 'Dat is zo vaag als ik weet niet wat. Een Londens telefoonnummer. Geen adres. Vind je het goed dat ik het even bij me houd?'

'Mij best,' zei Annie. 'Misschien hield hij er nog een vriendje op na?'

'Allemaal speculaties,' zei Gervaise. 'We hebben behoefte aan betrouwbare informatie.' Ze legde beide handen op tafel alsof ze zichzelf omhoog wilde duwen om te vertrekken, maar bleef zitten. 'Goed,' zei ze. 'We gaan stug door. Er dienen nog heel wat vragen te worden beantwoord voordat we dit hoofdstuk kunnen sluiten. Heeft Ernstige Delicten momenteel veel op zijn bord?'

'Niet echt,' zei Annie. 'Een paar incidenten in de wijk East Side waarbij bendes zijn betrokken, een reeks winkeldiefstallen in het Swainsdale winkelcentrum – mogelijk georganiseerd – en een inbraak in het cadeauwinkeltje bij het kasteel. En dan natuurlijk de verkeerskegels nog. Die verdwijnen nog steeds om de haverklap. Brigadier Hatchley en de CID nemen dat grotendeels voor hun rekening.'

'Mooi,' zei Gervaise. 'Dan mag brigadier Hatchley zich druk maken over de verkeerskegels en de winkeldiefstallen. Stefan, hoe lang heeft het lab nodig voor dat bloedonderzoek, denk je?'

'De bloedgroepen van de monsters worden morgen vastgesteld,' zei Nowak. 'Dat is geen enkel probleem. DNA en toxicologie nemen uiteraard iets langer in beslag, tenzij we ze met spoed laten behandelen en dat kost geld. Op zijn vroegst halverwege de week, zou ik zeggen.'

'Enig idee wanneer dokter Glendenning de obductie gaat verrichten?'

'Ik heb hem gesproken,' zei Annie. 'Hij was niet aan het golfen, zoals iedereen dacht. Hij zat in zijn kantoortje in het ziekenhuis van Eastvale een hele berg papierwerk weg te werken. Volgens mij verveelt hij zich. Hij staat klaar om te beginnen zodra hij toestemming krijgt.'

'Dat is heel mooi,' zei Gervaise. 'Die heeft hij dan bij deze.'

'Het zal echter wel maandag worden,' zei Annie. 'Zijn personeel werkt in het weekend niet.'

'Zoveel haast hebben we er nu ook weer niet mee,' zei Gervaise. 'Bovendien is het morgen zondag. Maandagochtend is vroeg genoeg.'

'Nog één vraagje,' zei Banks. 'Denkt u dat het wellicht verstandig is dat dokter Glendenning met Laurence Silbert begint in plaats van Mark Hardcastle? Iedereen is het er tenslotte wel over eens dat het vrijwel zeker vaststaat dat Hardcastle zichzelf heeft opgehangen. Niets wijst er immers op dat er iemand anders bij hem was, Stefan?'

'Totaal niets,' zei Nowak. 'De hele plaats delict, inclusief de knoop en de schaafwonden van de waslijn, duiden op zelfmoord door ophanging. Een schoolvoorbeeld. Zoals ik al eerder heb gezegd, is het erg moeilijk iemand tegen zijn zin op te hangen. De enige vragen waarmee we nu nog zitten, zijn toxicologisch van aard.'

'Of hij was bedwelmd, bedoel je?'

'Die mogelijkheid bestaat. De eigenaar van de winkel zei dat hij zich heel kalm en berustend gedroeg, hoewel dat niet bijzonder vreemd is bij iemand die heeft besloten zichzelf van het leven te beroven en we weten zeker dat hij had gedronken. Misschien had hij ook wel iets geslikt. Hoe dan ook, we zullen de bloedmonsters zorgvuldig testen.'

'Oké,' zei Banks. 'Gaan we uit van de veronderstelling dat als Hardcastle Silbert níét zelf heeft vermoord, iemand anders dat heeft gedaan, en dat Hardcastle het lichaam heeft gevonden en zichzelf toen uit verdriet heeft verhangen?'

'Klinkt logisch,' zei Gervaise. 'Als hij het tenminste inderdaad niet zélf heeft gedaan. Heeft iemand hier bezwaar tegen?'

Dat was niet het geval.

'Goed,' vervolgde Gervaise, 'dan zullen we in de tussentijd blijven doorvragen en -zoeken, zoals inspecteur Banks voorstelde. We moeten erachter zien te komen waar ze in de uren voorafgaande aan hun dood zijn geweest en wat ze hebben gedaan. We houden hun verleden tegen het licht, hun familie, vrienden, vijanden, toekomstplannen, werk, financiën, eerdere relaties, reizen, noem maar op. Is dat duidelijk?'

Iedereen knikte. Hoofdinspecteur Gervaise pakte haar papieren op en liep naar de deur. Vlak voordat ze daardoor verdween, draaide ze zich een kwartslag om en merkte ze op: 'Ik zal mijn uiterste best doen de media zo lang mogelijk op afstand te houden, nu ze eenmaal op de hoogte zijn. Vergeet niet dat het hier om de Heights gaat. Ga alsjeblieft voorzichtig te werk. Houd me van alles op de hoogte.'

Na de vergadering zat Banks in zijn kantoor de kopieën te bestuderen van de spullen die waren aangetroffen in Silberts portemonnee en in Hardcastles auto, met op de achtergrond Natalie Cleins uitvoering van het Celloconcert van Elgar. Het stelde allemaal bar weinig voor. Hij wierp een blik op zijn horloge. Net kwart over zes geweest. Hij wilde Sophia dolgraag spreken om te horen of ze hem had vergeven, maar dit was daar beslist geen goed moment voor. De gasten zouden om halfacht arriveren en ze was nu ongetwijfeld druk in de weer met de voorbereidingen voor het dinertje.

Terloops toetste hij het nummer van Julian Fenner, import-export, in dat op het kaartje stond dat in Laurence Silberts portemonnee had gezeten. Nadat de telefoon een paar keer was overgegaan en er in de verte verschillende klikjes en echo's hadden geklonken, hoorde hij een mechanische stem zeggen dat het nummer was opgeheven en niet langer in gebruik was. Hij probeerde het opnieuw, langzaam, voor het geval hij een verkeerd nummer had gedraaid. Het resultaat was hetzelfde. Na enkele pogingen om via verschillende telefoonbestanden een bijbehorend adres op te sporen, gaf hij het op. Het had er veel van weg dat het nummer niet bestond. Hij belde Annie en vroeg of ze even bij hem wilde komen.

Tijdens het wachten liep hij naar het openstaande raam en staarde hij naar het marktplein. Op dat tijdstip van de avond was het er redelijk rustig. De schaduwen werden langer, maar Banks wist dat het tot na tienen licht zou blijven. De marktkramen waren uren geleden al opgebroken en verdwenen, met achterlating van een zweem van rottende groenten op het met keitjes geplaveide plein. De meeste winkels waren ook dicht, met uitzondering van Somerfield en WH Smith, en de mensen die er nu nog liepen, wilden alleen maar vroeg eten of een borrel.

Toen Annie arriveerde, nam Banks tegenover haar plaats en hij schoof zijn computerbeeldscherm opzij, zodat hij haar goed kon zien. Ze was sportief gekleed in een roodbruin T-shirt en een korte, blauwe spijkerrok zonder panty eronder. Haar springerige kastanjebruine haar hing over haar schouders, haar huid was glad en vertoonde slechts een minimale hoeveelheid make-up, haar amandelvormige ogen straalden en ze oogde rustig en beheerst. Banks had haar eigenlijk niet echt meer gesproken sinds hij iets met Sophia had gekregen. Hij wist dat ze na de laatste zaak waaraan ze hadden samengewerkt het nodige te verwerken had gehad en ze had niet echt veel steun aan hem gehad, maar zo te zien was ze er aardig bovenop gekomen. Een paar weken bij haar vader in Cornwall hadden haar duidelijk veel goed gedaan.

Banks legde het visitekaartje voor haar zodat ze het kon lezen. 'Heb je dit nummer gebeld?' vroeg hij.

'Geen tijd voor gehad,' zei Annie. 'Ik was net terug van de Heights toen hoofdinspecteur Gervaise iedereen bij elkaar riep voor de vergadering. En daarna nam jij het mee.'

'Het was niet als kritiek bedoeld, Annie. Ik vroeg het me gewoon af.'

Annie trok een wenkbrauw op, maar zei niets.

Banks verschoof een stukje op zijn stoel. 'Het is opgeheven,' zei hij.

'Pardon?'

'Het nummer. Julian Fenner, import-export. Het nummer bestaat niet. En er hoort ook geen adres bij. Ik heb het gecontroleerd. Opgeheven. Niet langer in gebruik.'

'Sinds wanneer?'

'Geen flauw idee. Als je wilt, kunnen we het door de technische dienst laten uitzoeken.'

'Waarschijnlijk geen slecht idee. Misschien is het gewoon een oud ding?' opperde Annie.

'Waarom zou Silbert het dan nog steeds bij zich dragen? Het was het enige kaartje in zijn bezit.'

'Alsof jij je portemonnee elke dag leeggooit. Of elke week. Of elke maand.'

'Ongeveer net zo vaak als jij je handtas, gok ik.'

'Bijna nooit, dus. Joost mag weten wat ik onder in dat ding zou aantreffen als ik ooit tijd had om het uit te zoeken.'

'Misschien heb je wel gelijk,' zei Banks. 'Het is alleen weer zoiets eigenaardigs, net als dat ze allebei tegelijkertijd weg waren, maar op verschillende

bestemmingen. Hardcastle was met Wyman in Londen en Silbert zat in…'
'Amsterdam,' zei Annie. 'Doug heeft het uitgezocht. Silbert verbleef daar drie nachten – dinsdag, woensdag en donderdag – in het Ambassade Hotel aan de Herengracht. Hij heeft daar vrijdagochtend vroeg uitgecheckt en is vanaf Schiphol teruggevlogen met de vlucht die om tien over negen landde. En die was die dag op tijd. Hij is dinsdag om vijf voor tien 's ochtends weggegaan.'
'De Herengracht? Is dat in de buurt van de Wallen?'
'Dat zou ik je niet kunnen zeggen,' zei Annie. 'Moet ik het uitzoeken?'
'Straks. Waarom zijn ze naar verschillende plekken gegaan? Waarom zijn ze niet samen ergens naartoe gegaan?'
'Ik neem aan dat ze allebei om een andere reden op reis waren. Het is wel duidelijk dat ze niet alles samen deden. Hardcastle had zelfs zijn eigen appartement aangehouden.'
'Het zou kunnen,' zei Banks, terwijl hij over zijn slapen wreef. 'Het spijt me, ik ben wat deze zaak betreft blijkbaar nog niet helemaal op mijn best.'
'Zit je misschien ergens anders met je gedachten?'
Banks keek haar doordringend aan.
Annie zweeg even. 'Luister, Alan, het spijt me dat je uit Londen bent teruggeroepen,' zei ze toen. 'Vroeger konden we altijd prima samenwerken, weet je nog wel? We vormden een echt team.'
'Dat zijn we nog steeds.'
'Is dat zo?'
'Wat wil je daarmee zeggen?'
'Ik weet het niet. Zeg jij het maar. De laatste tijd voelt het allemaal een beetje raar aan, dat is alles. Ik had je wel kunnen gebruiken… je weet wel, als een schouder om op uit te huilen, als vriend… na dat gedoe met Karen Drew. Maar je was er niet voor me.'
'Heb je daarom soms iets tegen Sophia?'
'Ik heb helemaal niets tegen Sophia. We hebben het helemaal niet over haar.'
'Ontken maar niet dat je haar niet mag.'
Annie boog zich naar voren. 'Heus, Alan, ik heb helemaal niets tegen haar. Het maakt me echt niets uit. Ik maak me alleen zorgen om jou. Als vriend. Misschien ben je wel… ik weet niet… een beetje overgevoelig, een beetje te verdedigend? Dat heeft ze echt niet nodig, geloof me. Ze redt zich heus wel.'
'Wat wil je daarmee zeggen? Wat is daar dan mis mee?'
'Niets. Nu doe je het weer.'
'Je zei dat Sophia zich wel redt. Wat een rare opmerking. Ik vroeg me gewoon af wat je ermee bedoelde.'

'Ik wil alleen maar zeggen dat je je niet helemaal moet laten opslokken. Zorg dat je alles in het juiste perspectief blijft zien.'

'Wil je soms zeggen dat ik dingen niet meer in het juiste perspectief zie? Want als dat zo is…'

De telefoon ging over.

Banks en Annie staarden elkaar nog even woedend aan, maar toen nam Banks op. Hij luisterde en zei toen: 'Zorg dat ze daar blijft.' Hij hing op en keek Annie aan. 'Agent Walters vanuit Castleview Heights. Blijkbaar is daar zojuist een vrouw gearriveerd die beweert dat ze Laurence Silberts moeder is. Wil je mee?'

'Ja, natuurlijk,' zei Annie. Ze stond op. 'Ik rij wel in mijn eigen auto achter je aan. Wordt vervolgd?'

'Wat?'

'Ons gesprek.'

'Alleen als jij denkt dat het de moeite waard is.' Banks pakte zijn autosleutel van het bureau en ze vertrokken.

Toen Banks en Annie hooguit drie of vier minuten later aankwamen, zat Laurence Silberts moeder buiten voor Castleview Heights nummer 15 op de bestuurdersstoel van een donkergroene MG Sport een sigaret te roken en te kletsen met agent Walters. Het gedempte avondlicht was na een korte regenbui grijsgeel als kalksteen gekleurd en gaf de daken van leisteen en flagstone iets zachts. Enkele grauwe wolken kleefden nog aan de blauwe lucht en af en toe schoof één ervan een minuutje of twee voor de zon.

Achter de politieafzetting waren nog steeds heel wat mensen van de media aanwezig, maar Banks en Annie negeerden het geroep om commentaar en liepen naar de MG.

De vrouw die uitstapte moest ooit minstens net zo lang zijn geweest als Banks, maar liep nu vanwege haar leeftijd enigszins gebogen. Desondanks vormde ze een imponerende aanwezigheid en het grijze haar dat strak achterover was getrokken, de hoge jukbeenderen boven gebruinde, ingevallen wangen, de met rimpels omgeven mond en fonkelende blauwgrijze ogen getuigden van een schoonheid die nog niet zo heel lang was vervlogen. Eigenlijk was ze nog steeds mooi en ze kwam hen vaag bekend voor.

'Goedenavond,' zei ze en ze stak haar hand naar hen uit. 'Ik ben Edwina Silbert, Laurence' moeder.'

Banks deed een stap naar achteren. 'Dé Edwina Silbert?'

'Tja, ik heb inderdaad ooit enige tijd een zekere bekendheid genoten,' zei ze. Ze liet haar sigaret op de grond vallen en trapte hem uit. Ze had zwarte, hooggehakte schoenen aan, zag Banks. 'Maar dat was heel lang geleden.'

Annie keek alsof ze het allemaal niet kon volgen.

'Mevrouw Silbert heeft in de jaren zestig de Viva Boutique-keten opgericht,' legde Banks uit. 'En die was enorm succesvol.'

'Dat is hij nog steeds,' zei Annie. 'Ik kom er zelf af en toe, wanneer ik het me kan veroorloven. Aangenaam.'

'Vroeger was het een stuk betaalbaarder,' zei Edwina. 'Dat was indertijd juist zo vernieuwend. Iedereen kon zich prachtige kleding veroorloven. We droomden in die tijd van gelijkheid voor iedereen.'

'Ik wil u graag condoleren met uw verlies,' zei Banks.

Edwina boog haar hoofd licht. 'Mijn arme Laurence. Ik heb de hele rit hierheen aan hem zitten denken. Het is nog steeds erg moeilijk te bevatten. Mag ik hem zien?'

'Ik ben bang dat dát niet zal gaan,' zei Banks.

'Is het zo erg?'

Banks zei niets.

'Ik kan wel wat hebben, hoor. Ik heb in de oorlog vaak dingen gezien waarvan uw maag zich zou omkeren. Ik was verpleegster bij het Queen Alexandra-korps.'

'Desalniettemin…'

'Ik heb toch zeker wel réchten? Hij was tenslotte mijn zóón.'

Het lichaam was op dat moment nog steeds zowel een plaats delict als het eigendom van de schouwarts, dus Edwina Silbert had er in feite geen recht op het te zien, niet zonder toestemming van de schouwarts tenminste. Dat was in de meeste gevallen slechts een formaliteit en meestal werd aan nabestaanden verzocht het lichaam te identificeren, maar dat ging nu niet op.

'Mevrouw Silbert…'

'Edwina. Alstublieft.'

'Edwina. Ik zal open kaart met je spelen. Je zou je zoon bijna niet herkennen. We denken dat we voldoende gegevens hebben om hem voorlopig te kunnen identificeren, en ik ben ervan overtuigd dat het je erg veel pijn en verdriet zou doen als je hem in de huidige staat te zien zou krijgen. Het is beter dat je je hem herinnert zoals hij was.'

Ze zweeg een tijdje, alsof ze in gedachten was verzonken. 'Vooruit dan maar,' zei ze ten slotte. 'Ik heb echter iets voor u waaraan u misschien iets hebt. Laurence heeft een heel opvallende moedervlek op zijn linkerarm, net boven zijn elleboog.' Ze raakte de plek op haar eigen elleboog aan. 'Hij is donkerrood van kleur en traanvormig.'

'Dank je wel,' zei Banks. 'Ook willen we graag een DNA-monster afnemen. Een andere keer, zodra je je daartoe in staat voelt. Het gaat om een eenvoudig

speekselmonster uit de mond. Er komen geen naalden of iets dergelijks aan
te pas.'

'Ik ben nooit bang geweest voor naalden,' zei ze. 'En ik heb er totaal geen
bezwaar tegen dat u op wat voor manier dan ook een monster bij me af-
neemt. Moet u eens horen, ik ben niet op de hoogte van jullie regels en voorschriften, maar ik ben vrij lang onderweg geweest en kan wel een borrel gebruiken. Toevallig weet ik dat hier vlakbij een geweldige kleine pub zit.'

Annie keek zijdelings naar Banks, die op zijn beurt naar agent Walters keek.
'Phil,' zei hij en hij wees naar de schare mediamensen. 'Zorg ervoor dat die
ellendelingen ons niet volgen.'

Walters slikte iets weg en verbleekte, alsof hem was gevraagd een massaal bin-
nengevallen horde Hunnen tegen te houden. 'Ik zal mijn best doen, inspecteur,' zei hij.

The Black Swan, die even verderop op de hoek stond, was geen pub waar elke
zaterdagavond herrieschoppers kwamen. Eigenlijk kwam er bijna niemand,
behalve mensen uit de buurt, aangezien hij erg goed zat verstopt en de prijzen
te hoog waren voor vandalen. Banks was er nog nooit geweest, maar hij keek
er niet van op dat het er vrij chique bleek te zijn, met een hele verzameling
koperen tuigbeslag, ingelijste prenten van Stubbs en gepoetste koperen relin-
gen rondom de bar. Verder werd het terras buiten aangeduid als de hof, niet
als biertuin. Ook werd er geen harde muziek gedraaid en waren er geen gok-
automaten. De regering mocht het roken dan uit de pubs hebben verbannen,
dacht Banks bij zichzelf toen hij naar binnen ging, maar hier had iedereen zo
te zien minstens één hond. Hij voelde dat zijn neus begon te jeuken. Waarom
konden ze honden niet ook verbannen?

'Zullen we buiten gaan zitten?' stelde Edwina Silbert voor. 'Ik heb trek in een
sigaret.'

'Uitstekend,' zei Banks, die blij was dat hij niet bij de honden hoefde te zitten. Tegen sigarettenrook was hij wel bestand.

Ze kozen een lege bank aan een tafel in de hof. Ze hadden een schitterend
uitzicht op de stad en de heuvels in de verte, donkergroen in het zwakker
wordende licht, en met een dunne jas aan was het nog steeds warm genoeg
om buiten te zitten. Banks verzocht hen te gaan zitten en liep zelf terug naar
binnen om hun drankjes te halen. Edwina wilde een gin-tonic, en Annie een
Coca-Cola light. Banks bekeek de taps en bestelde toen een pint Timothy
Taylor Landlord. Het rondje kostte hem een vermogen. Hij overwoog een
bonnetje te vragen, zodat hij het kon declareren, maar bedacht zich toen hij
zich voorstelde hoe hoofdinspecteur Gervaise daarop zou reageren.

Hij plukte ergens een dienblad vandaan en bracht de bestelling naar het tafeltje. Edwina Silbert had al een sigaret opgestoken en nam de gin-tonic gretig aan.

'Je had echt niet helemaal hierheen hoeven komen,' zei Banks. 'We waren toch al van plan binnenkort bij je langs te gaan.'

'Doe niet zo gek,' zei ze. 'Ik ben heel goed in staat om een paar kilometer te rijden. Ik ben direct nadat de wijkagent me vanmiddag het nieuws kwam brengen op pad gegaan. Wat had ik anders moeten doen? Thuis met mijn duimen blijven zitten draaien soms?'

Als Silbert tweeënzestig was, bedacht Banks, moest Edwina ergens in de tachtig zijn en Longborough lag ruim 300 kilometer verderop. Ze zag er veel jonger uit, maar dat was bij haar zoon ook het geval geweest. Annie had Banks verteld dat Maria Wolsey van het theater Silbert op halverwege de vijftig had geschat. Dat jeugdige uiterlijk zat blijkbaar in de familie.

'Waar slaap je vannacht?' vroeg hij.

De vraag overviel haar blijkbaar nogal. 'In het huis van Laurence, natuurlijk.'

'Dat zal niet gaan, ben ik bang,' zei Banks. 'Het is een plaats delict.'

Edwina Silbert schudde even met haar hoofd. Banks zag dat haar ogen glinsterden van de tranen. 'U moet het me maar niet kwalijk nemen,' zei ze. 'Ik ben dergelijke situaties niet gewend. Hoe heet dat leuke hotel in het centrum ook alweer? Ik heb daar eens gelogeerd toen het huis werd opgeknapt.'

'The Burgundy?'

'Dat bedoel ik, ja. Denkt u dat ze daar een kamer voor me hebben?'

'Ik zal het wel even voor u navragen,' zei Annie. Ze haalde haar gsm tevoorschijn en liep naar de rand van het terras om te bellen.

'Een aardig meisje,' zei Edwina. 'Als ik u was, zou ik haar niet laten gaan.'

'Ze is niet… ik bedoel, wij zijn geen…' begon Banks, maar toen knikte hij alleen maar. Hij had geen zin zijn relatie met Annie aan een buitenstaander uit te leggen. 'Hadden Laurence en jij een goede band met elkaar?' vroeg hij.

'Ik vond van wel,' antwoordde Edwina. 'Ik mag graag denken dat we niet alleen moeder en zoon waren, maar ook vrienden. Zijn vader overleed toen hij pas negen was, ziet u, omgekomen bij een auto-ongeluk, en Laurence is enig kind. Ik ben nooit hertrouwd. Na zijn studie heeft hij veel gereisd, natuurlijk, en er waren perioden dat ik hem heel lang niet zag.'

'Hoe lang wist je al dat Laurence homoseksueel was?'

'Eigenlijk al sinds hij nog een kind was. Alle tekenen wezen erop. O, ik bedoel niet dat hij verwijfd was, hoor. Integendeel, zelfs. Heel mannelijk. Goed in sport. Mooie bouw. Net een jonge Griekse god. Het zat hem in de kleine dingen, veelzeggende details. Uiteraard gedroeg hij zich altijd heel discreet. Afgezien van een enkel incident op de kostschool of in Cambridge, betwijfel ik ten zeerste of hij voor zijn twintigste seksueel heel actief was en tegen die tijd was het natuurlijk allemaal legaal.'

'Je zat er niet mee?'

Ze keek Banks onderzoekend aan. 'Wat een vreemde opmerking.'

'Sommige ouders raken erdoor van slag.' Banks dacht aan Mark Hardcastles vader.

'Dat kan best zijn,' zei Edwina. 'Ik heb echter altijd gedacht dat het geen zin heeft te proberen iemands aard te veranderen. Een vos verliest misschien wel zijn haren… Nee. Zo was hij nu eenmaal. Het hoorde bij de persoon die hij was. De last die hij zelf moest dragen en het pad dat hij moest volgen naar de liefde. Ik hoop dat hij die heeft gevonden.'

'Ik weet niet of je er iets aan hebt, maar volgens mij wel. Ik denk dat hij de afgelopen maanden erg gelukkig was.'

'Met Mark, ja. Dat mag ik ook graag geloven. Die arme Mark. Hij is er ongetwijfeld kapot van. Waar is hij? Weet u dat?'

'Kende je Mark?'

'Of ik hem kénde? O, mijn god, is er iets wat u me nog niet hebt verteld, iets wat ik niet weet?'

'Ik vind het heel erg voor je,' zei Banks. 'Ik dacht dat je het al had gehoord. Neem het me alsjeblieft niet kwalijk.' Hij wist eigenlijk niet waarom hij ervan uit was gegaan dat de politie van Gloucestershire haar op de hoogte had gesteld van Mark Hardcastles dood. Tenzij Doug Wilson het hun had gevraagd en dat was duidelijk niet het geval.

'Wat is er dan gebeurd?'

'Ik moet je helaas vertellen dat Mark ook dood is. Het heeft er veel van weg dat hij zelfmoord heeft gepleegd.'

Edwina kromp in elkaar, alsof ze letterlijk een harde klap had gekregen. Ze slaakte een diepe zucht. 'Waarom dan?' zei ze. 'Vanwege wat er met Laurence is gebeurd?'

'We vermoeden inderdaad dat er een verband bestaat,' zei Banks.

Annie kwam terug en knikte naar Banks. 'Er is een mooie kamer voor u gereserveerd in The Burgundy, mevrouw Silbert,' zei ze.

'Dank je, kind,' zei Edwina. Ze haalde een zakdoek uit haar handtas en depte haar ogen droog. 'Sorry, het is bijzonder dwaas van me. Het is alleen nogal veel om in één keer te verwerken. Mark dus ook?'

'Ik vind het echt heel erg voor je,' zei Banks. 'Mocht je hem graag?'

Ze borg haar zakdoek op, nam een slokje van haar gin-tonic, en pakte een nieuwe sigaret. 'Heel graag,' zei ze. 'Bovendien was hij goed voor Laurence. Ik weet dat ze een heel andere achtergrond hadden, maar desondanks hadden ze toch ook veel met elkaar gemeen.'

'Theater?'

'Ik geloof graag dat Laurence zijn voorliefde voor toneel van mij heeft gekregen. Ziet u, als ik die kledingzaken niet had gehad, was ik misschien wel actrice geworden. Lieve hemel, hij heeft heel wat uren samen met mij achter de schermen van diverse theaters doorgebracht.'

'Laurence had dus belangstelling voor toneel?'

'Jazeker. Daar hebben ze elkaar ook leren kennen. Mark en hij. Wist u dat niet?'

'Ik weet eigenlijk maar heel weinig,' zei Banks. 'Vertel me alsjeblieft alles.'

'Vlak voor kerst was ik op bezoek bij Laurence en hij nam me toen mee naar het theater hier in de stad. Bijzonder schilderachtig.'

'Ik ken het,' zei Banks.

'Er werd een kindermusical opgevoerd. *Assepoester*, meen ik. Tijdens de pauze raakten we aan de bar aan de praat en ik had onmiddellijk in de gaten dat het klikte tussen Laurence en Mark. Ik verzon een smoesje en verdween een paar minuten om mijn neus te poederen of iets dergelijks, u kent dat vast wel, om hun wat tijd te geven om telefoonnummers uit te wisselen, een afspraak te maken of wat ze verder ook maar wilden, en dat was dat, zoals dat heet.'

'Zag je hen daarna vaak?'

'Altijd wanneer ik hier kwam. Ze zijn ook bij mij in Longborough geweest, natuurlijk. Het is zo heerlijk in de Cotswolds. Ik had zo graag gewild dat ze de zomer daar doorbrachten.' Ze pakte haar zakdoek weer. 'Mal mens. Sentimentele, oud dwaas.' Ze snufte even, huiverde en rechtte toen voor zover mogelijk was haar rug. 'Een nieuw drankje zou er wel in gaan.'

Deze keer haalde Annie een rondje.

'Hoe zou je hun relatie omschrijven?' vroeg Banks toen Edwina weer een vol glas voor zich had staan.

'Volgens mij waren ze heel verliefd en wilden ze er een succes van maken, maar ze deden het rustig aan. U moet niet vergeten dat Laurence tweeënzestig was en Mark zesenveertig. Ze hadden allebei al een paar pijnlijke, verbroken relaties achter de rug. Hoewel hun gevoelens voor elkaar heel sterk waren, stortten ze zich niet als een kip zonder kop in een nieuwe relatie.'

'Mark had zijn appartement aangehouden,' zei Banks, 'maar toch woonden ze min of meer samen in Castleview. Is dat ongeveer wat je bedoelt?'

'Precies. Ik vermoed dat hij dat appartement uiteindelijk wel had weggedaan en bij Laurence zou zijn ingetrokken, maar ze namen er rustig de tijd voor.

Bovendien heeft Laurence ook een optrekje in Bloomsbury, dus ik kan me voorstellen dat Mark op dat gebied niet wilde achterblijven.'

'Omdat hij niet voor Laurence wilde onderdoen?'

'Hij was met helemaal niets begonnen,' zei Edwina, 'en hij was ambitieus. Ja, ik denk dat hij heel prestatiegericht was en misschien waren materiële zaken voor hem wel belangrijker dan voor de meeste andere mensen. Het stond symbool voor hoe ver hij het had geschopt. Dat wil echter niet zeggen dat hij geen fantastisch, vrijgevig mens was.'

'Je had het net over een optrekje. Zou Mark daar ook hebben geslapen wanneer hij in Londen was?'

'Ik zie niet in waarom niet.'

'Heb je het adres voor me?'

Edwina noemde een adres in de buurt van Russell Square. 'Het is echt heel klein,' zei ze. 'Ik kan me niet voorstellen dat ze daar samen verbleven. Elk stel zou er gek van worden, maar voor één persoon is het wel heel geschikt.'

'Was er weleens spanning tussen hen? Problemen? Hadden ze vaak onenigheid? Slaande ruzie?'

'Niet zo erg dat het me is bijgebleven,' zei Edwina. 'Niet meer dan andere stellen. Ze lachten juist heel veel samen.' Ze zweeg. 'Hoezo? U denkt toch niet...? U wilt toch zeker niet beweren...?'

'We beweren helemaal niets, mevrouw Silbert,' zei Annie snel. 'We weten gewoon niet wat er is gebeurd. Daar proberen we nu juist achter te komen.'

'Dat jullie zelfs maar durven dénken dat de mogelijkheid bestaat dat Mark... dat Mark zoiets zou doen.'

'Toch vrees ik dat die mogelijkheid wel degelijk bestaat,' zei Banks. 'Er staat echter nog helemaal niets vast. Zoals Annie al zei, weten we gewoon niet wat er is gebeurd. Het enige wat we weten is dat je zoon in zijn eigen huis is vermoord en dat Mark Hardcastle kort daarna zelfmoord heeft gepleegd in Hindswell Woods.'

'Hindswell? O, mijn god, nee toch. O, Mark. Dat was hun lievelingsplek. Afgelopen april hebben ze me er nog mee naartoe genomen om me de boshyacinten te laten zien. Ze stonden er dit jaar werkelijk prachtig bij. Verdriet, meneer Banks. Daarom heeft hij zichzelf van het leven beroofd. Verdriet.'

'Dat was ook al bij ons opgekomen,' zei Banks. 'En jouw zoon?'

Edwina aarzelde even voordat ze antwoord gaf en Banks voelde dat ze opeens iets had bedacht, iets waarvan ze nog niet zeker wist of ze het wel wilde vertellen. 'Een inbreker misschien?' zei ze. 'Een wijk als deze wordt van tijd tot tijd vast door zulke types bezocht.'

'Dat is een optie die we momenteel onderzoeken. We hebben echter meer achtergrondinformatie nodig over jouw zoon en Mark. We weten nog te weinig van hen af, van hun verleden, hun werk, hun leven samen. We hoopten dat jij ons daarbij kon helpen.'

'Ik wil jullie best alles vertellen,' zei Edwina. 'En ik ben ook bereid alle mogelijke tests te ondergaan. Kan dat echter tot morgen wachten? Alstublieft? Ik ben opeens ontzettend moe.'

'Echt veel haast heeft het niet,' zei Banks, die teleurgesteld was, maar probeerde dat niet te laten merken. Ze was tenslotte een oude vrouw en hoewel het haar was gelukt dat ruim een uur lang niet te laten blijken, liet ze de schijn nu langzaam varen. Zelf wilde hij trouwens ook naar huis, dus hij vond het wel prima de rest van het gesprek tot de volgende dag uit te stellen. Dan zou ook de bloedgroep bij Stefan bekend moeten zijn, zou iemand de moedervlek hebben nagetrokken en zou Derek Wyman hun wellicht het een en ander hebben kunnen vertellen over Marks leven.

Edwina stond op om te vertrekken en Annie kwam ook overeind. 'Zal ik u even met de auto brengen? Heus,' zei ze, 'het is geen enkel probleem.'

Edwina legde even een hand op haar schouder. 'Dat hoeft niet, meisje,' zei ze. 'Ik moet mijn eigen auto daar toch ook naartoe brengen. Dat kan ik net zo goed meteen doen. Ik weet de weg. Ik denk dat ik dat nog net moet kunnen opbrengen.'

Ze vertrok.

'Is het wel verstandig dat ze rijdt?' vroeg Annie.

'Waarschijnlijk niet,' zei Banks. 'Ik zou echter maar niet proberen haar tegen te houden als ik jou was. Als ze zo gemakkelijk over te halen was, had ze niet aan het hoofd gestaan van een mode-imperium. Ga zitten. Drink je cola op.'

'Je zult wel gelijk hebben,' zei Annie. 'Het gaat vast wel goed. Ze heeft haar tweede drankje amper aangeraakt.'

Annie rilde en Banks bood haar zijn jasje aan om over haar schouders te slaan. Tot zijn verbazing accepteerde ze het aanbod. Misschien was dat puur uit beleefdheid. Aan de andere kant wist hij dat hij minder last had van de kou dan zij.

Hij hoorde mensen lachen en praten in de pub, en achter de lage muur, helemaal beneden in het centrum van de stad, zag hij kleine gedaanten het marktplein oversteken, net zoals Joseph Cotten en Orson Welles die in *The Third Man*, een van zijn lievelingsfilms, vanuit een gigantisch reuzenrad mensen hadden gadegeslagen.

'Wat vind jij van dat optrekje?' vroeg Banks.

'Ik weet het nog niet,' zei Annie. 'Het zal best de moeite waard zijn geweest om het aan te houden als hij het zich kon veroorloven en er regelmatig gebruik van maakte.'

'Het lijkt me een goed idee om er even een kijkje te gaan nemen. Misschien heeft Hardcastle daar donderdagavond overnacht en er iets achtergelaten wat licht werpt op zijn geestelijke gesteldheid.'

'Dat is misschien wel het beste.'

'Denk je dat Edwina het bij het rechte eind had over de reden dat Hardcastle zijn flat niet heeft verkocht?'

'Ik vermoed van wel,' zei Annie. 'Hoewel ik eerder neig naar de theorie dat ze het niet wilden overhaasten dan dat het te maken had met de drang zich te bewijzen. Hij heeft er een, dus moet en zal ik er ook een hebben? Ik vind dat een beetje moeilijk te geloven.'

'Sommige mensen zitten zo in elkaar.'

Annie schokschouderde. 'Tja, het is toch ook niet ongebruikelijk? Sophia heeft hier immers ook nog steeds een cottage, naast haar huis in Londen?'

'Dat is van haar familie,' zei Banks.

'Misschien heeft Silberts moeder het wel voor hem gekocht,' zei Annie. We zullen haar morgen naar zijn financiële situatie moeten vragen. Het is wel een interessante vrouw, hè? Ik neem aan dat ze een van de droomvrouwen uit jouw jonge jaren was, net als Marianne Faithfull en Julie Christie?'

'Klopt,' zei Banks. 'Ze was als jonge vrouw erg knap, ook al was ze iets ouder dan de rest. Ik herinner me nog goed dat ik in die tijd vaak artikelen over haar las en haar foto's in kranten zag. Een van de voordelen van een krantenwijk. Volgens mij is ze rond 1965 met Viva begonnen. Die zaak stond toen in Portobello Road. Dat stond bekend om de redelijke prijzen, maar ook iedereen die indertijd bekendheid genoot, ging daar vaak naartoe om spullen te kopen. Mick Jagger, Marianne Faithfull, Paul McCartney, Jane Asher, Julie Christie, Terry Stamp. Ze kende hen allemaal. Al die mooie, beroemde mensen.'

'Ik heb nooit geweten dat ze allemaal zo op de centen waren,' zei Annie.

'Het ging niet om geld. Het ging om de sfeer. Ze zat midden in dat wereldje, struinde feesten af met allerlei beroemdheden, bezocht alle goede nachtclubs. Later heeft ze nog een tijdje heroïne gebruikt en ze had affaires met veel begerenswaardige sterren. Ik wist niet eens dat ze een zoon had. Ze heeft hem kennelijk uit de publiciteit gehouden.'

Annie gaapte.

'Je vindt dit natuurlijk doodsaai.'

'Lange dag gehad.'

'Laten we er voor vandaag maar mee ophouden. We hebben morgen een drukke dag voor de boeg.'

'Uitstekend idee,' zei Annie instemmend en ze gaf Banks zijn jasje terug.

'Luister, over wat je daarstraks zei, dat ik er niet voor je was...'

'In het begin kon ik wel van je op aan, hoor. Ik... ach, Alan, ik weet het ook niet. Let maar niet op me.'

'Het was juist net alsof je je afzonderde. Ik wist niet hoe ik tot je kon doordringen.'

'Misschien deed ik dat ook wel,' zei Annie. Ze gaf een klopje op zijn arm en stond op. 'Een moeilijke tijd. Dat ligt nu allemaal achter ons. Laten we maar gewoon verdergaan en deze kwestie zo snel mogelijk tot op de bodem uitzoeken.'

'Goed plan,' zei Banks. Hij dronk zijn bier op en stond op. Ze liepen naar hun auto's, die voor het huis van Laurence Silbert stonden geparkeerd waar nog altijd enkele heel volhardende verslaggevers rondhingen, zeiden agent Walters gedag en namen toen afscheid van elkaar. Banks keek Annie na toen ze in haar oude Astra wegreed, startte vervolgens de Porsche en vertrok naar Gratly. In zijn achteruitkijkspiegel flitsten diverse camera's.

Banks had het gevoel dat hij weken van huis was geweest, hoewel het in werkelijkheid maar een paar dagen waren. Eén nacht, besefte hij. Slechts één nacht met Sophia. Toch begroette zijn geïsoleerd staande cottage hem met een stilte die dieper en benauwender aanvoelde dan anders.

Hij deed de lampen met de oranje kappen in de woonkamer aan. Er stond één berichtje op zijn antwoordapparaat: zijn zoon Brian die hem liet weten dat hij een paar weken in zijn flat in Londen zou zijn voor het geval Banks daar toevallig moest zijn en zin had om langs te komen. Brian was onlangs naar een leuke, zij het piepkleine flat in Tufnell Park verhuisd met zijn vriendin Emilia, die actrice was, en Banks zocht hem vaak op wanneer hij bij Sophia in Londen was. Hij had er zelfs een keer met Sophia gegeten, en Brian, Emilia en zij hadden goed met elkaar kunnen opschieten – voornamelijk omdat Sophia dezelfde bands kende en goed vond als zij. Heel even had Banks zich oud en buitengesloten gevoeld, zo'n saaie donder uit de jaren zestig, ook al luisterde hijzelf vaak naar recente muziek. Wat hem betreft kon deze echter bij lange na niet tippen aan Hendrix, Dylan, Floyd, Led Zeppelin, The Stones en The Who.

Er hing een donkere turkooizen gloed met oranje en gouden vlekken in de lucht boven Gratly Beck en het lagergelegen dal. Banks bleef er een tijdje naar staan kijken om de schoonheid in zich op te nemen, trok toen de gordijnen dicht en liep naar de keuken om een glas wijn te halen. Hij merkte opeens dat hij trek had, hij had sinds het ontbijt niets meer gegeten, afgezien van dat ene koekje tijdens de vergadering. Het enige in de koelkast wat ook maar een beetje in de buurt kwam van een maaltijd was een bakje met een restje vinda-loo met geitenvlees van het afhaalrestaurant in de buurt en een stukje in folie gewikkeld naanbrood. Curry ging echter niet zo goed samen met de rode wijn die hij voor zichzelf had ingeschonken. Bovendien had het net iets te lang in de koelkast gelegen. In plaats daarvan pakte hij wat rijpe cheddar en bekeek hij het brood aan alle kanten; toen hij geen verdachte groene plekken kon ontdekken, maakte hij een tosti klaar, die hij samen met zijn wijn mee-nam naar de televisiekamer.

Hij was in de stemming voor ontspannende, maar ook zinnenstrelende mu-ziek, bij voorkeur iets recents, dus zette hij een cd van Keren Ann op. De ingehouden, misvormde gitaarklanken en het spookachtige, sussende gezang van 'It's All A Lie' die door de kamer zweefden, waren uitstekend geschikt. Precies wat hij nodig had. Hij liet zich achteroverzakken in de leunstoel, trok zijn voeten op en ging in gedachten na wat hij tot nu toe over de zaak-Hard-castle/Silbert te weten was gekomen.

Het leek om een typische moord-zelfmoord te gaan, een crime passionnel die zich onderscheidde door het gebruik van overdadig geweld en een overweldi-gend schuldgevoel. Banks had Geberths *Practical Homicide Investigation* gele-zen en voor zover hij zich kon herinneren werden moorden op homoseksue-len vaak gekenmerkt door buitensporig geweld gericht op de hals, borstkas en onderbuik. In dit geval was het strottenhoofd door een harde klap verbrij-zeld. Volgens Geberth was de hals een doelwit vanwege de betekenis die deze had bij het homoseksuele liefdesspel en het geweld zo buitensporig, omdat beide partijen een seksuele agressor zijn. Banks vond dat enigszins politiek incorrect klinken, maar hij kon zich er niet druk over maken. Hij had de theorie niet bedacht.

Hij wilde weten wat Laurence Silbert in Amsterdam had gedaan, een stad die vooral bekendstond om de Wallen en de tolerante houding jegens seks. Mis-schien kon Edwina hen morgen helpen? Haar verdriet over het verlies van zowel Laurence als Mark kwam gemeend over op Banks, evenals haar geschokte reac-tie bij het idee dat Mark daar ook maar iets mee te maken kon hebben.

Banks vroeg zich af of Mark Hardcastles bezoek aan Londen met Derek Wy-man, hoe onschuldig dit mogelijk ook was geweest, een rol had gespeeld in de gebeurtenissen die daarop waren gevolgd. Was het echt zo onschuldig ge-weest? Had Laurence Silbert er lucht van gekregen? Had hij een heftige, ja-loerse woedeaanval gehad? Was de ruzie die tot hun beider dood had geleid misschien zo begonnen? Banks en Annie zouden de volgende ochtend met Derek Wyman gaan praten en hopelijk ook het antwoord op deze vragen krijgen. Het was weliswaar zondag, maar Banks, die zelfs helemaal hiernaartoe was gekomen en zijn weekend met Sophia had opgegeven, had voorlopig geen vrij. Inspecteurs als hij en Annie kregen geen overwerk uitbetaald, dus hoopte hij maar dat hij een of twee vakantiedagen terugkreeg, zodat Sophia en hij misschien een lang weekend naar Rome of Lissabon konden. Wellicht kon hij daarmee zijn afwezigheid bij het etentje een beetje goedmaken.

Om halftwaalf, toen Keren Ann allang het veld had geruimd voor Richard Hawleys *Cole's Corner*, nog een favoriet voor de late avond, ging de telefoon. Banks nam de hoorn op van het extra toestel dat naast zijn leunstoel stond. Het was Sophia en ze klonk een tikje aangeschoten.

'Hoe is het gegaan?' vroeg Banks.

'Fantastisch,' zei ze. 'Ik had Thais gekookt en volgens mij vond iedereen het lekker. Ze zijn net weg. Ik wilde de vaat eigenlijk maar laten staan. Ik ben doodop.'

'Ik vind het heel jammer dat ik er niet ben om je te helpen,' zei Banks.

'Ik ook. Dat je niet hier bent, bedoel ik. Heb je Richard Hawley op staan?'

'Ja.'

'Jasses. Dus dát doe je wanneer ik er niet ben?'

Sophia vond Richard Hawley maar niets, een opgeschoten lefgozertje uit Sheffield dat iets te veel naar easy listening neigde. In reactie daarop had Banks Panda Bear, een van haar nieuwe favorieten, afgedaan als een slap aftreksel van Brian Wilson met goedkope geluidseffecten. 'Iedere man heeft recht op een paar gebreken,' zei hij.

'Ik kan wel wat beters bedenken dan Richard Hawley.'

'Hiervoor had ik Keren Ann op staan.'

'Dat is al iets beter.'

'Ik denk dat ik verliefd op haar ben.'

'Moet ik jaloers worden?'

'Dat is niet nodig, denk ik. Ik heb vanavond trouwens iets gedronken met Edwina Silbert.'

'Edwina Silbert! Van Viva?'

'Inderdaad.'

'Mijn god, hoe is ze in het echt?'

'Interessant. Een heel charmante uitstraling. Ze is nog steeds een beeldschone vrouw.'

'Moet ik nu ook al jaloers worden op haar?'

'Ze is minstens tachtig.'

'Ja, en jij hebt een voorkeur voor jongere vrouwen. Ik weet het. Hoe heb je haar ontmoet?'

'Ze is de moeder van een van de slachtoffers. Laurence Silbert.'

'Och hemeltje,' zei Sophia. 'Dat arme mens. Ze is er vast en zeker kapot van.'

'Ze heeft zich een tijdlang grootgehouden,' zei Banks, 'maar inderdaad, volgens mij was ze dat wel.'

'Hoe verloopt het onderzoek?'

'Langzaam, maar gestaag,' zei Banks. 'Grote kans dat we binnenkort in Londen moeten zijn.'

'Wanneer precies? Ik heb een drukke week voor de boeg.'

'Dat kan ik nog niet zeggen. Het is ook nog niet zeker, maar ik moet misschien een pand in Bloomsbury bekijken. Dan kunnen we in elk geval samen lunchen of zoiets. Wat echter belangrijker is: hoe staat het met volgend weekend? Kom je nog steeds hierheen?'

'Ja, natuurlijk. Je moet me wel beloven dat je er zult zijn.'

'Ik zal er zijn. Vergeet niet dat ik voor zaterdagavond kaartjes voor *Othello* heb. Het amateurtoneelgezelschap van Eastvale.' Hij had geen zin haar te vertellen dat het onderzoek in verband stond met het theater; hij had de kaartjes lang vóór Mark Hardcastles zelfmoord aangeschaft, lang voordat hij zelfs maar van Hardcastle had gehoord.

'Een amateuropvoering van *Othello*,' zei Sophia met geveinsd enthousiasme. 'Wauw! Ik kan bijna niet wachten. U weet wel hoe u een meisje moet verwennen, inspecteur Banks.'

Banks lachte. 'Uiteraard voorafgegaan door cocktails en een dinertje in een van de exclusiefste etablissementen in Eastvale.'

'Uiteraard. De fish&chipstent of de pizzeria?'

'Jij mag het zeggen.'

'En na afloop…?'

'Hmm. Dat hangt ervan af.'

'Ik weet zeker dat we wel iets zullen bedenken. Vergeet je handboeien niet.'

Banks lachte. 'Ik ben blij dat je belt.'

'Ik ook,' zei Sophia. 'Ik had alleen graag gewild dat je hier was geweest. Het is gewoon zo oneerlijk dat jij helemaal daar zit en ik hier.'

'Ik weet het. Volgende keer beter. Dan kook ik.'

Nu was het Sophia's beurt om in lachen uit te barsten. 'Dat wordt dus een rondje eieren met friet voor iedereen?'

'Hoe kom je erbij om te denken dat ik een ei kan koken? Of friet kan maken?'

'Iets exotischers dan?'

'Je hebt mijn spaghetti bolognese zeker nog nooit geproefd?'

'Ik ga nu gauw ophangen,' zei Sophia, 'voordat ik ten prooi val aan een onstuitbare aanval van de slappe lach. Of is het een aanval van een onstuitbare slappe lach? Hoe dan ook, ik ben doodop. Ik mis je. Welterusten.'

'Welterusten,' zei Banks. Het laatste wat hij hoorde voordat ze de hoorn neerlegde, was haar vrolijke gelach. De cd van Richard Hawley was afgelopen en Banks dronk het laatste restje wijn op. Een golf van vermoeidheid spoelde over hem heen en hij had eigenlijk geen zin om nog iets anders op te zetten. Het enige wat hij nu nog hoorde, waren het gezoem van de stereo en de wind die in de schoorsteen jammerde. Na zijn gesprek met Sophia voelde Banks zich nog eenzamer dan daarvoor. Zo ging dat nu eenmaal altijd – de telefoon bracht je heel even dichter bij elkaar, maar benadrukte tevens de afstand die er tussen jullie lag. Hij had niet gezegd dat hij haar ook miste en wilde nu maar dat hij dat wel had gedaan. Te laat, dacht hij bij zichzelf. Hij zette zijn glas neer en ging naar bed.

4

De situatie in Derek Wymans huis op zondagochtend om halfelf deed Banks denken aan die van hemzelf, voordat Sandra en de kinderen waren verhuisd. Het stond niet ver bij zijn oude twee-onder-een-kapwoning vandaan, in een zijstraat van Market Street ongeveer een kilometer ten zuiden van het centrum. In de ruime woon- en eetkamer schetterde popmuziek uit een radio of stereo, een tiener lag op zijn buik op het vloerkleed voor de televisie een game te spelen waarin hij met veel lawaai en stromen bloed futuristische, gepantserde soldaten doodde en zijn verlegen, graatmagere zusje sprak met haar gezicht verborgen achter haar haren druk in haar mobiele telefoontje. De geur van gebakken bacon hing in de lucht en mevrouw Wyman was bezig met het afruimen van de ontbijttafel voor het erkerraam. Buiten joeg de wind dikke regendruppels door de straat. Tegen de muur stond een flinke boekenkast vol boeken over toneel, een uitgave van Tsjechovs toneelstukken, de RSC *Complete Works* van Shakespeare, scenario's van het BFI en beroemde vertaalde romans in paperback – Tolstoj, Gogol, Dostojevski, Zola, Sartre, Balzac.

Het had er veel van weg dat Derek Wyman in zijn lievelingsleunstoel het culturele katern van de *Sunday Times* had zitten lezen. Hoe hij zich kon concentreren met al dat rumoer om hem heen was Banks een raadsel, hoewel hij aannam dat hij dit zelf ook ooit had gedaan. Het eerste katern van de krant lag naast hem op de leuning van de stoel, opengevouwen bij het bericht van de ogenschijnlijke moord-zelfmoord in Eastvale. Het artikel had weinig om het lijf. Laurence Silbert werd niet bij naam genoemd, wist Banks, omdat zijn lichaam nog niet was geïdentificeerd. Dat van Mark Hardcastle wel, door Vernon Ross. Door de moedervlek waarover Edwina Silbert hun had verteld, was Banks echter al overtuigd van Silberts identiteit.

'Het is alweer gedaan met het mooie weer,' merkte Wyman op nadat Banks en Annie hem hun politiepas hadden laten zien. Hij gebaarde met zijn hoofd naar de krant. 'Het gaat zeker over Mark?'

'Ja,' zei Banks.

'Het was een enorme schok toen ik thuiskwam, dat kan ik u wel verzekeren.

Verschrikkelijke gebeurtenis. Ik vind het moeilijk te geloven. Ik had zoiets nooit van hem verwacht. Gaat u alstublieft zitten.' Wyman haalde wat tijdschriften en achteloos neergesmeten kledingstukken weg en maakte een plek voor hen vrij op de bank. 'Dean, Charlie,' zei hij, 'gaan jullie even naar jullie kamer. Wij willen rustig kunnen praten. En zet die afgrijselijke muziek uit.' De kinderen wierpen hun vader allebei een lijdzame blik toe en sleepten zich traag en met opzettelijk slome bewegingen naar boven. Dean zette de radio uit toen hij erlangs liep.

'Tieners,' zei Wyman en hij wreef over zijn hoofd. 'Geen land mee te bezeilen. Ik zit er op school een groot deel van de dag tussenin en wanneer ik thuiskom, zit ik met die twee van mij opgezadeld. Je moet echt een masochist zijn. Of gestoord.'

Klagen was meestal vaste prik in de lerarenkamer, wist Banks, een manier om erbij te horen en te doen alsof ze totaal geen plezier beleefden aan hun werk en volkomen terecht veel vakantie hadden. Wyman leek hem juist een type dat de noodzakelijke energie en geduld bezat om op dagelijkse basis met tieners om te kunnen gaan. Hij was lang, mager, pezig zelfs, met een heel kort geknipte kop en een langgerekt, knokig gezicht met diepliggende, oplettende ogen, en hij gaf naast toneel ook sport. Banks dacht terug aan zijn eigen leraar Engels, die eveneens sportleraar was geweest en er een gewoonte van maakte zijn sportschoenen van de ene les naar de andere mee te zeulen om er vervolgens regelmatig keihard mee uit te halen naar het achterwerk van zijn leerlingen. Gelukkig zei hij er nog net niet bij: 'Dit is voor mij veel pijnlijker dan voor jou,' zoals de godsdienstleraar altijd deed wanneer hij iemand een tik verkocht. Ach ja, tegenwoordig werden op scholen geen lijfstraffen meer uitgedeeld.

Op de schoorsteenmantel stond een aantal ingelijste foto's, voornamelijk van Wyman met zijn gezin en schoolfoto's van de kinderen, maar Banks ontdekte er ook een van een iets jongere Wyman met een oudere man in uniform die zijn arm rond Wymans schouders had geslagen, met op de achtergrond een treinstation. 'Wie is dat?' vroeg hij.

Wyman volgde zijn blik. 'Mijn broer en ik,' antwoordde hij. 'Rick zat in het leger.'

'Waar is hij nu?'

'Hij is dood,' zei Wyman. 'In 2002 tijdens een missie omgekomen bij een helikopterongeluk.'

'Waar is dat gebeurd?'

'Afghanistan.'

'Konden jullie het goed met elkaar vinden?'

Wyman keek Banks even aan. 'Hij was mijn grote broer. Wat denkt u nu zelf?'

Banks had zelf helemaal niet kunnen opschieten met zijn oudere broer totdat het te laat was, maar hij snapte wel wat Wyman bedoelde. 'Wat vreselijk voor u,' zei hij.

'Tja,' zei Wyman, 'daar teken je nu eenmaal voor wanneer je bij dat verrekte leger gaat, hè?'

Mevrouw Wyman had de ontbijtspullen opgeruimd en ging aan de tafel zitten. Ze was een aantrekkelijke brunette van eind dertig met een stomp neusje en een wat zorgelijke blik, die er duidelijk veel aan deed om haar figuurtje en gladde huid te behouden. 'U vindt het toch niet erg dat ik erbij blijf?' vroeg ze.

'Nee, hoor,' zei Banks. 'Kende u Mark Hardcastle?'

'Ik heb hem een paar keer ontmoet,' zei ze, 'maar ik durf niet te beweren dat ik hem ook echt kende. Toch is het vreselijk wat er is gebeurd.'

'Dat begrijp ik,' zei Banks en hij richtte het woord weer tot haar man. 'Ik heb begrepen dat u vorige week nog met Mark naar Londen bent geweest?'

'Dat klopt,' zei Wyman. 'Heel kort.'

'Gaat u daar vaak naartoe?'

'Wanneer ik hier maar weg kan. Toneel en film zijn mijn hobby's, en Londen is daar dé plek voor. Hetzelfde geldt natuurlijk ook voor boekwinkels.'

'Mevrouw Wyman?'

Ze glimlachte toegeeflijk naar haar man, alsof ze het fijn vond dat hij zoveel kinderlijk enthousiasme voor iets aan de dag legde. 'Ik ben al tevreden met een goed boek,' zei ze. 'Iets van Jane Austen of Elizabeth Gaskell. Ik vrees dat het felle schijnsel van toneellampen en de geur van schmink iets te overweldigend zijn voor mijn zintuigen.'

'Carol is een beetje een cultuurbarbaar,' zei Wyman, 'ook al ligt dat niet aan een gebrekkige opleiding.' Hij sprak met een duidelijk herkenbaar Yorkshires accent, al gebruikte hij weinig typische Yorkshirese termen of dialect tijdens het praten. Banks vermoedde dat dit kwam doordat hij op de universiteit had gezeten en een tijdlang uit de regio weg was geweest.

'Geeft u ook les, mevrouw Wyman?' vroeg Banks.

'Lieve help, nee. Ik geloof niet dat ik er nog meer puberale levensangst bij zou kunnen hebben,' zei ze, 'en de kleintjes zijn me te druk. Ik werk als parttime receptioniste bij het medisch centrum. Zal ik even thee zetten?'

Dat vond iedereen een uitstekend voorstel. Mevrouw Wyman leek blij dat ze iets om handen had en liep naar de keuken.

'Maakte u vaak zo'n reisje naar Londen samen met Mark Hardcastle?' vroeg Banks aan Wyman.

'Lieve hemel nee! Dit was de eerste keer. En ik was niet echt met hem sámen.'
'Mag ik u daar iets meer over vragen?'
'Natuurlijk. Vraagt u maar raak.'
'Wanneer bent u hiervandaan vertrokken?'
'Op woensdagochtend. Ik heb de trein genomen die om halfeen 's middags vanuit York vertrok. Rond kwart voor drie kwam ik aan. Voor de verandering eens op tijd.'
'Was Mark bij u?'
'Nee. Die ging met zijn eigen auto.'
'Waarom? Ik bedoel, waarom reisde u niet samen?'
'Ik reis graag met de trein. We vertrokken op verschillende tijdstippen. Bovendien neem ik aan dat Mark ook nog andere dingen wilde doen, waren er wellicht nog andere dingen die hij wilde bekijken. Hij wilde mobiel zijn en ik was liever niet van hem afhankelijk. Ik vind het niet erg om in Londen de ondergrondse of de bus te pakken. Eerlijk gezegd vind ik het juist heerlijk. Dan heb ik even de tijd om wat te lezen of de wereld voorbij te zien vliegen. Ik vind het ook nooit erg als ze te laat zijn. Des te meer tijd om te lezen.'
'U zou zo reclame kunnen maken voor de National Express,' zei Banks.
Wyman lachte. 'Och, zo ver zou ik niet willen gaan. Het vooruitzicht om in een auto via de M1 te moeten rijden... nou ja, eerlijk gezegd zie ik daar als een berg tegenop. Al die vrachtwagens. In Londen rijden is al net zo erg... en dan komt de tolheffing er ook nog eens bij.'
Banks reed zelf ook niet graag in Londen rond, ook al was hij er min of meer aan gewend geraakt sinds hij Sophia kende. Soms nam hij voor de afwisseling de trein, net als zijzelf zo nu en dan ook wel deed wanneer ze naar het noorden kwam, maar ze had daarnaast ook een kleine Ford Focus waarmee ze regelmatig zijn kant op kwam. 'Wat was het doel van de reis?'
'Het retrospectief van Duits-expressionistische films in het National Film Theatre.'
'Gold dat voor u allebei?'
'Tja, daar ging absoluut onze belangstelling naar uit, maar zoals ik eerder al zei, is het heel goed mogelijk dat Mark ook nog andere plannen had. Hij heeft me daar niets over verteld. Zoveel tijd brachten we niet samen door.'
'Kunt u me vertellen wat u dan wél samen hebt gedaan?'
'Ja, uiteraard. De eerste avond hebben we vóór de vertoning om een uur of zes samen iets gegeten bij Zizzi in Charlotte Street. Het was die avond heerlijk weer en we zaten aan een tafeltje op het trottoir vóór de zaak.'
'Wat hebben jullie precies gegeten?' Als de vraag Wyman al verbaasde, dan wist hij dat goed verborgen te houden.

'Pizza.'

'Wie heeft dat betaald?'

'We hebben ieder de helft betaald.'

'Hebt u het bonnetje nog?'

Wyman fronste zijn wenkbrauwen. 'Misschien zit het nog in mijn portemonnee. Als u wilt, kan ik wel even kijken.'

'Straks graag,' zei Banks. 'En na het eten?'

'Toen hebben we een paar films bekeken. *Das Cabinet des Dr. Caligari* en een vrij zeldzame vertoning van Dmitri Buchowhki's *Othello*, een Duits-expressionistische versie van Shakespeare. Heel interessant, maar uiteindelijk niet een van de beste. Ziet u, ik regisseer…'

'Ja, dat weten we,' zei Banks. 'En na afloop?'

Wyman keek een beetje chagrijnig, omdat hem de kans om over zijn verrichtingen als regisseur uit te wijden werd ontzegd. 'We hebben heel even iets gedronken in de bar en zijn toen ieder onze eigen weg gegaan.'

'Jullie verbleven niet in hetzelfde hotel?'

'Nee. Marks partner heeft een kleine flat in Bloomsbury. Ik ga ervan uit dat hij daar sliep.'

'Hij heeft er niets over gezegd?'

'Niet echt, nee. Waarom zou je echter de Londense prijs voor een hotelkamer neertellen als je ook ergens voor niets kunt overnachten?'

'Daar zegt u zowat,' zei Banks instemmend. 'En u?'

'Ik verbleef op mijn vaste bed&breakfastadresje vlak bij Victoria Station. Goedkoop en knus. Niet de grootste kamer die je je kunt voorstellen, maar voor mij meer dan voldoende.'

'Kunt u me het adres geven?' vroeg Banks.

Wyman reageerde een beetje verwonderd op de vraag, maar gaf Banks een adres in Warwick Street.

'U had het net over Marks partner,' zei Annie. 'Kende u Laurence Silbert goed?'

'Niet echt. We hebben elkaar een paar maal gesproken. Ze zijn een keer hier komen eten. Daarna hebben ze ons uitgenodigd en zijn we bij hen geweest. Niets bijzonders.'

'Wanneer was dat?' vroeg Annie.

'Een maand of wat geleden.'

'Had u toen de indruk dat Mark Hardcastle daar woonde?' vroeg Banks.

'Min of meer wel,' zei Wyman. 'Hij is er zo'n beetje op de dag dat ze elkaar leerden kennen ingetrokken. Nou ja, dat lijkt me ook vrij logisch, hè? Zo'n gigantisch huis op de heuvel.'

'Denkt u dat het hem om de pracht en praal te doen was?' vroeg Banks.
'Nee, zo bedoelde ik het eigenlijk niet. Een misplaatst grapje. Mark kon echter de mooie dingen in het leven wel waarderen. Hij was een jongen uit de arbeidersklasse die het ver had geschopt, een echt succesverhaal. U weet wel, zo'n type dat Château Margaux en rauwmelkse camembert verkiest boven een pint bitter en een zakje cheese-onionchips. Ze pasten goed bij elkaar, ondanks hun verschillende afkomst.'

Op dat moment keerde mevrouw Wyman terug met de thee en het onvermijdelijke schaaltje biscuitjes. Ze pakten allemaal een kopje van het dienblad. Banks bedankte haar en ging verder met zijn volgende vragen. 'En de donderdag erna?'

'Wat wilt u daarover weten?'

'Hebt u Mark toen gezien?'

'Nee. Hij zei dat hij naar huis moest. Zoals u al weet, ben ik tot zaterdag gebleven. Ik wilde ook een paar tentoonstellingen bezoeken nu ik er toch was. Het Tate Modern. The National Portrait Gallery. Verder wilde ik op boekenjacht. Er waren ook nog enkele films en lezingen van het NFT waar ik naartoe wilde. *Die Hintertreppe. Nosferatu.* Als u wilt, kan ik u wel vertellen waar en wanneer dat was.'

'Hebt u de toegangskaartjes nog?'

'Ja, waarschijnlijk wel.' Hij fronste zijn wenkbrauwen. 'Hoor eens, u hoort me uit alsof ik een verdachte ben. Ik dacht…'

'We willen gewoon zeker weten dat onze informatie klopt,' zei Banks. 'Momenteel is er nog geen sprake van verdachten.' Of een reden om ook maar iemand te verdenken, voegde hij daar in gedachten aan toe. 'Tot wanneer bent u precies in Londen gebleven?'

Wyman zweeg even. 'Gisteren. Ik ben rond lunchtijd uit mijn B&B vertrokken, heb wat gegeten in een pub, ben een paar boekwinkels afgegaan en heb toen de National Gallery bezocht; daarna ben ik gisteravond met de trein van vijf uur naar York teruggekomen. Ik was thuis om een uur of…' Hij wierp een blik op zijn vrouw.

'Ik heb hem rond kwart over zeven opgehaald van het station,' zei ze.

Banks keek weer naar Wyman. 'En u weet heel zeker dat u Mark Hardcastle niet meer hebt gezien nadat hij op woensdagavond de bar had verlaten?'

'Inderdaad.'

'Was hij met de auto?'

'Nee. Na het eten hebben we in Goodge Street de ondergrondse genomen.'

'Naar Waterloo?'

'Ja.'

'En op de terugweg?'

'Toen ben ik te voet via het pad langs de Embankment en over Westminster Bridge gegaan. Het was een prachtige avond. Het uitzicht op de rivier was werkelijk adembenemend. De Houses of Parliament die helemaal waren verlicht. Ik ben niet bepaald een patriot en al evenmin een grote fan van de politiek, maar die aanblik ontroert me altijd weer en veroorzaakt een brok in mijn keel.'

'En Mark?'

'Ik neem aan dat hij met de ondergrondse is gegaan.'

'Zei hij ook waar hij naartoe ging?'

'Terug naar Goodge Street, denk ik. Daarvandaan kon hij gemakkelijk naar Bloomsbury lopen.'

'Daar is hij dus naartoe gegaan?'

'Ik vermoed van wel, ja. Ik ben niet met hem meegegaan, dus ik kan het niet met zekerheid zeggen.'

'Hoe laat was dat?'

'Halfelf, kwart voor elf.'

'Waar had hij zijn auto gelaten?'

'Geen flauw idee. Bij de flat, denk ik, of in de garage, als hij die had.'

'Waar hebben jullie in de bar over gesproken?'

'De films die we hadden gezien, ideeën voor decors en kostuums.'

'Hoe was hij er volgens u geestelijk aan toe?'

'Prima,' zei Wyman. 'Net als anders. Daarom begrijp ik ook niet...'

'Niet depressief?' vroeg Annie.

'Nee.'

'Slechtgehumeurd, nerveus?'

'Nee.'

Banks nam het weer van haar over. 'Ziet u, we hebben ons laten vertellen dat hij de afgelopen weken nogal somber en opvliegend was. Hebt u daar iets van gemerkt?'

'Misschien had hij datgene wat hem dwarszat wel van zich afgezet? Misschien was hij opgefleurd van het bezoek aan Londen?'

'Dat zou kunnen,' zei Banks. 'Laten we echter niet vergeten dat hij zichzelf de dag na zijn terugkeer naar Eastvale in Hindswell Woods heeft opgehangen. We proberen erachter te komen wat daar de reden voor kan zijn geweest, of er een directe aanleiding voor was of dat het een steeds erger wordende depressie was.'

'Het spijt me, maar daarmee kan ik u niet helpen,' zei Wyman. 'Ik wist niet dat hij depressief was. Als dat inderdaad zo was, wist hij het goed te verbergen.'

'Had u het idee dat Laurence en hij wellicht met elkaar overhoop lagen?'
'Hij zei tijdens de reis niet veel over Laurence. Dat deed hij eigenlijk zelden, tenzij ik naar hem vroeg. Vrijwel nooit, in elk geval. Mark deed overdreven geheimzinnig over zijn privéleven. Niet over het feit dat hij homoseksueel was of zo, daar was hij juist heel openhartig over, maar wel over degene met wie hij zijn leven deelde. Ik denk dat hij eerder relaties had gehad die slecht waren afgelopen en dat hij daarom misschien een beetje bijgelovig was. U weet wel: alsof het wel fout móét lopen als je hardop zegt dat je iets of iemand leuk vindt.'
'Ik wil niet nieuwsgierig zijn,' zei Banks, 'maar heeft Mark ooit geprobeerd u te versieren of ongepaste belangstelling voor u getoond? Iets anders dan vriendschap en gemeenschappelijke hobby's, bedoel ik?'
'Grote god, nee! Mark was een collega en vriend. Hij wist dat ik getrouwd was en heteroseksueel. Dat heeft hij altijd gerespecteerd.'
'Gingen jullie buiten het werk veel met elkaar om?'
'Nee, niet echt. We gingen weleens iets drinken, meestal om iets in verband met het theater te bespreken.'
'Was hij jaloers van aard?'
'Nou, ik heb een paar keer de indruk gehad dat hij een beetje onzeker was.'
'In welk opzicht?'
'Ik denk dat hij erg jaloers kon zijn – dit is puur mijn eigen mening, hoor – en ik vermoed dat hij soms het gevoel had dat Laurence een beetje boven zijn stand was en dat hij steeds dacht dat de luchtbel ooit uit elkaar zou spatten. Ik bedoel maar, een mijnwerkerszoon uit Barnsley en een welgestelde man van de wereld als Laurence Silbert. Dat kan toch haast niet goed gaan? Zijn moeder heeft nota bene de Viva-keten opgericht. Een echte beroemdheid. U moet toch toegeven dat het een vreemde combinatie was. Ik begrijp heel goed wat hem dreef. Ik ben zelf ook van heel bescheiden afkomst. Dat vergeet je nooit.'
'Komt u ook uit Barnsley?'
'Nee, uit Pontefract, helaas.'
'Was Mark jaloers op een specifiek iemand?'
'Nee, hij noemde geen namen. Hij was gewoon ongerust wanneer Laurence van huis was en dergelijke. Wat trouwens vrij vaak het geval was.'
'Ik heb begrepen dat meneer Silbert in Amsterdam verbleef toen jullie in Londen zaten?'
'Dat klopt. Dat heeft Mark me inderdaad verteld.'
'Zei hij ook waarom?'
'Nee. Werk, dacht ik.'

'Wat voor werk deed hij precies?'

'Hij was gepensioneerd overheidsmedewerker. Hij had voor Buitenlandse Zaken gewerkt en de hele wereld afgereisd. Misschien ging het wel om een reünie? Van het personeel van de ambassade, bijvoorbeeld. Of is het een consulaat? Ik weet het verschil tussen die twee nooit. Ik weet alleen dat Laurence in Amsterdam was en dat Mark zich een beetje zorgen maakte over het nachtleven daar, u weet wel: de Wallen en zo. Amsterdam heeft nu eenmaal een bepaalde reputatie. Alles kan en mag.'

'Inderdaad,' zei Banks. 'Mark maakte zich dus toch zorgen?'

'Zo bedoelde ik het niet. Hij was nu eenmaal iemand die zich snel zorgen maakte. Hij maakte er zelf vaak grapjes over. Ik zei dat hij altijd naar Soho of Hampstead Heath kon gaan als hij zelf op een pleziertje uit was.'

'Hoe reageerde hij daarop?' vroeg Annie.

'Hij glimlachte alleen maar en antwoordde dat die tijd achter hem lag.'

'Er is dus niets opmerkelijks gebeurd tijdens het bezoek van Mark Hardcastle en u aan Londen?' zei Banks.

'Nee. Het is allemaal precies gegaan zoals ik u heb verteld.'

'Is u de afgelopen tijd iets ongewoons opgevallen aan Marks gedrag?'

'Helemaal niets.'

'Mevrouw Wyman?'

'Nee,' zei ze. 'Ik heb helemaal niets aan hem gemerkt. Nou ja, ik had hem ook al een paar weken niet gezien.'

'Hadden Mark en u zoiets al eens eerder gedaan?' vroeg Annie aan Wyman.

'Wat?'

'U weet wel: een paar dagen samen op stap.'

Wyman boog zich naar hen toe. 'Nu moet u eens goed naar me luisteren, ik weet niet wat u allemaal wilt insinueren, maar zo zat het helemaal niet. Er was helemaal niets onbetamelijks gaande tussen Mark Hardcastle en mij. Bovendien waren we helemaal niet "een paar dagen samen op stap". We zijn afzonderlijk van elkaar naar Londen gegaan en ook weer terug, en bij mijn weten is hij daar maar één nacht geweest. Jezus, we hebben alleen maar een keer samen wat gegeten en een paar films bekeken.'

'Ik vroeg me gewoon af of u dat al eens eerder had gedaan,' zei Annie.

'Nee dus. Dat had ik jullie al verteld. Dit was de eerste keer.'

'En er is die avond werkelijk niets voorgevallen wat de gebeurtenissen van de twee daaropvolgende dagen in werking kan hebben gezet?' vroeg Banks.

'Nee. Voor zover ik weet niet. Zeker niet waar ik bij was. God mag weten wat hij allemaal heeft uitgespookt nadat we ieder onze eigen weg waren gegaan.'

'Uitgespookt?' vroeg Banks.

'Gewoon een uitdrukking. Bloomsbury is natuurlijk niet al te ver bij Soho vandaan en er zitten daar heel wat homobars, dus als je daarnaar op zoek bent... Misschien is hij wel een vriend tegengekomen? Misschien hadden Laurence en hij afgesproken dat ze vrij waren om te doen wat ze wilden wanneer ze niet bij elkaar waren? Ik zou het echt niet weten. Ik heb gewoon geen flauw idee waar hij naartoe is gegaan nadat we afscheid hadden genomen, of het nu de flat was of ergens anders.'

'U zei net anders dat hij tegen u had gezegd dat die tijd achter hem lag?' zei Annie. 'Was Mark Laurence Silbert soms vaker ontrouw?'

'Dat weet ik niet. Zoals ik net al zei, nam hij me niet in vertrouwen over zijn liefdesleven. U moet echter niet vergeten dat Laurence in Amsterdam zat. Eerlijk gezegd geloof ik niet dat Mark het type was dat op Hampstead Heath een scharrel zocht of aan cruisen deed, of hoe het ook mag heten. En al evenmin in een achterkamertje in een club in Soho. Daarom durf ik er ook grapjes over te maken. Ach, wat weet ik er ook van? Mijn wereld is het niet.'

'Ik neem aan dat die wereld niet eens zo heel veel verschilt van die van anderen,' merkte Banks op, 'als je er even over nadenkt.'

'Misschien hebt u wel gelijk,' beaamde Wyman. 'Het enige wat ik u kan zeggen is dat ik niet weet wat hij heeft gedaan, wat hij graag deed of met wie.'

'Kunt u ons verder nog iets vertellen?' vroeg Banks.

'Ik kan zo gauw niets bedenken,' zei Wyman.

Zijn vrouw schudde haar hoofd. Banks had tijdens het gesprek zo nu en dan een blik op Carol Wymans gezicht geworpen, op zoek naar signalen die op bezorgdheid duidden of op het besef dat haar man wellicht loog wanneer de kwestie van zijn reisje met Hardcastle ter sprake kwam, maar ze had alleen beleefde belangstelling en vage geamuseerdheid getoond. Ze twijfelde in dat opzicht kennelijk totaal niet aan hem en was wel zo ruimdenkend dat ze het echt geen ramp vond als haar man met een homoseksuele vriend in Londen afsprak. Op dit moment zouden ze van Derek Wyman geen steek wijzer meer worden, dacht Banks bij zichzelf, dus hij gebaarde naar Annie dat ze konden vertrekken.

Banks en Annie besloten een vroege lunch te pakken in de Queen's Arms, waar het op die warme, natte zondag in juni al erg vol zat met geestdriftige mensen in waterdichte wandelkleding. Toen ze Wymans huis verlieten, was het net opgehouden met regenen en brak de zon door de gaten in het wolkendek.

Banks nam plaats aan een rond tafeltje met een gebutst koperen tafelblad voor twee personen in de hoek vlak bij de herentoiletten en Annie liep naar de bar om gebraden lamsvlees met Yorkshire pudding voor Banks te bestellen en vegetarische pasta voor zichzelf. Om hen heen gonsde het van de gesprekken en het knappe, blonde schoolmeisje dat in het weekend als serveerster werkte, werd overspoeld met bestellingen. Banks keek laatdunkend naar zijn grapefruitsap en hief zijn glas naar Annies cola light om te proosten. 'Op werken op zondag.'

'Dat was alweer een tijd geleden, hè?'

'Volgens mij hebben we in elk geval een uitstekend begin gemaakt,' zei Banks. 'Wat vond je van Derek Wyman?'

'Een beetje een treinspotter. Een sulletje.'

'Dat zeg je altijd van mensen met een passie of een hobby.'

'Nou ja, het is toch waar? Hobby's zijn zo suf.'

'In mijn jeugd had iedereen een hobby. Je ontkwam er niet aan. Er waren op school allemaal clubjes. Postzegels verzamelen, vliegtuigmodellen maken, schaken, kikkervisjes verzamelen, waterkers kweken, noem maar op. Ik had vroeger ook hobby's.'

'Noem dan eens wat?'

'Je weet wel: dingen verzamelen. Munten. Sigarettenplaatjes. Vogeleieren. Nummerborden noteren.'

'Nummerborden noteren? Dat meen je toch niet?'

'Ja, hoor. Dan zaten we op de muur langs de hoofdweg en schreven we er zo veel mogelijk op.'

'Waarom in godsnaam?'

'Zomaar. Het was een hobby. Daar gaat het bij hobby's om: je hoeft er geen reden voor te hebben.'

'Wat deed je er dan mee?'

'Niets. Zodra ik een opschrijfboekje vol had, begon ik met een nieuw. Soms probeerde ik ook wel het merk van de auto erbij te zetten, als ik dat had herkend en snel genoeg was. Echt, ons werk zou vandaag de dag een stuk gemakkelijker zijn als meer mensen dat nog steeds deden.'

'Welnee, nergens voor nodig,' zei Annie. 'Er hangen tegenwoordig immers overal beveiligingscamera's.'

'Niet zo cynisch, alsjeblieft.'

'Wat deed je met die vogeleieren?'

'Nou, die moest je leegblazen, want anders gingen ze rotten en dat stonk. Ik ben door schade en schande wijs geworden.'

'Leegblazen? Echt?'

'Jazeker. Je maakte aan beide kanten met een naald een gaatje en dan...'

'Gatver,' zei Annie. 'Ik wil het niet eens weten.'

Banks keek haar onderzoekend aan. 'Je vroeg het anders zelf.'

'Oké,' ging ze met een afwerend gebaar verder, 'maar dat was waarschijnlijk toen je een jaar of tien, elf was. Derek Wyman is de veertig gepasseerd.'

'Toneel is een heel normale hobby. Daar is helemaal niets sufs aan. En het is wel iets verhevener dan treintjes kijken.'

'Och, dat weet ik zo net nog niet,' zei Annie. 'Vind je dan niet dat het wel iets heroïsch en romantisch heeft om in je windjack in weer en wind op het uiteinde van een perron te staan, blootgesteld aan de elementen, om de nummers te noteren van alle diesellocomotieven die voorbijzoeven?'

Banks tuurde oplettend naar haar gezicht. 'Je zit me weer te stangen.'

Annie glimlachte. 'Een beetje wel misschien.'

'Oké. Heel grappig, hoor. Wat vond je van Wyman? Denk je dat hij de waarheid sprak?'

'Hij had immers geen reden om tegen ons te liegen? Ik bedoel, hij heeft ook wel door dat we zijn alibi kunnen controleren. Bovendien heeft hij ons al die bonnetjes en entreekaartjes gegeven voordat we vertrokken.'

'Ja,' zei Banks. 'Die kwamen inderdaad wel heel goed van pas.'

'Ze zaten gewoon in zijn portemonnee. Typisch een plek waar je die dingen opbergt.'

'Filmkaartjes ook?'

'Sommige mensen doen dat, ja.'

'Dat weet ik ook wel.'

'Wat is er dan?'

'Niets,' zei Banks. 'Dat verrekte litteken van me jeukt, dat is alles.'

'Hoe heb je dat ding eigenlijk opgelopen?'

Banks ging niet op de vraag in. 'Denk je dat er iets gaande was tussen die twee? Tussen Wyman en Hardcastle?'

'Nee, niet echt. Volgens mij sprak hij in dat opzicht zeker de waarheid. Zijn vrouw reageerde er ook helemaal niet op. Als zij haar verdenkingen had, zou het haar volgens mij heel zwaar zijn gevallen om dat te verbergen. Niet alle homoseksuelen zijn promiscue, hoor, net zo min als alle hetero's.'

'De meeste kerels die ik ken, vallen vaak op vrouwen die niet hun echtgenote zijn.'

'Dat zegt helemaal niets,' zei Annie. 'Behalve dan dat de meeste kerels hufters zijn en dat jouw vrienden blijkbaar nooit volwassen zijn geworden.'

'Je mag toch wel op iemand vallen? Wat is daar nou mis mee? Met kijken?'

Annie wendde haar blik af. 'Weet ik het,' zei ze. 'Vraag maar aan Sophia. Eens kijken wat zij erover te zeggen heeft.'

Banks liet een korte stilte vallen en zei toen: 'En Derek Wyman en Laurence Silbert?'

'Wat is er met hen?'

'Je weet wel.'

'Dat betwijfel ik,' zei Annie. 'Ik heb niet echt de indruk dat Silbert veel onder de mensen kwam.'

'Wat zien we dan in vredesnaam over het hoofd?'

Hun eten werd gebracht en de serveerster had zoveel haast dat ze Banks' lunch bijna op zijn schoot liet tuimelen. Ze ging er blozend op een holletje vandoor, terwijl hij een paar spetters jus depte die op zijn broek waren beland. 'Ik durf te zweren dat Cyrils personeel met de week jonger wordt.'

'Het valt niet mee hen te behouden,' zei Annie instemmend. 'Geen enkele jongere heeft er zin in om elke dag naar school te gaan en dan in het weekend ook nog eens hier te werken. Om te beginnen is het salaris belabberd en verder laat niemand hier ooit een fooi achter. Het is geen wonder dat ze het niet lang volhouden.'

'Dat zal ook wel niet. Goed, we hadden het dus over Derek Wyman.'

'Hij leek mij geen slechte vent,' zei Annie. 'Ik geloof niet dat we iets over het hoofd zien. Zoals ik net al zei, vond ik hem een sulletje, meer niet. Waarschijnlijk kan hij van elke film die hij ooit heeft gezien iedere chef licht en eerste assistent van de chef licht met naam en toenaam opnoemen, maar dat wil volgens mij nog niet zeggen dat hij ook een moordenaar is.'

'Ik zei ook niet dat hij een moordenaar is,' wierp Banks na een hap lamsvlees tegen. 'Er zit me alleen iets dwars over deze moord-zelfmoordzaak.'

'Dat is anders precies wat het is: een moord en een zelfmoord. Vind je niet dat we dit misschien allemaal net iets te serieus nemen? Jij bent geïrriteerd omdat je van je romantische weekendje weg bent teruggeroepen en je geen pittig mysterie kunt vinden waardoor het in elk geval de moeite waard was.'

Banks keek haar even aan. 'Zou jij dat dan niet zijn?'

'Waarschijnlijk wel.'

'Het is allemaal zo vaag,' zei Banks. 'Was Hardcastle nu bijvoorbeeld wel of niet overstuur? Sommige van de mensen met wie hij werkte zeiden van wel. Maria Wolsey, om iemand te noemen. Wyman zei dat het niet zo was, maar weer wel dat hij over het geheel genomen onzeker was en jaloers vanwege Silberts vele reizen. Ik weet het niet. Er zijn gewoon te veel onbeantwoorde vragen.' Banks legde zijn mes en vork neer, en telde tijdens het praten op zijn vingers af: 'Waarom was Silbert zoveel op reis als hij met pensioen was? Hadden Hardcastle en Silbert ruzie gehad of niet? Ging een van hen, of allebei, vreemd? Wie is Julian Fenner en waarom is zijn telefoonnummer niet meer in gebruik? Wat deed Silbert in Amsterdam?'

'Tja, als je het zo zegt…' zei Annie. 'Misschien kan Edwina ons daarbij helpen?'

'Mensen slaan hun geliefde nu eenmaal niet zomaar zonder reden dood om zich daarna te verhangen.'

'De reden kan juist heel onbeduidend zijn,' wierp Annie tegen. 'Als Hardcastle het heeft gedaan, kan dat heel goed zijn geweest omdat er op dat moment opeens iets oplaaide. Je weet net zo goed als ik dat mensen juist door de onbenulligste dingen vreselijk agressief kunnen worden. Een geroosterde boterham die verbrandt, een waardevol siervoorwerp dat kapotgaat, iemand die op het verkeerde moment in de zeik wordt genomen. Ga zo maar door. Misschien had Hardcastle wel te veel gedronken en tikte Silbert hem daarvoor op de vingers. Zo eenvoudig kan het zijn geweest. Mensen vinden het niet leuk om te horen dat ze te veel hebben gedronken. Misschien was Hardcastle nijdig en al agressief, en was Silbert dood voordat hij goed en wel doorhad wat hij deed? Uit Graingers verklaring weten we dat hij had gedronken toen hij in de ijzerwarenwinkel dat stuk waslijn kwam kopen.'

'Het kan ook zijn dat iemand anders het heeft gedaan,' zei Banks.

'Dat zeg jij.'

'Kijk eens hoe vaak Silbert na zijn dood nog is geslagen en de enorme hoeveelheid bloed,' zei Banks.

'In de hitte van de strijd,' reageerde Annie. 'Hardcastle verloor zijn zelfbeheersing. Kreeg een rood waas voor zijn ogen. Letterlijk. Toen hij ophield en zag wat hij had gedaan, was hij ontzet. Daardoor kalmeerde hij, dus toen hij de waslijn van Grainger kocht, maakte hij een afwezige, berustende indruk, omdat zijn besluit vaststond. Hij ging naar het bos en…'

'Hoe zit het dan met de verwondingen die rond Silberts geslachtsdelen zijn aangebracht? Duidt dat volgens jou niet op een seksuele beweegreden?'

'Zou kunnen.' Annie schoof haar halflege bord van zich af. 'Het is echter niet iets wat we nog nooit eerder zijn tegengekomen, of wel? Als jaloezie met een seksuele achtergrond meespeelt, zoekt de moordenaar dat deel van het lichaam op dat hiervoor symbool staat. Misschien hadden ze ruzie gehad omdat Hardcastle met Wyman naar Londen zou gaan of omdat Silbert naar Amsterdam ging? Dat komen we misschien nooit te weten. Toch wil dat nog niet zeggen dat iemand anders het heeft gedaan. Wat de achterliggende reden ook was – jaloezie, ontrouw, commentaar op alcoholgebruik, een antiek voorwerp dat Hardcastle wellicht kapot heeft gemaakt – het eindresultaat blijft hetzelfde: een ruzie die tot geweld leidde en één man het leven kostte. De overlevende kon niet verdragen wat hij had gedaan, dus pleegde hij zelfmoord. Daar zit niets duisters of ongewoons aan. Het is triest om het te moeten zeggen, maar het is tegenwoordig heel gewoon.'

Banks legde met een diepe zucht zijn mes en vork neer. 'Je zult wel gelijk hebben,' zei hij. 'Misschien zoek ik iets wat mijn verpeste weekend rechtvaardigt. Of misschien wil jíj dit wel zo snel mogelijk opgelost hebben, zodat we ons op iets echt belangrijks kunnen richten, zoals al die verkeerskegels die de laatste tijd vermist zijn geraakt op de markt?'

Annie lachte. 'Mooi, je bent in elk geval op de juiste weg.'

'Kom,' zei Banks. 'Laten we maar eens een kijkje gaan nemen in Silberts huis. De technische recherche zou daar onderhand wel ongeveer klaar moeten zijn. Daarna gaan we in The Burgundy nogmaals met Edwina praten. Ik heb heel sterk de indruk dat haar ook iets dwarszit. Eens kijken of we iets kunnen ontdekken wat meer licht op de kwestie werpt.'

'Dat lijkt me een uitstekend plan,' zei Annie.

Toen Banks en Annie op zondag aan het begin van de middag bij het huis arriveerden, waren enkele leden van de TR nog altijd bezig met het verzamelen van sporen in Silberts woonkamer op de eerste verdieping, maar verder was er niemand aanwezig.

'We hebben alles grondig nagekeken,' meldde Ted Ferguson, een van de technisch rechercheurs, 'en er zijn in het hele huis geen geheime kluizen of kastjes te bekennen. De enige kamers waarin zich persoonlijke spullen en papieren bevinden, zijn deze kamer en de werkkamer verderop in de gang.' Hij reikte hun latex handschoenen aan uit de TR-tas op de grond bij de deur. 'We moeten beneden nog een paar dingen doen, maar hierboven zijn we voorlopig klaar. We zullen jullie verder ongestoord jullie werk laten doen. Trek deze aan.'

'Bedankt, Ted,' zei Banks. Hij verbrak het zegel en trok de handschoenen aan.

De TR ging naar beneden, en Banks en Annie namen vanaf de drempel alles in zich op.

Hoewel het stoffelijke overschot en de schapenvacht waarop het had gelegen waren verdwenen, vormden de op de muren achtergebleven bloedspetters en de resten van vingerafdrukpoeder die overal zichtbaar waren stille getuigen van het feit dat het een plaats delict was. De foto in het gebroken lijstje lag nog op de vloer. Er stond een glimlachende Mark Hardcastle op met naast hem Silbert. Banks raapte de lijst voorzichtig op, veegde wat poeder weg en bekeek Silberts gezicht aandachtig. Knap, dat zeker, beschaafd, slank en gezond, zo op het oog veel jonger dan tweeënzestig jaar, met een flinke kloof in zijn kin, een hoog voorhoofd en helderblauwe ogen. Zijn donkere haar werd bij de slapen iets dunner en vertoonde boven de oren wat grijs, maar het stond hem wel. Hij had een lichtblauwe kasjmier trui aan en een donkerblauwe pantalon.

Annie wees naar de ingelijste, vergrote foto van Hindswell Woods aan de muur. Een groot deel van het bloed was verwijderd, maar hier en daar hadden de druppels vegen achtergelaten. 'Niet slecht,' zei Banks. 'Degene die hem heeft genomen, had duidelijk oog voor het lieflijke boslandschap. Zoals het licht door de bladeren en takken schijnt – echt prachtig.'

'Dat is de boom waaraan Mark Hardcastle zichzelf heeft opgehangen,' zei Annie wijzend naar de eik. 'Hij is heel herkenbaar.'

Ze staarden allebei naar de foto en Banks dacht terug aan wat Edwina Silbert de avond ervoor had verteld over wandelingen in een bos vol boshyacinten. Toen gingen ze aan de slag.

Silberts computer leek na een door Annie uitgevoerd oppervlakkig onderzoek niets opmerkelijks te bevatten, maar zou later grondig onder handen worden genomen door de technische dienst als uit het bewijs zou blijken dat er een andere dader moest zijn dan Mark Hardcastle. De laden van het bureau bevatten slechts briefpapier, vakantiekiekjes en een paar mappen met zakelijke bonnen plus facturen voor de telefoon en water, gas en licht.

Een set sleutels uit de middelste lade gaf toegang tot een afgesloten antiek houten kastje op de vloer naast het bureau. Daarin troffen Banks en Annie de eigendomsakte van het huis aan, bankafschriften, chequeboekjes en allerlei andere paperassen waaruit ze opmaakten dat Silbert meer dan een miljoen had bezeten. Zijn ambtenarenpensioen was bij lange na niet voldoende om dat te verklaren, maar regelmatig overgemaakte bedragen van Viva en diverse dochterondernemingen wel. Ook bleken er verschillende grote overboekingen te hebben plaatsgevonden vanaf buitenlandse, voornamelijk Zwitserse bankrekeningen waarvoor de reden onduidelijk was, maar over het geheel genomen was het raadsel rond Silberts rijkdom opgelost. Er lag geen testament, dus dat had Silbert aan zijn advocaat in bewaring gegeven of anders had hij er nooit een laten opstellen, en in dat geval zou zijn fortuin naar zijn moeder gaan.

Op de onderste plank van het kastje vond Banks een stapeltje persoonlijke brieven die met een elastiekje bij elkaar werden gehouden. De eerste dateerde van 7 september 1997 en was afkomstig van een zekere Leo Westwood met een adres in Swiss Cottage. Banks las hem vluchtig door en Annie las over zijn schouder mee. De brief was geschreven in een keurig, schuin handschrift en afgaand op de ongelijkmatige dikten van de inktstrepen met een vulpen.

De inhoud ging voornamelijk over het overlijden van de Prinses van Wales en de nasleep daarvan. Westwood had kennelijk weinig begrip voor de aanval op de koninklijke familie door Diana's broer in zijn grafrede de dag eerder, noemde het 'ongepast en onbezonnen', en al evenmin voor het massaal rouwende 'plebs, dat bijna net zo dol is op dergelijke gebeurtenissen als op *Coronation Street* en *EastEnders*'. Banks zou graag willen weten wat hij dan wel vond van het onlangs gehouden onderzoek naar en de beschuldigingen aan het adres van Prins Charles, de Hertog van Edinburgh en MI6.

Ook werd er verwezen naar een middagje struinen op een antiekmarkt, een achttiende-eeuws kaarttafeltje met een ingelegd patroon dat Silbert 'ongetwijfeld enig had gevonden', en een heerlijk maal van onder andere ganzenleverpastei en zwezerik met 'Gracie en Sevron' in een restaurant met een Michelinster in de West End, waar ze een van Tony Blairs ministers hadden zien dineren met een uit de gratie geraakte collega.

De brief was net als de andere per diplomatieke post via de Britse ambassade in Berlijn naar Silbert gestuurd. Banks vroeg zich af of hij door censuurambtenaren was gelezen. Hij stond weliswaar vol roddels, maar bevatte geen opruiende teksten, niets wat de toorn van de regering kon hebben afgeroepen over Westwood of Silbert, en de enige openlijk politieke verwijzing was die naar de recente veroordeling van Egon Krenz vanwege zijn 'gericht schieten'-beleid bij de Berlijnse Muur. Over het geheel genomen was het een gezellig keuvelende, informatieve, snobistische, hartelijke brief. De schrijver ervan was zich er ongetwijfeld van bewust dat zijn woorden waarschijnlijk ook door andere ogen dan die van de geadresseerde zouden worden gelezen, dus als hij indertijd Silberts geliefde was, toonde hij een opmerkelijke terughoudendheid. Toen Annie de brief uit had, stopte Banks hem terug in de envelop en legde hij deze weer op het stapeltje.

'Denk je dat deze tot ruzie kunnen hebben geleid?' vroeg Annie en ze tikte op de stapel brieven.

'Het is niet ondenkbaar,' zei Banks. 'Maar waarom nu? Ze slingeren waarschijnlijk al sinds het eind van de jaren negentig rond.'

'Misschien heeft Hardcastle hier op donderdagavond of vrijdagochtend stiekem rondgesnuffeld, toen Silbert nog in Amsterdam zat?'

'Dat zou kunnen,' zei Banks, 'maar hij had toch al veel eerder gelegenheid gehad om rond te snuffelen? Silbert was vaak op reis. Waarom dan nu opeens?'

'Misschien kreeg zijn jaloezie de overhand?'

'Hmm,' zei Banks. 'Laten we maar eens verderop in de gang gaan kijken.'

De kamer fungeerde duidelijk als Hardcastles werkkamer en was veel minder netjes dan die van Silbert. De meeste zaken die ze erin aantroffen, hadden betrekking op Hardcastles werk in het theater en zijn interesse voor decor- en kostuumontwerp. Er lagen aantekeningen, schetsen, boeken en scenario's waarin met verschillende kleuren inkt opmerkingen waren geschreven.

Op zijn laptop zat een computerprogramma waarmee diverse formats voor scenario's konden worden geproduceerd, evenals het begin van een of twee verhalen. Blijkbaar had Hardcastle zelf een filmscenario willen schrijven, afgaand op de eerste pagina kennelijk een spookverhaal gesitueerd in victoriaans Engeland.

In de bovenste bureaulade lag de nieuwste editie van *Sight & Sound*, met daarbovenop een geheugenstick van het type dat vaak wordt gebruikt voor digitale camera's.

'Dat is vreemd,' zei Annie, toen Banks haar erop attent maakte.

'Hoezo?'

'Hardcastle heeft een digitale camera. Die ligt daar op de onderste plank.' Ze pakte het kleine zilverkleurige voorwerp op en overhandigde het aan Banks.

'Nou en?' zei Banks.

'Je moet toch iets beter meegaan met je tijd,' zei Annie. 'Zie je het echt niet?'

'Jawel, ik zie het best. Een digitale camera, een geheugenkaart. Blijft mijn vraag: "Nou en?" En ik ga heus wel mee met mijn tijd. Ik heb zelf ook een digitale camera. Ik weet zelfs waar geheugenkaarten voor dienen.'

Annie zuchtte diep. 'Dit is een Canon-camera,' zei ze op een toon alsof ze het tegen een vijfjarige had. Hoewel een vijfjarige waarschijnlijk allang had geweten waarover ze het had, dacht Banks bij zichzelf. 'Daarvoor heb je een compact flash card nodig.'

'Ik weet al wat je nu gaat zeggen,' zei Banks. 'Dit ding hier is zeker geen compact flash card.'

'Precies. Het is een geheugenstick.'

'Die past zeker niet op die camera?'

'Nee. Hij is voor digitale Sony-camera's.'

'Bestaat er niet zoiets als een adapter?'

'Nee. Niet voor de camera. In theorie zou iemand het best kunnen klaarspelen, vermoed ik, maar dat doen mensen nu eenmaal niet. Ze kopen meteen het juiste geheugen. Je kunt kaartlezers krijgen en de meeste computers accepteren verschillende soorten kaarten – die van Hardcastle is er trouwens een van – maar je kunt geen geheugenstick van Sony in een Canon Sure Shot-camera stoppen.'

'Misschien was hij alleen bestemd voor de computer en niet voor de camera? Je zei net dat de meeste computers een kaartlezer hebben.'

'Dat zou kunnen,' zei Annie. 'Toch lijkt dat me erg onwaarschijnlijk. De meeste mensen kopen van die goedkopere usb smartdrives wanneer ze extra computergeheugen nodig hebben. Deze kleine gevalletjes worden speciaal voor camera's gemaakt.'

'De vraag is dus: wat doet dat ding hier?'

'Inderdaad,' zei Annie. 'En waar komt hij vandaan? Silbert had ook geen Sony. Hij heeft alleen een oude Olympus. Die heb ik in zijn werkkamer zien liggen.'

'Interessant,' zei Banks. Hij staarde naar de kleine, platte stick. 'Zullen we eens kijken wat erop staat?'

'Vingerafdrukken?'

'Verdomme.' Banks liep naar de overloop en riep een van de leden van de technische recherche bij zich. Die kwam naar boven, bekeek de stick aandachtig, behandelde hem met poeder en schudde toen zijn hoofd. 'Te onscherp,' zei hij. 'Dat is bij die dingen vrijwel altijd zo. Als jullie geluk hebben, staat er op de geheugenstick zelf misschien iets bruikbaars, maar mensen houden ze meestal bij de rand vast.'

'Is dit de stick dan niet?' vroeg Banks verbaasd.

'Dat ben ik nog vergeten uit te leggen,' zei Annie. 'De stick past in een adapter, een soort huls, waarmee je hem in de computer steekt.'

'Oké. Ik snap het.' Banks bedankte de technisch rechercheur, die terugging naar beneden. 'Laat maar eens zien dan,' vervolgde Banks. 'Als hij toch wordt beschermd door de huls, kunnen we immers weinig kwaad aanrichten?'

'Dat lijkt mij ook,' zei Annie. Ze ging achter de laptop zitten. Banks keek toe hoe ze de stick in de gleuf aan de zijkant van de computer stopte en hoorde dat deze met een klikje op zijn plek schoot. Een reeks dialoogvensters flitste over het scherm voorbij. Binnen een paar tellen verschenen er foto's in beeld waarop Laurence Silbert samen met een andere man op een bankje in een park zat. Op de achtergrond stond een schitterend, crèmekleurig gebouw met twee koepels. Banks dacht dat het Regent's Park was, maar wist het niet zeker.

Op de volgende foto waren de twee mannen op hun rug te zien, terwijl ze door een smalle straat liepen met aan de rechterkant een rij garages die, als een schaakbord, elk in een anders gekleurde reeks opvallende, met wit omlijste vierkante panelen waren geverfd. Boven de garages waren huizen of appartementen zichtbaar met witgepleisterde puntgevels.

Op de laatste foto gingen ze ergens naar binnen door een tussen twee garages geplaatste deur die duidelijk toegang gaf tot de woonruimte erboven, de onbekende man van opzij gezien met zijn hand losjes op Silberts schouder. Het kon simpelweg een beleefd gebaar zijn waarmee de man Silbert als eerste naar binnen liet gaan. Een jaloerse geliefde zou er echter best een liefkozend gebaar in kunnen zien, zeker als de geliefde niet op de hoogte was van een dergelijke ontmoeting.

Wie de man ook was, Mark Hardcastle was hij in elk geval niet. Misschien was het Leo Westwood, bedacht Banks. Hij leek ongeveer even oud als Silbert, mogelijk een jaar of twee jonger, aangezien Silbert beschikte over een jeugdigheidsserum, en was bijna net zo lang. Aan de lichtval en de schaduwen te zien was het vroeg op de avond. Achter de garages werd de straat omzoomd door bakstenen huizen met op de begane grond crèmekleurige gepleisterde gevels en trappen die naar de ingang van de kelders leidden. De datum op de foto's was die van de woensdag van anderhalve week eerder.

'Goed,' zei Banks. 'Kunnen we deze op het bureau laten afdrukken?'

'Geen enkel probleem,' zei Annie. 'Dat kan ik zelf wel doen.'

'Dan gaan we eerst terug naar het bureau. We laten ze zien aan de mensen met wie we al eerder hebben gesproken, om te beginnen Edwina Silbert. Ik ken iemand bij de technische dienst die heel misschien de straatnaam wel kan achterhalen, als het hem lukt het beeld voldoende uit te vergroten. Je kunt het straatnaambordje helemaal achteraan op de muur zien hangen. Er moet een verdomd goede reden zijn waarom die geheugenstick hier lag. Hij was niet van Silbert of Hardcastle, en volgens jou kunnen ze hem geen van beiden in hun camera hebben gebruikt. Ik geloof niet dat hij hier toevallig is terechtgekomen. Jij wel?'

'Nee,' zei Annie.

Banks stopte de brieven in zijn zak en Annie haalde de geheugenstick uit de gleuf van de computer en zette deze uit. Ze stonden op het punt naar het bureau terug te keren, toen Annies gsm overging. Ze nam meteen op. Terwijl zij aan het praten was, liet Banks zijn blik nogmaals door de kamer glijden, maar hij kon verder niets belangrijks ontdekken.

'Interessant,' zei Annie, terwijl ze haar mobieltje opborg.

'Wie was dat?'

'Maria Wolsey, van het theater. Ze werkte samen met Mark Hardcastle.'

'Wat had ze te melden?'

'Ze wil met me praten.'

'Waarover?'

'Dat zei ze niet. Alleen maar dat ze me wilde spreken.'

'En nu?'

'Ik heb gezegd dat ik wel bij haar flat langskom.'

'Oké,' zei Banks. 'Als we nu eens eerst die foto's gaan afdrukken, dan kun jij daarna met haar gaan babbelen en ga ik weer naar Edwina Silbert.'

Annie glimlachte. 'Alan Banks, als ik niet beter wist, zou ik nog gaan denken dat je een oogje op haar had.'

5

Toen Banks bij hotel The Burgundy aankwam, was de regen van eerder die ochtend opgehouden. Edwina Silbert zat met een gin-tonic en een sigaret op het kleine, rustige terras aan de achterkant van het gebouw waar vroeger de stallen hadden gestaan. Banks had de indruk dat het niet haar eerste drankje van die dag was. Een van de modekaternen van de zondagse krant lag open-geslagen voor haar, met foto's van graatmagere modellen in kleding waarin je verder nooit iemand zag lopen, maar het was wel duidelijk dat ze er niet echt aandacht aan schonk; haar blik was gericht op de rij heuvels in de verte die door een gat tussen de gebouwen werden omlijst.

Banks schoof een stoel bij en ging tegenover haar zitten. 'Een goede nacht gehad?' vroeg hij.

'Voor zover mogelijk onder de omstandigheden,' zei ze. 'Wist u dat je werke-lijk nergens in het hotel mag roken? Zelfs niet op mijn eigen kamer. Dat is toch niet te geloven?'

'Typisch iets van deze tijd,' zei Banks. Hij bestelde citroenthee bij de afwach-tend rondhangende, in een wit jasje gehulde ober. Edwina zag er die ochtend precies zo oud uit als ze was, vond hij. Nu ja, bijna dan. Ze had een zwarte wollen sjaal om haar schouders geslagen, een teken van rouw, een signaal dat ze het koud had, of wellicht allebei. Haar witgrijze haar en bleke, droge huid staken er scherp tegen af.

'Waar is dat knappe vriendinnetje van u vandaag?' vroeg ze.

'Inspecteur Cabbot is mijn vriendin niet.'

'Dan is ze een ongelooflijk dom wicht. Als ik twintig jaar jonger was...'

Banks lachte.

'Wat is er? Gelooft u me soms niet?'

'Edwina, ik geloof je best.'

Haar gezicht stond weer ernstig. 'Is er iets nieuws te melden?' vroeg ze.

'Niet echt, ben ik bang,' zei Banks. 'Ik ben zojuist bij het bureau langs ge-weest en heb gehoord dat jouw zoon bloedgroep A-positief had, net als onge-veer vijfendertig procent van de bevolking, en dat de enige bloedgroepen die we op Marks lichaam hebben gevonden A-positief en B-positief waren; die laatste komt veel minder vaak voor en is toevallig zijn eigen bloedgroep.'

'Wat u dus wilt zeggen is dat het er steeds meer op lijkt dat Mark Laurence heeft vermoord?'

'We hebben nog een lange weg te gaan voordat we dat met zekerheid kunnen stellen,' zei Banks, 'maar de bloedgroepen ondersteunen deze theorie wel.'

Edwina zweeg. Banks had het idee dat ze in stilte overwoog of ze hem iets zou vertellen of niet, maar het moment was alweer voorbij en toen ze na een minuut of wat nog steeds niets had gezegd, haalde hij de foto's die Annie had afgedrukt uit de envelop en schoof hij deze naar haar toe. 'Deze komen uit Marks werkkamer,' zei hij. 'Enig idee wie die andere man is?'

Edwina pakte een leesbril uit een bruine leren brillenkoker naast haar en bekeek de foto's aandachtig. 'Nee,' zei ze. 'Ik heb hem nog nooit eerder gezien.'

'Het is dus niet Leo Westwood?'

'Leo? Lieve help, nee. Leo is veel knapper dan de man op de foto en zeker niet zo lang. Iets steviger gebouwd, met kleine, donkere krullen. Hij heeft wel iets engelachtigs. Wie heeft u over Leo verteld?'

'We hebben brieven gevonden.'

'Wat voor brieven?'

'Van Leo aan Laurence. Niets… schokkends. Heel gewone brieven.'

'Ik had ook niet verwacht dat ze iets schokkends zouden bevatten,' zei Edwina. 'De Leo die ik ken, was absoluut niet het type om zomaar alles aan iedereen prijs te geven.'

'Wanneer hadden ze een relatie?'

'Een jaar of tien geleden. Van het eind van de jaren negentig tot een paar jaar geleden.'

'Weet je wat er is gebeurd?'

Ze tuurde naar het patroon van stapelmuurtjes in de verte. 'Wat er meestal gebeurt wanneer mensen uit elkaar gaan. Verveling? Een ander? Laurence heeft het me niet verteld. Hij was er een tijdlang kapot van, zette zich eroverheen en ging verder met zijn leven. Ik neem aan dat datzelfde ook voor Leo gold.'

'Weet je waar Leo nu is?'

'Helaas niet. Nadat Laurence en hij uit elkaar waren gegaan, zijn we elkaar uit het oog verloren. Het is best mogelijk dat hij nog steeds op hetzelfde adres woont. Adamson Road in Swiss Cottage.' Ze vertelde Banks het straatnummer. 'Ik heb daar een paar keer bij hen gegeten. Het was een leuk appartement en ook een interessante wijk. Leo was gek op die flat en hij was van hemzelf, dus de kans is groot dat hij daar nog altijd woont, tenzij hij om praktische redenen heeft moeten verhuizen.'

'Was hun relatie serieus?'

'Ik zou zeggen van wel, afgaand op wat ik ervan heb gezien.'

'Zijn er nog meer geweest?'

'Geliefden of serieuze relaties?'

'Serieuze relaties.'

'Volgens mij was Leo de enige totdat Mark ten tonele verscheen, met uitzondering van zijn eerste liefde misschien, maar dat is echt jaren geleden en ik kan me de naam van die jongeman niet eens meer herinneren. Ik weet zeker dat Laurence het nog wel had geweten. Je eerste liefde vergeet je eigenlijk nooit, hè? Hoe dan ook, Leo was de enige van wie ik op de hoogte was en ik denk dat ik het anders wel had geweten. Er waren uiteraard wel enkele kortstondige affaires.'

'Heeft Laurence het ooit over een man gehad die Julian Fenner heet?' vroeg Banks.

Edwina fronste haar voorhoofd. 'Fenner? Nee, volgens mij niet.'

Banks' citroenthee werd gebracht. Hij bedankte de ober en nam een slokje. Verfrissend. Edwina maakte van de gelegenheid gebruik om een nieuwe gin-tonic te bestellen. In het struikgewas kwetterden vogeltjes. De zon voelde warm aan in Banks' nek. 'Het is ook bij ons opgekomen dat Mark misschien bang was voor Laurence' trouw, of juist een gebrek daaraan. Het is mogelijk dat Laurence een verhouding had. Misschien is Mark daar achter gekomen.'

'Ik zou u graag van dienst zijn,' zei Edwina, 'maar ik was echt niet op de hoogte van Laurence' handel en wandel. Ik heb er echter wel zo mijn twijfels over. Zolang er geen liefde in het spel was in een relatie, kon Laurence zich weliswaar net als iedereen promiscue en ontrouw gedragen, maar... wanneer hij verliefd was, was het een heel ander verhaal. Hij nam dat heel serieus.'

'Hoe zit het met de man op de foto?' zei Banks. 'Ze raken elkaar aan.'

'Ik geloof niet dat er echt iets achter zit, u wel?' zei Edwina. 'Dat is puur een gebaar dat je maakt wanneer je iemand voor wilt laten gaan. Het heeft toch niets seksueels of sensueels?'

'Iemand die jaloers is ziet dat misschien wel anders.'

'Dat is zo. Het is nooit te voorspellen hoe mensen dingen interpreteren.'

'Zou Mark het zo kunnen hebben opgevat?'

'Dat is heel goed mogelijk. Ik had alleen nooit gedacht dat hij zo jaloers was. Een beetje onzeker, dat wel. Wanneer je denkt een geweldige vriend aan de haak te hebben geslagen, is het heel begrijpelijk dat je bang bent deze persoon ook weer te verliezen. Ik wil niet over mijn zoon opscheppen, hoor. Dergelijke zaken zijn altijd heel betrekkelijk.'

'Ik begrijp het,' zei Banks, die in stilte bedacht dat analisten bij hoog en bij laag konden volhouden dat het klassensysteem niet langer meer bestond, maar dat er altijd wel weer nieuw bewijs opdook dat het tegendeel aantoonde. 'Wat kun je ons vertellen over Laurence' zakelijke belangen?' vroeg hij. 'Ik heb begrepen dat hij een gepensioneerd overheidsmedewerker was.'

Edwina zweeg even. 'Dat klopt,' zei ze toen.

'Hij heeft jou toch ook geholpen met Viva?'

Ze morste bijna wat gin-tonic. 'Wat? Hoe komt u daar in vredesnaam bij?'

'Ik dacht dat het een goede verklaring was voor zijn vele reisjes naar Londen en andere plaatsen als hij als een soort zakelijk adviseur werkzaam was.'

'Grote god, nee. U zit er echt helemaal naast.'

'O?'

'Kantoorruimte is in Londen nu eenmaal veel te prijzig. Ons hoofdkantoor staat in Swindon. Nu ja, net buiten Swindon. Niemand wil natuurlijk echt ín Swindon zitten.'

Banks kon zich wel voor het hoofd slaan. Dat hadden ze moeten natrekken. Het kon onmogelijk erg moeilijk zijn erachter te komen waar het hoofdkantoor van Viva stond. 'Toen ik hoorde wie je was, leek het me juist heel vanzelfsprekend dat Laurence daarom zo vaak naar Londen ging: om jou te helpen met Viva.'

'Laurence? Viva? Dat meent u toch niet serieus, hè? Laurence heeft helemaal geen hoofd voor cijfertjes, bezit totaal geen zakelijk inzicht. Láurence? Als ik de leiding aan hem had overgedragen, zouden we nu bankroet of werkloos zijn. Ik heb Laurence een aandeel in de zaak gegeven. Daar komt zijn geld vandaan. Hij heeft nooit actief in het bedrijf meegewerkt.'

'Er zijn ook een aantal geldbedragen overgeboekt vanaf Zwitserse bankrekeningen die we niet kunnen verklaren. Kunnen die iets te maken hebben met Viva?'

'Dat betwijfel ik ten zeerste,' mompelde Edwina, terwijl ze een nieuwe sigaret tevoorschijn haalde en opstak. 'Hoewel ik me heel goed kan voorstellen dat iemand die zo lang werkzaam is geweest in de diplomatieke dienst als Laurence vast wel een bepaald bedrag zal hebben gehamsterd, denkt u ook niet?'

'Voor onverwachte uitgaven?'

Edwina wendde haar blik af en tuurde weer naar de heuvels. 'Voor onverwachte uitgaven. Voor noodgevallen. Een reservekapitaaltje. Een ontsnappingsmiddel. Geef het beestje maar een naam.'

Het begon Banks langzaam maar zeker een beetje te duizelen. Edwina hulde zich behalve in haar sigarettenrook nu ook in een wolk van verbale rook, en haar antwoorden waren vaag en lieten lang op zich wachten. Hij had het gevoel dat hij de controle over het gesprek opeens was kwijtgeraakt en hij wist niet waarom. 'Weet jij waarom hij dan wel zo vaak naar Londen ging?'

'Ik ben bang van niet.'

'Amsterdam dan misschien? Hij zat daar vorige week van dinsdag tot vrijdagochtend.'

'Ik heb werkelijk geen flauw idee. Oude vrienden misschien? Zakelijke relaties. Hij kende overal ter wereld mensen. Hij kon net zo min zonder hen als zonder zuurstof.'

'Wat bedoel je daarmee? Ik kan je even niet volgen.'

Toen ze hem aankeek, zag hij een behoedzame blik in haar ogen. 'Het is anders volkomen duidelijk,' zei ze. 'Laurence had geen zakelijke belangen. Wat hij na zijn pensioen ook in Londen deed, het had niets met zaken te maken. Ik zou zelf zeggen dat hij waarschijnlijk oud-collega's opzocht, over het werk praatte, wat golf speelde, casino's bezocht, bij verschillende clubs lunchte. Wie zal het zeggen?'

'Kan het iets met zijn werk te maken hebben gehad? Die overheidsbaan waaraan hij zijn pensioen te danken had?'

'O, dat zou zomaar kunnen. Het is vrijwel onmogelijk je daar ooit helemaal van los te weken, hè? Zeker in een tijd als deze?'

'Ik zou het niet kunnen zeggen,' zei Banks, wiens litteken begon te jeuken. 'Hoezo dan? Wat deed hij eigenlijk precies?'

Edwina nam een slokje van haar gin-tonic, en deed er het zwijgen toe.

'Edwina,' zei Banks geërgerd. 'Je houdt iets voor me achter. Dat voel ik. Gisteravond deed je het al en nu doe je het weer. Wat is het? Wat wil je me niet vertellen?'

Edwina zei niets en slaakte een zucht. 'Och, vooruit dan maar. Het is wel een beetje stout van me, hè? Ik neem aan dat u er vroeg of laat toch wel achter komt.' Ze drukte haar sigaret uit en keek Banks recht aan. 'Hij was spion, meneer Banks. Mijn zoon, Laurence Silbert, was geheim agent.'

Maria Wolseys flat deed Annie denken aan de plek waar ze zelf tijdens haar studie in Exeter had gewoond. Op de vloer van de slaapkamer zag ze een onopgemaakte matras liggen en de boekenkasten in de woonkamer bestonden uit losse planken met daartussen stapeltjes bakstenen. De muren gingen helemaal schuil achter posters van The Arctic Monkeys en The Killers en affiches voor de RSC en het theater van Eastvale. De leunstoelen waarin ze zaten moesten nodig opnieuw worden bekleed en aan de vlekkerige mokken waaruit ze hun koffie dronken ontbrak hier en daar een stukje.

Maria bleek pas een jaar geleden haar studie theaterwetenschappen aan de Universiteit van Bristol te hebben afgerond. Eastvale was haar eerste baan en ze hoopte dat het een opstapje zou vormen naar indrukwekkender, grootsere dingen. Haar belangstelling ging vooral uit naar toneelgeschiedenis, kostuumontwerpen en decorontwerp, iets wat ze met Mark Hardcastle gemeen had.

'Je zou wel kunnen zeggen dat Mark een soort mentor voor me was,' zei ze met haar mok tegen haar borst geklemd. Door de bril met het donkere montuur die ze droeg zag ze er zowel ouder als intellectueler uit. Ze had een wijd shirt aan dat van haar schouder afgleed en haar steile, bruine haar bedekte een bleke huid. Ze zat met gekruiste benen in haar stoel en haar voeten, die onder de gerafelde pijpen van haar spijkerbroek uitstaken, waren bloot. Op de achtergrond klonk uit de stereo een ijle meisjesstem, begeleid door een gitaar.

'Brachten jullie veel tijd samen door?'

'Best wel, ja. Meestal na het werk of tijdens de lunchpauze. Dan gingen we samen wat drinken of iets eten.'

'Jullie waren dus bevriend? Heb je me daarom gebeld?'

Op Maria's voorhoofd verscheen een diepe rimpel. Ze zette de mok op de armleuning van de stoel. 'Ik wilde niets zeggen waar iedereen bij was. Vernon doet net alsof hij de baas is, ziet u. Hij wijst me voortdurend terecht. Volgens mij voelt hij zich bedreigd door vrouwen die hun vak verstaan.'

'Geldt dat misschien ook voor homoseksuele mannen die hun vak verstaan?'

'Sorry?'

'Vernon. Hoe vond hij het om voor Mark te werken?'

'O, dát. Ik snap het. Vernon is net als een heleboel andere mannen. Hij denkt dat hij het allemaal best vindt, maar stiekem is hij homofoob. Hij vindt de gedachte alleen al heel angstaanjagend en een bedreiging voor zijn mannelijkheid.'

'Waarom werkt hij dan bij het toneel?'

Maria lachte. 'Het was de enige baan die hij kon krijgen. Hij is geen slechte timmerman, maar er is hier in de omgeving nu eenmaal weinig vraag naar zijn vakmanschap.'

'Kon hij met Mark overweg?'

Maria wikkelde een lok haar om haar vinger en dacht even na. 'Ik denk het wel. Kijk, in wezen is Vernon zo'n type dat gewoon doet wat hem wordt opgedragen en van aanpakken houdt. Het zout der aarde, zoals dat heet. Hij voelde zich alleen niet altijd op zijn gemak.'

'Kwam dat door Mark?'

'Ja, niet door wat hij deed, maar gewoon door wie hij was.'

'Kun je me daar een voorbeeld van geven? Heeft Mark hem bijvoorbeeld ooit geplaagd?'

'Nee, dat was het niet. Het kwam eigenlijk doordat... nou ja, Mark was een geweldige imitator. Hij kon bijna iedereen nadoen. Hij was echt ongelooflijk grappig wanneer hij eenmaal op dreef was. U had hem Kenneth Williams eens moeten zien doen, of een homoseksuele John Wayne, of een verwijfde mijnwerker uit Barnsley. Om je te bescheuren.'

'Kon Vernon er een beetje om lachen?'

'Nee. Volgens mij vond hij het gênant als Mark weer eens een nichterige scène speelde. Meestal gedroeg hij zich heel... nou ja, gewóón. Of eigenlijk bedoel ik niet gewoon, want hij was echt een fantastische gozer, heel bijzonder, maar hij deed nooit aanstellerig, had geen opzichtige maniertjes.'

'Ik denk dat ik wel begrijp wat je bedoelt,' zei Annie. 'Was Vernon vrijdag de hele middag in het theater?'

'Dat waren we allemaal.'

'Tijdens de matinee van *Calamity Jane*?'

'Ja.'

'Is het mogelijk dat toen iemand is weggeglipt?'

'Ja, dat is best mogelijk. Ik geloof het alleen niet.'

'Wat niet?'

'Dat Vernon Mark iets zou aandoen. Toegegeven, hij voelde zich niet echt prettig in het gezelschap van homo's, maar dat wil nog niet zeggen dat hij er ook een heeft vermoord.'

Mark was niet degene om wie het Annie te doen was, maar dat hoefde Maria niet te weten. 'Ik zeg ook niet dat hij het heeft gedaan,' zei ze. 'Tot dusver wijst niets erop dat Mark zich niet zelf van het leven heeft beroofd. Ik wil alleen een zo duidelijk mogelijk beeld van alles hebben. Waren jullie er die ochtend ook allemaal?'

'We zijn pas om twaalf uur 's middags begonnen.'

Vernon Ross kon Laurence Silbert dus wel degelijk hebben vermoord, dacht Annie bij zichzelf. Het lag misschien niet direct voor de hand, maar het was de moeite waard het in het achterhoofd te houden. 'En Derek Wyman?' vroeg ze. 'Mark en hij zijn vorige week samen naar Londen geweest.'

'Ik heb anders begrepen dat ze niet echt samen zijn gegaan,' zei Maria. 'Derek vertelde me dat ze daar hadden afgesproken om een paar films te gaan zien. Hij was heel enthousiast.'

'Wat zei Mark ervan?'

'Ik heb hem er niet over gesproken. Hij had het te druk.'

'Heb je weleens het gevoel gehad dat Derek Wyman en Mark iets met elkaar hadden?'

'Lieve help, nee. Derek is niet van de andere kant. Dat weet ik honderd procent zeker.'

'Hoe weet je dat dan?' vroeg Annie.

'Ik weet niet hoe ik het moet uitleggen. Noem het maar een gay-radar. Geen chemie.'

Annie besefte dat Maria gelijk had. Vrouwen voelden zoiets inderdaad vaak aan. 'Ze hadden toch nog nooit eerder zo'n reisje ondernomen?'

'Nee. Om eerlijk te zijn kwam het ook wel een beetje als een verrassing. Ze waren nou niet bepaald goede vrienden of zo.'

'Wil je daarmee zeggen dat ze niet met elkaar overweg konden?'

'Nee, dat niet. Ik geloof alleen wel dat Mark soms behoorlijk gefrustreerd werd van Derek.'

'Hoe kwam dat?'

'Omdat Derek hem steeds vertelde hoe hij zijn werk moest doen, hoe de voorstelling er volgens hem uit moest zien. Hij is natuurlijk de regisseur, maar Mark was een vakman. Hij had een speciale opleiding gevolgd en alles. We mochten in onze handen knijpen dat we hem hadden.'

'Ik dacht dat ze het eens waren over een Duits-expressionistisch decor?'

'Jawel, dat was ook zo. Het was echter Dereks idee en hij stond er niet altijd voor open wanneer Mark met nieuwe dingen kwam. Het was net alsof hij verwachtte dat Mark gewoon zou doen wat hem werd opgedragen, dat hij het ontwerp uitvoerde, het decor liet bouwen en de kostuums liet maken, en dat hij verder zijn mond zou houden. Zo zat Mark alleen niet in elkaar. Hij was heel creatief en hij beschouwde de productie eerder als een gezamenlijk project. Iets waarbij wij allemaal werden betrokken. Hij vroeg altijd hoe wij over alles dachten. Ook aan de acteurs. Derek deelde alleen maar bevelen uit. Ik wil niet de indruk wekken dat ze elkaar niet mochten, hoor. Ik weet namelijk dat ze elkaar ook buiten het werk om weleens zagen.'

'Artistieke verschillen dus?'

'Ja. Ziet u, ze komen allebei uit de arbeidersklasse, maar Mark probeerde zijn afkomst juist te verbloemen – hij praatte zelfs een beetje bekakt – terwijl Derek, tja, dat is zo iemand die graag te koop loopt met zijn lidmaatschap van de arbeidersvereniging, ook al is hij nog nooit in zijn leven bij zo'n club binnen geweest, als u snapt wat ik bedoel.'

'Dat denk ik wel,' zei Annie. 'Vertelde Mark weleens iets over zichzelf?'

'Soms. Niet vaak. Hij kon wel heel goed luisteren. Je kon met hem werkelijk over alles praten. Toen mijn vriendje en ik in februari uit elkaar gingen, heb ik hem de oren van het hoofd gekletst, maar hij vond het nooit erg. En ik had er echt heel veel aan.'

'Je zei dat hij zich de afgelopen weken vreemd gedroeg. Heb je enig idee waarom dat was?'

'Nee. We hadden in die periode door alle omstandigheden amper de tijd om even met elkaar te praten, maar hij had het mij toch niet verteld, hoor.'

'Vertelde hij het jou weleens wanneer hem iets dwarszat?'

'Hij kon soms heel openhartig zijn.' Ze hield een hand voor haar mond om niet te giechelen. 'Meestal wanneer we iets te veel hadden gedronken.'

'Waarover praatte hij dan?'

'Och, u kent dat wel. Het leven. Zijn gevoelens. Zijn dromen.'

'Kun je iets specifieker zijn?'

'Goed dan. U weet toch het een en ander van zijn achtergrond af, hè? Barnsley en zo?'

'Ja, een beetje.'

'Daar zat hij best mee. Hij was enig kind, ziet u, en niet bepaald het soort zoon waarop zijn vader had gehoopt. Zijn vader was mijnwerker en blijkbaar heel macho, deed bijvoorbeeld aan rugby. Mark was niet zo goed in sport. Erger nog, het interesseerde hem gewoon geen bal. Op school deed hij het echter wel heel goed.'

'En zijn moeder?'

'Ach, Mark was dol op haar. Hij kon urenlang over haar praten. Ze heeft hem echter veel verdriet gedaan.'

'In welk opzicht?'

'Ze was heel mooi en kunstzinnig, gevoelig en teder, dat zei hij tenminste. Ze deed aan amateurtoneel, las gedichten en nam hem mee naar klassieke concerten. Zijn vader spotte graag met alles wat zij samen deden en noemde Mark een moedersjochie. Hij lijkt mij echt een wrede zatlap. Uiteindelijk kon ze er niet meer tegen en heeft ze hen verlaten. Mark was pas tien. Hij was er helemaal kapot van. Volgens mij is hij er nooit helemaal overheen gekomen. Toen hij mij vertelde over de dag dat ze wegging, moest hij er nóg om huilen.'

Annie kon haar oren nauwelijks geloven. 'Ze liet haar zoon alleen achter bij een wrede, dronken vader?'

'Ik weet het. Het klinkt echt afschuwelijk. Er was blijkbaar een andere man in haar leven en die duldde geen kinderen in zijn omgeving. Ze zijn ervandoor gegaan naar Londen. Mark heeft me lang niet alles verteld, maar ik weet wel dat het een verschrikkelijke klap voor hem was. Hij hield ontzettend veel van haar. Dat bleef ook zo, maar hij haatte haar ook, omdat ze hem in de steek had gelaten. Volgens mij vond hij het daarna heel moeilijk om anderen te vertrouwen, durfde hij niet meer te geloven dat iemand om wie hij iets gaf hem niet zomaar van het ene op het andere moment zou verlaten. Daarom was het ook zo fijn om te zien dat Laurence en hij voor elkaar hadden gekozen. Ze deden het heel rustig aan, hoor, maar het had er alles van weg dat het een succes zou worden.'

'Ga verder,' zei Annie. 'Wat gebeurde er na het vertrek van zijn moeder?'

'Nou, Mark bleef dus alleen achter met zijn vader, die zich blijkbaar nog meer op de alcohol stortte en met het verstrijken van de tijd steeds bozer en kwaadaardiger werd. Mark hield het vol tot hij zestien was, sloeg hem toen met een asbak en liep van huis weg.'

'Met een asbak?'

'Het was zelfverdediging. Zijn vader sloeg hem regelmatig, meestal met een dikke, leren riem, zei Mark. De kinderen op school pestten en mishandelden hem ook vaak, spuugden op hem en noemden hem een mietje. Zijn leven was een hel. Die ene keer kwam alles gewoon in één keer naar boven, vertelde hij, en had hij zichzelf niet meer in bedwang. Hij haalde uit.'

'Hoe is het met zijn vader afgelopen?'

'Mark is niet lang genoeg gebleven om dat mee te maken.'

'En hij is daarna nooit meer teruggegaan?'

'Nooit meer.'

Annie probeerde deze informatie te verwerken. Ze begreep nu waarom Maria in het bijzijn van de anderen niets had willen zeggen. Als Mark Hardcastle aanleg had vertoond voor gewelddadig gedrag en een gebrek aan zelfbeheersing sloot dat in elk geval aan bij de theorie dat hij Laurence Silbert in een soort jaloerse woedeaanval had gedood en vervolgens werd overweldigd door wroeging. De informatie over bloedgroepen die Banks en zij zojuist hadden ontvangen, paste eveneens in dat plaatje.

Lijnrecht tegenover het beeld dat hierdoor werd opgeroepen, stond echter Maria's beschrijving van hun relatie, die nog eens werd bevestigd door Edwina's opmerking van de avond ervoor: Mark hield van Laurence Silbert, was min of meer bij hem ingetrokken en wilde samen met hem een nieuw leven beginnen. Annie wist dondersgoed dat liefde moord niet per se hoefde uit te sluiten, maar wilde die positieve kant gewoon erg graag geloven.

'Hij heeft het ver geschopt,' zei Annie. 'Alleen klinkt het wel alsof hij daarvoor heel wat innerlijke strijd heeft moeten leveren.'

'En daarnaast kreeg hij natuurlijk ook met vooroordelen te maken. Vergeet dat niet. We mogen dan wel denken dat we in een verlichte maatschappij leven, maar dat is vaak alleen maar aan de buitenkant. Mensen weten misschien wel wat politiek correcte reacties en gedrag zijn, en doen daarin mee wanneer de omstandigheden dat vereisen, maar dat wil niet zeggen dat ze er ook achter staan, net zomin als het feit dat mensen naar de kerk gaan wil zeggen dat ze gelovig zijn en in God geloven.'

'Ik snap wat je bedoelt,' zei Annie. 'Hypocrisie alom. Ik heb alleen niet de indruk dat Mark hier, in het theater van Eastvale, te kampen had met antihomoseksuele vooroordelen. Je zegt immers zelf dat Vernon zich weliswaar slecht op zijn gemak voelde, maar hij terroriseerde Mark toch niet?'

'Nee hoor, helemaal niet. Zo bedoelde ik het ook niet. U hebt gelijk. Het was een fijne plek voor hem om te werken. Hij had fantastische ideeën. Hij was van plan heel wat dingen te veranderen.'

'Hoe bedoel je?'

'Wat betreft het theater. Nou ja, u weet zelf hoe dat gaat. Het is vrij nieuw en ze doen heus wel hun best. Af en toe treden hier best goede artiesten op, maar wat toneel betreft, tja… tussen u en mij gezegd en gezwegen, zijn de amateurtoneelgroep en het amateur-operagezelschap hier in Eastvale nu niet direct het neusje van de zalm.'

'Wat wil je daarmee zeggen?'

'Nou ja, het blijven amateurs. Ze zijn heus wel enthousiast, hoor, en sommigen hebben zelfs talent, maar voor hen is het maar een bijkomstigheid, hè? Voor mensen als Mark en ik betekent het veel méér.'

'Wat was hij van plan daaraan te gaan doen?'

'Hij droomde ervan de Eastvale Players op te zetten.'

'Een repertoiregezelschap?'

'Nee, dat niet, maar wel met bepaalde overeenkomsten. De groep zou bestaan uit een paar van de beste acteurs uit de omgeving in combinatie met gastoptredens van professionele acteurs. Het idee was dat Eastvale hun thuisbasis zou vormen, maar dat ze zouden rondtoeren en dat we ook andere groepen spelers zouden ontvangen. Mark zou dan artistiek leider zijn en hij zei dat hij een goed woordje voor me zou doen bij het bestuur, zodat ik dan misschien de baan zou krijgen die hij nu heeft. Had. Alsof hij me daarvoor aan het klaarstomen was. Ik heb er de juiste papieren natuurlijk wel voor, maar dat is nu eenmaal niet het enige waar ze naar kijken.'

'Het zou dus een professioneel gezelschap worden?'

'O, ja. Absoluut. Iedereen zou op de loonlijst komen te staan en zo.'

'En Vernon?'

'Die zou hetzelfde blijven werk doen wat hij nu ook doet.'

'Zou hij het dan niet erg hebben gevonden dat jij de leiding kreeg over het decor en de kostuums? Dan zou jíj toch zijn baas zijn?'

'Ik zie niet in waarom hij dat erg zou vinden. Vernon is niet ambitieus. Hij zou toch ook gewoon een salaris krijgen? Voor hem zou er niets veranderen.' Wat heb je dan weinig mensenkennis, dacht Annie bij zichzelf. Maria gedroeg zich tamelijk naïef, zeker gezien haar eerdere opmerking dat Vernon het blijkbaar moeilijk vond samen te werken met vrouwen die goed waren in hun vak, laat staan dat hij zo iemand boven zich moest dulden. 'Wat zou er dan met de amateurgezelschappen gebeuren?' vroeg ze.

'Die zouden hun voorstellingen net als voorheen weer kunnen opvoeren in het wijkcentrum en zaaltjes van de kerk, neem ik aan.'

'En Derek Wyman?'

'Die zou hun regisseur blijven.'

'Dat begrijp ik, maar zou het voor hem geen flinke stap terug betekenen, nadat hij eerst een tijdje in een echt theater had gewerkt?'

'Voor hem is het toch veel minder belangrijk? Het is niet eens zijn echte baan. Hij is leraar. Voor hem is toneel maar een hobby.'

Zeg dat maar eens tegen Derek Wyman, dacht Annie bij zichzelf, met de herinnering aan haar gesprek met hem van die ochtend nog vers in het geheugen. 'Wie zou deze onderneming financieren?' vroeg ze.

'Laurence Silbert, Marks partner, zou ons helpen alles op te starten, maar de gedachte was dat we onszelf zouden kunnen bedruipen, met zo nu en dan een beetje steun uit het loterijgeld van de kunstcommissie van Eastvale. We waren ervan overtuigd dat het bestuur ervoor zou gaan. Laurence zat trouwens in dat bestuur en hij dacht dat hij hen wel kon overhalen.'

Vernon Ross had hier niets over gezegd, bedacht Annie. Tja, dat was natuurlijk ook wel logisch als het iets was wat hem razend maakte of in een slecht daglicht stelde. 'Interessant,' zei ze. 'Hoe vergevorderd waren deze plannen eigenlijk precies?'

'Och, het stond nog in de kinderschoenen,' zei Maria. 'Daarom is dit allemaal extra triest. Het had niet op een slechter tijdstip kunnen gebeuren. Nu verandert er natuurlijk helemaal niets. Als ik carrière wil maken in de toneelwereld zal ik een andere baan moeten gaan zoeken. Ik geloof niet dat ik hier kan blijven nu Mark er niet meer is.'

'Je bent nog jong,' zei Annie. 'Jij zult het wel redden. Kun je me verder nog iets vertellen?'

'Niet echt,' zei Maria. 'Dat was zo'n beetje alles wat ik u wilde vertellen. Ik kan wel nog een kop instantkoffie voor u maken, als u wilt?'

Annie wierp een blik op de gebarsten, vlekkerige mok met grijsbruine drab op de bodem. 'Nee, dank je,' zei ze. Ze stond op. 'Ik moet er echt vandoor. Ik moet nog een aantal rapporten schrijven. Bedankt voor je hulp.'

'Geen enkel probleem,' zei Maria, die met haar meeliep naar de deur. 'Vertelt u alstublieft niet aan Vernon dat ik hem homofoob heb genoemd. Ik weet zeker dat hij denkt dat hij het schoolvoorbeeld van tolerantie is.'
'Maak je geen zorgen,' zei Annie. 'Dat zal ik niet doen.'

Edwina's opmerking hing zwaar in de stilte, klaar om als een overrijp stuk fruit aan een boom open te barsten. Banks had weliswaar het vermoeden gekoesterd dat Silbert iets illegaals uitvoerde, maar had verwacht dat dit van seksuele of zelfs criminele aard zou zijn. Hier was hij niet op voorbereid. Spionage. Hij wist dat de balans en focus van de zaak hierdoor totaal veranderden, maar het was nog te vroeg om al te kunnen zeggen in welk opzicht precies. Wel kon hij om te beginnen zo veel mogelijk informatie uit Edwina los zien te peuteren, ook al leek ze het nu te betreuren dat ze hem dit had toevertrouwd.
'Ik had het u niet moeten vertellen,' zei ze. 'Het vertroebelt de zaak alleen maar.'
'Integendeel,' zei Banks. 'Je had het me tijdens ons eerste gesprek meteen moeten vertellen. Het kan belangrijk zijn. Hoe lang is dit al aan de gang?'
'Wat bedoelt u?'
'De spionage.'
'O, zijn hele leven al. Nou ja, nadat hij zijn studie aan de universiteit had afgerond.' Edwina slaakte een diepe zucht, nipte aan haar gin-tonic, en stak een nieuwe sigaret op. Banks zag dat er gele vlekken in de rimpels van haar vingers zaten. 'Zijn vader, Cedric, werkte tijdens de Tweede Wereldoorlog voor de militaire inlichtingendienst. Ik geloof niet dat hij erg goed was, maar hij wist het in elk geval wel te overleven en hij hield er een heleboel contactpersonen aan over.'
'Heeft hij dat werk zijn hele leven gedaan?'
'Grote god, nee. Cedric was veel te egoïstisch om zijn land langer te dienen dan strikt noodzakelijk. Hij stapte in een aantal onbezonnen zakelijke ondernemingen. De een na de ander. Ik vrees, meneer Banks, dat wijlen mijn echtgenoot, charmante bandiet als hij was, nergens echt goed in was. De belangrijkste zaken in zijn leven waren snelle wagens en nog snellere vrouwen. We zijn voor de schijn bij elkaar gebleven, zoals getrouwde stellen indertijd nu eenmaal deden, maar God mag weten hoe lang we dat hadden volgehouden als hij dat ongeluk niet had gehad. De vrouw die bij hem was, is er ongedeerd van afgekomen.' Edwina staarde Banks aan. 'Ik heb haar daarom altijd verfoeid, weet u,' zei ze. 'Niet omdat ik liever had gehad dat het andersom was geweest, hoor. Ik vond gewoon dat ze allebei om het leven hadden moeten komen.'

Ongetwijfeld had ze Banks' blik met een mengeling van nieuwsgierigheid en afschuw opgemerkt, want ze vervolgde snel: 'O, ik had er echt niets mee te maken, hoor. Heus niet. Ik heb de remmen niet onklaar gemaakt of iets dergelijks. Ik zou niet eens weten hoe. U moet dit niet als een bekentenis van moord opvatten. Het betekende gewoon het eind van een hoofdstuk voor mij en het was een nog fraaier eind geweest als dat domme sletje van hem samen met hem was omgekomen. U hebt geen flauw idee hoe ellendig mijn leven er toen uitzag. Het was eind oktober 1956, lang vóór Viva en de swingende jaren zestig. De Suezcrisis had haar hoogtepunt bereikt en ik vermoed dat Cedric in die tijd in de olie zat. Het Suezkanaal was uiteraard de belangrijkste route voor olietankers. Typisch iets voor hem om zijn geld op het verkeerde moment in de verkeerde handelswaar te investeren. Hoe dan ook, ik had het in die tijd niet gemakkelijk. Het enige lichtpuntje in mijn leven was Laurence.'

Banks zag dat er tranen in haar ogen stonden, al leek ze die met een bijna onmenselijke inspanning terug te dringen in de traanbuizen. Hij voelde de warme zon op zijn wang schijnen en zijn overhemd plakte aan zijn rug. 'Spionage,' zei hij vriendelijk. 'Hoe is het zover gekomen?'

'O ja, dat. Het is bijna niet te geloven, maar Dicky Hawkins – een voormalige collega van Cedric uit de oorlog – vroeg me nota bene toestemming om Laurence te rekruteren. Dat was in zijn laatste jaar in Cambridge. 1967. Hij had een opvallende aanleg getoond voor moderne talen – met name Duits en Russisch – en een scherp inzicht in de hedendaagse politiek. Ook was hij goed in sport. Voor Laurence geen Beatles, marihuana en revolutie. Hij was door en door conservatief. Terwijl andere jongelui *Sgt. Pepper's Lonely Hearts Club Band* kochten, speelde Laurence met andere cadetten soldaatje in de heuvels en verzamelde hij militaire souvenirs. Overigens niet om later in Carnaby Street aan hippies te verkopen. Op een of andere manier is dat tijdperk totaal aan Laurence voorbijgegaan.'

'Niet iedereen zal er een voorstander van zijn geweest hem in te lijven,' zei Banks. 'Gezien jouw... nou ja, het leven dat jij in die tijd leidde.'

Edwina lachte. 'Ik stond toen nog helemaal aan het begin, vergeet dat niet, maar inderdaad, ik had al een zekere reputatie opgebouwd en ik ging om met vrij wilde types. De meeste mensen denken dat de jaren zestig pas met de Summer of Love in 1967 is begonnen, maar voor mensen zoals wij die er vanaf het begin bij waren, in Londen in elk geval, was het toen allemaal allang voorbij. 1963, 1964, 1965. Dat waren de beste jaren. Iedereen die ik kende wilde de wereld veranderen – sommigen van binnenuit, anderen via kunst of oosterse religies, weer anderen door middel van een gewelddadige revolutie. Was dat geen prachtige bijkomstigheid?'

'Bedoel je dat Laurence jou en je vrienden bespioneerde?'
'Ik weet vrij zeker dat niets hem ontging. Daar was het Dicky en zijn maatjes echter helemaal niet om te doen. Ze namen ons wereldje totaal niet serieus. Hier al helemaal niet. Iedereen zong en praatte weliswaar over de revolutie, maar niemand ondernam ook daadwerkelijk iets. Dicky's mannen wisten heus wel wie het echte gevaar vormden. En waar ze zaten. Hun belangstelling ging uit naar het buitenland. Het vasteland van Europa was in die tijd een broeinest van terrorisme of bezig dat in rap tempo te worden. Duitsland. Frankrijk. Italië. Cohn-Bendit, Baader-Meinhof en de Rote Armee Fraktion. Hier in ons goeie, oude Groot-Brittannië hadden we ook zo onze incidenten, voornamelijk met dank aan de IRA en de Angry Brigade, maar in vergelijking met de rest van de wereld waren we nog altijd een ingedut achterlijk gat.'
'Je zei dus tegen die Dicky Hawkins dat hij Laurence wel mocht rekruteren?'
'Het verzoek was puur een kwestie van beleefdheid. Het deed er overduidelijk niet toe wat ik ervan vond. Goed, ik kan niet zeggen dat ik het een prettig idee vond, maar ik zei tegen hem dat het hem vrijstond een poging te wagen, dat ik niet Laurence' babysitter was en hem niet in de weg zou staan. Ik wist niet zeker of zijn missie zou slagen, maar dat was dus wel het geval. Voordat ik goed en wel doorhad wat er gebeurde, was Laurence begonnen aan een opleiding van een paar jaar waarin hij leerde hoe hij door het centrum van een stad moest racen en God weet wat nog meer. Ik zag hem vrijwel nooit. Daarna was hij een ander iemand.'
'In welk opzicht?'
'Het leek haast wel alsof hij een deel van zichzelf had afgesneden en dat ergens had verstopt waar niemand het ooit zag. Het is moeilijk te beschrijven, want aan de buitenkant was hij net zo charmant, grappig en bijdehand als altijd, maar ik wíst gewoon dat hij me een heleboel van de dingen die hij had gedaan sinds we elkaar voor het laatst hadden gezien niet kon vertellen. Ik vermoed dat ik dat diep vanbinnen ook niet eens wílde weten.'
'Wat heb je eraan gedaan?'
'Wat kon ik eraan doen? Ik aanvaardde het en het leven ging verder. Ik was mijn zoon deels kwijtgeraakt, maar niet helemaal. Wat ze verder ook met hem hebben gedaan, zijn liefde voor zijn moeder hebben ze niet kunnen doven.'
'Weet je voor welke tak van de geheime inlichtingendienst hij werkte?'
'MI6. Dat had met zijn talenknobbel te maken. Daarom zat hij het merendeel van de tijd ook undercover in het buitenland. Oost-Duitsland, Rusland, Tjechoslowakije. Ik weet nog goed dat zijn eerste echte opdracht in 1968 in

Praag was. Ik weet niet wat hij daar verondersteld werd te doen, maar ik neem aan dat hij zich onder de studenten moest mengen en het de Russen zo moeilijk mogelijk moest maken, of anders verslag moest uitbrengen van de gebeurtenissen daar. Daarna… ach, wie zal het zeggen? Ik heb wel begrepen dat sommige van de opdrachten die hij kreeg niet zonder gevaar waren.'

'Hij heeft je nooit details verteld?'

'Als er iets was wat Laurence als de beste kon, dan was het wel een geheim bewaren.' Ze merkte dat haar glas bijna leeg was en liet het restje over de bodem glijden.

'Nog een?' vroeg Banks, die zag dat de ober vlak bij hen rondhing.

'Ik heb wel genoeg gehad.'

Banks gebaarde naar de ober dat ze niets meer hoefden. De man verdween.

'Waar woonde Laurence in die tijd?'

'Och, dat varieerde. We hebben het nu over een heel lange periode, ziet u. Veertig jaar – van 1964 tot 2004. Hoewel hij na de val van de Muur wel steeds minder tijd in het buitenland doorbracht. Hij had een prachtig huis in Kensington. Daar heeft hij twintig jaar gewoond wanneer hij in het land was.'

'Wat is daarmee gebeurd?'

'Dat heeft hij verkocht toen de woningmarkt nog goed was. Daardoor was hij in staat een groot pand in Yorkshire te kopen én een optrekje in Bloomsbury.'

'Ik dacht dat je zo-even zei dat hij geen zakelijk instinct had?'

'Nou ja,' zei ze met een vage glimlach, 'hij heeft er de nodige hulp bij gehad.'

'Van jou?'

'Hij is mijn enige zoon. Geld verloor al vrij snel alle betekenis voor me. Dat bedoel ik minder gevoelloos dan het klinkt, maar het bleef gewoon binnenstromen en het maakte blijkbaar totaal niet uit of ik hard werkte of niet. Wat moest ik er anders mee? Zo kon ik tenminste nog iets voor hem doen.'

'En die Zwitserse bankrekeningen?'

'Daar zou ik niet al te veel achter zoeken als ik u was. Ik denk niet dat het om een groot bedrag ging. Uiteraard weet ik niet hoe het er in werkelijkheid aan toegaat, maar Dicky heeft zich ooit laten ontvallen dat er bij het soort werk dat Laurence deed heel wat geld komt kijken – steekpenningen, smeergeld, zwijggeld, afpersing en God weet wat nog meer. Het meeste staat niet geregistreerd in de boeken of op bankrekeningen en soms is het gewoon… nou ja, blijft het gewoon over nadat een klus is geklaard en weet niemand er iets van. Wanneer je alleen een overheidspensioentje hebt om naar uit te kijken, ben je vanzelfsprekend eerder geneigd je eigen zakken te vullen dan voor het alternatief te kiezen.'

'En dat houdt in?'

'Dat je het aan de overheid overhandigt.'

Banks glimlachte. 'Ik kan me heel goed indenken dat hij daar weinig voor voelde. Het lijkt ons overigens hoogst onwaarschijnlijk dat je zoon is vermoord vanwege van zijn geld. We waren gewoon nieuwsgierig naar de manier waarop hij zijn fortuin had vergaard.'

'Nou, dat weet u nu dus. Via mij en zijn werk.'

'Was Mark op de hoogte van zijn verleden?'

'Ik neem aan van wel. Ze hebben zijn doopceel natuurlijk wel gelicht.'

'Wisten nog meer mensen ervan af?'

'Ik betwijfel het. Zoals ik net al zei, kon Laurence echt wel een geheim bewaren. De meeste mensen wisten niet beter dan dat hij bij het ministerie van Buitenlandse Zaken werkte. Zo'n doodsaaie ambtenaar.'

Banks dronk zijn citroenthee op. Deze was koud en bitter. 'Wat zijn je plannen nu?' vroeg hij.

'Ik wilde een paar dagen hier blijven en proberen Laurence' zaken uit te zoeken, en dan terug naar Longborough. Hebt u enig idee wanneer ik de begrafenis kan gaan regelen?'

'Nog niet,' zei Banks. 'Dat hangt van de lijkschouwer af. Mocht het tot een rechtszaak komen, dan kan er vertraging optreden, als de verdediging een tweede autopsie eist.'

'Is dat in dit geval waarschijnlijk?'

'Ik durf het echt niet te zeggen,' zei Banks. 'Ik beloof je dat ik je op de hoogte zal houden.'

Edwina keek hem met een smal glimlachje om haar mond aan. 'Als ik toch eens twintig jaar kon terugkrijgen,' zei ze.

'Waarom heb je me niet eerder de waarheid over Laurence verteld?' vroeg Banks.

Edwina wendde haar blik af. 'Dat weet ik niet. Omdat ik nu eenmaal gewend was er niet over te praten? Omdat het me niet relevant leek?'

'Je weet best dat dát niet waar is. Je weet veel meer dan je me nu hebt verteld. Dat was het eerste wat je te binnen schoot toen we je vertelden wat er was gebeurd.'

'Kunt u nu ook al gedachten lezen? Misschien is uw collega toch beter af zonder u. Ik zou het vreselijk vinden met een man te moeten leven die gedachten kan lezen.'

'Hou op met dat gezwets, Edwina.'

Edwina lachte en goot de laatste slok uit haar glas naar binnen. 'Nou, nou, u windt er ook geen doekjes om, hè?'

'Waarom heb je het me niet eerder verteld?'

Ze fluisterde met gebogen hoofd: 'Waarom vraagt u dit, terwijl u het antwoord toch al weet?'

'Omdat ik het van jou wil horen.'

Edwina zweeg even, liet haar blik over het terras glijden, leunde toen naar voren en greep de rand van de tafel met klauwachtige handen vast. Haar stem klonk droog en sissend. 'Omdat ik er niet van overtuigd ben dat Laurence echt met pensioen was en omdat ik niet zeker weet of ik de mensen voor wie hij werkte wel vertrouw. Zo, nu tevreden?'

'Dank je wel,' zei Banks. Hij stond op om te vertrekken.

'Er is nog iets,' zei Edwina, die nu ontspannen in haar stoel hing alsof alle kracht uit haar was weggestroomd. 'Als u dit onderzoek doorzet, moet ik u waarschuwen om bijzonder voorzichtig te zijn en voortdurend over uw schouder te kijken. De mannen met wie u te maken hebt, zijn geen lieverdjes en hanteren niet dezelfde regels als u. Geloof me. Ik kan het weten.'

'Dat neem ik zo van je aan,' zei Banks. 'Ik zal eraan denken.' Hij schudde haar slappe hand, nam afscheid en liet haar alleen achter met haar herinneringen, starend naar de heuvels.

6

De wijk East Side was in de jaren zestig gebouwd en sindsdien steeds verder in verval geraakt. Inmiddels kon hij wedijveren met een aantal buurten in Leeds of Newcastle. Bepaalde delen waren een woestenij vol uitgebrande autowrakken en achtergelaten boodschappenwagentjes van supermarkten, het stikte er van de loslopende honden en bewoners die alle onbekenden, met name de politie, met argwaan bekeken. Annie Cabbot had talloze gewone mensen ontmoet die fatsoen hoog in het vaandel hadden staan en een keurig burgerbestaan probeerden te leiden, maar ze had ook met een flink aantal anderen te maken gehad – klaplopende, aan drugs verslaafde of afwezige ouders, of jongeren die vrijwel geen opleiding hadden genoten, totaal geen kans maakten op een baan die de moeite waard was, op hun dertiende of veertiende hun toekomst al hadden opgegeven en alleen nog maar op zoek waren naar de snelle roes van methamfetamine, xtc, of elk nieuwe mengsel of cocktail dat amateurscheikundigen die week weer hadden bedacht. En in toenemende mate ook de vergetelheid van heroïne.

Op woensdagavond rond halfelf, net na het invallen van de duisternis, hield een rij geüniformeerde politieagenten de menigte toeschouwers op afstand. Niemand duwde of verzette zich; ze waren alleen maar nieuwsgierig en zelfs een beetje bang. Een of twee herrieschoppers probeerden de boel op te stoken door beledigingen aan het adres van de politie te schreeuwen en iemand smeet zelfs een halve baksteen naar het ambulancepersoneel, maar de anderen lieten zich niet door hen meeslepen. Ze waren zulk gedrag wel gewend. Het licht van de straatlantarens vormde regenboogachtige kransen in de nevel en de lampen van de ambulance richtten hun blauwe, rondzwiepende lichtstralen in de klamme avondlucht op de ingang van wat de buurtbewoners aanduidden als 'het Lijmsnuiverslaantje'. Tegenwoordig was 'Methslikkerssteeg' of 'Skunkrokerspaadje' misschien wel meer op zijn plaats, dacht Annie bij zichzelf. Oplosmiddelen waren uit de gratie geraakt nu kansarmen welvarender waren geworden en de prijzen voor drugs waren gedaald omdat de markt werd overspoeld met goedkoop spul.

Een van de sleutelfiguren in het dealerwereldje in het noordelijke deel van de wijk, een vijftienjarige vent die Donny Moore heette, lag bloedend uit diverse steekwonden op een brancard en de ambulancebroeders stonden om hem heen opgesteld. Annie en Winsome waren erop afgestuurd om de situatie namens Ernstige Delicten te peilen.

'Veel schade?' vroeg Annie aan een ambulancebroeder die bezig was de brancard achter in de ambulance te hijsen.

'Op dit moment moeilijk te zeggen,' zei hij. 'Drie steekwonden. Borstkas, schouder en onderbuik.'

'Ernstig?'

'Steekwonden zijn altijd ernstig. Luister,' zei hij zachtjes en hij kwam iets dichter bij haar staan, 'pint u me er niet op vast, maar volgens mij overleeft hij het wel, tenzij we natuurlijk op inwendige bloedingen of verwondingen stuiten. Zo te zien heeft het wapen geen belangrijke aderen doorgesneden of organen aan flarden gereten die van levensbelang zijn.'

'Bedankt,' zei Annie. 'Wanneer kunnen we met hem praten?'

'Op zijn vroegst morgen, afhankelijk van hoe snel ze hem weten te stabiliseren. Neem maar contact op met het ziekenhuis. Ik moet er nu vandoor.' Hij klom achter in de ambulance, trok de deuren dicht en weg waren ze.

De man die het incident had gemeld, Benjamin Paxton, ijsbeerde naast zijn bescheiden grijze Honda heen en weer, en wilde blijkbaar niets liever dan zo snel mogelijk weg zien te komen. Zijn vrouw zat in de auto, met de raampjes stevig dichtgedraaid en de portieren op slot. Ze staarde recht voor zich uit en schonk totaal geen aandacht aan de mensenmassa en de politiewerkzaamheden om haar heen, waarschijnlijk in de hoop dat alles dan vanzelf zou verdwijnen.

'Ik heb mijn burgerplicht gedaan,' zei Paxton met een nerveuze blik op de menigte toen Annie hem verzocht haar te vertellen wat er was gebeurd; intussen maakte Winsome aantekeningen. 'Ik heb het incident gemeld en ben hier blijven wachten tot de politie er was, zoals me was gevraagd. Is dat niet genoeg? Mijn vrouw is enorm overstuur. Ze heeft zwakke zenuwen. Waarom mogen we niet gewoon naar huis?'

'En waar is dat?'

'We hebben een cottage gehuurd in de buurt van Lyndgarth.'

'U woont dus niet in deze regio?'

'Grote god, nee zeg! We wonen in South Shields. We zijn hier voor een wandelvakantie.'

Annie tuurde om zich heen naar de bouwvallige rijtjeshuizen van rode baksteen en de verroeste, op houten blokken opgestelde auto's in de straat ervoor.

'Niet echt een geschikte plek voor dat soort activiteiten, zou ik zeggen,' merkte ze op. 'Tenzij je natuurlijk van stedelijk verval houdt.'

'Niet híér. In de omgeving van Lyndgarth.'

'Hoe bent u hier dan verzeild geraakt?'

'We zijn verdwaald. We hebben vanavond gegeten in een pub waarover we in een reisgids hadden gelezen en hebben een verkeerde afslag genomen. We willen terug naar Lyndgarth. We hadden niet verwacht in de Yorkshire Dales in zoiets terecht te komen.'

'Welke pub?'

'The Angel Inn, Kilnwick.'

Annie kende de pub wel. Ze schonken er een prima pint Sam Smith's. Het klonk heel aannemelijk. Het kon inderdaad zomaar gebeuren dat je op de terugweg vanuit het dorp Kilnwick in Eastvale verdwaalde en in East Side belandde. Er stond tenslotte geen muur of afscheiding van prikkeldraad om de wijk, hoewel dat van Annie soms best zou mogen, aangezien er nogal eens toeristen werden beroofd.

'Kunt u me vertellen wat er precies is gebeurd, meneer?' vroeg ze.

'We reden door de straat en Olivia dacht dat ze aan het eind van die onderdoorgang onder het spoor daar op dat braakliggende stuk terrein iets zag bewegen. Ik… tja, ik was eerlijk gezegd eigenlijk niet van plan te stoppen, want de plek stond me niet aan, maar we zagen het heel duidelijk. Een gedaante. Een wit T-shirt. Er lag daar iemand op de grond te rollen, u weet wel, alsof hij pijn had. Aanvankelijk dachten we nog dat het een vrouw was die was aangevallen en verkracht. Dat gebeurt tegenwoordig zo vaak.'

'U bent dus gestopt om te helpen?'

'Ja. Ik stapte uit en… ehm… zodra ik al dat bloed zag, ben ik meteen weer in de auto gestapt en heb ik op mijn gsm de ambulance en de politie gebeld.'

'Hebt u iemand in de omgeving gezien?'

Paxton zweeg even. 'Ik weet het niet helemaal zeker. Ik bedoel, het was aardig donker, zelfs toen al.'

'Maar?'

'Nou ja, ik dacht dat ik een donkere gedaante met een capuchon op door de onderdoorgang zag rennen.'

'Donker als in…?' vroeg Winsome.

'O, nee,' zei Paxton. 'Nee. Sorry, ik bedoelde niet… nee. Alleen maar dat hij in de schaduw liep.'

'Man of vrouw?' vroeg Annie.

'Een man, denk ik.'

'Kunt u hem beschrijven?'

'Ik ben bang van niet. De gedaante leek vrij groot, maar dat kan ook door de schaduwen en de onderdoorgang zo hebben geleken. Het was echt te donker om hem duidelijk te onderscheiden.'

'Juist ja,' zei Annie. 'Hebt u verder nog iemand gezien?'

'Er kwamen een paar mensen aangelopen door een zijstraat ongeveer honderd meter hiervandaan. Een man die zijn hond uitliet. En ik had heel vluchtig de indruk… ik weet niet, vlak voordat we kwamen aanrijden en de gedaante op de grond zagen liggen, dat er een groep mensen stond die toen alle kanten op vlogen.'

'Alle kanten op vlogen?'

'Ja. Ze renden allemaal een andere kant op, sloegen snel een hoek om en schoten een steegje in.'

'Kunt u hen beschrijven?'

'Nee. Sommigen liepen in de schaduw, anderen hadden zo'n ding aan met een capuchon op die ze tegenwoordig allemaal dragen, zodat je hun gezicht niet kunt zien.'

'Een hoodie?'

'Heten die dingen zo?'

In East Side waren twee bendes actief, wist Annie, ook al was het woord 'bende' in dit geval een groot woord: één aan de noordkant in de omgeving van de twee torenflats en de andere hier aan de zuidkant in de buurt van het Lijmsnuiverslaantje. Hoewel in beide groepen een flink aantal Anti-Social Behaviour Orders ofwel asbo's rondliepen, hadden ze nooit grote problemen veroorzaakt, afgezien dan van een enkele knokpartij, graffiti, winkeldiefstal in het Swainsdale winkelcentrum en agressief gedrag. De sfeer dreigde de laatste tijd echter om te slaan, er waren messen en honkbalknuppels opgedoken, en het gerucht ging dat er vanuit het zuiden en ook vanuit Manchester zwaardere drugs binnenkwamen.

Paxtons beschrijving van de mensen die hij alle kanten op had zien vliegen kwam aardig overeen met het soort kleding dat bendeleden droegen en Donny Moore, het slachtoffer, deed daar al even hard aan mee. De meeste namen waren bij de politie bekend, dus het kon niet moeilijk zijn hen te achterhalen. Of de politie ook iets uit hen zou loskrijgen was een heel ander verhaal. De bewoners van East Side stonden erom bekend dat ze hun kaken stijf op elkaar hielden wanneer het op een gesprek met de politie aankwam.

'Hebt u verder nog iets gezien?' vroeg ze.

'Nee,' zei Paxton. 'Ik ben teruggegaan naar de auto en heb daar gewacht. De ambulance was heel snel hier. De jongen lag roerloos op de grond. Ik dacht dat hij dood was.'

'U hebt verder dus niemand gezien?'

'Dat klopt.'

'Goed,' zei Annie. 'Dan kunt u nu naar huis gaan. Laat uw adres achter bij brigadier Jackman, dan nemen we contact met u op voor een officiële verklaring. Puur een formaliteit.' Ze draaide zich om en liep weg om een woordje te wisselen met de agenten die de mensenmassa in bedwang hielden. De burgers werden rusteloos door het gebrek aan informatie.

'Dank u wel,' zei Paxton.

Terwijl Annie wegliep, hoorde ze hem aan Winsome vragen: 'Ehm... denkt u dat u me misschien zou kunnen vertellen hoe ik in Lyndgarth kom?'

Annie kon een glimlach niet onderdrukken. Als je de weg wilt weten, vraag het dan aan een politieagent. Ze draaide zich om en knipoogde naar Winsome, die het adres noteerde en Paxton vertelde hoe hij het beste kon rijden.

Banks merkte dat hij na zijn gesprek met Edwina Silbert voortdurend moest denken aan de onthulling dat Laurence Silbert een spion was geweest. Hij wist niet zo heel veel af van de geheime inlichtingendienst, wat waarschijnlijk ook precies hun bedoeling was, maar hij wist voldoende om te beseffen dat Silbert vermoedelijk aardig wat akelige klussen had opgeknapt en daarmee een aantal vijanden voor het leven had gemaakt. En dat was alleen nog maar aan in zijn eigen team.

De spionagewereld was sinds de Koude Oorlog aan flinke veranderingen onderhevig geweest, wist Banks, en er bestond een gerede kans dat het hoofd van MI5 zich tegenwoordig vooral bezighield met het opstellen van voor de leden van de raad van bestuur van banken en oliemaatschappijen bestemde geheime memo's over internetspionage door de Chinezen dan met iets anders. Toch was het niet eens zo heel lang geleden dat mensen hun leven op het spel zetten door over de Berlijnse Muur te klimmen. Als Laurence Silbert de afgelopen tien of vijftien jaar weinig had gereisd, zoals zijn moeder aangaf, dan had hij zijn buitenlandse opdrachten waarschijnlijk vóór de grote veranderingen in Duitsland en de voormalige Sovjet-Unie uitgevoerd.

Banks was tot de conclusie gekomen dat het verstandig was het een en ander over het onderwerp te lezen en er zo veel mogelijk over aan de weet te komen, dus was hij dinsdag naar Waterstone's gegaan waar hij Stephen Dorrils *MI6* en Peter Hennessy's *The Secret State* had aangeschaft. Hij had een paar maanden eerder Hennessy's *Having It So Good* gelezen en diens schrijfstijl was hem goed bevallen.

Op woensdagavond probeerde Banks, gekleed in een spijkerbroek en een oud T-shirt, een Ikeakastje in elkaar te zetten voor zijn nieuwe verzameling cd's en dvd's, die de omvang begon te krijgen van die van vóór de brand. Hij vloekte toen hij ontdekte dat hij de bovenkant er verkeerd om had opgezet, omdat hij niet zeker wist of het hem zou lukken de achterkant los te maken om dit te herstellen zonder het ding te beschadigen.

Op de achtergrond klonk Stanfords *Symfonie Nr.2* en het Agitato waarnaar hij op dat moment luisterde weerspiegelde zijn frustraties jegens Ikea. Toen hij hoorde dat er op de deur werd geklopt en opstond om open te doen, drong het tot hem door dat hij geen auto had horen aankomen. Dat was vreemd. Zijn cottage stond erg geïsoleerd, een heel eind buiten het dorp waar het onder viel, aan het eind van een lange oprit die doodliep in het bos langs de beek achter het huis en er kwam nooit iemand te voet naartoe, behalve de postbode. De muziek stond niet zo hard dat die het geluid kon hebben overstemd.

Banks deed de deur open en zag een man van een jaar of zestig staan met een wat kromme rug, dunner wordend grijs haar en een keurige, grijze snor. Hoewel het een warme avond was en de zon nog niet was ondergegaan, droeg de man een dunne wollen overjas over zijn pak. Zijn overhemd was onberispelijk wit en zijn stropdas was er zo te zien een van zijn universiteit of regiment, met een gestippeld embleem van de burchttoren van een kasteel tussen de bruine en gele strepen.

'Meneer Banks?' vroeg hij. 'Inspecteur Banks?'

'Ja.'

'Het spijt me dat ik u thuis stoor. Mijn naam is Browne met een "e" op het eind. Ehm… zou ik misschien even mogen binnenkomen?'

'Ik wil niet onbeleefd zijn,' zei Banks, 'maar ik heb het druk. Waar gaat het over?'

'Laurence Silbert.'

Banks zei niets, deed een stap opzij en gebaarde dat meneer Browne kon binnenkomen. Dat deed hij en na een blik op de woonkamer zei hij: 'Knus.'

'Ik was in de keuken bezig.'

'Aha,' zei Browne en hij liep achter hem aan.

Het kastje lag op de vloer en de onbehandelde houtrand die de bovenkant vormde was duidelijk zichtbaar. 'U hebt de bovenkant er verkeerd om opgezet,' merkte Browne op.

Banks zei nors: 'Dat weet ik.'

Browne trok een gezicht. 'Een hele klus om dat te herstellen. Ik kan het weten. Het is mij ook eens overkomen. Het probleem zit hem in de achterkant, ziet u. Flinterdun spul. Ik neem aan dat u hem al hebt vastgespijkerd?'

'Moet u eens horen, meneer Browne,' zei Banks, 'ik waardeer uw goede raad omtrent het in elkaar zetten van Ikeaproducten enorm, maar ik ben me allang bewust van het probleem waarmee ik zit. Neemt u alstublieft plaats.' Hij gebaarde naar de bank bij de eettafel in de hoek. 'Wilt u iets drinken?'

'Graag,' zei Browne, terwijl hij zich in de hoek wurmde. Hij had zijn overjas aangehouden. 'Een klein glas whisky met wat spuitwater zou er wel ingaan.'

Banks haalde een fles Bell's uit het drankkastje en deed er een scheutje spuitwater bij. Voor zichzelf schonk hij een glaasje achttien jaar oude Macallan in met een heel klein beetje water. Vroeger was hij een fervent Laphroaigdrinker, maar na een bijzonder akelige gebeurtenis stond de smaak hem tegen en hij dronk pas sinds heel kort weer whisky. Hij was tot de ontdekking gekomen dat de smaak van turf, zeewier en jodium in de Islay malts hem niet langer beviel, maar de vollere, karamelachtige smaak van de oude Highland malts durfde hij in kleine hoeveelheden wel aan. Hij dronk nu voornamelijk wijn en bier, maar voor deze gelegenheid leek whisky hem een betere keuze.

Banks ging tegenover Browne zitten en de man hief zijn glas op. 'Prosit,' zei hij.

'Prosit.'

'Stanford, hè?' zei Browne. 'Ik wist dat u een groot liefhebber van klassieke muziek was, maar ik dacht eigenlijk dat Stanford tegenwoordig uit de mode was.'

'Als u toch zoveel over me weet,' zei Banks, 'dan moet u ook weten dat ik me er nooit veel van aantrek of iets in of uit de mode is. Het is uitstekende muziek voor het in elkaar zetten van een kastje.' Hij nam een slok whisky en werd overvallen door het verlangen naar een sigaret. Hij verzette zich knarsetandend tegen het gevoel.

Browne bekeek de ruwe rand aan de bovenkant. 'Ja, dat zie ik,' zei hij.

'Ik wil het best even met u over kastjes en Charles Villiers Stanford hebben, hoor,' zei Banks, 'maar u zei dat u bent gekomen vanwege Laurence Silbert. Namens wie bent u hier?' Banks wist heel goed wie Browne was, of in elk geval voor wie hij werkte, maar wilde het graag uit betrouwbare bron vernemen, om het zo maar eens te zeggen.

Browne speelde met zijn glas en liet de amberkleurige vloeistof erin ronddraaien. 'Je zou denk ik wel kunnen stellen dat ik de regering van Hare Majesteit de koningin vertegenwoordig,' zei hij uiteindelijk met een hoofdknikje. 'Ja, laten we het daar maar op houden.'

'Is er dan nog een alternatief?'

Browne lachte. 'Tja, het is natuurlijk maar net van welke kant je het bekijkt, nietwaar?'

'U bent een van Laurence Silberts voormalige bazen?'

'Alstublieft, meneer Banks. U weet toch zeker wel dat MI6 niet op Brits grondgebied opereert? Hebt u *Spooks* nooit gezien?'

'MI5 dan,' zei Banks. 'Mijn fout. Ik vermoed dat er geen sprake van kan zijn dat ik een identiteitsbewijs te zien krijg?'

'Maar natuurlijk, mijn beste kerel.'

Browne haalde een geplastificeerd kaartje uit zijn portemonnee. Daarop stond dat hij Claude F. Browne was van de binnenlandse inlichtingen- en veiligheidsdienst. De foto kon van iedereen met ruwweg Brownes leeftijd en uiterlijk zijn. Banks gaf het pasje terug. 'Wat komt u me vertellen?' vroeg hij.

'Vertellen?' Browne nam weer een slokje van zijn whisky en fronste zijn voorhoofd. 'Volgens mij heb ik helemaal niet gezegd dat ik u iets kwam vertellen.'

'Waarom bent u dan hier? Als u me niets te vertellen hebt wat relevant is voor de zaak die we momenteel onderzoeken, is dit een verspilling van mijn tijd.'

'Rustig aan, meneer Banks. Het is nergens voor nodig overhaaste conclusies te trekken. We kunnen in deze kwestie toch samenwerken?'

'Draait u er dan niet langer omheen en kom terzake.'

'Ik vroeg me alleen maar af hoe ver uw... ehm... onderzoek al was gevorderd.'

'Dat kan ik u niet vertellen,' zei Banks. 'We maken er geen gewoonte van lopende onderzoeken met burgers te bespreken.'

'Och, kom. Ik ben immers niet zomaar een burger. We staan aan dezelfde kant.'

'O ja?'

'Dat weet u best. Ik wil alleen maar weten of er een kans bestaat dat we in een gênante situatie verzeild raken, dat we onaangename dingen kunnen verwachten.'

'Kunt u iets specifieker zijn?'

'Alles wat de regering in verlegenheid zou kunnen brengen.'

'Een rechtszaak bijvoorbeeld?'

'Tja, ik moet eerlijk bekennen dat zoiets onder de huidige omstandigheden een zeer onwelkome ontwikkeling zou zijn. De kans dat het zover komt, is echter minimaal. Nee, ik bedoelde eigenlijk of er enige... laten we het maar houden op randzaken... of er randzaken kunnen zijn waarover we ons zorgen moeten maken?'

'Wat heeft Silbert gedaan?' vroeg Banks. 'Strontium-90 door iemands thee geroerd?'

'Heel grappig. Ik vrees dat ik u dat niet mag vertellen,' zei Browne. 'Dat weet u best. Die informatie is niet openbaar en valt onder de wettelijke geheim-houdingsplicht.'

Banks leunde naar achteren en nam een slokje Macallan. 'Dan zitten we in een patstelling. U kunt mij niets vertellen en ik kan u niets vertellen.'

'Och hemeltje,' zei Browne. 'Ik had nog zo gehoopt dat we dit konden voor-komen. Sommige mensen raken meteen geïrriteerd bij het horen van de naam geheime inlichtingendienst. We staan heus aan dezelfde kant, hoor. We dienen dezelfde belangen: de bescherming van het rijk. Onze aanpak ver-schilt misschien een beetje, maar ons doel is hetzelfde.'

'Met één verschil,' zei Banks. 'U werkt voor een organisatie die gelooft dat het doel de middelen heiligt. De politie probeert onafhankelijk haar werk te doen, zich niet te laten beïnvloeden door wat verschillende regeringen in het geheim moeten bewerkstelligen om aan de macht te blijven.'

'Dat is een wel heel cynische inschatting, als ik zo vrij mag zijn,' zei Browne. 'Ik durf te wedden dat u in uw carrière vast en zeker ook weleens uw boekje te buiten bent gegaan om ervoor te zorgen dat iemand van wie u heel zeker wist dat hij schuldig was veroordeeld te krijgen. Maar dat even terzijde. Net als jullie zijn ook wij rijksambtenaren. Ook wij dienen een opeenvolgende reeks bazen.'

'Ja, dat weet ik. Ik heb *Yes, Minister* gezien.'

Browne lachte. 'Verbazingwekkend accuraat. Kent u die aflevering over dat ziekenhuis zonder patiënten?'

'Jazeker,' zei Banks. 'Dat is de allerleukste.'

'Zou dat niet een volmaakte wereld zijn? Scholen zonder leerlingen, univer-siteiten zonder studenten, artsen zonder patiënten, politie zonder misdadi-gers? Dan konden we ons allemaal concentreren op het échte werk.'

'Een inlichtingendienst zonder spionnen?'

'Ach, ja, dat zou nog eens wat zijn.' Browne boog zich naar voren. 'We ver-schillen echt niet zoveel van elkaar, meneer Banks, u en ik.' Hij gebaarde vaag in de richting van de muziek die nog altijd zachtjes op de achtergrond klonk. 'We luisteren allebei graag naar Stanford. Elgar wellicht ook? Vaughan Wil-liams. Britten – ook al had hij een paar twijfelachtige gewoonten en verliet hij ons vaderland op een wat onhandig gekozen moment voor de Verenigde Sta-ten. En iets recenter misschien The Beatles? Oasis? Arctic Monkeys? Ik kan niet zeggen dat ik ooit naar deze bands heb geluisterd, maar ik weet dat uw smaak in muziek aardig gevarieerd is en ze zijn wel allemaal Brits. Wat je per-soonlijk ook van The Beatles vindt, zelfs zíj vertegenwoordigden in hun hoog-tijdagen traditionele Britse normen en waarden. Vier sympathieke ragebollen. Soms moet je nu eenmaal opstaan en voor die normen en waarden op de barricaden klimmen, snapt u wel? Soms moet je zelfs dingen doen die precies het tegenovergestelde zijn van wat jij persoonlijk als goed beschouwt.'

'Waarom? Dat is toch precies wat ik zei over het doel en de middelen? Is dat wat Silbert deed? Was hij een huurmoordenaar in opdracht van de regering? Heeft hij mensen verraden?'

Browne dronk zijn glas leeg, kroop uit zijn plekje in de hoek en bleef bij de keukendeur staan. 'Uw verbeelding gaat met u op de loop. Het gaat er echt niet zo aan toe als romanschrijvers beweren, hoor.'

'O nee? Ik dacht anders juist dat Ian Fleming altijd zo realistisch mogelijk probeerde te zijn.'

Brownes lip krulde verachtelijk om. 'Ik geloof niet dat dit gesprek veel zinnigs oplevert,' zei hij. 'Ik begrijp niet goed waarom u zo hoog van de toren blaast, maar die wereld daarbuiten is echt. Neem nu die kwestie rond Litvinenko. Daardoor is het werk van jarenlang schaven aan de relatie met de Russen in één klap tenietgedaan. Weet u dat er vandaag de dag net zoveel Russische spionnen actief zijn in Groot-Brittannië als tijdens het hoogtepunt van de Koude Oorlog? Ik ben hiernaartoe gekomen, omdat ik ten behoeve van het land een soort zekerheid hoopte te vinden dat uw onderzoek naar de dood van Laurence Silbert waarschijnlijk geen… nieuwe problemen zou opwerpen die de inlichtingendienst of de regering in verlegenheid konden brengen. Dat alles snel en netjes kon worden afgerond, en dat u dan weer terug kon naar dat mooie, jonge vriendinnetje van u in Chelsea.'

'Als ik me niet vergis,' zei Banks, die een koude rilling over zijn rug voelde kruipen, 'heeft Lugovoi anders ontkend dat hij iets te maken had met de moord op Litvinenko. Beweerden de Russen trouwens niet dat MI6 erachter zat?'

Browne grinnikte. 'Ik had u niet ingeschat als liefhebber van samenzweringstheorieën.'

'Dat ben ik ook niet,' zei Banks. 'Je hoort alleen weleens wat.'

'Welnu, dan hoop ik dat u ervan bent doordrongen dat dit net zo belachelijk is als het idee dat MI6 iets van doen heeft gehad met de dood van Prinses Diana,' zei hij. 'En minstens net zo naïef. Sir Richard Dearlove heeft nota bene onder ede verklaard dat MI6 sluipmoorden afkeurt en zich er ook niet mee inlaat. Natuurlijk ontkenden de Russen het. Natuurlijk kwamen ze met een tegenbeschuldiging. Dat doen ze altijd. Andrei Lugovoi liet een spoor van polonium-210 achter dat zo ongeveer oplichtte in het donker en dát leidde de politie naar hem toe.'

'De politie? Of jullie?'

'Zoals ik net al zei: we staan aan dezelfde kant.'

'Wilt u me soms wijsmaken dat Silbert op een of andere manier banden had met Rusland? En zelfs met de zaak-Litvinenko? Denkt u dat deze moord om iets draait wat de boel internationaal op scherp kan zetten? Is er een verband met terroristen? Een Russische maffiaconnectie? Of was hij misschien betrokken bij de samenzwering rond de dood van Prinses Diana? Was hij een dubbelagent? Had hij daarom Zwitserse bankrekeningen?'

Browne staarde Banks aan en zijn ogen vernauwden zich, werden hardvochtig en kil. 'Als u me niet de geruststelling kan geven die ik zoek, zal ik die elders moeten halen,' zei hij. Hij draaide zich om en maakte aanstalten om te vertrekken.

Banks liep achter hem aan door de woonkamer naar de voordeur. 'Zoals ik het zie,' zei hij, 'lijkt het een eenvoudige moord-zelfmoordzaak. Dat komt vaker voor dan u denkt. Silberts partner, Mark Hardcastle, heeft uw agent vermoord en toen uit wroeging zelfmoord gepleegd.'

Browne draaide zich om. 'Dan is er dus geen onderzoek nodig, bestaat er geen kans op een vervelende rechtszaak of iets gênants wat per ongeluk naar buiten kan worden gebracht, of wel?'

'Nou, dat was waarschijnlijk inderdaad zo,' zei Banks. 'Dat wil zeggen: totdat u opdook. Ik zei alleen maar dat het zo *lijkt*.'

'Goedenavond, meneer Banks, en gedraag u alstublieft als een volwassene,' zei Browne. Hij trok de deur ferm achter zich dicht. Banks hoorde pas een paar minuten later heel ver weg, aan het eind van het paadje, een automotor starten. Hij ging terug naar de keuken en staarde naar de knoeiboel die hij van het kastje had gemaakt. Plotseling had hij geen zin meer om het af te maken. In plaats daarvan schonk hij met zacht bevende handen nog wat whisky in en liep hij naar de televisiekamer, waar hij Stanford verving door Robert Plant en Alison Krauss; hij zette het geluid harder voor *Rich Woman* en dacht aan Sophia. Hoe wist Browne in vredesnaam van haar bestaan af?

Op donderdagochtend belegde hoofdinspecteur Gervaise een vergadering in de vergaderkamer van het bureau waarbij Banks, Winsome, Annie en Stefan Nowak aanwezig waren. Banks had haar van tevoren op de hoogte gesteld van het bezoek van meneer Browne, maar ze wekte niet de indruk bijzonder verbaasd of geïnteresseerd te zijn.

Nadat de thee en koffie waren ingeschonken, keek iedereen naar Stefan Nowak voor een kort forensisch verslag. 'Om te beginnen,' zei Nowak, 'kan ik melden dat de resultaten van het DNA-onderzoek vanochtend zijn binnengekomen, en op basis van de moedervlek op de arm van het slachtoffer en de DNA-vergelijking met de moeder kunnen we nu met zekerheid stellen dat de identiteit van de overledene die is aangetroffen op Castleview Heights 15

Laurence Silbert is. Uit de door dokter Glendenning uitgevoerde lijkschouwing is gebleken dat Hardcastle is overleden door wurging met een dunne
draad – de gele waslijn waarmee hij zichzelf heeft opgehangen – en dat Silbert
is gestorven door een serie klappen op zijn hoofd en keel met een hard, vlak
voorwerp – inmiddels is aangetoond dat dit de cricketbat is geweest die op de
plaats delict aanwezig was. De eerste klap kwam links op het achterhoofd
terecht, wat inhoudt dat hij op dat moment van de aanvaller wegliep.'
'Dat klinkt heel aannemelijk,' zei Banks. 'Naar verluidt was Silbert fysiek in
goede conditie en als hij de klap had zien aankomen, had hij zich waarschijnlijk wel verzet.'
'Sluit dit aan bij de theorie van een ruzie tussen geliefden?' vroeg Gervaise.
'Ik zie niet in waarom niet,' zei Banks. 'Mensen draaien elkaar bij een ruzie
nu eenmaal weleens de rug toe. Silbert heeft de kracht van Hardcastles woede
onderschat. De cricketbat stond naast hem op de standaard. Er zijn echter
ook andere scenario's mogelijk.'
'Die laten we voorlopig even voor wat ze zijn,' zei Gervaise. Ze keek naar
Nowak. 'Ga verder, Stefan.'
'We vermoeden dat meneer Silbert zich op dat moment, terwijl hij al door
zijn knieën zakte, nog heeft omgedraaid, waarop de aanvaller hem op zijn
rechterslaap en de keel sloeg, waardoor het tongbeen brak en het strottenhoofd werd verbrijzeld, en hij ruggelings achterover is gevallen en terechtgekomen in de houding waarin we hem hebben aangetroffen. Een van die klappen, of een combinatie van verschillende klappen, heeft hem gedood.
Daarna... nu ja, er zijn nog meer klappen gevallen. Allemaal nadat de dood
al was ingetreden.'
'Mark Hardcastle was linkshandig,' merkte Annie op.
'Inderdaad,' zei Nowak. Hij keek haar even zijdelings aan. 'Aangezien de enige vingerafdrukken die we op de cricketbat hebben gevonden van hem zijn,
durf ik het er wel op te gokken dat hij de dader is. Zoals ik jullie na het vaststellen van de bloedgroepen eerder deze week al vertelde, was de kans vrij
groot dat het enige bloed op de plaats waar Silbert lag dat van hemzelf was.
DNA-analyse heeft dat nu onomstotelijk aangetoond. Hetzelfde geldt voor het
bloed dat we op Hardcastles kleding en lichaam hebben aangetroffen. Allemaal van Silbert, zo wijst het DNA uit, met een heel klein beetje van Hardcastle zelf, vermoedelijk afkomstig van schrammen die hij heeft opgelopen
toen hij in de boom klom.'
'Goed,' zei hoofdinspecteur Gervaise en ze liet haar blik over de aanwezigen
glijden, 'dan kunnen we wel stellen dat we het antwoord hebben. Tegen DNA
valt niets in te brengen. Wat is er voortgekomen uit de toxicologische testen?'

'In Hardcastles bloed zat alleen alcohol,' zei Nowak. 'Hardcastle en Silbert waren geen van beiden bedwelmd.'

'Is er bewijs dat duidt op de aanwezigheid van een derde op de plaats delict?' vroeg Banks aan Nowak.

'Op de PD zelf niet. Alleen de gebruikelijke sporen. U weet net zo goed als ik dat er altijd sporen achterblijven van iedereen die in die kamer is geweest – vrienden, schoonmakers, dinergasten, familieleden en ga zo maar door – plus onbekenden met wie het slachtoffer contact heeft gehad of die hij heeft aangeraakt. Sporen te over – en vergeet ook niet dat beide slachtoffers onlangs in een grote stad waren geweest: Londen en Amsterdam. Bovendien was Silbert ook op de vliegvelden Durham Teesside en Schiphol geweest.'

'Ik denk dat het tijd wordt dat u uw nieuwsgierigheid een halt toeroept,' zei Gervaise tegen Banks. 'Het spreekt vanzelf dat er in de loop van de tijd heel wat andere mensen in die kamer zijn geweest, net als in mijn kamer en de uwe. Silbert en Hardcastle kunnen op straat, in pubs of op een vliegveld met andere mensen in contact zijn geweest. Dat klinkt logisch. U hebt brigadier Nowak gehoord. Niets bewijst dat er op de plaats delict ander bloed dan dat van Silbert aanwezig was.'

'Neemt u me niet kwalijk, hoofdinspecteur,' zei Annie, 'maar dat zegt toch eigenlijk helemaal niets? Ik bedoel, we weten dat Silbert met een cricketbat is doodgeslagen, dus we gingen ervan uit dat we zijn bloed op de plek zouden aantreffen, maar het feit dat we dat van Hardcastle niet hebben gevonden, betekent alleen maar dat hij niet bloedde toen hij in het huis was. En als híj geen bloeddruppels heeft achtergelaten...'

'... dan kan dat ook gelden voor een andere moordenaar. Ja, ik begrijp waar u naartoe wilt, inspecteur Cabbot,' zei Gervaise. 'Die vlieger gaat echter niet op. Er zijn namelijk wel heel veel aanwijzingen die erop duiden dat Mark Hardcastle Laurence Silbert heeft vermoord en zich daarna heeft verhangen, maar absoluut niets wat erop duidt dat iemand anders het heeft gedaan. Niemand heeft iemand het huis zien binnengaan of verlaten en er hebben zich geen andere verdachten aangediend. Het spijt me, maar wat mij betreft kan deze zaak worden gesloten.'

'Misschien had iemand van de toneelgroep wel een motief,' zei Annie. 'Ik heb al verslag uitgebracht van het gesprek dat ik met Maria Wolsey heb gehad. Volgens haar...'

'Ja, daar weten we alles van,' zei Gervaise. 'Als Hardcastle en Silbert een nieuwe toneelgroep van de grond hadden gekregen, had Vernon Ross of Derek Wyman wellicht een reden. Ik heb je rapport gelezen.'

'En?' zei Annie.

'Ik geloof gewoon niet dat Ross of Wyman in staat was geweest om Silbert te vermoorden en het er dan uit te laten zien alsof Hardcastle het had gedaan.'

'Waarom niet?' sputterde Annie tegen. 'Ze komen allebei uit de toneelwereld. Ze zijn gewend om illusies te creëren.'

'Heel slim, maar het spijt me: ik geloof er niet in. Dan had iemand hen beslist zien komen of gaan. Bovendien hadden ze dan hun bebloede kleding nog moeten wegwerken. Ik kan het me gewoon niet voorstellen. Hebben de beveiligingscamera's nog iets opgeleverd?' Gervaise richtte haar blik weer op Nowak.

'We hebben alle opnamen bekeken en er staat niets bijzonders op,' zei hij. 'Om te beginnen zijn er te veel dode hoeken en nummer vijftien viel niet echt binnen de opnamestraal.'

'De bewoners van die wijk zijn erg op zichzelf,' merkte Banks op, 'dus dat niemand personen heeft zien komen of gaan, zegt niet per se iets. Ik durf te wedden dat de medewerkers van de inlichtingen- en veiligheidsdienst zijn opgeleid om ongezien ergens te komen, zelfs wanneer er camera's hangen. Een vandaal, zwerver of jongere met een capuchon op zou de buurtbewoners waarschijnlijk wel zijn opgevallen, maar iemand die eruitzag alsof hij in de wijk thuishoorde, in de juiste auto reed en niet opviel, denkelijk niet. Ik ben het met inspecteur Cabbot eens. Misschien is Hardcastle even weggeweest en is in die tijd iemand anders – Ross, Wyman, een of andere spion – naar binnen gegaan om Silbert te vermoorden. Toen Hardcastle terugkeerde en het lichaam vond, was hij zo overstuur dat hij zelfmoord pleegde. Misschien heeft hij bij zijn terugkeer, dus na de moord en nadat de moordenaar hem had schoongeveegd, de cricketbat wel opgeraapt. Hardcastle zal hevig geschokt zijn geweest. Aangezien we een foto hebben van een onbekende bron waarop Laurence Silbert met een onbekende man in Londen staat afgebeeld, en aangezien we weten dat van Silbert bekend was dat hij als agent voor MI6 werkte en ze heel wat vuile trucs tot hun beschikking hebben...'

'Dat is allemaal veel te vergezocht,' bitste Gervaise. 'Ik neem aan dat jullie geen flauw idee hebben wie de geheimzinnige man op de foto is?'

Banks keek even naar Annie. 'We hebben hem aan een aantal mensen laten zien,' zei ze, 'maar niemand geeft toe de onbekende man te herkennen.'

'En op de geheugenstick zelf staan geen vingerafdrukken,' voegde Nowak eraan toe.

Gervaise keek nu naar Banks. 'Bent u er al achter op welke locatie de foto's zijn genomen?'

'Nee, hoofdinspecteur,' zei Banks. 'Ik ben er vrij zeker van dat de eerste twee in Regent's Park zijn gemaakt, maar ik heb van de technische dienst nog niets gehoord over de andere. Over Julian Fenners onbereikbare telefoonnummer trouwens evenmin.'

'Blijkbaar komen jullie dus geen steek vooruit,' zei Gervaise kritisch.

'Luister,' zei Banks, 'volgens mij doet het er wel degelijk iets toe dat Silbert een spion was en dat meneer Browne, als dat tenminste zijn echte naam is, me gisteravond met een bezoekje heeft vereerd en me in feite opdroeg de zaak met rust te laten. U weet net zo goed als ik dat al onze pogingen van de afgelopen week om iets over Silbert te weten te komen op niets zijn uitgedraaid. De lokale politie beloofde dat ze de kwestie rond die flat in Bloomsbury zouden afhandelen, en de volgende dag belden ze ons al om te vertellen dat ze de boel hadden nagetrokken en dat er niets ongewoons te vinden was. Hoe moeten we dat in godsnaam opvatten? Zijn die lui wel te vertrouwen? Als er wél iets ongewoons was, hebben ze dat misschien verdonkeremaand. Iedereen weet dat Special Branch en MI5 het de laatste tijd op ons hebben gemunt, en zaken en territorium voor zichzelf opeisen. Terrorisme en de georganiseerde misdaad hebben de regering een excuus gegeven om te doen wat ze toch al jarenlang wilden doen: de controle en macht concentreren en vergroten, en ons gebruiken als middel om erop toe te zien dat hun onpopulaire beleid wordt nageleefd. Jullie hebben allemaal gezien hoe dat in andere landen is afgelopen. Hoe weten we dat de politiemensen die Silberts flat hebben onderzocht niet op een of andere manier door hen zijn gemanipuleerd? Hoe weten we dat het geen mensen van de Special Branch zelf waren?'

'Wat doe je ongelooflijk paranoïde,' zei Gervaise. 'Waarom kun je niet gewoon accepteren dat het afgelopen is?'

'Omdat ik graag antwoord op mijn vragen wil hebben.'

Nowak schraapte zijn keel. 'Er is nog iets,' zei hij. Hij vermeed Banks' blik, waardoor Banks wist dat het geen goed nieuws was.

'Wat dan?' vroeg Gervaise.

'Tja, misschien hadden we dit veel eerder moeten doen, maar... in de huidige omstandigheden... nu ja, hoe dan ook, we hebben de vingerafdrukken van Hardcastle en Silbert door het nafis-systeem gehaald, mét resultaat.'

'Vertel op,' zei Gervaise.

Nowak keek Banks nog steeds niet aan. 'Hardcastle blijkt een strafblad te hebben, hoofdinspecteur. Een akkefietje van acht jaar geleden.'

'Wat precies?'

'Ehm... huiselijk geweld. De man met wie hij samenwoonde. Kennelijk was Hardcastle zo jaloers dat hij hem tijdens een woedeaanval in elkaar heeft geslagen.'

'Was hij ernstig gewond?'

'Het had erger gekund. Blijkbaar hield Hardcastle zich net op tijd in voordat hij onherstelbare schade had aangericht. Die man heeft overigens wel een paar dagen in het ziekenhuis gelegen. Het heeft Hardcastle zes maanden voorwaardelijk opgeleverd.'

Gervaise zweeg en keek toen streng naar Banks. 'Wat zeg je daarvan, inspecteur Banks?' vroeg ze.

'Je zei dat je Silberts vingerafdrukken ook door NAFIS hebt gehaald,' zei Banks tegen Nowak. 'Heeft dat nog iets opgeleverd?'

'Helemaal niets,' zei Nowak. 'Eigenlijk komt het erop neer dat vrijwel alle navraag naar Laurence Silbert op een dood spoor belandt.'

'Nu ja, dat ligt natuurlijk ook wel voor de hand,' zei Banks. 'Hij was een spion. Waarschijnlijk bestond hij officieel niet eens.'

'Nu in elk geval zeker niet meer,' zei Gervaise. 'Het is mooi geweest. Ik heb er schoon genoeg van. Ik ga met de rechter van instructie praten. Deze zaak is gesloten.' Ze stond op en sloeg haar Silbert-Hardcastlemap op tafel met een harde klap dicht. 'Inspecteur Banks, ik wil jou graag nog even onder vier ogen spreken.'

Nadat de anderen waren vertrokken, ging Gervaise weer zitten en ze streek haar rok glad. Ze glimlachte en gebaarde dat Banks ook moest gaan zitten. Dat deed hij.

'Het spijt me dat we je voor deze kwestie van je vakantie hebben teruggeroepen,' zei ze. 'Het is helaas nu eenmaal zo dat we niet altijd van tevoren weten of iets tijdverspilling is, hè?'

'Het leven zou een stuk gemakkelijker zijn als we dat wel konden,' zei Banks. 'Met alle respect, hoofdinspecteur...'

Gervaise hield een vinger tegen haar lippen. 'Nee,' zei ze. 'Nee, nee, nee, nee. Dit is geen voortzetting van de vergadering. Dit gaat niet over jouw theorieën of de mijne. Zoals ik net al zei is het afgelopen. De zaak is gesloten.' Ze legde haar handen gevouwen op tafel. 'Wat zijn je plannen voor de komende week?'

'Niets bijzonders,' zei Banks, die een beetje werd overvallen door de vraag. 'Sophia komt morgen. We gaan zaterdag naar een voorstelling van *Othello*. Op zondag lunch met haar ouders. Niets speciaals.'

'Ik voel me namelijk een beetje schuldig,' ging Gervaise verder, 'omdat we je op de avond van een uitgebreid dinertje voor niets hiernaartoe hebben laten komen.'

Allemachtig, dacht Banks bij zichzelf, ze ging hen toch niet uitnodigen om bij haar te komen eten, hè? 'Het was niet voor niets,' zei hij, 'en het geeft niet. Zand erover.'

'Ik ben me er terdege van bewust welke spanningen deze baan soms in een

125

relatie kan veroorzaken en het moet erg lastig zijn wanneer je nog niet zo lang samen bent.'

'Ja, hoofdinspecteur.' Waar wilde ze in vredesnaam naartoe? Banks had geleerd dat het soms beter was niet al te veel vragen te stellen en Gervaise op haar eigen manier tot de kern van de zaak te laten komen. Als je probeerde haar te snel ter zake te laten komen, had ze vaak de neiging er nog meer omheen te draaien.

'Ik hoop dat we niet al te veel druk op jullie hebben gelegd.'

'Nee hoor.'

'Hoe gaat het met de mooie Sophia?'

'Uitstekend, hoofdinspecteur.'

'Mooi. Mooi. Heel mooi. Goed, je zult je wel afvragen waarom je hier bent?'

'Ik kan niet ontkennen dat ik een lichte nieuwsgierigheid bij mezelf bespeur.'

'Aha,' zei Gervaise. 'Gevat als altijd. Tja, even serieus, ehm... Alan... ik wil het graag goedmaken. Wat zeg je daarvan?'

Banks slikte iets weg. 'Wat wilt u goedmaken, hoofdinspecteur?'

'Dat we je hebben teruggehaald, natuurlijk. Wat dacht je dan dat ik bedoelde?'

'Dank u,' zei Banks, 'maar dat is echt niet nodig. Alles gaat prima.'

'Maar het kan toch altijd beter?'

'Als u het zegt.'

'Precies. Goed, ik zou graag zien dat je jouw vakantie voortzet. Vanaf dit weekend. Een week, dacht ik zo.'

'De hele komende week vrij?'

'Ja. Inspecteur Cabbot en brigadier Jackman kunnen die kwestie in East Side afronden. De jonge Harry Potter kan hen daarbij assisteren. Hij gaat echt vooruit, vind je ook niet?'

'Hij gaat het zeker redden,' zei Banks, 'maar...'

Gervaise stak een hand op. 'Geen gemaar. Alsjeblieft. Ik sta erop. Er is geen enkele reden waarom je niet rustig van de rest van je verlof zou genieten. Je hebt er tenslotte recht op.'

'Dat weet ik, hoofdinspecteur, maar...'

Gervaise stond op. 'Ik heb het net al gezegd: geen gemaar. En nu wegwezen en fijn vakantie gaan houden. Dat is een bevel.'

Met die woorden verliet ze de vergaderkamer. Banks bleef alleen aan de lange, glanzend geboende tafel achter en vroeg zich verwonderd af wat er in godsnaam gaande was.

7

'Hoe vind je het tot zover?'

Het was warm en druk in de bar van het theater tijdens de pauze. Banks stond met Sophia bij het vlakglazen raam naar de avondgloed op de winkels aan de overkant van Market Street te kijken en voelde zweetdruppels kriebelen op zijn schedel. Een jong stel liep hand in hand voorbij, een man die zijn teckel uitliet bleef staan om diens uitwerpselen in een plastic tasje van de Co-op op te rapen, drie meisjes in een minirokje met Mickey-Mouseoren op en ballonnen in hun hand wankelden op hoge hakken voorbij op weg naar een vrijgezellenfeestje. Banks keek opzij naar Sophia. De glanzende pracht van haar haren, die ze die avond los over haar schouders had hangen, omlijstte haar ovalen gezicht, en in haar olijfkleurige huid en donkere ogen was haar Griekse achtergrond duidelijk zichtbaar. Voor de zoveelste keer in de afgelopen paar maanden bedacht hij dat hij heel veel geluk had gehad.

'Ach,' zei Sophia en ze nam een slokje rode wijn. 'Het haalt het natuurlijk niet bij Olivier.'

'Wat had je dan verwacht?'

'De belichting is goed met al die licht- en schaduweffecten en zo, maar ik ben er niet helemaal van overtuigd dat die Duits-expressionistische aanpak nou zo'n goed idee was.'

'Ik ook niet,' zei Banks. 'Ik verwacht steeds dat Nosferatu elk moment achter een van die enorme golvende schermen tevoorschijn kan springen om met zijn vingernagels uit te halen.'

Sophia lachte. 'En ik denk nog steeds dat de mensen in de achttiende eeuw heel klein moeten zijn geweest.'

'Met goed gevulde achterwerken,' voegde Banks eraan toe.

'Hemeltje, wat zullen die er grappig hebben uitgezien wanneer ze rondwaggelden. Nee, even serieus, ik vermaak me echt uitstekend. Het is alweer een hele tijd geleden dat ik *Othello* voor het laatst heb gezien. Nu ik erover nadenk, is het alweer een hele tijd geleden dat ik een stuk van Shakespeare op toneel heb gezien. Daarvoor moet ik helemaal terug naar mijn studietijd.'

'Heb jij dan Shakespeare gehad tijdens je studie?'

'Heel uitgebreid zelfs.'

'Wij hebben in de vierde klas *Othello* gehad.'

'Best moeilijk wanneer je pas zestien bent. Het is een heel volwassen stuk.'

'Och, dat weet ik zo net nog niet. Ik geloof dat ik toen ook al heel goed door-had wat jaloezie was.' Banks dacht aan die avond nog niet zo heel lang gele-den in Chelsea, toen Sophia 'Dat heb ik vaker gehoord' had gezegd.

'Alleen gaat het daar niet echt over… oeps, verdorie!'

Iemand had per ongeluk tegen Sophia's arm gestoten en ze morste wat rode wijn op haar coltrui. Gelukkig was het een donkere.

'Sorry,' zei de man. Hij draaide zich naar haar om en glimlachte. 'Het is hier een beetje aan de drukke kant.'

'Goedenavond, meneer Wyman,' zei Banks. 'Lang niet gezien.'

Wyman keek opzij en merkte nu pas Banks' aanwezigheid op. Misschien verbeeldde Banks het zich, maar hij voelde dat de blik in de ogen van de man iets behoedzaams kreeg. Dat gebeurde natuurlijk wel vaker wanneer mensen ontdekten dat ze een politieman tegenover zich hadden. Iedereen heeft wel een geheim waarover hij zich schuldig voelt en dat hij niet aan handhavers van de wet wil prijsgeven, bedacht Banks – een overtreding met de auto, een paar stickies op de universiteit, overspel, een onterechte belastingteruggave, een reeks winkeldiefstallen in de puberteit. In de ogen van de dader waren ze allemaal even erg. Hij vroeg zich af wat Wymans beschamende geheim was. Anale seks?

'Het geeft niet,' zei Sophia.

'Jawel, ik zal even wat soda voor u halen,' zei Wyman. 'Ik sta erop.'

'Heus, het geeft niet. Het was maar een spatje. Je ziet het niet eens.'

Banks wist niet zeker of hij de manier waarop Wyman naar Sophia's borst staar-de wel kon waarderen: het leek bijna alsof hij elk moment een zakdoek kon pakken om de nauwelijks zichtbare wijnvlek zelf op te deppen. 'Ik kijk ervan op dat u tijd hebt om u onder het publiek te mengen,' merkte Banks op. 'Ik had eerder verwacht dat u achter de schermen de cast een peptalk zou geven.'

Wyman lachte. 'Het is geen voetbalwedstrijd, hoor. Ik ga tijdens de pauze echt niet in de kleedkamer tegen hen staan schreeuwen. Waarom zou ik? Vindt u dat ze dat nodig hebben? Ik dacht eigenlijk dat ze het er uitstekend van afbrachten.' Hij keek weer naar Sophia en stak zijn hand uit. 'Ik ben trouwens Derek Wyman, de regisseur van deze bescheiden toneeluitvoering. Ik geloof niet dat wij elkaar kennen.'

Sophia schudde hem de hand. 'Sophia Morton,' zei ze. 'We hadden het er net over dat we zo genieten van het toneelstuk.'

'Dank u wel. Inspecteur Banks, u hebt me niet verteld dat u zo'n charmante en mooie, ehm… metgezellin had.'

'Het is ook nooit ter sprake gekomen,' zei Banks. 'Alles goed met uw vrouw en kinderen?'

'Uitstekend, dank u, uitstekend, hoor. Hoor eens, ik moet echt weg. Ik…'

'Een ogenblikje, graag, nu u hier toch staat,' zei Banks, en hij haalde de foto tevoorschijn die hij tegenwoordig altijd en overal bij zich had. 'We konden u deze week nergens vinden. Verplichtingen elders als leraar, is me verteld. Herkent u deze man die hier naast Laurence Silbert op de foto staat, of de straat waar hij is gemaakt?'

Wyman bekeek de foto aandachtig en fronste zijn wenkbrauwen. 'Ik zou het u niet kunnen zeggen,' zei hij toen. 'Ik begrijp ook niet waarom u denkt dat ik dat wel zou kunnen.' Het was duidelijk dat hij zich het liefst meteen uit de voeten had gemaakt.

'Misschien omdat u met Mark Hardcastle in Londen was.'

'Dat heb ik u al allemaal uitgelegd.'

'Wanneer was de laatste keer dat u daar was vóór u er met Mark naartoe ging? Naar Londen?'

'Ongeveer een maand geleden. Ik krijg niet zo gemakkelijk vrij van school. Moet u eens horen, ik…'

'Hebt u een digitaal fototoestel?'

'Ja.'

'Welk merk?'

'Een Fuji. Hoezo?'

'Een computer?'

'Een pc van Dell. Waarom wilt u dit allemaal weten?'

'Was u ervan op de hoogte dat Laurence Silbert voor MI6 werkte?'

'Lieve god, nee. Natuurlijk niet. Dat heeft Mark me nooit verteld. Nu moet ik echt gaan. Het stuk kan elk moment weer beginnen.'

'Ga uw gang,' zei Banks. Hij schoof zo ver mogelijk naar achteren om Wyman langs te laten. 'Toch een peptalk?'

Wyman wurmde zich zonder iets te zeggen langs hem.

'Dat was niet echt aardig van je,' zei Sophia.

'Hoe bedoel je?'

'Nou ja, die arme man probeerde alleen maar vriendelijk te zijn. Het was nergens voor nodig hem in de bar van het theater aan een kruisverhoor te onderwerpen.'

'Noem je dat een kruisverhoor? Dan moet je me eens zien wanneer ik echt op dreef ben.'

'Je snapt best wat ik bedoel.'

'Hij stond met je te flirten.'

'Wat geeft dat nu? Flirt jij dan nooit?'

'Nooit bewust.'

'Wel waar. Ik heb je het zelf zien doen.'

'Met wie dan?'

'Dat blonde Australische serveerstertje in de wijnbar, onder anderen.'

'Ik flirtte helemaal niet met haar. Ik wilde alleen maar… wat te drinken bestellen.'

'Nou, daar had je anders aardig lang voor nodig, en er kwam heel wat geklets en zelfs een paar ondeugende glimlachjes bij kijken. Je maakt mij niet wijs dat jullie het over de rugbycompetitie of The Ashes hadden.'

Banks lachte. 'Oké, die zit. Het spijt me. Van Wyman, bedoel ik.'

'Ben je echt áltijd aan het werk?'

'Dingen als deze hebben nogal eens de neiging je niet los te laten.'

Sophia keek Wymans snel verdwijnende rug na. 'Ik vind hem best aantrekkelijk,' zei ze.

'Allemachtig,' zei Banks, 'hij heeft een oorbel in en draagt een rode zakdoek om zijn nek.'

'Desondanks…'

'Over smaak valt niet te twisten.'

Sophia keek hem aan. 'Precies. Je denkt toch niet dat hij iets heeft gedaan? Dat hij een moordenaar is?'

'Ik betwijfel het,' zei Banks. 'Het zou me echter niets verbazen als hij er wel iets mee te maken heeft.'

'Waarmee? Ik dacht dat er niets te onderzoeken viel. Je zei dat ze je voor niets uit Londen hadden teruggeroepen.'

'Dat zeggen ze nu, ja,' zei Banks. 'Dat is de versie die ze naar buiten willen brengen. Ik ben er alleen niet van overtuigd dat het ook zo is.'

'Maar officieel?'

'Is de zaak gesloten.'

'Mooi. Laten we dan maar hopen dat het ook zo blijft.'

De bel die aankondigde dat de voorstelling weer zou gaan beginnen klonk. Banks en Sophia dronken de rest van hun wijn op en begaven zich naar de ingang van de zaal.

'Er is iets raars met die nieuwe kast waar je cd's in staan,' merkte Sophia op. Ze lag languit op de bank in Banks' televisiekamer, terwijl Banks zijn verzameling bekeek, op zoek naar iets geschikts voor het late tijdstip en de stemming waarin ze na *Othello* verkeerden. De afspraak was dat hij in zijn huis bepaalde welke muziek er werd gespeeld en Sophia in Chelsea. Meestal werkte dat wel. Hij vond de muziek die zij draaide leuk en had allerlei nieuwe zangers en bands ontdekt; zij was iets kieskeuriger en hij wist dat hij bepaalde dingen beter kon vermijden, zoals onder andere Richard Hawley, Dylan, opera en alles wat ook maar een beetje als folk klonk, ook al vond ze het best leuk om zo nu en dan met hem een folkconcert te bezoeken in het theater. Ze zei dat haar voorkeur uitging naar muziek die de grenzen opzocht. Zijn verzameling muziek uit de jaren zestig kon ze echter wel waarderen en ook het meeste klassieke spul, evenals Coltrane, Miles, Monk en Bill Evans, waardoor hij aardig wat speelruimte had. Uiteindelijk viel zijn keuze op Mazzy Star en hij zette *So Tonight That I Might See* op. Sophia zei niets, dus hij ging ervan uit dat ze er geen bezwaar tegen had.

'Tja, die boekenkast,' zei hij. 'Dat heb ik niet echt handig gedaan. Het probleem zit hem in de bovenkant. Die zit er verkeerd om op. Ik krijg die dunne achterwand er verdorie niet meer af zonder dat hele ding te verpesten, dus ik was eigenlijk van plan de rand te beitsen. Ik heb er alleen nog geen tijd voor gehad.'

Sophia sloeg een hand voor haar mond om een proestbui te smoren.

'Wat is er?' vroeg Banks.

'Ik zie al voor me hoe je vloekend en tierend met een inbussleutel in de hand op je knieën hebt gezeten.'

'Inderdaad ja, en toen stond die meneer Browne dus opeens voor de deur.'

'Die geheimzinnige bezoeker van jou?'

'Precies.'

'Vergeet die man toch. Afgaand op wat je mij hebt verteld, betwijfel ik ten zeerste of je hem ooit nog terug zult zien. Er zijn toch zeker genoeg echte misdadigers om achterna te zitten in plaats van spionnen en schimmen?'

'Talloze,' zei Banks, denkend aan East Side. 'Het probleem is alleen dat de meesten daarvan minderjarig zijn. Kom, genoeg over dat onderwerp. Een leuke avond gehad?'

'Hij is toch nog niet afgelopen?'

'Absoluut niet.' Banks bukte zich en kuste haar. Een voorproefje van wat nog komen ging.

Sophia hield haar glas op. 'Voordat je gaat zitten, wil ik nog wel een glas van die sensationele Amarone,' zei ze, 'en daarna is het denk ik tijd om naar bed te gaan.'

Banks schonk de wijn in uit een fles die op de lage tafel stond en gaf haar het glas terug. 'Trek?' vroeg hij.

'Wat heb je in huis? Een restje Chow Mein met kip?'

'Ik heb lekkere brie,' zei Banks. 'En een stuk extra belegen boerencheddar.'

'Nee, bedankt. Het is mij iets te laat om nog kaas te gaan zitten eten.' Sophia streek een lok haar van haar wang naar achteren. 'Ik zat eigenlijk aan het toneelstuk te denken.'

'Wat is daarmee?' vroeg Banks, die zijn eigen glas bijschonk en zich naast haar liet neerzakken.

Sophia ging zo zitten dat ze hem kon aankijken. 'Nou, waar gaat het volgens jou over?'

'*Othello*? O, jaloezie, verraad, afgunst, ambitie, hebzucht, wellust, wraak. De gebruikelijke thema's in Shakespeares tragedies. Alle facetten van het kwaad.'

Sophia schudde haar hoofd. 'Nee. Dat wil zeggen, ja, natuurlijk gaat het over al die thema's, maar er is nog meer, een onderliggende betekenis, op een dieper niveau.'

'Dat gaat me boven mijn pet.'

Sophia gaf hem een tikje op zijn knie. 'Welnee. Luister. Herinner je je het begin nog, wanneer Jago en Rodrigo Desdemona's vader wakker maken om hem te vertellen wat er aan de hand is?'

'Ja,' zei Banks.

'Is je iets opgevallen aan Jago's taalgebruik?'

'Dat is vrij grof, typisch wat je kunt verwachten van een racistische soldaat, iets over een zwarte ram dat een sneeuwwit schaap bespringt en het beest met de twee ruggen. Wat overigens…'

'Stop.' Ze duwde zijn hand van haar knie. 'Het is ook heel krachtige taal, heel visueel. Hij roept beelden op in de fantasie van de toehoorder. Vergeet niet dat hij het heeft over Desdemona die wordt gedekt door een Arabische hengst. Dat is de taal van een stoeterij. Denk je eens in hoe dit haar vader in de oren moet hebben geklonken, hoe onverdraaglijk het moet zijn geweest om zo over zijn dochter te denken, om zijn dochter zo voor zich te zien.'

'Dat is nu eenmaal Jago's manier van doen. Hij plant ideeën, beelden in iemands hoofd, laat ze daar wortel schieten en wacht intussen rustig af.' Banks dacht opnieuw aan Sophia's woorden: 'Dat heb ik vaker gehoord' en het beeld dat deze bij hem hadden opgeroepen.

'Juist. En waarom is dat?'

'Omdat hij zich achtergesteld voelt in zijn carrière en denkt dat Othello met zijn vrouw naar bed is geweest.'

'Het meeste venijn zit dus in hemzelf. Gedwarsboomde ambitie, hoorndrager?'

'Jawel, maar hij stort het over anderen uit.'

'Hoe?'

'Voornamelijk met woorden.'

'Precies.'

'Ik snap wat je bedoelt,' zei Banks, 'maar ik snap nog steeds niet waar je naartoe wilt.'

'Waar we het al de hele tijd over hebben. Dat het een stuk is over de invloed van taal, over de invloed van woorden en beelden op wat mensen zíén, en dat wat ze zien hen tot waanzin kan drijven. Jago gebruikt later precies dezelfde techniek bij Othello als bij Desdemona's vader. Hij zadelt hem op met onverdraaglijke beelden van Desdemona's seksuele uitspattingen met een andere man. Hij vertelt hem niet alleen dát ze het heeft gedaan, maar beschrijft het ook in geuren en kleuren. Hij plant beelden in Othello's hoofd van Cassio die seks heeft met Desdemona. Wat voor bewijzen heeft Othello nou helemaal van de ontrouw van zijn vrouw?'

'De zakdoek,' zei Banks. 'Alleen was dat in scène gezet, vervalst bewijsmateriaal. Die speelde overigens ook een grote rol bij Verdi. En Scarpia doet hetzelfde met een waaier in *Tosca*.'

Sophia trok een gezicht. Verdi en Puccini gingen haar iets te ver. 'Behalve die stomme zakdoek dan?'

'Jago vertelt hem dat Cassio over Desdemona heeft gedroomd en in zijn slaap heeft gepraat. En dingen heeft gedaan.'

'Ja, en in die droom probeerde hij – Cassio – Jago te zoenen en hem een beurt te geven, omdat hij dacht dat hij Desdemona was. Othello is dan al halfgek van jaloezie en Jago voert hem steeds nieuwe beelden, totdat hij doordraait en haar vermoordt.'

'Je zou natuurlijk ook kunnen stellen,' zei Banks, 'dat Othello precies hetzelfde heeft gedaan met Desdemona. Hij geeft zelfs toe dat hij haar voor zich heeft gewonnen met zijn verhalen over gevechten, en exotische plaatsen en wezens. Door het oproepen van bepaalde beelden. Kannibalen. Antropofagen. Die dingen met hun hoofd onder hun schouders. Een echte gangmaker, die man.'

Sophia lachte. 'Het werkte anders wel. Desdemona werd er aardig opgewonden van. Je hebt trouwens wel gelijk. Othello profiteerde van dezelfde aanpak. Als versiertruc was het dus zo slecht nog niet. Het heeft een dubbele werking. Taal kan indruk maken én heftige gevoelens doen oplaaien. In dit geval jaloezie. Othello was ongetwijfeld een man die eraan gewend was om dingen te bezitten. Ook vrouwen. Het is een toneelstuk over de invloed van verhalen, taal en beeldspraak.'

'In positieve én negatieve zin.'

'Ja, zo kun je het wel stellen.'

'Het heeft Othello wel een vrijpartij opgeleverd.'

Mazzy Star was inmiddels aanbeland bij 'So That I Might See,' het laatste nummer op de cd, met zijn trage, hypnotiserende ritme en vervormde gitaren. Banks dronk de laatste slok van de volle, zijdezachte Amarone op. 'Uiteindelijk,' zei hij half in zichzelf, 'weet Jago Othello over te halen om Desdemona te vermoorden en vervolgens de hand aan zichzelf te slaan.'

'Inderdaad. Wat is er, Alan?'

'Hè?' Banks zette zijn glas neer. 'Een vaag idee, meer niet.' Hij strekte zijn hand naar haar uit. 'Maar nu heb ik een veel beter idee. Zal ik jou eens het verhaal vertellen van een bijzonder gruwelijke moord die ik ooit heb opgelost?'

'Nou, jij weet ook wel hoe je een meisje in de juiste stemming moet krijgen, hè?' zei Sophia en ze kroop tegen hem aan.

De zondag begon fris en zonnig, de lucht was blauw en het gras groen, echt al een prachtige zomerse dag. Na een vroeg ontbijt reden Banks en Sophia in de Porsche naar Reeth, waar ze de auto op het plein in het centrum lieten staan, langs de Buck Inn en de bakkerij naar de oude school liepen, en vervolgens Skelgate insloegen. Aan het eind daarvan betraden ze via een hekje de heide en wandelden ze hoog op de helling langs het dal aan de voet van Calver Hill verder. Boven de velden klonk de opvallende roep van voorbijzwevende wulpen. Overal liepen konijnen. Hele families korhoenders doken op tussen de kluiten gras. Af en toe kwam Banks of Sophia iets te dicht bij een kievietsnest op de grond en fladderden de vogels zenuwachtig en paniekerig heen en weer om hun territorium te verdedigen. Aan de overkant van de vallei vormden lichtgrijze stapelmuurtjes melkbus- en theekopvormige patronen op de rijzende groene hellingen. Het pad was hier en daar modderig, maar de aarde droogde snel op.

Ze maakten een scherpe bocht en daalden hand in hand een steile, golvende helling af; ze passeerden Healaugh, een gehucht vol kalkstenen cottages met piepkleine, keurig onderhouden tuintjes vol felgekleurde bloemen als een zee van rood, geel, paars en blauw waarin bijen lui rondzoemden, en vervolgden hun weg in de schaduw van de elzen langs de oever van de rivier naar een kleine draaibrug; ze staken deze over en sloegen het oude Corpse Way naar Grinton in.

Pas op het weggetje langs de St. Andrew-kerk kwamen ze voor het eerst iemand tegen, een vrouw in een rode zomerjurk met noppen en een witte, breedgerande hoed die er bloemen op een graf legde.

Plotseling werd Banks overvallen door een onheilspellend, angstaanjagend voorgevoel van naderend onheil en hij was bang dat dit voorlopig weleens de laatste mooie dag kon zijn, en dat ze eigenlijk naar Reeth moesten terugkeren om de wandeling van voren af aan over te doen. Dan konden ze nog meer genieten van elk moment dan ze de eerste keer al hadden gedaan, en de schoonheid en rust die ze hadden ervaren opslaan ter bescherming tegen toekomstig verdriet en tegenspoed. In de komende dagen moest hij de herinnering aan deze ochtend koesteren en vasthouden, dacht hij bij zichzelf. Was het T.S. Eliot die eens iets had gezegd over brokstukken waarmee hij zijn ruïnes schoor? Sophia zou het wel weten. Het gevoel verdween en ze staken de weg over naar The Bridge.

Toen ze arriveerden, zaten Sophia's ouders al in de bar te wachten. Ze hadden een tafeltje bij het raam gekozen en plaatsgenomen op de comfortabele, beklede bank. Banks en Sophia gingen op de zachte stoelen tegenover hen zitten. Door het lage erkerraam konden ze St. Andrew's aan de overkant van de weg zien. De vrouw met de hoed ging net weg door de poort. St. Andrew's, een fraai, twaalfde-eeuws Normandisch kerkje met een vierkante toren en gewelfde toegangsdeuren vormde het einde van de Corpse Way, herinnerde Banks zich.

Voordat de Mukerkerk in 1580 werd gebouwd, was het terrein waarop St. Andrew's stond de enige gewijde grond in heel Upper Swaledale en moesten mensen hun overledenen soms in grote manden helemaal vanuit Muker of Keld over de Corpse Way naar Grinton dragen. Bij een aantal bruggen langs de route lagen oude, platte stenen die als rustplaats dienden, waar je de doodskist even kon neerzetten om iets te eten of een slok bier te nemen. Sommige reizigers die waren belast met een kist waren ongetwijfeld beschonken tegen de tijd dat ze eindelijk in Grinton aankwamen en het was best mogelijk dat onderweg zo nu en dan weleens een kist viel. Er bestond een beroemd boek over een reis met een doodskist, maar hij kon niet op de titel komen. Nog een vraag voor Sophia. Hij vroeg het haar en ze wist het inderdaad. Het was Faulkners *Terwijl ik al heenging*. Banks nam zich voor het te lezen. Het citaat van T.S. Eliot kende ze ook. Dat kwam uit *Het barre land*, vertelde ze hem. Ze had er op de universiteit een lang essay over geschreven. 'We hebben nog niet besteld,' zei Victor Morton, Sophia's vader. 'We zijn er zelf pas net. We wilden even op jullie wachten.' Hij was een atletische, slanke man van begin zeventig zonder ook maar een grammetje vet en afgaand op de dure, verstelbare, verende wandelstokken naast de tafels – die eigenlijk meer weg hadden van skistokken dan wandelstokken, vond Banks – hadden de Mortons voor de lunch ook een wandeltocht gemaakt. Zijn gezicht gloeide nog van de lichamelijke inspanning.

'Ik zal wel bestellen,' zei Banks. 'Weet iedereen al wat hij wil?'

De keuze was redelijk voorspelbaar voor een zondagse lunch in een pub – gebraden rosbief met Yorkshire pudding voor Banks en Victor, geroosterd lamsvlees voor Sophia en varkensvlees voor haar moeder Helena. Je kon goed zien van wie Sophia haar mooie uiterlijk had, dacht Banks bij zichzelf toen hij naar de bar liep om hun bestelling te plaatsen en in het voorbijgaan een blik op Helena wierp. Ze was beslist een beeldschone jonge vrouw geweest en Victor ongetwijfeld een zwierige, knappe jonge diplomatiek attaché. Banks vroeg zich af of ze veel ouderlijk verzet hadden moeten overwinnen. Het ging tenslotte om een Griekse serveerster in een taveerne en een jonge Engelsman met een glanzende carrière bij de overheid voor zich... Ze hadden het vast niet gemakkelijk gehad. Banks kon uitstekend overweg met Helena, maar merkte dat Victor hem afkeurend en achterdochtig bejegende. Hij kon nog niet zeggen of dat kwam door het leeftijdsverschil, zijn werk, zijn achtergrond, het feit dat hij gescheiden was of eenvoudigweg vaderlijke bezitterigheid, maar hij voelde het wel degelijk.

Sophia hielp hem de drankjes naar het tafeltje te brengen. Bier voor Victor en hemzelf, en witte wijn voor de dames. Ze hadden in elk geval redelijk goede wijn in The Bridge en daarnaast was de jonge eigenaar een enthousiast hengelaar die zijn vangst soms als dagschotel op het menu zette.

Banks leunde achterover en genoot van zijn drankje, terwijl hij naar het voortkabbelende gesprek luisterde. Op een of andere manier smaakte na een lange wandeling niets zo lekker als een pint goede ale. Victor en Helena waren in westelijke richting langs de rivier naar Marrick Priory gewandeld en weer terug, en waren ook wel toe aan een stevige lunch.

Het eten werd gebracht en ze aten een tijdje in stilte, maar toen keek Victor naar Banks en hij zei: 'Prima maaltijd. Akelige zaak, dat in Hindswell Woods en Castleview Heights. Ben jij daarbij betrokken?'

'Dat was ik,' zei Banks met een zijdelingse blik op Sophia, die hem duidelijk te verstaan had gegeven hoe ze over zijn jacht op hersenschimmen dacht.

'Rare snuiter, die Laurence Silbert.'

Banks verstarde, met zijn glas halverwege zijn mond. 'Kende je hem dan?'

'Nou ja, min of meer. Niet uit Eastvale, natuurlijk. Ik wist niet eens dat hij daar woonde. Jaren geleden. Bonn. In die goede oude tijd, vóór de val van de Muur.' Hij knikte in Sophia's richting. 'Zij zat nog op school,' zei hij. Hij keek Banks weer aan, alsof zijn woorden als een beschuldiging of uitdaging waren bedoeld.

Banks ging er niet op in.

Sophia keek naar haar moeder, die iets in het Grieks zei. Ze spraken zachtjes samen verder.

Victor schraapte zijn keel en ging tussen twee happen door verder: 'Och, ik zei wel dat ik hem kende, maar dat was eigenlijk meer van naam. Ik heb hem meen ik één keer ontmoet, in het voorbijgaan. Je vangt echter weleens wat op en er gebeurt erg veel. Ambassades, consulaten, stukjes vaderland in den vreemde, een soort toevluchtsoord, gewijde grond. De aarde in de doodskist van een vampier, zullen we maar zeggen. Het was de hele dag en nacht een komen en gaan van mensen, sommigen van hen waren er vreselijk aan toe. Ik heb me vaak afgevraagd waarom we geen fulltime arts in dienst hadden. We moesten er natuurlijk niets van hebben. Al dat geheimzinnige spionage-gedoe hoort onzichtbaar te blijven. Eigenlijk gebeurt het natuurlijk officieel helemaal niet, het meeste ervan dan, maar ja... wat doe je eraan? Een land-genoot die pijn lijdt, problemen heeft of gevaar loopt. Er waren uiteraard ook paperassen. Diplomatieke post. Soms kreeg je onbedoeld de inhoud mee. Waarom mensen de behoefte voelen om zelfs de allerergste dingen die ze doen op papier vast te leggen, gaat mijn verstand te boven. Daar denken jullie natuurlijk wel anders over, hè?' Hij concentreerde zich weer op zijn bord.

'Soms,' zei Banks, die zich vaak hetzelfde had afgevraagd. 'Waar heb je hem ontmoet? Weet je dat nog?'

'Of ik dat nog weet? Ja, natuurlijk weet ik dat nog. Ik mag dan een beetje doof worden, maar ik ben heus nog niet seniel, hoor.'

'Het was niet mijn bedoeling te...'

Victor gebaarde met zijn vork. 'Dat was in de jaren tachtig, 1986 of 1987. Vlak voordat de Muur viel, in elk geval. De ambassade stond toen uiteraard nog in Bonn, niet in West-Berlijn. Bonn was de hoofdstad. Dat waren nog eens tijden.' Hij boog zich samenzweerderig voorover en zette het gesprek op zachtere toon voort. Hij hoefde heus niet bang te zijn dat iemand meeluis-terde, dacht Banks bij zichzelf; het was vrij rumoerig in de pub: gesprekken tussen gezinsleden, gelach en het gekrijs van kinderen. Aan de bar zag Banks een man zitten die er duidelijk niet thuishoorde en voortdurend een blik in hun richting wierp, maar hij kon hun gesprek onmogelijk volgen.

'Was je betrokken bij het werk van de inlichtingendienst?' vroeg Banks.

'Nee, totaal niet. Dat zeg ik trouwens echt niet alleen omdat het geheim is of zoiets. Niet iedereen was een spion, weet je. De meesten van ons werkten gewoon op kantoor. Een enkeling was echt diplomaat, attaché, consul, vice-consul, staatssecretaris en wat dies meer zij, in tegenstelling tot de Russen. Dat waren wél allemaal spionnen, tot op de laatste man. Nee, ik probeerde me er juist verre van te houden... dat snap je zeker wel. Toch hoor en zie je dingen, vooral in zo'n roerige periode. We staken onze kop echt niet in het zand. Er werd geroddeld. Het levenssap van de diplomatieke dienst, dacht ik stiekem weleens: roddels.'

Banks haalde de foto uit zijn zak en liet hem onopvallend aan Victor zien. 'Herken je deze man naast Silbert?' vroeg hij.

Sophia keek hem geïrriteerd aan, maar hij schonk geen aandacht aan haar en ze zette haar gesprek met haar moeder voort.

Victor bekeek de foto aandachtig en schudde na een tijdje zijn hoofd. 'Nee, ik heb geen flauw idee wie dat kan zijn,' zei hij.

Banks had ook niet echt verwacht dat hij het zou weten. Het was een gok geweest, puur instinctief. 'Wat was er met Laurence Silbert dat je je hem nog herinnert?' vroeg hij.

'Tja, grappig dat je het vraagt. Zijn reputatie, zou ik zeggen. Ik moest een tijd geleden weer aan hem denken door die ellende rond Litvinenko. Eigenlijk verandert er nooit iets. Tussen ons gezegd en gezwegen: bij ons op kantoor werd Silbert in die tijd 007 genoemd. Een geintje. Een soort James Bond. Zonder de meisjes dan, daar had hij totaal geen belangstelling voor, maar hij was er knap, kil, meedogenloos en hardvochtig genoeg voor.'

'Doodde hij mensen?'

'O, dat zou ik wel denken. Niet dat ik daar ooit bewijzen van heb gezien, hoor. Alleen geruchten. Hij werkte echter vaak aan de andere kant, dus hij heeft ongetwijfeld gevaarlijke situaties meegemaakt en... tja, je kunt je vast wel indenken hoe dat moet zijn geweest.'

'Ja,' zei Banks.

Sophia keek voortdurend opzij naar Banks en hij zag aan de uitdrukking op haar gezicht dat ze zowel chagrijnig als verwonderd was, omdat hij met haar vader over zijn werk zat te praten, maar ook aangenaam verrast, omdat ze zo goed met elkaar konden opschieten en zich niet beperkten tot het gebruikelijke korte gegrom dat de laatste tijd hun aandeel in de gesprekken had gevormd. Terwijl Victor een nieuw stuk van de Yorkshire pudding afsneed, keek hij haar glimlachend aan en ze lachte terug. 'Zal ik nog iets te drinken halen?' stelde ze voor.

'Graag,' zei Banks. 'Jij nog iets, Victor?'

Victor hief zijn lege glas op. 'Hetzelfde alsjeblieft, lieverd.'

Sophia liep naar de bar om een nieuw rondje te halen. Victor keek haar na en richtte zijn waterige grijze ogen toen weer op Banks. Zo te zien stond hij op het punt iets over hun relatie te zeggen, maar Banks was hem te snel af en vroeg: 'Hoe lang heb je contact gehad met Silbert?'

Victor wierp Banks een blik toe die zei dat hij er dan misschien voorlopig in was geslaagd om een netelige situatie te omzeilen, maar dat zich later heus wel een nieuwe gelegenheid zou voordoen en dat hij er de volgende keer wellicht minder goed van af zou komen. 'Och, contact is een groot woord,' zei hij. 'Zoals ik je eerder al vertelde, had ik niets van doen met die bezigheden. Toen viel de Muur en veranderde alles. Om te beginnen verhuisden we naar Berlijn – dat was denk ik in '91. Niet dat er daardoor echt een eind aan kwam, natuurlijk, ook al denken sommige mensen dat wel, eerder een symbolisch eind, en dat was wat aan de buitenwereld werd getoond.'

'Was je op de hoogte van de dingen die Silbert deed, bij welke operaties hij was betrokken?'

'Nee, absoluut niet. Zoals ik al zei, kende ik hem voornamelijk van naam en reputatie.'

Sophia keerde terug met twee drankjes. Banks verontschuldigde zich, omdat hij haar niet hielp, maar ze zei dat ze het prima alleen afkon en ging terug naar de bar voor de andere twee glazen. Ze waren inmiddels allemaal klaar met eten, en Sophia en haar moeder bekeken de dessertkaart.

'Zo, Helena, lieverd,' zei Victor, 'als je zo goed zou willen zijn me de dessertkaart te geven? Ik heb zin in iets warms en kleverigs met een flinke lading custard.'

Banks begreep dat hun onderonsje was afgelopen, dus keek hij naar Sophia om haar te vragen of ze lekker had gegeten en een toetje wilde. Helena mengde zich in hun gesprek en ze bespraken de vakantieplannen van Victor en haar voor de winter, waaronder een reis van drie maanden naar Australië. De middag vorderde snel en de menigte lunchgasten werd snel kleiner. Tijd om te vertrekken. Sophia wilde die avond nog terug naar Londen rijden, want er stond haar de volgende dag een drukke werkdag te wachten, en Helena en Victor verbleven in de flat in Eastvale. Banks had geen plannen, behalve dan thuisblijven en misschien een poging wagen de bovenste rand van de boekenkast te beitsen.

Victor bood aan hen bij hun auto op het plein in Reeth af te zetten. Terwijl iedereen druk bezig was tassen en wandelstokken bij elkaar te verzamelen, dacht Banks aan Victors verhaal. Het was een periode die ver achter hen lag, tenminste, zo voelde het voor hem aan, een wereld die hij kende uit de boeken van Le Carré en Deighton. Laurence Silbert had die tijd echter echt meegemaakt. James Bond. 007. Jammer dat Victor niet meer details had kunnen vertellen. Hij dacht terug aan de opmerking van de mysterieuze meneer Browne dat er tegenwoordig nog net zoveel Russische spionnen actief waren in Groot-Brittannië als tijdens het hoogtepunt van de Koude Oorlog, en hij vroeg zich af wie ze dan bespioneerden en wat ze precies wilden weten. Uiteraard waren de Amerikanen ook nog altijd aanwezig; er waren nog altijd early-warningsystemen en spionagesatellieten aanwezig op Fylingdales, Menwith Hill en ontelbare andere plekken. Ongetwijfeld bestonden er ook plaatsen als Porton Down, waar wetenschappelijke experimenten werden uitgevoerd ten behoeve van bacteriële en chemische oorlogvoering. Kon de dood van Laurence Silbert, en in het verlengde daarvan die van Mark Hardcastle, op een of andere manier in verband staan met die geheime wereld? En zo ja: hoe kwam Banks daar dan achter? Blijkbaar had hij in deze kwestie niet alleen de geheime inlichtingendienst tegenover zich, maar ook zijn eigen werkgever. Hij was ervan overtuigd dat iemand hoofdinspecteur Gervaise had bewerkt.

Voordat ze door de achterdeur vertrokken om het beekje over te steken naar het parkeerterrein wierp Banks een blik op de man die met een halve pint ale voor zich aan de bar de *Mail on Sunday* zat te lezen. Toen ze langs hem liepen, keek de man op en hij glimlachte vaag naar hen. Banks kwam regelmatig in The Bridge en kende de meeste vaste klanten, maar deze man had hij nog niet eerder gezien. Dat hoefde op zich niets te betekenen. Hij kende niet iedereen en op zondag deden heel veel toeristen de pub aan, hoewel meestal niet in hun eentje en zeker nooit in een pak gekleed. Er was gewoon iets geks aan hem. Hij was in elk geval niet uitgerust voor een flinke wandeling en was evenmin een van de boeren uit de omgeving. Tijdens de rit deed Banks zijn best het knagende gevoel van zich af te zetten. Victor bracht hen naar de auto in het ongeveer een kilometer verderop gelegen Reeth, waar Sophia en Banks afscheid namen van haar ouders.

'Nou,' zei Sophia, terwijl ze in de Porsche stapte, 'zelfs een eenvoudige lunch met familie wordt met jou een heel avontuur.'

'Alles is geoorloofd zolang het zijn aandacht afleidt van het leeftijdsverschil en mijn carrièrevooruitzichten.'

'Ik zat voor mijn eindexamen.'

'Wat?'

'In de periode waarover mijn vader het had. Ik zat op een Engelse school in Bonn en was bezig met mijn eindexamen. Ik kwam weleens in Berlijn, waar ik dan volledig in het zwart gekleed samen met travestieten en cokedealers in undergroundbars rondhing en naar slechte na-apers van David Bowie en New Order luisterde.'

'Wat heb je toch een veelbewogen bestaan geleid.'

Ze schonk hem een ondoorgrondelijke glimlach. 'Je weet nog niet de helft.'

Ze reden over kronkelende B-weggetjes tussen de heidevelden door terug naar Gratly, terwijl Cherry Ghost vanaf de iPod 'Thirst For Romance' zong. De prachtige, woeste, hooggelegen velden vol brem en heide waren niet met hekken afgezet en schapen zwierven ongehinderd rond. Alleen enkele zwart-geblakerde stukken terrein en borden die waarschuwden voor rode vlaggen en langzaam rijdende tanks herinnerden Banks eraan dat het landschap waar ze doorheen reden onderdeel was van een uitgestrekt militair oefenterrein.

8

Nieuwsgierig naar wat Banks van haar zou willen verliet Annie Cabbot op maandagmiddag om vier uur de gemeenschappelijke werkruimte van het politiebureau om naar The Horse and Hounds te gaan, inmiddels het geheime toevluchtsoord voor iedereen die overdag hoofdinspecteur Gervaise wilde ontlopen om ongestoord onder het genot van een lekkere pint te kunnen nadenken. Het einde van de werkdag was toch al in zicht, tenzij zich in het komende uur nog ongebruikelijke zaken zouden voordoen.

Ze was in een opperbeste stemming, want ze had een heerlijk alcoholvrij weekend achter de rug waarin ze al haar wasgoed had weggewerkt, aan lichaamsbeweging en meditatie had gedaan, in de sportschool was geweest en een paar heerlijke uren in de buitenlucht had doorgebracht om vanaf een uitkijkpunt bij Starbotton een deel van Langstrothdale te schilderen. Het enige vervelende moment was op zaterdagavond geweest, toen ze weer een nachtmerrie had gehad over de afloop van haar vorige grote zaak. Haar hart had angstig in haar keel gebonsd vanwege de voorbijflitsende bloederige beelden en er was een golf van medelijden en pijn door haar heen gestroomd. Rond halfdrie was ze huilend en badend in het zweet wakker geworden, en daarna had ze niet meer kunnen slapen. Ze had een kop thee gezet, naar rustige muziek op de radio geluisterd en een uur of wat in een roman van Christina Jones zitten lezen, waarna ze zich iets beter had gevoeld en uiteindelijk tegen zonsopgang weer was ingedommeld.

Ze had deze werkdag vrijwel geheel besteed aan de gebeurtenissen in East Side, voornamelijk omdat hoofdinspecteur Gervaise de zaak-Silbert/Hardcastle van de agenda had geschrapt. Op vrijdag had Annie in het ziekenhuis heel even met Donny Moore gesproken. Zijn verwondingen waren niet levensbedreigend, maar hij beweerde zich totaal niet meer te herinneren wat er was voorgevallen op de avond waarop hij was neergestoken, behalve dan dat hij heel onschuldig door de straat had gelopen en toen zomaar was aangevallen door een enorme vent met een capuchon op. Benjamin Paxton, de man die Moore had gevonden en het incident aan de politie had gemeld, had eveneens gezegd dat hij een grote vent had zien weglopen, dus het was beslist de moeite waard dit na te trekken. Winsome en Doug Wilson hadden de meeste bendeleden van wie ze vermoedden dat ze erbij aanwezig waren geweest al opgespoord, maar zoals verwacht niets nieuws boven tafel gekregen. Niemand van hen was opvallend groot – het waren tenslotte allemaal jongeren – maar desondanks had Winsome genoteerd dat het verstandig zou zijn een paar van hen met een tweede bezoek te vereren, en Annie had zich voorgenomen daar in de loop van de week bij aanwezig te zijn.

Op zaterdag had Annie haar haren radicaal laten afknippen en haar golvende, kastanjebruine haardos ingeruild voor een kort kapsel met laagjes. Tot haar ontzetting had ze enkele grijze haren ontdekt, maar de kapper had de juiste chemicaliën toegepast en in een mum van tijd kwam alles weer helemaal goed. Ze was er nog niet helemaal van overtuigd of ze het leuk vond, want ze was een beetje bang dat ze er ouder door oogde en dat het de kraaienpootjes rond haar ogen benadrukte, maar ze vond wel dat ze er zakelijk uitzag, een echte vakvrouw, wat in haar functie geen kwaad kon. De volgende stap was het afdanken van haar spijkerbroek en rode laarzen, bedacht ze, want die ondermijnden haar deskundige, autoritaire uitstraling. Ze was echter gek op die dingen. Eén ding tegelijk.

Hoe dan ook, ze was echt niet van plan een pint te drinken met Banks, hield ze zichzelf voor toen ze de schemerige pub inging. Wat hij ook dronk, zíj hield het bij Britvic-sinaasappelsap. Zoals verwacht zat Banks met *The Independent* opengeslagen voor zich op tafel en een volle pint Black Sheep bitter in zijn hand in het raamloze kamertje dat min of meer een tweede thuis was geworden.

Toen hij haar zag aankomen, vouwde hij de krant op. 'Ben je alleen?' vroeg hij met een blik op de deur achter haar.

'Ja, natuurlijk,' zei ze. 'Hoezo? Wie verwacht je dan nog meer?'

'Je bent niet gevolgd?'

'Doe niet zo gek.'

'Wil je iets drinken?'

Annie ging zitten. 'Britvic-sinaasappelsap, graag.'

'Zeker weten?'

'Heel zeker.'

Banks liep naar de bar. Ze had de indruk dat hij niet alleen een drankje voor haar ging halen, maar ook wilde controleren wie daar allemaal zaten. Tijdens zijn afwezigheid bekeek Annie de jachttaferelen aan de muren. Ze waren niet slecht, als je tenminste van dat soort dingen hield, vond ze. De paarden waren in elk geval redelijk realistisch afgebeeld, met hun benen in de juiste houding, wat een hele opgave moest zijn geweest. Meestal zagen paarden er op schilderijen uit alsof ze een paar centimeter boven de grond zweefden en hun benen er elk moment konden afvallen. Ze was best trots op haar Lang-strothdalelandschapje, ook al kwamen er geen paarden op voor. Het was het beste wat ze in tijden had geschilderd.

Banks kwam terug met haar drankje en nam tegenover haar plaats.

'Waarom vroeg je of ik alleen was en of niemand me was gevolgd?' vroeg Annie.

'Och, het is niets,' antwoordde Banks. 'Je kunt tegenwoordig niet voorzichtig genoeg zijn.'

'De muren hebben oren en zo?'

'Mijn voorkeur gaat uit naar de poster die ik ooit in een boek heb gezien, met een sexy blondine en twee soldaten die naar haar loeren.'

'O?'

'De tekst luidt: "Keep mum, she's not so dumb."'

'Seksist.'

'Helemaal niet. Ik ben juist gek op blondines.'

'Waarom doen we eigenlijk zo stiekem?'

'Nou, Laurence Silbert werkte voor de geheime inlichtingendienst, beter bekend als MI6, dus het is toch best logisch?'

'Dus jij bent je nu aan het inleven? Je speelt toch geen spelletje, hè? Alan, ik zeg dit niet graag, maar het zit erop. Dat heeft hoofdinspecteur Gervaise zelf gezegd. Je hebt vakantie, weet je nog? Wat voor werk Laurence Silbert ook heeft gedaan, wat hij ook voor zijn land heeft gedaan, het had niets te maken met zijn dood. Mark Hardcastle heeft hem vermoord en zichzelf daarna verhangen. Het boek is gesloten.'

'Zo mag de officiële verklaring dan misschien luiden,' zei Banks, 'maar volgens mij is het helemaal zo simpel niet.'

Annie ving het geroezemoes van stemmen bij de bar op. De serveerster lachte om een grap van een van haar klanten. 'Oké,' zei ze. 'Ik luister. Vertel me dan maar eens wat jij denkt.'

Banks leunde achterover in zijn stoel. 'Heb je *Othello* weleens gelezen?'

'Jaren geleden. Op school. Waarom vraag je dat?'

'Het toneelstuk gezien? De film?'

'Ik heb de versie met Laurence Olivier één keer gezien. Ook dat was jaren geleden. Waar wil je eigenlijk...?'

Banks hief een hand op. 'Nog even geduld, Annie. Alsjeblieft.'

'Vooruit dan maar. Ga verder.'

Banks nam een slokje bier. 'Wat is je het meest bijgebleven van het toneelstuk?'

'Eigenlijk niet zo veel. Is dit een overhoring?'

'Nee. Denk even goed na.'

'Goed, je had een... een moor die Othello heette en getrouwd was met een vrouw, Desdemona, maar hij werd jaloers en vermoordde haar; hij wurgde haar eerst en sloeg toen de hand aan zichzelf.'

'Waarom werd hij jaloers?'

'Iemand had hem wijsgemaakt dat ze het met een ander deed. Jago had hem dat verteld. Die was het.'

'Goed,' zei Banks. 'Sophia en ik hebben zaterdagavond de voorstelling in het theater van Eastvale gezien. De voorstelling die door Derek Wyman is geregisseerd en waarvoor Mark Hardcastle het Duits-expressionistische decor heeft gemaakt.'

'Hoe was het?'

'Het decor was flut, het leidde ontzettend af. Het leek net of het stuk zich afspeelde in een vliegtuighangar of iets dergelijks. Maar goed, de acteurs waren wel oké en Derek Wyman heeft een redelijk goede kijk op toneel, of hij nu een sulletje is of niet. Daar gaat het ook niet om. Waar het om gaat is, dat Sophia en ik na afloop na zaten te praten...'

'Tja, zo gaat dat nu eenmaal,' zei Annie.

Banks keek haar even aan. 'Zo gaat dat inderdaad nu eenmaal. Hoe dan ook,' vervolgde hij, 'ze wees me erop dat het stuk eerder over de invloed van woorden en beelden gaat dan over jaloezie en ambitie, en volgens mij heeft ze gelijk.'

'Dat heb je zo met mensen die Engels hebben gestudeerd. Ik moet eerlijk bekennen dat we bij mij op school nooit verder zijn gekomen dan ambitie en jaloezie. O ja, en dierensymboliek. Ik weet zeker dat er dierensymboliek in voorkwam.'

'Dat klopt inderdaad,' beaamde Banks. 'Als je er echter eens goed over nadenkt... tja, dan is het best logisch.'

'Hoe? Wat?'

'Wacht, dan haal ik eerst nog wat te drinken. Ik heb tenslotte vakantie. Jij?'

'Ik heb nog.' Annie tikte tegen haar glas sinaasappelsap.

Banks liep naar de bar en intussen dacht Annie, die nog steeds niet kon inschatten waar hij precies naartoe wilde met zijn verhaal, na over wat hij had gezegd. Ze herinnerde zich fragmenten uit de film met Olivier: hij had er maar raar uitgezien met die zwarte schmink op, er was een enorm gedoe geweest over een zakdoek, een jonge Maggie Smith had als Desdemona een treurig lied over een wilg gezongen voordat Othello haar wurgde, Frank Finlays overtuigende Jago. Fragmenten, meer waren het niet. Banks kwam terug

145

met een nieuwe pint en zette deze naast zijn krant. Toen probeerde hij in het kort uit te leggen wat Sophia had gezegd over het gebruik van taal om ondraaglijke beelden bij iemand op te roepen.

'Goed,' zei Annie, 'volgens Sophia gaat *Othello* dus over de invloed van taal. Dat zou best kunnen. Aangezien hij een stoere kerel is, besluit hij dus op basis van superonbenullig bewijsmateriaal dat het een slim idee is om zijn vrouw te wurgen.'

'Dit is niet het geschiktste moment om met feministische kritiek op Shakespeare te komen aanzetten.'

'Het is helemaal geen kritiek. Het is toch gewoon zo? Bovendien vind ik het niet echt typisch feministisch om op te merken dat het wurgen van je vrouw geen slim idee is, of ze nu is vreemdgegaan of niet.'

'Nou, maar dat was bij Desdemona dus niet het geval. Dáár gaat het om.'

'Alan, hoe interessant dit allemaal ook is en hoe leuk ik zo'n literaire discussie aan het eind van de maandagmiddag ook vind, er ligt thuis een hele berg strijkgoed op me te wachten en ik begrijp nog steeds niet wat dit met ons te maken heeft.'

'Het heeft me aan het denken gezet over de zaak,' ging Banks verder. 'Over Hardcastle en Silbert. Iedereen heeft voor zichzelf allang uitgemaakt hoe het ongeveer moet zijn gegaan, dat er niemand anders naar binnen is gegaan om Silbert om zeep te helpen, terwijl Hardcastle even weg was.'

'Dat is wel de algemeen heersende mening, ja.'

'Ook al merkte jij op dat het ontbreken van het bloed van iemand anders dan Silbert zelf eigenlijk helemaal niets bewees.'

'Klopt,' zei Annie instemmend.

Banks leunde met zijn pint in de hand tegen de lambrisering. 'Ik denk dat je gelijk hebt,' zei hij. 'Volgens mij is Hardcastle niet weggegaan en volgens mij heeft er ook niemand anders ingebroken. Volgens mij is het precies zo gegaan als hoofdinspecteur Gervaise en Stefan denken. Mark Hardcastle heeft Silbert met een cricketbat doodgeknuppeld en daarna van verdriet de hand aan zichzelf geslagen.'

'Je bent het dus eens met de officiële versie?'

'Ja. Alleen is dat volgens mij niet waar het om gaat.'

'Waar gaat het dan wél om?'

'Luister.' Banks leunde met zijn ellebogen op de tafel. Annie zag in zijn doordringende blauwe ogen de glans die ze altijd associeerde met zijn fantasierijke theorieën. Ze moest echter toegeven dat hij het soms inderdaad bij het juiste eind had of er in elk geval heel dichtbij zat. 'Hardcastle en Silbert waren nog niet zo heel lang samen. Zes maanden pas. Iedereen die we hebben gesproken

zegt dat ze echt een stel vormden en vrijwel samenwoonden, maar de relatie was waarschijnlijk nog steeds teer, kwetsbaar, en we weten dat Mark Hardcastle nogal onzeker was. Om te beginnen hielden ze allebei hun appartement aan. Zoals Stefan opmerkte, had Hardcastle ook nog eens een strafblad voor het aftuigen van een vorig vriendje, wat erop zou kunnen duiden dat hij een heel kort lontje had. Stel nu eens dat iemand hem heeft gemanipuleerd?'
'Gemanipuleerd? Hardcastle?'
'Ja,' zei Banks. 'Zoals Jago Othello manipuleerde. Door hem te bestoken met onverdraaglijke beelden van Silberts ontrouw.'
'Wat je dus wilt zeggen is dat iemand hem hiertoe heeft aangezet?'
'Wat ik wil zeggen is dat die mogelijkheid bestaat. Het is alleen verrekt lastig het aan te tonen. Dit is een moord waarbij de echte moordenaar zijn handen niet vuil heeft gemaakt. Moord op afstand, door een tussenpersoon.'
'Ik betwijfel ten zeerste of je dat moord mag noemen, zelfs als het inderdaad zo is gegaan,' zei Annie. 'Wat ik overigens niet meteen geloof.'
'We bedenken wel een mooie tenlastelegging.'
'Waarom zou iemand zoiets doen?'
'Om van Silbert af te komen.'
'Enig idee wie dat kan zijn geweest?'
Banks nam een slokje bier. 'Tja,' zei hij, 'ik vermoed dat er verschillende mogelijkheden zijn. Wapen en gelegenheid zijn al bekend, dus het komt er eenvoudigweg op aan een motief te vinden. In wezen kan iedereen die veel contact met hen had het hebben gedaan. Vernon Ross of Derek Wyman, bijvoorbeeld. Misschien had zelfs Maria Wolsey wel een motief waarover ze ons niets heeft verteld. Of Carol, Wymans vrouw. Mogelijkheden te over.' Banks zweeg even. 'Aan de andere kant kan het ook iemand zijn geweest die in opdracht van een van de geheime inlichtingendiensten werkte. Zo'n ingewikkeld plan is typisch iets voor hen.'
'Ach, houd toch op, Alan! Vind je zelf ook niet dat dát een beetje vergezocht is, zelfs voor jou?'
'Niet per se.'
'Wacht eens even,' wierp Annie nu tegen. 'Je roept zo wel een heleboel nieuwe vragen op.'
'Zoals?'
'Als Silbert inderdaad een ander had, wie kan daar dan vanaf hebben geweten?'
'Dat doet er niet toe. Als de moordenaar dergelijke informatie niet vanzelf in de schoot kreeg geworpen of van iemand te horen had gekregen, had hij het ook kunnen verzinnen. Dat deed Jago tenslotte ook.'

'Hoe kon iemand dan hebben afgeweten van Hardcastles strafblad vanwege geweld jegens een eerdere partner?'

'Misschien heeft hij zich per ongeluk een keer versproken? Of, wat waarschijnlijker is, misschien hebben de mensen over wie we het hebben wel zo hun methoden om alle informatie die ze willen hebben te pakken te krijgen, hebben ze toegang tot criminele strafbladen. Ik durf te wedden dat MI6 het wist. Ze hebben Hardcastle ongetwijfeld grondig nagetrokken. Het was duidelijk niet erg genoeg om hem op hun gevaarlijke-personenlijst te zetten – hij vormde geen risico voor de veiligheid – maar ik durf ook te wedden dat ze het Silbert hebben verteld, hem hebben gewaarschuwd op zijn tellen te passen, ook al was hij officieel met pensioen.'

'Tja, maar dat laatste was dus niet zo. Goed, laten we er eens van uitgaan dat dit allemaal waar is. Dan blijft de hamvraag: hoe konden ze er zeker van zijn dat het zou aflopen zoals gepland?'

Banks wreef over zijn slaap. 'Tja, daar zeg je zo wat,' gaf hij toe. 'Daar worstel ik zelf ook al een tijdje mee. Dat strafblad vormde wel een kleine aanwijzing. Hardcastle was opvliegend en had daardoor al eerder problemen gehad met een vriend.'

'Dat is echter geen garantie dat hij dat nogmaals zou doen. Misschien had hij zijn lesje wel geleerd? Een cursus woedebeheersing gevolgd?'

'Als je maar lang genoeg druk op iemand uitoefent, is zijn reactie vrij voorspelbaar. Mensen vervallen in patronen die ze in het verleden ook hebben gevolgd. Dat zie je bijvoorbeeld veel bij mensen die een ander hebben mishandeld of zelf zijn mishandeld.'

'Dat weet ik,' zei Annie, 'maar toch blijf ik erbij dat het als moordmethode waardeloos is.'

'Waarom dan?'

'Omdat je niet zeker bent van de afloop. Dáárom. Zelfs als Hardcastle gewelddadig was geworden, zelfs als dat inderdaad voorspelbaar was geweest, dan blijft het een feit dat hij nog nooit eerder iemand gedood had en er was totaal geen garantie dat hij dat deze keer wel zou doen. Misschien hebben ze gewoon ruzie gehad. Het stond echt niet van tevoren vast dat Hardcastle Silbert zou vermoorden. Het spijt me, Alan, maar het klopt gewoon niet. Het is totaal niet geloofwaardig.'

'Ik weet het,' zei Banks. 'Ik zie zelf ook wel dat de hypothese zwakke plekken heeft. Toch geloof ik nog steeds dat ze heel veel mogelijkheden biedt.'

'Oké,' zei Annie. 'Laten we er even van uitgaan dat je gelijk hebt. Dan zitten we nog altijd met het motief. Waarom?'

Banks liet zich achteroverzakken en dronk wat van zijn bier voordat hij antwoordde: 'Nou, dat is anders vrij gemakkelijk,' zei hij. 'Dat gaat hand in hand met de vraag wie.'

'Ik weet wat je nu gaat zeggen, maar ze zullen echt niet zomaar...'

'Laat me even uitpraten, Annie. Die meneer Browne met een "e" op het eind komt me opzoeken, draagt me in feite op de zaak te laten rusten en vertelt erbij dat iedere vorm van publiciteit rond de moord op Silbert ongewenst is. Op wat voor ramp doelt hij? vraag ik me dan af. We weten dus dat Silbert agent was bij MI6 en God mag weten wat hij in zijn hoogtijdagen allemaal heeft uitgevreten. Stel nu eens dat de regering hem om een of andere reden van het toneel wilde hebben? Bijvoorbeeld omdat hij te veel wist? Iets wat hen in verlegenheid kon brengen? Ik weet zeker dat ze bijzonder bedreven zijn in psychologische oorlogvoering. Het is heel goed mogelijk dat zij ervoor hebben gezorgd dat de informatie over Hardcastles opvliegendheid tot het gebruikte geweld heeft geleid. Ik durf te wedden dat ze ook medische middelen hebben die met onze giftesten niet kunnen worden opgespoord.'

'Ze zouden toch alleen maar in actie zijn gekomen als hij dreigde zijn mond voorbij te praten? We hebben helemaal niets gevonden wat erop duidt dat hij dat van plan was. De meesten doen dat niet.'

'Oké, laten we eens aannemen dat hij op een of andere manier een bedreiging voor hen vormde. Ik weet niet waarom.'

'Ik vind dat nogal wat om aan te nemen.'

'Puur hypothetisch.'

'Goed, hij vormde hypothetisch een bedreiging voor MI6.'

'Of voor de geloofwaardigheid van de huidige regering.'

'Voor zover daar nog sprake van is.'

'Hoe dan ook, het is minder vergezocht dan het klinkt, Annie. Zoiets wreekt zich altijd. De mensen die gisteren je vijanden waren, zijn vandaag je vrienden en andersom. Vaak is het enige wat je met elkaar gemeen hebt de gezamenlijke strijd tegen een gemeenschappelijke vijand. Bondgenootschappen zijn net zo veranderlijk als het weer. Duitsland. Rusland. Irak. Iran. Wie weet, misschien die verdomde Verenigde Staten ook wel. Het is bekend dat ze in het verleden allemaal heel wat smerige streken hebben uitgehaald. Misschien kan hij aantonen dat ze terroristische aanslagen in Groot-Brittannië op touw hebben gezet om ervoor te zorgen dat we bleven meedoen aan de oorlog in Irak. God mag het weten. Ze zijn ertoe in staat. Wellicht was Silbert betrokken bij iets wat MI6 en de regering of een bevriende buitenlandse regering in een kwaad daglicht stelt en met de verkiezingen op komst...'

'... zijn ze tot alles in staat?'

'Zoiets, ja. Als ze zich bedreigd voelen.'

'Toch geloof ik het niet, Alan. Oké, het slachtoffer was een spion. Wanneer zulke types elkaar uit de weg willen ruimen, prikken ze elkaar toch gewoon met een giftige paraplupunt of voeren ze elkaar een dosis radioactieve isotopen, of iets dergelijks? Het ligt helemaal niet voor de hand dat ze dan zo'n onbetrouwbare methode kiezen waarbij ze Silberts partner jaloers moeten zien te maken in de hoop dat hij de klus voor hen klaart, terwijl ze ook gewoon… weet ik veel… hem onder een bus kunnen duwen of van een brug afgooien.'

Banks zuchtte. 'Ik ben me ervan bewust dat er veel bezwaren aan de theorie kleven,' zei hij. 'Ik ben er nog mee bezig.'

Banks oogde moedeloos, maar Annie was niet van plan ook maar een duimbreed toe te geven. 'Bezwaren die zo groot zijn dat je ze met een vrachtwagen moet vervoeren,' zei ze. 'Weinig vooruitgang ook, als je het mij vraagt. Nee, het spijt me, maar die vlieger gaat niet op.'

'Heeft iemand met je gepraat?' vroeg Banks. 'Heeft iemand druk op jou uitgeoefend?'

Annies mond zakte open. 'Dat pik ik niet van jou. Heb ik je ooit een aanleiding gegeven om te denken dat ik niet aan jouw kant stond? We spelen toch altijd advocaat van de duivel? Hoe durf je zoiets zelfs maar te denken?'

'Sorry,' zei Banks. 'Het is gewoon… misschien ben ik wel een beetje paranoide. Moet je ook kijken wat er is gebeurd: de dag na het bezoek van meneer Browne verklaart mevrouw de hoofdinspecteur Gervaise de zaak voor gesloten, laat ze me na school nablijven en draagt ze me op wat vakantiedagen op te nemen. Wou je soms beweren dat zij niet is gemanipuleerd? En gisteren heb ik iemand zien zitten die me tijdens de lunch in een pub in de gaten hield. Daarnaast heb ik de afgelopen dagen, sinds het bezoekje van Browne, een paar keer het gevoel gehad dat ik werd gevolgd. Het is allemaal erg… verwarrend.'

'Nou, ik ben in elk geval door niemand gemanipuleerd. Ik probeer die halfbakken ideeën van jou alleen maar rationeel te benaderen.'

'Kun je dan op zijn minst toegeven dat het mógelijk is dat het is gegaan zoals ik je net heb geschetst?'

'Ik weet het nog niet. Oké, tot op zekere hoogte kan ik leven met je *Othello*-theorie. Misschien heeft iemand Hardcastle inderdaad bewust in een lastig parket gebracht. Of misschien had Silbert inderdaad een verhouding. Misschien werd hij wel gechanteerd en toen hij tegen degene die hem chanteerde zei dat hij kon ophoepelen, vond het bewijs – de geheugenstick – zijn weg naar Hardcastle. Van dat spionnengedoe geloof ik echter geen klap en wat jij net zei over mensen die in oude gedragspatronen vervallen vind ik evenmin overtuigend. Níémand kon voorspellen wat er zou gebeuren. Daar blijf ik bij.'

'We hebben niets gevonden wat op chantage wijst.'

'We hebben helemáál niets gevonden, afgezien van wat forensisch onderzoek heeft aangetoond en daarover zijn we het allemaal eens.'

'Dat is niet waar. We weten dat Silbert voor MI6 werkte. We hebben een geheugenstick gevonden en een visitekaartje met een niet-bestaand telefoonnummer erop. Meneer Browne is bij me langs geweest en heeft me in bedekte termen bedreigd. Bovendien wist hij ook nog eens verdomd veel van mij en mijn privéleven af. Nu wil iedereen de zaak opeens laten vallen alsof ze er hun vingers aan hebben gebrand. Dat noem ik niet niets. Het bevalt me niet, Annie. Het bevalt me helemaal niet.'

'Nu je het zo zegt, zit er inderdaad wel iets in.' Annie huiverde even. 'Had het nou maar niet gezegd. Ik krijg het er koud van.'

'Je gelooft me dus?'

'Word je echt in de gaten gehouden?'

'Ja, volgens mij wel. Sinds het bezoek van Browne.'

'Nou ja, je hebt hem natuurlijk ook wel heel bot afgescheept. Ze denken vermoedelijk dat je een dwarsligger bent.'

'Dat denken mensen mijn hele leven al. Hij was zelfs op de hoogte van Sophia.'

'Wie? Browne?'

'Hmm-mm. Hij weet waar ze woont. Hij maakte een opmerking over mijn mooie, jonge vriendinnetje in Chelsea.'

Annie zei een tijdlang niets. Op een of andere manier stond de gedachte aan Sophia's schoonheid hun gesprek in de weg; ze werd erdoor afgeleid en ervoer het als een aanval van ontevredenheid over haarzelf, haar uiterlijk, haar gewicht, over alles. Jezus, haar nieuwe kapsel was Banks niet eens opgevallen. 'Wat ga je nu doen?' vroeg ze ten slotte.

'Ik heb nog een paar stukjes informatie nodig,' zei hij, 'en dan ga ik waarschijnlijk naar Londen om dat optrekje met eigen ogen te bekijken, wat rond te snuffelen en te zien wat ik zelf kan opdiepen. Ik heb nog een paar vakantiedagen tegoed.'

'Op hersenschimmen jagen, tegen windmolens vechten?'

'Misschien.'

'Ik weet het zo net nog niet, hoor,' zei Annie. 'Het kan gevaarlijk zijn. Stel nu eens dat je gelijk hebt en dat ze inderdaad in staat zijn een van hun eigen mensen uit te schakelen. Dan zullen ze er ook niet voor terugschrikken een lastige politieagent te vermoorden?'

'Fijn, je wordt bedankt,' zei Banks. 'Daar probeerde ik juist niet aan te denken. Trouwens, wat kan ik anders doen? Mevrouw de hoofdinspecteur Gervaise heeft de zaak gesloten verklaard. Van die kant hoef ik geen steun te verwachten.'

'Ik denk dat je heel voorzichtig te werk moet gaan.'

'Dat zal ik doen.'

'Ik neem aan dat je bij Sophia gaat logeren?'

'Ik neem aan van wel. Als ze het niet te druk heeft tenminste.'

'Och, voor jou zal ze het nooit te druk hebben. Het is alleen maar…'

'Wat?'

'Tja, weet je wel zeker dat je haar hierbij wilt betrekken?'

'Ik betrek haar helemaal nergens bij. Bovendien weten ze toch allang van haar bestaan af.'

'Moet je mij nu horen. Ik gedraag me al even paranoïde als jij.'

'Dat geeft niet. Het is lief van je dat je bezorgd bent. Maak je maar geen zorgen, ik zal heel goed opletten. Op mezelf én op Sophia.'

Annie scheurde de rand van haar bierviltje af. 'Wat wil je nu eigenlijk dat ik doe?'

'Ik zou graag willen dat jij tijdens mijn afwezigheid je ogen en oren goed openhoudt. Let op of er iets ongewoons gebeurt. En mocht ik meer informatie nodig hebben, of een of ander document, of een gesprek met Wyman en de andere medewerkers van het theater, vingerafdrukken die door NAFIS moeten worden gehaald, allerlei vormen van informatie waar ik niet aan kan komen, dan zou het fijn zijn om te weten dat ik bij jou terechtkan.'

'Wie A zegt, moet ook B zeggen,' zei Annie. 'Verder nog iets, nu we toch bezig zijn?'

'O ja. Zou je de planten water willen geven?'

Annie gaf hem een speelse tik op zijn arm.

'Zodra ik in Londen ben, koop ik een nieuwe gsm,' ging Banks verder. 'Prepaid, zo'n wegwerpding. Ik wil niet dat iemand mijn gesprekken traceert of dat ergens belastende gegevens worden opgeslagen. Ik bel je wel om je het nummer door te geven.'

Annie keek hem fronsend aan. 'Nu klink je net als een crimineel. Je neemt dat spionagegedoe echt serieus, hè?'

'Jij hebt meneer Browne niet ontmoet. Nog één ding, voordat we vertrekken.'

'En dat is?'

'Wat heb je met je haar gedaan? Het zit fantastisch.'

Hoewel Banks geen nieuwe bezoekjes verwachtte van meneer Browne en zijn kornuiten, deed hij die avond toch de deur op slot, zette hij het alarmsysteem aan en hield hij zijn oren goed open. Na een maal van Beef Wellington van Marks & Spencer dat hij had weggespoeld met een Eight Songs shiraz uit 1998, besloot hij het boekenkastje te laten voor wat het was en in plaats daarvan die avond Stephen Dorrils boek over MI6 te lezen, met op de achtergrond heel zachtjes John Garths celloconcerten.

De brand was nu alweer drie jaar geleden, bedacht Banks, en de renovatie met de toevoeging van de televisiekamer, een extra slaapkamer en de serre had bijna een jaar in beslag genomen. Vóór die gebeurtenis had hij voornamelijk in de keuken en in de kamer aan de voorkant gezeten, met af en toe een uitstapje naar de muur langs de beek, maar nu bracht hij de meeste tijd door in de serre aan de achterkant of in de televisiekamer, en gebruikte hij de keuken meestal alleen om te koken – opwarmen was wellicht een iets betere benaming – en de kamer aan de voorkant, waar zijn computer stond en een paar uitgewoonde leunstoelen, als werk- en woonkamer.

Het verhaal van MI6 bleek tamelijk ingewikkeld en vrij moeilijk doorheen te komen, heel anders dan de boeken van Ian Fleming die hij zich uit zijn tienerjaren herinnerde, en nadat hij een paar hoofdstukken had gelezen, was hij er niet van overtuigd dat hij veel had opgepikt. Ook had hij nog vele hoofdstukken te gaan voordat hij bij het heden kwam.

Even na halftien ging de telefoon. Het was Sophia. Hij verwelkomde de onderbreking met open armen.

'Is de terugreis goed verlopen?' vroeg Banks.

'Uitstekend. Alleen wel saai. Ik denk dat ik de volgende keer maar met de trein kom. Dan kan ik in elk geval wat werken of een boek lezen.'

Hij hoorde dat ze een gaap onderdrukte. 'Moe?'

'Lange dag gehad. Soms denk ik weleens dat we hier van het ene kunstfestival in het andere rollen.'

'Hoe ziet jouw week eruit?'

'Meer van hetzelfde. Heel veel interviews. Een special van een kwartier over dat nieuwe James-Bondboek van Sebastian Faulks, inclusief een kort commentaar van Daniel Craig.'

'Je gaat me toch niet vertellen dat hij naar de studio komt?'

'Doe niet zo dwaas. Hoewel ik het stiekem natuurlijk wel hoop.'

'Pffft. Nou ja, zeg. Ik denk trouwens dat ik over een dag of twee jouw kant op kom. Zou je Daniel Craig misschien kunnen afblazen en ruimte in je agenda vrijmaken voor mij? Ik kan ook een hotel nemen, hoor, als…'

'Ja, natuurlijk kan ik dat, sukkel. Je hebt de sleutel. Kom gewoon wanneer je

zo ver bent. Ik wil je dolgraag zien. We kunnen op zijn minst samen slapen.'
Banks voelde dat een warme gloed zich door zijn hart verspreidde bij het
horen van de oprechte vreugde in haar stem. 'Geweldig,' zei hij. 'Ik bel je
wanneer het zo ver is.'
'Is het een werkreis of echt vakantie?' vroeg Sophia.
'Eigenlijk van allebei een beetje.'
'Wat houdt het werkgedeelte in?'
'Hetzelfde als de vorige keer.'
'Die moord-zelfmoordzaak?'
'Ja.'
'Die zaak waarover je mijn vader zo hebt doorgezaagd met die spionnen?'
'Een van de slachtoffers werkte bij MI6.'
'Spannend,' zei Sophia. 'Wat moet ik dan nog met Daniel Craig? Ik heb jou
toch?'
Zoals altijd kwam Banks aan het eind van het gesprek in de verleiding om 'Ik
hou van je' te zeggen, maar hij deed het nooit. Het grote woord was nog
nooit gevallen en Banks had het idee dat het op dat moment de zaken alleen
maar ingewikkelder zou maken. Het was beter om op dezelfde voet door te
gaan en te kijken waar ze uitkwamen. Daar was later nog meer dan genoeg
tijd voor.
Hij hield de hoorn iets langer bij zijn oor dan anders en luisterde of hij het
verraderlijke klikje hoorde dat hij zo vaak had opgevangen in spionagefilms.
Toen hield hij zichzelf voor dat hij niet zo mal moest doen en legde hij hem
neer. Met de technologie van tegenwoordig kon je wel op de vingers van één
hand natellen dat een telefoon die werd afgeluisterd echt geen 'klik' meer liet
horen wanneer je het gesprek beëindigde. Bovendien had hij daar eerder aan
moeten denken. Van nu af aan moest hij nog beter op zijn woorden passen
wanneer hij via de vaste lijn met iemand sprak.
Nadat hij had opgehangen, zette hij de televisie aan voor *News at Ten*, schonk
hij nog een glas wijn voor zichzelf in en luisterde hij naar de gebruikelijke
hoofdpunten van het nieuws: hebzuchtige politici die op een leugen waren
betrapt, de ophanden zijnde verkiezingen in Amerika, een twaalfjarig meisje
dat op weg naar huis na een pianoles was verdwenen, hongersnood en geno-
cide in Afrika, oorlog in het Midden-Oosten en nog meer onlusten in de
voormalige Russische satellietstaten. Hij spitste zijn oren toen hij de namen
Hardcastle en Silbert hoorde vallen.
De nieuwslezer vertelde niet dat Silbert voor MI6 had gewerkt en meldde
alleen maar dat hij de zoon was van Edwina Silbert, dat hij voor de overheid
had gewerkt, en dat hij in een 'exclusieve' en 'fraaie' buitenwijk van Eastvale

had samengewoond met zijn homoseksuele geliefde, 'de zoon van een mijnwerker uit West-Yorkshire'. Typisch zuidelijke onzin, vond Banks. Eastvale had helemaal geen buitenwijken. Bovendien lag Barnsley in Zuid-Yorkshire, niet West-Yorkshire.

Het bericht meldde nadrukkelijk dat de politie tot de conclusie was gekomen dat het een tragisch geval van moord en zelfmoord betrof, en somde vervolgens details op van vergelijkbare zaken van de afgelopen twintig jaar. Aan het eind van het bericht verscheen een koeltjes en deskundig ogende hoofdinspecteur Gervaise in beeld. Ze verzekerde de interviewer dat de politie tevreden was over het behaalde resultaat, en benadrukte dat het forensisch bewijsmateriaal hun onderzoeksresultaten staafde en dat er geen grond was voor verder onderzoek, wat, zo voegde ze eraan toe, de familie van de slachtoffers alleen maar meer verdriet zou bezorgen. Flauwekul, dacht Banks bij zichzelf. Edwina Silbert kon echt wel een stootje hebben en Hardcastle had geen familie meer, op een verre tante na. De maker van het item had zich uitstekend gekweten van de taak iedereen die nog zorgen koesterde ervan te overtuigen dat de kwestie volledig was afgerond. Dat zullen we nog weleens zien, dacht Banks.

Na het journaal had Banks opeens zin om wat muziek op te zetten en buiten op de muur langs Gratly Beck te gaan zitten. Het was een van zijn lievelingsplekken en hoewel hij er lang niet zo vaak meer gebruik van maakte als een tijdje geleden, kwam hij er nog altijd graag wanneer het er warm genoeg voor was. Zijn cottage stond vrij geïsoleerd, dus niemand had last van de zachte muziek op de achtergrond, zelfs laat op de avond niet, en het was pas halfelf. Voordat hij uit zijn verzameling een cd had kunnen selecteren, ging de telefoon echter nogmaals. Banks dacht dat Sophia hem misschien nog een keer wilde spreken, dus hij liep snel naar binnen om op te nemen.

'Inspecteur Banks?'

'Ja?'

'U spreekt met Ravi. Ravi Kapesh. Van de technische dienst.'

'O, Ravi. Sorry, ik had je stem niet herkend. Is het niet een beetje laat om nog aan het werk te zijn?'

'Dat hoort er tegenwoordig nu eenmaal bij als je vooruit wilt komen,' zei Ravi berustend. 'Hoe dan ook, volgens mij heb ik iets voor u. U had me gevraagd u te bellen zodra ik iets had gevonden.'

Banks beefde van opwinding. 'Klopt helemaal. Je hebt dus iets? Geweldig. Moet je horen, ik weet dat dit misschien een beetje vreemd klinkt, maar zou je me op mijn gsm willen terugbellen?'

'Geen enkel probleem. Wanneer?'

'Nu meteen. Ik hang op.' Banks wist niet of zijn mobiele telefoon veiliger was dan zijn vaste lijn, maar hij hoopte van wel. Hij zou zich heel wat minder paranoïde voelen wanneer hij straks die prepaid had aangeschaft. Bij mobieltjes moest je er alleen wel aan denken dat je ze uit moest zetten wanneer je ze niet gebruikte, want anders kon je net zo goed vanaf het hoogste gebouw in de omgeving schreeuwen: 'Hier ben ik!'

'Oké, kom maar op,' zei hij toen zijn gsm overging.

'Het is me gelukt het straatnaambord zo uit te vergroten dat de naam leesbaar is,' zei Ravi. 'Het is een smal straatje dat Charles Lane heet, een zijstraat van de High Street in St. John's Wood. Zegt dat u iets?'

'Nee,' zei Banks, 'maar dat had ik eigenlijk ook niet verwacht. Heel hartelijk bedankt, Ravi. Heb je ook het huisnummer?'

'Sorry. U kunt op de foto wel zien om welk pand het gaat.'

'Natuurlijk. Ravi, je bent een genie.'

'Graag gedaan, hoor. Ik spreek u nog wel.'

'Hoe staat het met dat telefoonnummer? Van Fenner?'

'Helemaal niets. Alles wijst erop dat het een nummer is dat nooit aan iemand is toegekend in Groot-Brittannië. Misschien is het een buitenlands nummer?'

'Misschien,' zei Banks, 'maar eerlijk gezegd betwijfel ik dat. Mag ik je nog één ding vragen?'

'Ga uw gang.'

'Zou je dit aan niemand willen vertellen?'

'Oké,' zei Ravi. 'Mijn lippen zijn verzegeld.'

'Tot ziens.' Banks verbrak de verbinding. St. John's Wood. Over chique wijken gesproken. Wat zou het zijn geweest? vroeg Banks zich af. Een mannelijk liefje? Een van Kate Moss' feesten? Regeringsgeheimen overbrieven aan de andere kant? Wat het ook was, Banks was ervan overtuigd dat het had bijgedragen aan Silberts dood.

Misschien had Annie wel gelijk en bood Jago's aanpak geen garantie dat het gewenste resultaat daadwerkelijk werd behaald, maar als het niet werkte, kon de eigenlijke moordenaar altijd nog een rechtstreeksere poging wagen. En als het wél werkte, had hij de perfecte moord begaan. Een moord die niet eens een moord was. Het paste precies bij de geheimzinnige, slinkse manier waarop geheime inlichtingendiensten overal ter wereld volgens hem opereerden. Bestond er buiten de wereld van fictie ook maar iemand die op het idee zou komen om iemand te vermoorden met een vergiftigde paraplu of een radioactieve isotoop?

Banks pakte zijn glas, schoof Sigur Rós' *Hvarf-Heim* in de cd-speler en liep met zijn wijn naar buiten. De deur liet hij op een kier staan, zodat hij de vreemde, spookachtige muziek kon horen. Het geluid viel harmonieus samen met het gemurmel van de beek die in een kleine waterval over een reeks ondiepe plateaus klaterde en de roep van een nachtvogel die af en toe klonk, paste er perfect bij, alsof de band er speciaal rekening mee had gehouden en een klein gaatje liet vallen tussen hun noten.

De zon was al ondergegaan, maar in de wolkenloze hemel in het westen hing nog altijd een diepe donkeroranje en -blauwe gloed. Banks rook warm gras en mest, vermengd met iets zoetigs, misschien bloemen die alleen 's avonds opengingen. In een veld in de verte hinnikte een paard. De steen waarop hij zat, voelde nog warm aan en tussen de bomen door kon hij op de bodem van het dal de lichtjes van Helmthorpe zien en de omtrek van de vierkante kerktoren met het vreemde, ronde koepeltje die scherp afstak tegen de lucht. Laag aan de horizon in het westen ontwaarde hij een planeet die volgens hem Venus was en hoger, in noordelijke richting, een rode stip die haast wel Mars moest zijn. Boven hem werden een voor een de sterrenbeelden zichtbaar. Banks had altijd grote moeite gehad ze te herkennen. De Grote Beer en Orion kon hij nog wel vinden, maar die kon hij die avond nergens ontdekken.

Heel even dacht Banks dat hij iets hoorde in het bos en hij had het vervelende gevoel dat iemand hem begluurde. Gewoon een nachtdier, hield hij zichzelf voor. Die had hij tenslotte wel vaker gehoord. Zo zaten er bijvoorbeeld dassen en heel veel konijnen in de omgeving. Hij mocht zijn zenuwen niet de overhand laten krijgen. Hij zette het gevoel van zich af en nam een slokje wijn. Het water stroomde verder met hier een zilverkleurig vonkje wanneer het door een uitstekende rots werd gespleten en daar een vlok wit schuim wanneer het over de rand van een plateau een halve meter omlaag tuimelde, en verder overal telkens veranderende, bewegende inktblauwe of zwarte schaduwen.

Er was echt niets, stelde Banks zichzelf gerust, alleen maar de wind die door de bomen ritselde, de IJslandse muziek, en een schaap dat waarschijnlijk was geschrokken van een vos of een hond en op een helling in de verte blaatte. Net als straten van een stad was ook het bos vol schaduwen en gefluister. Na een tijdje stierven de geluiden weg en werd hij omhuld door een stilte die zo intens was dat hij alleen nog maar het kloppen van zijn eigen hart hoorde.

9

Vanwege het mooie weer liepen er op woensdag rond lunchtijd veel mensen buiten en in Oxford Street was het een drukte van jewelste door de gebruikelijke toeristen, straatventers, winkelmedewerkers en mensen die gratis kranten of folders voor taalinstituten uitdeelden. Banks had een kleine omweg gemaakt naar het huis van Sophia en was er vrij zeker van dat hij niet werd gevolgd. Niet dat het er iets toe deed. Meneer Browne had zoveel over Sophia geweten dat hij vermoedelijk ook wel wist waar ze woonde.

Banks had zijn auto ergens in de buurt geparkeerd – een Porsche viel in een zijstraatje in Chelsea echt niet op en hij was tenslotte bestemmingsverkeer – zijn koffer in het huis neergezet en was met de ondergrondse naar Tottenham Court Road gegaan. Onderweg bleef hij zo nu en dan stilstaan om een etalage te bekijken. Er liepen echter zoveel mensen dat hij al snel besefte dat hij met geen mogelijkheid kon ontdekken of iemand hem volgde, zeker niet als deze persoon daarvoor was opgeleid. Toch kon het geen kwaad om voorzichtig te zijn.

Hij had van zijn twintigste tot zijn dertigste verschillende keren undercover gewerkt en de basisbeginselen van het vak waren hem altijd bijgebleven. Bovendien was een van de redenen dat hij er zo goed in was geweest dat de meeste mensen hem er niet als een politieman vonden uitzien, wat dat ook precies mocht betekenen. Hij ging op in de mensenmassa. Omdat hij niet op zijn geheugen durfde te vertrouwen, kocht hij in een filiaal van Waterstone's in dezelfde straat als het ondergrondsestation een AA-strategids van Londen; vervolgens ging hij bij een van de elektronicazaken aan Tottenham Court Road naar binnen om een goedkope prepaid gsm aan te schaffen, die hij contant afrekende. Het ding moest worden opgeladen, maar dat kon wel even wachten. Hij had geen haast. Hij was de hele dinsdag bezig geweest de informatie te verzamelen die hij nodig had om te doen waarvoor hij naar Londen was gekomen.

Tijdens de wandeling door Tottenham Court Road werd hij overvallen door herinneringen. De laatste keer dat hij in zijn eentje in Londen speurwerk had verricht was na de verdwijning van zijn broer Roy geweest. Moest je eens kijken hoe dat was afgelopen. Toch was er geen enkele aanleiding om te denken dat het deze keer op een ramp van vergelijkbare omvang zou uitdraaien.

Hij stopte zijn hand in zijn zak en voelde de reservesleutel van Laurence Silberts flat in Bloomsbury. Hij wist dat het de goede was, omdat er een keurig labeltje aan zat toen hij het die ochtend in het bureau in Silberts werkkamer had gevonden. Het was hem te binnen geschoten dat hij het ding daar had zien liggen toen hij de ruimte met Annie doorzocht. Officieel was Banks verplicht contact op te nemen met de plaatselijke politie om hun te laten weten dat hij zich op hun werkterrein bevond en toestemming te vragen om het huis te bekijken, maar dat had hij niet gedaan. Dat was alleen maar vragen om problemen, vond hij, en leverde bovendien een karrenvracht papierwerk op. En trouwens, hij had vakantie.

Tussen het British Museum en de universiteit liep hij Montague Place in en al snel had hij aan de overkant van Russell Square de zijstraat van Marchmont Street gevonden waar het hem om te doen was. Hij bevond zich nu in het hart van het campusgebied van de Universiteit van Londen, waar ook een flinke hoeveelheid toeristische hotels te vinden was. Het pand dat hij zocht, was in appartementen opgesplitst en tussen de namen onder de koperen nummerbordjes stond bij flat 3a nog steeds L. Silbert vermeld. Het was een keurig ingericht en onderhouden gebouw, geen groezelig studentenonderkomen, precies wat hij van een man in Silberts positie had verwacht, met donkere, hoogpolige vloerbedekking, veloutépapieren behang, ingelijste prenten van Constable aan de muren op de overlopen en een zweem van lavendelgeurige luchtverfrisser.

Banks kon niet zeggen wat hij hoopte te vinden, als er al iets te vinden was, want de plaatselijke politie en waarschijnlijk ook mensen van Special Branch hadden de flat allang binnenstebuiten gekeerd. Hij ging er in elk geval niet van uit dat hij met onzichtbare inkt of in een duivels moeilijke code geschreven berichten zou aantreffen. Hij maakte zichzelf wijs dat hij er vooral was om een betere indruk te krijgen van Silbert en zijn Londense leefomgeving.

De deur gaf toegang tot een kleine hal, amper groter dan een gangkast. Er waren drie deuren en een snelle rondgang maakte duidelijk dat de deur aan de linkerkant bij een kleine slaapkamer hoorde waarin maar net genoeg ruimte was voor een tweepersoonsbed, een kledingkast en een ladekast; de rechterdeur was die van de badkamer – met een zo te zien gloednieuwe inloopdouche, toilet en een kleine wastafel, tandpasta, scheerschuim en Old Spice – en de deur recht voor hem leidde naar de woonkamer met een piepkleine open keuken. Er was in elk geval een beetje uitzicht door het kleine schuifraam, ook al stelde de smalle steeg waar het op uitkeek niet veel voor en hielden de tegenoverliggende gebouwen een groot deel van het zonlicht tegen.

Banks begon met de slaapkamer. Het blauwwitte dekbed was verfomfaaid en de kussens ingedeukt. Impulsief trok Banks het dekbed weg. De linnen lakens waren schoon, maar gekreukt, alsof iemand erop had liggen slapen. Hoogstwaarschijnlijk had Mark Hardcastle die ene nacht in Londen inderdaad hier doorgebracht.

In de kledingkast hingen wat kleren: colbertjes, pakken, overhemden, stropdassen, een smoking met bijbehorende pantalon, en dure merkspijkerbroeken met een vouw langs de naad. Banks kwam tot de ontdekking dat er niets bovenop of tegen de achterwand was verborgen.

Een exemplaar van Conrads *Nostromo* waar op ongeveer driekwart van de bladzijden een boekenlegger uitstak, lag op de ladekast naast het bed. In de bovenste lade lagen opgevouwen poloshirts, T-shirts en ondergoed. In de middelste lade bevond zich een verzameling troep, vergelijkbaar met zijn oma's kist met oude spullen waarin hij altijd graag had rondgesnuffeld wanneer hij bij haar op visite was. Er zat niets interessants bij: oude theaterkaartjes en -programma's, bonnen van restaurants en taxi's van eerder dat jaar, een verkleurde aansteker die het niet deed, een paar goedkope balpennen. Geen dagboek of agenda. Geen briefjes met telefoonnummers erop. Geen visitekaartjes. De kamer deed spartaans aan, alsof hij puur functioneel was, een plek om te slapen. De bonnen van de restaurants duidden op een voorliefde voor verfijnd eten: Lindsay House, Arbutus, L'Autre Pied, The Connaught, J. Sheekey en The Ivy. Duidelijk eerder Silberts smaak dan die van Hardcastle. In de onderste lade lagen sokken en ondergoed, en daartussen waren geen duistere geheimen verstopt.

De badkamer bood geen verrassingen en de woonkamer was net zo netjes en schoon als de slaapkamer. Er stond een kleine boekenkast, vooral titels van Conrad, Waugh en Camus, enkele boeken van Bernard Cornwell en George MacDonald Fraser, een verzameling gebonden biografieën en geschiedenisboeken, en de meest recente Wisden. De kleine stapel cd's bevatte voornamelijk Bach, Mozart en Haydn, en de tijdschriften in het rek gingen voornamelijk over antiek en buitenlandse zaken. In de open keuken vond Banks een lege whiskyfles van het merk Bell's en een gebruikt glas.

Hij hoorde buiten iets en staarde door het raam naar de straatvegers die aan het eind van het steegje voorbijkwamen. Hier was niets te vinden, was zijn conclusie. Silbert was heel voorzichtig geweest of anders had iemand de interessante spullen al weggehaald.

Vlak voordat Banks vertrok, nam hij de hoorn van de telefoon op en drukte hij op de herhaaltoets. Er gebeurde niets. Hij probeerde het nog een keer, maar het resultaat was hetzelfde. Uiteindelijk bedacht hij dat het ding het gewoon niet goed deed of dat alles was gewist – hoogstwaarschijnlijk dat laatste, vermoedde hij.

Annie ging op woensdagmiddag na schooltijd met Nicky Haskell praten en nam Winsome mee. Toen ze door de kronkelende hoofdstraat van de wijk naar Metcalfe House reed, langs een aantal rijtjeshuizen die beter verzorgd oogden dan de rest, voelde ze dat ze door verschillende paren ogen werd gevolgd. Ondanks de steekpenningen en het smeergeld die volgens de geruchten in de handen van lokale politici waren beland, was er slechts voor twee torenflats een bouwvergunning afgegeven. Als Eastvale binnen de grenzen van het Yorkshire Dales National Park had gelegen, zouden er nooit zulke monsterlijke gebouwen zijn neergezet, ook al telden ze maar tien verdiepingen, maar dat was niet het geval. De maisonnettes die de torenflats omringden, waren al even lelijk.

Metcalfe House had een van de slechtste reputaties van alle delen van de wijk en Nicky Haskell stond bekend om zijn antisociale gedrag. Hij had al een ASBO aan zijn broek hangen, wat in de kringen waarin hij vertoefde eerder als erepenning werd gezien dan als schandvlek of als belemmering voor crimineel gedrag, waarvoor deze was bedoeld.

Een van de problemen was dat de ouders vaak afwezig waren geweest tijdens de jeugd van hun kinderen – niet omdat ze werkten, maar omdat zij indertijd vrijwel hetzelfde deden als hun kinderen nu. Meestal kwamen ze voort uit de Thatcher-generatie en hadden hun ouders al evenmin werk of hoop op een toekomst gehad, een erfenis die ze aan hun kinderen hadden doorgegeven. Niemand was met een tovermiddeltje op de proppen gekomen om het tij te keren. Het was veel gemakkelijker om hen net als daklozen te negeren en de drugs die ze gebruikten om de pijn te onderdrukken, demoniseerden hen alleen nog maar erger in de ogen van de samenleving.

Nicky Haskells ouders waren hier een typisch voorbeeld van, wist Annie. Zijn moeder werkte achter de kassa van de Asdasupermarkt in de wijk en zijn vader, een goede bekende van de politie, leefde al van de steun sinds de dag waarop hij van school was geschopt omdat hij zijn natuurkundeleraar met een mes had bedreigd. De doelloze dagen en uren die daarop volgden, boden hem ruimschoots de gelegenheid voor zijn favoriete bezigheden, waaronder het drinken van enorme hoeveelheden sterk bier, het roken van crack, en af en toe een avondje naar de hondenraces om zich te ontdoen van het geld dat hij mogelijk overhield van zijn andere gewoonten. Zijn vrouw draaide met haar eigen schamele salaris op voor de kosten van eten, kleding, de huur en gas, water en elektra.

Het werd al snel duidelijk dat ze niet hadden hoeven wachten tot het eind van de schooldag.

'Verkouden, weet je,' zei Nicky, die hen binnenliet en hen meteen de rug toekeerde. Zijn sluike, vette haar viel in slierten over zijn kraag.

'Ik weet van niets,' zei Annie, die achter hem aan naar de woonkamer liep. 'Is dat zo? Je klinkt anders heel gewoon.'

Nicky liet zich op de versleten bank vallen waarop hij, als je de lege chipszakjes, hard staande televisie, bomvolle asbak en bierblikjes mocht geloven, vermoedelijk de hele dag had gelegen. De kamer rook ook alsof hij er de hele dag in had gelegen. In dit geval viel de appel kennelijk niet ver van de boom. 'Ik heb keelpijn,' zei hij, 'en alles doet zeer.'

'Zal ik een dokter bellen?'

'Neuh. Aan dokters heb je toch niets.' Hij stopte een paar pillen in zijn mond en spoelde ze weg met Carlsberg Special Brew uit een blikje. De pillen konden wat Annie betreft zowel paracetamol als codeïne zijn, en het kon haar niet schelen ook. Nou ja, het kon haar wel degelijk schelen, maar ze was niet van plan de maatschappij in haar eentje te veranderen, ook niet met Winsomes hulp; zij had weer eens de zinloze taak informatie te vergaren. Haskell stak zijn hand uit naar zijn sigaretten.

'Ik zou het op prijs stellen als je in onze aanwezigheid niet dronk of rookte,' zei Annie. 'Je bent minderjarig.'

Haskell grijnsde en legde de sigaretten naast het bier. 'Dan wacht ik wel tot jullie weg zijn,' zei hij.

'Vind je het goed dat ik de televisie wat zachter zet?' vroeg Annie.

'Ga je gang.'

'*Midsomer Murders*,' zei Annie, terwijl ze het geluid iets zachter zette. 'Ik had nooit gedacht dat jij dat leuk zou vinden.'

'Het werkt rustgevend, hè? Net als naar opdrogende verf kijken.'

Annie vond het een leuke serie. Het lag allemaal zo ver vandaan bij het echte politiewerk dat zij verrichtte dat ze alles klakkeloos kon accepteren en niet eens op zoek ging naar fouten. Winsome en zij namen plaats op houten stoelen met een rechte rug, omdat de aanblik van de donkere vlekken op de leunstoelen hen niet aanstond. 'Waar zijn je ouders?' vroeg Annie.

'Mijn moeder is op haar werk, mijn vader zit in de pub.'

Omdat hij pas vijftien was, was het eigenlijk niet toegestaan met hem te praten zonder dat zijn ouders erbij aanwezig waren. Hij gold echter niet als verdachte – Donny hoorde tenslotte bij zijn ploeg – en er bestond een gerede kans dat hij toch niets zou vertellen wat bruikbaar was in een rechtszaak, dus Annie deed er niet moeilijk over.

'Daar hebben we het al een keer over gehad,' zei Haskell nog voordat ze goed en wel was begonnen. 'Het is gebeurd. Gewoon vergeten en verdergaan.'

'Iemand heeft Donny neergestoken,' hielp Annie hem herinneren. 'We gaan helemaal niets vergeten en we gaan pas verder zodra we weten wie dat was.'

'Nou, dat weet ik dus niet, oké? Ik was het niet. Donny is een maat van me. Het gaat toch wel goed met hem?'

'Hij redt het wel. We weten dat hij een maat van je is. Daarom dachten we ook dat jij ons misschien wel kon helpen. Jij was erbij.'

'Wie zegt dat?'

'Nicky, we weten dat er op dat braakliggende stuk terrein naast het Lijmsnui-verslaantje een knokpartij is geweest. We weten dat je maten, onder wie Donny Moore, en jij daar elke avond rondhangen, we weten ook dat jullie er niets van moeten hebben dat Jackie Binns en zijn vrienden daar opduiken, én we weten dat dát precies is wat ze hebben gedaan. Werk nou gewoon even mee en vertel ons wat er is gebeurd.'

Haskell zei niets. Het was best mogelijk dat hij zelf dacht dat hij erg stoer en uitdagend was, dacht Annie bij zichzelf, maar ze zag dat zijn onderlip zachtjes trilde van angst. Ze keek naar Winsome, die de ondervraging overnam. Soms deed alleen een verandering van stem en toon al wonderen.

'Wat heb je die avond gezien, Nicky?' vroeg Winsome.

'Helemaal niets, dat zeg ik toch? Het was donker.'

'Je was er dus wél?'

'Het zou zomaar kunnen dat ik daarzo in de buurt was,' mompelde Haskell. 'Dat wil heus niet zeggen dat ik wat heb gezien, hoor.'

'Waar ben je bang voor, Nicky?'

'Niets. Ik ben helemaal nergens bang voor.'

'Heb je een grote gedaante met een capuchon op door het straatje zien weg-rennen?'

'Ik heb niets gezien.'

'Als het soms om een soort erecode gaat over het verraden van…'

'Er is helemaal geen erecode, stomme trut. Wat zei ik nou net? Ik ben voor niets of niemand bang. Ik heb niets gezien. Waarom doe je zo opgefokt? Waarom laat je me niet met rust?'

Winsome wierp een blik op Annie en haalde haar schouders op. Het was zoals verwacht een tevergeefs bezoek. 'Ik snap trouwens niet waarom jullie mij moeten hebben,' ging Haskell met een spottende grijns verder. 'Moeten jullie niet voor die rijkelui in Castleview Heights zorgen? Volgens mij zitten die lui tegenwoordig achter alle killings en shit.'

'Praat alsjeblieft niet alsof je zwart bent, Nicky,' zei Winsome. 'Het klinkt stom.' Net als de meeste van zijn leeftijdgenoten probeerde Haskell zo nu en dan de zwarte urban street talk te kopiëren die hij in televisieprogramma's als *The Wire* opving, maar het klonk allemaal nogal belachelijk. Haskell staarde haar kwaad aan. Blijkbaar dacht hij juist dat het hem goed af ging.

'Wat weet jij van Castleview Heights?' vroeg Annie.

'Jaha, dat zou je wel willen weten, hè?' zei Haskell. Hij grinnikte en tikte veelbetekenend tegen de zijkant van zijn neus.

'Als je iets weet, moet je me dat vertellen.'

'Je vroeg naar Donny Moore en die gore hufter van een Jackie Binns. Niet naar die twee bruinwerkers in de Heights. Wat levert dat me op?'

'En als ik je nou eens naar Laurence Silbert en Mark Hardcastle vroeg?' zei Annie, wier belangstelling was gewekt door zijn opmerking over Castleview Heights. 'Wat zou je me dan over hen kunnen vertellen?'

'Mark Hardcastle? Is dat die gozer van het theater?'

'Inderdaad,' zei Annie.

'Ik ben daar geweest. Met school, een paar maanden terug.' Nicky keek hen uitdagend aan, alsof hij wilde zeggen dat hij soms echt wel naar school ging, wanneer hij ervoor in de stemming was. 'Shit van Shakespeare, man. *Macbeth*. Kerels die een of andere idiote taal spreken en elkaar afmaken op het toneel. Die vent, Hardcastle, en meneer Wyman en een paar acteurs beantwoordden na het stuk vragen. Daarom herkende ik hem toen ik hem later nog een keer zag.'

'Waar was dat?' vroeg Annie.

'Zoals ik net al zei: wat levert dat me op, bitch?'

Annie had graag gezegd dat hij een draai om zijn oren kon krijgen als hij haar niet gauw vertelde wat hij wist, maar hij zou haar alleen maar vierkant uitlachen en bovendien kon ze het toch niet waarmaken. In plaats daarvan pakte ze haar portemonnee en haalde ze er een briefje van vijf pond uit.

Nicky lachte. 'Dat meen je niet. Daar koop je tegenwoordig geen reet voor.'

Annie borg het vijfje weer op en verving het door een briefje van tien.

'Nou zit je op mijn golflengte, bitch,' zei Nicky en hij stak zijn hand al uit.

Annie hield het biljet buiten zijn bereik, zodat hij zich uit zijn liggende positie op de bank moest verheffen om erbij te kunnen. Zoals ze al verwachtte, deed hij dat niet. 'Twee dingen voordat je dit krijgt,' vervolgde ze. 'Ten eerste vertel je me waar en wanneer je Mark Hardcastle hebt teruggezien.'

Haskell knikte.

'Ten tweede spreek je me nooit, maar dan ook echt nóóit meer met bitch aan. Of nog beter: je gebruikt het woord zelfs helemaal niet meer in mijn aanwezigheid. Begrepen?'

Haskell keek haar stuurs aan, maar begon toen te grinniken. 'Oké. Afgesproken, snoes.'

Annie zuchtte. 'Kom maar op dan.'

'Nou, in een pub natuurlijk.'

'Zat jij in een pub? Je bent pas vijftien.'

Haskell lachte. 'Dat vinden ze in The Red Rooster helemaal geen probleem. Zolang je maar betaalt.'

'The Red Rooster? In Medburn?'

'Precies.'

Medburn was een dorpje dat ongeveer drie kilometer ten zuiden van Eastvale aan York Road lag, vlak bij de A1. Het was niet veel meer dan een verzameling lelijke, met steenstrips bewerkte huizen rondom een pleintje met een overwoekerd park en zou nooit de prijs voor mooiste dorp van het jaar in de wacht slepen. Er was welgeteld één pub, The Red Rooster. In het weekend was er livemuziek en op donderdag karaoke, en de kroeg had de naam dat het er ruw aan toeging, dat er regelmatig werd gevochten en dat er werd gedeald. Het was de stamkroeg van veel jonge soldaten uit Catterick Camp.

'Wanneer was dat?' vroeg Annie.

'Man, weet ik veel. Een week of twee, drie voordat hij zichzelf koud maakte. Ik zag laatst een foto van hem op de televisie.'

'Wat deed hij toen je hem daar zag?'

'Daarom viel het me juist zo op. Ik zat daar gewoon heel rustig iets te drinken, je weet wel, lekker chillen met mijn vrienden, en toen zag ik verdomme mijn leraar zitten. Ik maakte natuurlijk dat ik wegkwam, want anders kreeg ik allemaal gezeik van hem over me heen.'

Annie fronste haar wenkbrauwen. 'Jouw leraar?'

'Ja. Meneer Wyman.'

'Even kijken of ik het goed begrijp,' zei Annie. 'Jij hebt Derek Wyman dus vlak voor de dood van Mark Hardcastle met Hardcastle in The Red Rooster zien zitten?'

'Klopt. In één keer goed.' Hij keek opzij naar Winsome. 'Hé man, deze dame heeft een mooie prijs verdiend.'

Winsome keek net zo verbaasd als Annie. 'Wat deden ze daar?' ging Annie verder.

'Nou, niets van dat mietjesgedoe, hoor, als je snapt wat ik bedoel.'

'Wat dan wél?'

'Ze zaten te praten, man. Gewoon te chillen en te praten.'

'Heb je ook gezien of meneer Wyman meneer Hardcastle iets heeft overhandigd?'

'Watte?'

'Heeft hij hem iets gegeven?'

'Neuh. Het was geen drugsdeal, als je dat soms dacht.'

'Waren ze iets aan het bekijken? Foto's bijvoorbeeld?'

'Porno, bedoel je? Foto's van mannen die anderen afzui…'

'Nicky!'

'Nee, ze zaten helemaal niets te bekijken.'

'Lag of stond er ook niets tussen hen op tafel?'

'Alleen hun glazen.'

'Was er nog iemand anders bij? Of kwam er iemand bij zitten?'

'Nee. Mag ik nou mijn geld?'

Annie gaf hem het briefje van tien pond. Ze had nog willen vragen of de ontmoeting iets intiems had gehad, iets vertrouwelijks, of ze elkaar hadden aangeraakt, elkaar veelbetekenend hadden aangekeken, hadden zitten fluisteren, dat soort dingen, maar ze dacht niet dat Nicky oog had voor dergelijke subtiliteiten. Ze vroeg het toch.

'Dat weet ik allemaal niet, man,' zei Nicky, 'maar die Hardcastle was razend. Meneer Wyman moest hem kalmeren.'

'Wyman moest Hardcastle kalmeren?'

'Dat zeg ik toch?'

'Zag het eruit alsof ze ruzie hadden?'

'Ruzie? Nee. Het was wel duidelijk dat ze vrienden waren.'

'Wat gebeurde er toen?'

'Ik ging ervandoor, man. Voordat hij me in de smiezen kreeg. Ik zei net al dat ik heel wat gezeik van hem over me heen kon krijgen. Van meneer Wyman, bedoel ik.'

'Kun je me verder nog iets vertellen?'

Haskell wuifde met het tienpondbiljet. 'Je tijd zit erop, bi…'

Annie zei zacht en dreigend met op elkaar geklemde kiezen: 'Ik vroeg of er verder nog iets is.'

Haskell stak afwerend zijn handen op. 'Nee joh. Kom op nou. Effe dimmen. Er is verder niets. Zoals ik net al vertelde, zei meneer Wyman iets waardoor Hardcastle helemaal over de rooie ging en toen moest hij hem tot bedaren brengen.'

'Het begon er dus mee dat meneer Hardcastle overstuur raakte door iets wat meneer Wyman zei?'

'Zo zag het er wel uit. Ze zaten in de andere barruimte in een hoekje, dus ik denk niet dat ze me hebben gezien, maar ik ging dat risico niet nemen. Plekken zat waar een vent iets te drinken kan krijgen. Waarom zou ik blijven hangen in een pub waar mijn leraar zijn bier haalt, man?'

'Nicky, met de hoeveelheid tijd die jij doorgaans op school doorbrengt, zou hij je waarschijnlijk niet eens herkennen,' zei Annie.

'Je hoeft echt niet zo sarcastisch te doen. Het gaat best goed met me.'

Annie kon een proestbui niet onderdrukken en Winsome lachte mee. Ze maakten aanstalten om te vertrekken. 'Nog even over Jackie Binns en Donny Moore,' zei Annie bij de deur. 'Weet je heel zeker dat je ons niet kunt vertellen wat er precies is voorgevallen? Heb je Jackie Binns met een mes gezien?'

'Jackie had helemaal geen mes, man. Je zit er helemaal naast. Jackie heeft helemaal niets gedaan. Ik heb niets gezien.' Hij wendde zijn hoofd af, pakte de afstandsbediening en zette het geluid van de televisie harder. 'Kijk nou wat jullie hebben gedaan,' zei hij. 'Nou ben ik de draad van het verhaal kwijt.'

Toen Annie en Winsome arriveerden, waren de liften buiten werking geweest en dat was nu nog steeds zo. Het was geen enkel probleem om zes verdiepingen naar beneden te lopen, maar de geur werd er niet beter op. Voornamelijk oude urine, zo nu en dan vermengd met een zweem rottend afval dat daar door een hond of kat was gedumpt. Vlak bij de derde verdieping kwam een gedaante met een capuchon hollend de trap op en hij schoot langs hen heen, waarbij hij tegen Annies schouder aan kwam en haar tegen de muur duwde, maar hij liep zonder zich te verontschuldigen verder. Annie hapte naar adem, en controleerde haar tas en zakken. Alles was er nog. Toch was ze opgelucht toen ze weer op het betonnen plein voor het flatgebouw stonden. Ze had in het trappenhuis last gekregen van claustrofobie.

Toen ze bij de auto kwamen, zag Annie tot haar grote vreugde dat hij er nog stond en dat niemand er smeris-bitch op had gespoten. Ze wierp een blik op haar horloge. Bijna vijf uur. 'Zullen we iets gaan drinken?' stelde ze aan Winsome voor. 'Ik betaal. De werkdag zit er zo goed als op en ik lust wel iets.'

'Anders ik wel. Ik moet echt de smaak van deze plek uit mijn mond spoelen.'

'The Red Rooster dan maar?' opperde Annie.

Het was zo'n heerlijke avond dat Banks besloot Silberts route te volgen en door Regent's Park naar St. John's Wood te lopen. Hij koos het verharde pad dat parallel liep aan de Outer Circle langs de zuidelijke rand. Er waren daar vrij veel mensen, met name joggers en mensen die hun hond uitlieten. Binnen een mum van tijd bereikte hij het bankje van de foto waar Silbert zijn

167

vriend of contactpersoon had ontmoet, tegenover het meer waarop kon worden gevaren. Al snel daarna hield het pad op. Banks vervolgde zijn weg langs de Central Mosque naar Park Road en worstelde zich door de meute mensen die op weg waren naar de avonddienst. Bij de rotonde tegenover de kleine kerk liep hij Prince Albert Road in en stak hij over; hij wandelde verder langs het schoolgebouw en het kerkhof aan de High Street van St. John's Wood. De huizen aan de overkant waren van het type dat hem altijd deed denken aan gebak: ongeveer zes verdiepingen hoog, van rode baksteen met een overdaad aan wit sierhoutwerk als suikerglazuur op een taart. Een aantal appartementen had een balkon met hanging baskets en grote planten in potten.

Het kostte hem geen enkele moeite Charles Lane te vinden. Het was een rustig, afgelegen straatje dat in een bepaald opzicht wel deed denken aan de locatie in Zuid-Kensington waar zijn broer had gewoond. Vanaf de High Street leek het net alsof het ophield bij een bakstenen huis met een smalle, witte voorgevel, maar daarachter lag een scherpe bocht waarvandaan hij de garages van de foto zag staan. Hij begreep dat de foto vanuit deze hoek met de inzoomfunctie moest zijn genomen. De deur die hij moest hebben, bevond zich tussen de zesde en zevende garage, de een met groen geschilderde panelen met daaromheen een witte rand en de ander met witte panelen en een zwarte omlijsting.

Voordat iemand het verdacht kon vinden dat hij daar een beetje rondhing, slenterde hij op zijn gemak de straat in, stak hij over naar het bewuste huis en staarde hij omhoog naar de met vitrage afgeschermde ramen boven een bloembak vol rode en paarse bloemen.

Er zat niets anders op. Banks haalde diep adem, wandelde naar de voordeur en belde aan.

Na ongeveer een halve minuut deed een vrouw de deur open met de ketting aan de binnenkant er nog op. Ze tuurde naar hem. Hij haalde zijn politiepas tevoorschijn. Die moest hij van haar zo dicht mogelijk bij de smalle kier houden en ze bestuurde het ding zo lang dat hij bang was dat ze hem nooit binnen zou laten. Uiteindelijk ging de deur dicht en toen hij weer openzwaaide, zag Banks een keurig geklede, grijsharige vrouw van in de zestig staan.

'U bent wel heel erg ver van huis, jongeman,' merkte ze op. 'Komt u maar even binnen, dan kunt u me bij een kop thee vertellen wat u helemaal hiernaartoe brengt.'

Ze ging hem voor naar een kleine, propvolle woonkamer boven de garage, waar een man van haar leeftijd in een leunstoel een krant zat te lezen. Hij droeg een pak, compleet met wit overhemd en stropdas. Het was beslist niet de man van de foto. Hij ging verder met lezen.

'Het is iemand van de politie,' zei de vrouw tegen hem. 'Een inspecteur.'

'Het spijt me dat ik zo kom binnenvallen,' zei Banks, die zich slecht op zijn gemak voelde.

'Dat geeft niet,' zei de vrouw. 'Ik ben mevrouw Townsend. Zegt u maar Edith. Dit is mijn man Lester.'

Lester Townsend keek Banks over zijn krant heen aan en bromde een korte groet. Hij vond het blijkbaar vervelend dat hij werd gestoord.

'Aangenaam,' zei Banks.

'Neemt u plaats,' zei Edith. 'Ik ga even water opzetten. Lester, leg die krant weg. Het is onbeleefd om te gaan zitten lezen wanneer we visite hebben.'

Edith verliet de kamer. Townsend legde de krant weg, staarde even achterdochtig naar Banks en stak toen zijn hand uit naar de pijp die op een tafeltje naast hem lag om deze te stoppen en aan te steken. 'Wat kunnen we precies voor u doen?' vroeg hij.

Banks ging zitten. 'Zullen we even wachten tot uw vrouw terug is met de thee?' stelde hij voor. 'Ik wil u graag allebei spreken.'

Townsend bromde iets om zijn pijp heen. Even dacht Banks dat hij zijn krant weer wilde oppakken, maar de man rookte peinzend verder en staarde intussen naar een plek hoog op de muur tot zijn vrouw terugkwam met de thee.

'We krijgen niet zo vaak bezoek,' zei ze. 'Hè, lieverd?'

'Bijna nooit,' zei haar man met een boze blik op Banks. 'En al helemaal geen politiemensen.'

Banks kreeg langzaam maar zeker het gevoel alsof hij op een filmset was beland van een of ander historisch stuk. De inrichting was ouderwets, van het behang met bloemetjespatroon tot de koperen haardijzers. De theekopjes met hun piepkleine oortje en gouden randje deden hem zelfs denken aan iets uit de porseleinkast van zijn oma. Toch waren deze mensen tien, hooguit vijftien jaar ouder dan hij.

'Het spijt me verschrikkelijk dat ik uw avond verstoor,' zei Banks met het theekopje op een schoteltje op zijn schoot, 'maar dit adres is opgedoken in verband met een zaak waaraan ik thuis in Noord-Yorkshire werk.' Dat was niet helemaal waar, maar de Townsends konden onmogelijk weten dat hoofdinspecteur Gervaise het onderzoek had afgesloten en hem met verlof had gestuurd.

'Wat spannend,' zei Edith. 'In welk opzicht?'

'Hoe lang wonen jullie hier al?' vroeg Banks.

'Sinds ons trouwen,' antwoordde haar man. 'Dat was in 1963.'

'Verhuren jullie het huis weleens?'

'Wat een vreemde vraag,' zei Edith. 'Nee, nooit.'

'Verhuren jullie dan misschien kamers of verdiepingen als appartement of eenkamerflat?'

'Nee. We wonen hier zelf. Waarom zouden we een deel van ons eigen huis verhuren?'

'Sommige mensen doen dat. Om rond te kunnen komen, bijvoorbeeld.'

'Wij redden ons prima zoals het nu gaat.'

'Zijn jullie kort geleden op vakantie geweest?'

'We hebben afgelopen winter een cruise gemaakt door de Caraïben.'

'Afgezien daarvan?' vroeg Banks.

'De laatste tijd niet.'

'Was er toen iemand hier in huis om een oogje in het zeil te houden?'

'Als u het dan per se wilt weten: onze dochter kwam om de dag even langs om alles te verzorgen. Ze woont in West Kilburn. Dat is hier niet ver vandaan.'

'Zijn jullie de afgelopen maand dan misschien een paar dagen weggeweest?'

'Nee,' herhaalde ze. 'Lester werkt in de City. Hij zou allang met pensioen moeten zijn, maar ze beweren dat ze niet zonder hem kunnen.'

'Wat doet u precies voor werk, meneer Townsend?' vroeg Banks.

'Verzekeringen.'

'Zou het kunnen dat iemand anders jullie huis heeft, ehm... gebruikt, toen jullie een avondje weg waren, bijvoorbeeld?'

'Bij ons weten niet,' antwoordde Edith. 'We gaan niet vaak meer 's avonds weg. Het is tegenwoordig zo onveilig op straat.'

Banks zette zijn kopje op de tafel naast zijn stoel en pakte de envelop uit zijn zak. Hij haalde de foto's eruit en overhandigde ze aan Edith. 'Herken je deze mannen?' vroeg hij.

Edith bekeek de foto's aandachtig en gaf ze toen aan haar man. 'Nee,' zei ze. 'Moet dat dan?'

'U, meneer?' vroeg Banks aan Townsend.

'Nooit gezien,' antwoordde hij. Hij gaf de foto's terug aan Banks.

'Jullie zijn het toch wel met me eens dat het jullie huis is?' vroeg Banks.

Edith pakte de foto van het straatje nogmaals. 'Tja, het lijkt er wel heel veel op,' zei ze. 'Hoe kan dat nu?'

Ze gaf de foto aan Townsend, die hem zonder hem te bekijken weer aan Banks overhandigde en zei: 'Wat is er in vredesnaam allemaal aan de hand? Wat is er gaande? U komt hier zomaar binnen banjeren, maakt mijn vrouw overstuur en laat ons foto's zien van... weet ik veel, en stelt verrekt domme vragen.'

'Het spijt me, meneer,' zei Banks. 'Het was niet mijn bedoeling iemand overstuur te maken. Een van de leden van onze technische dienst is erin geslaagd

170

de digitale foto die ik jullie zojuist heb laten zien uit te vergroten en de straat-naam te lezen. Déze straatnaam. Zoals jullie kunnen zien, heeft de gevel op de foto veel weg van die van dit huis.'

'Dan heeft hij vast een fout gemaakt,' zei Townsend. 'Hij is tenslotte vrij wazig en je moet nooit blindelings afgaan op al die nieuwerwetse technolo-gie.'

'Er worden inderdaad weleens fouten gemaakt,' zei Banks, 'maar daarvan kan nu geen sprake zijn. Dat geloof ik gewoon niet.'

Townsend stak zijn kin uitdagend naar voren. 'Hoe verklaart u het dan? Nou?'

Banks borg de foto's weer op, stopte de envelop in zijn zak en stond op om te vertrekken. 'Ik weet het niet, meneer,' zei hij, 'maar ik zal dit hoe dan ook tot op de bodem uitzoeken.'

'Het spijt me dat we u niet hebben kunnen helpen,' zei Edith, terwijl ze met Banks meeliep naar de deur.

'Zegt de naam Julian Fenner je misschien iets?' vroeg Banks. 'Hij zit in de im- en export.'

'Nee.'

'Laurence Silbert? Mark Hardcastle?'

'Nee, ik ben bang dat die namen me geen van alle bekend voorkomen.'

'Hebben jullie een zoon?' vroeg hij. 'Of een ander familielid dat jullie huis tijdens jullie afwezigheid kan hebben gebruikt?'

'Alleen onze dochter.'

'Zou ik haar kunnen spreken?'

'Ze is er niet. Ze zit in Amerika. Ik kan me trouwens niet voorstellen dat ze hiernaartoe is gekomen, alleen wanneer wij dat vragen. Ik ben bang dat u nu moet gaan. We kunnen u verder niets vertellen.'

Banks stond buiten op de stoep en krabbelde over zijn hoofd.

Medburn bestond uit een paar naoorlogse straten vol sociale woningbouw, een pub, een postkantoor en een garage rond het dorpsplein waar jongeren verveeld op de bankjes rondhingen en de paar bejaarden die er woonden verjoegen. The Red Rooster was het eerste gebouw dat op de rand van het kruispunt was verrezen, een van die lelijke, vormloze pubs met een voorgevel van baksteen en tegels die onlangs waren overgenomen door een brouwerske-ten en enigszins opgekalefaterd – lange bar, familiekamer, kinderspeelruimte, een springkasteel in de tuin en koperen nummers op elke tafel geschroefd om het bestellen te vergemakkelijken. En wee je gebeente als je je tafelnummer niet uit je hoofd had geleerd of op een of andere manier was vergeten, omdat je een halfuur aan de bar moest wachten voordat je je bestelling kon plaatsen, omdat er meestal maar één persoon bediende en het om een of andere reden bijna altijd iemand was die er blijkbaar pas werkte.

Deze keer had degene achter de bar een naambordje op waarop 'Liam' stond te lezen en hij zag er bij lange na niet oud genoeg uit om in een pub te mogen werken, vond Annie. Gelukkig was het er op woensdagmiddag om halfzes niet echt druk – het was zo'n pub die later op de avond, na het eten, volliep wanneer de pubquizzen of het karaoke van start gingen, en in het weekend rond lunchtijd – en Annie en Winsome hadden binnen de kortste keren een paar drankjes te pakken en een bestelling geplaatst voor tafel 17.

'Waarom zitten we hier eigenlijk?' vroeg Winsome toen ze met hun drankjes, een pint Abbots voor Annie en een glas rode wijn voor Winsome, voor hen aan een tafeltje zaten. 'Ik dacht dat de zaak-Hardcastle was afgerond en gesloten. Dat zei hoofdinspecteur Gervaise tenminste.'

'Dat is ook zo,' zei Annie. 'Volgens de officiële lezing tenminste.' Ze vroeg zich af of ze Winsome alles zou vertellen. Als ze iemand kon vertrouwen op het hoofdbureau van de westelijke divisie was het Winsome wel, maar ze kon ook preuts zijn, stond snel met haar oordeel klaar en hield zich gewoonlijk strikt aan de voorschriften. Ten slotte hakte Annie de knoop door en besloot ze het haar te vertellen. Ook als Winsome het afkeurde, zou ze het niet aan hoofdinspecteur Gervaise of iemand anders doorvertellen.

'Dus inspecteur Banks is in Londen bezig dit spoor na te trekken in plaats van vakantie te houden?' zei Winsome toen Annie was uitverteld.

'Ja. Dat wil zeggen: officieel is hij op vakantie, maar... hij is niet overtuigd.'

'En u?'

'Laten we het er maar op houden dat ik geïntrigeerd ben.'

'Hij wil dus dat u vanuit Eastvale meehelpt?'

'Ja.'

'Daarom zitten we nu dus in deze vreselijke pub in dit akelige gehucht op een smakeloos maal te wachten.'

Annie glimlachte. 'Daar komt het in feite wel op neer, Winsome.'

Winsome mompelde iets onverstaanbaars.

'Doe je mee?' vroeg Annie.

'Volgens mij kom ik er niet onderuit. U hebt immers de autosleutels.'

'Er rijdt een bus.'

'Eén keer per uur op het hele uur. Het is vijf over zes.'

'Misschien is hij te laat.'

Winsome stak een hand op. 'Oké, het is al goed. Ik doe wel mee. Tenzij u straks echt grenzen overschrijdt.'

'Waar liggen die grenzen voor jou?'

'Dat merkt u meteen zodra u ze overschrijdt.'

Annie zweeg, omdat hun eten net op tafel werd gezet: een hamburger met friet voor Winsome en een minipizza margherita voor haar. Ze was de laatste tijd een paar keer van haar vegetarische dieet afgeweken, had zich bezondigd aan coq-au-vin en een broodje paté, en ze had ook gemerkt dat ze steeds vaker vis at. Over het geheel genomen probeerde ze zich er echter wel aan te houden en ze at zeker geen rood vlees. Hun bestek zat strak in een servetje gewikkeld dat door een strookje blauw papier op zijn plaats werd gehouden. Winsomes mes was vlekkerig van de vaatwasser.

'Wat vond je deze keer van Nicky Haskell?' vroeg Annie, terwijl ze met haar hand een pizzapunt oppakte. 'Dit was de derde keer dat we hem spraken en zijn verhaal is niet veranderd. De vermelding van Hardcastles naam was het enige wat nieuw was en daar had hij kennelijk toevallig net iets over gezien op televisie. Nicky is niet echt iemand die de krant leest, gok ik zo.'

'Geen idee,' zei Winsome met een mond vol hamburger. 'Het was eergisteren op het nieuws. Silbert en Hardcastle.' Ze veegde haar mond af met het servetje. 'Had u de indruk dat hij deze keer iets banger was?'

'Ja,' zei Annie. 'En aangezien hij zelf een keiharde is, vind ik het moeilijk te geloven dat hij bang zou zijn voor Jackie Binns of zijn kornuiten.'

'Wat is het dan wel? Misplaatste trouw? Een instinctieve afkeer van de politie?'

'Het kan beide zijn,' zei Annie. 'Of er is nog iemand anders bij betrokken voor wie hij wel doodsbenauwd is.'

'Dat zou nog eens een interessante ontwikkeling zijn.'

Ze aten een tijdje in stilte verder, af en toe pauzerend om een slokje bier of wijn te drinken. Toen ze ongeveer de helft van de pizza op had, vroeg Annie nonchalant: 'Heb je momenteel een vriend, Winsome?'

'Nee hoor. Er was wel iemand... van de technische dienst, maar... ach, u kent dat wel, zijn werktijden, mijn werktijden, het ging gewoon niet.'

'Wil je wel een man en kinderen?'

'Echt niet. Voorlopig niet, tenminste. Nog lang niet. Hoezo? U wel?'

'Soms denk ik van wel,' zei Annie, 'maar meestal heb ik hetzelfde als jij. Het probleem is alleen dat mijn biologische klok begint te tikken. Jij hebt nog voldoende tijd.'

'Hoe zit het met... u weet wel... inspecteur Banks?'

Annie rolde met haar ogen. 'Die is verlie-hiefd!' Ze begon te lachen.

Winsome lachte ook. 'Nee, even serieus, wat u zo-even zei, over die theorie van hem over de zaak-Hardcastle/Silbert.'

Annie schoof haar bord met daarop nog één stuk pizza opzij en nam een slokje Abbots. 'Ja? Wat is daarmee?'

'Gelooft inspecteur Banks echt dat de geheime inlichtingendienst Hardcastle ertoe heeft aangezet om Silbert om een of andere walgelijke reden van de regering om zeep te helpen?'

'Tja,' zei Annie, 'de beweegredenen van de regering zijn meestal nogal walgelijk, is mijn indruk, dus misschien zit hij er niet eens zo heel ver naast. De ellende is alleen dat wat Nicky Haskell ons net heeft verteld een heel nieuw licht op alles werpt.'

'Echt? Derek Wyman?'

'Volgens mij wel. Denk even mee. Als Wyman degene is die voor Jago heeft gespeeld, had het vermoedelijk helemaal niets te maken met Silberts carrière bij MI6. Daarvan was Wyman waarschijnlijk niet eens op de hoogte, en als hij dat wel wist, zei het hem misschien niet eens iets. Hij kon echter wel zijn positie in het theater kwijtraken als Hardcastle die nieuwe toneelgroep van de grond kreeg, en daarvoor had Hardcastle Silberts financiële steun nodig.'

'Waarom is die Browne dan bij inspecteur Banks langs geweest?'

'Op zoek naar informatie? Om te kijken hoe de zaken ervoor stonden? Als een van hun mensen eraan heeft moeten geloven, ligt het natuurlijk wel voor de hand dat ze geïnteresseerd zijn. Silbert was kennelijk op de hoogte van een heleboel geheimen, had allerlei smerige opdrachten uitgevoerd die, als dat bekend werd, de regering ten val zouden kunnen brengen of op zijn minst een grote schoonmaak in de gelederen van de inlichtingendiensten teweeg zouden kunnen brengen. Ze worden bang. Heel logisch dat ze zich daar zorgen over maken.'

'Alleen zegt u dus net dat dit misschien toch niet het geval is?'

'Ik weet het dus niet,' zei Annie. 'Als Wyman inderdaad degene is die de boel heeft lopen opstoken, kan de achterliggende reden iets heel anders zijn. Zakelijke afgunst. Wraak.'

'Misschien hadden ze samen wel iets... u weet wel...'

Annie glimlachte. Winsome werd altijd zenuwachtig wanneer het over seks ging, of het nu homoseksuele of heteroseksuele betrof. 'Een verhouding, bedoel je? Een affaire?'

'Ja,' zei Winsome.

'Wie?'

'Wyman en Hardcastle. Ze waren samen in Londen. Zij waren degenen die Nicky Haskell in een innig onderonsje heeft gezien.'

'Hij zei dat hij dacht dat Wyman iets had gezegd waardoor Hardcastle overstuur raakte en dat hij hem toen moest kalmeren. Het zou inderdaad kunnen.'

'Misschien hebben ze elkaar later nog een keer ontmoet, zodat Wyman hem de geheugenstick kon geven.'

'Hoe kwam Wyman dan aan de foto's? En wanneer? Hij kon onmogelijk elke keer naar Londen rennen wanneer Silbert daar zat. Hoe wist hij bijvoorbeeld waar hij moest zoeken?'

'Dat weet ik niet,' zei Winsome. 'Het is maar een theorie. Wyman was dikke maatjes met Hardcastle en wist van het bestaan van de flat in Londen af. Misschien is hij Silbert daarvandaan gevolgd en heeft hij gewoon geluk gehad?'

'Als Wyman en Hardcastle een verhouding hadden, waarom zou Wyman dan hebben gewild dat Hardcastle Silbert vermoordde en daarna de hand aan zichzelf sloeg?'

'Dat wilde hij helemaal niet,' zei Winsome. 'Ik bedoel, misschien was dat helemaal niet zijn bedoeling. Misschien wilde hij Hardcastle alleen maar tegen Silbert opzetten, zodat hij hem voor zichzelf had.'

'Het is een idee,' zei Annie. 'Alleen liep het verkeerd af. Hardcastle reageerde te heftig. Klaar?'

Winsome dronk haar glas leeg. 'Hm-mm.'

'Laten we dan op weg naar buiten even met de jonge Liam gaan babbelen. Hij heeft het zo te zien niet echt druk.'

Toen Annie zijn naam riep, draaide Liam zich om en bij het zien van de politiepas die ze hem voorhield, trok hij meteen een ernstig gezicht. Tegelijkertijd kon hij zijn ogen nauwelijks van Winsome losrukken. Hij was een slungelige knul met uitpuilende ogen, beweeglijke lippen en een vriendelijk gezicht die zo snel zenuwachtig en opgewonden raakte, en zo gemakkelijk te doorgronden was, dat hij nooit een goede pokerspeler zou worden.

'Hoe lang ben je hier al?' vroeg Annie.

'Sinds tien uur vanochtend.'

'Nee. Ik bedoel: hoe lang werk je hier al?'

'O, dat. Sorry. Stom van me. Een halfjaar ongeveer.'

'Dit is dus niet je eerste dag?'

'Wat?'

'Laat maar.' Annie legde de foto's van Hardcastle en Silbert op de bar. Ze had geen foto van Wyman en dat betreurde ze nu. Misschien kon ze er later ergens een oppikken. 'Herken je deze mannen?'

Liam wees onmiddellijk naar de foto van Mark Hardcastle. 'Hem wel. Dat is die gozer die zichzelf heeft opgehangen in Hindswell Woods. Verschrikkelijk. Ik ging daar vroeger vaak wandelen. Een rustige plek.' 'Hij wierp Winsome een diepzinnige blik toe. 'U weet wel, een plek waar je echt helemaal alleen kunt zijn om na te denken. En nou... ja, nou is dat natuurlijk verpest. Voorbij.'

'Dat spijt me voor je,' zei Annie. 'De meeste zelfmoorden zijn ook zo ver-
rekte onattent.' Liam deed zijn mond open om iets te zeggen, maar Annie
denderde verder. 'Hoe dan ook, heb je hem hier weleens gezien?'
'Hij is hier een paar keer geweest, ja.'
'Kortgeleden?'
'In de afgelopen maand.'
'Kun je zeggen hoe vaak?'
'Niet precies. Twee of drie keer.'
'Alleen of met iemand anders?'
Liam bloosde. 'Met een andere man.' Liam gaf een korte beschrijving die erg
aan Derek Wyman deed denken. 'Ik weet wat ze op televisie over hen zeiden,
maar zo'n pub is dit helemaal niet. Zulke fratsen worden hier niet getole-
reerd.' Hij keek stoer naar Winsome, alsof hij zijn geloofwaardigheid als he-
tero wilde bevestigen. 'Er is niets gebeurd.'
'Dat is fijn om te weten,' zei Annie. 'Dus ze hebben alleen maar om zich heen
zitten staren?'
'Nee, zo bedoel ik het niet. Ze dronken een of twee glazen, nooit meer dan
twee, en praatten met elkaar.'
'Heb je hen ooit ruzie zien maken?'
'Nee, maar die gozer die zichzelf heeft opgehangen, die Hardcastle, was af en
toe wel supergeërgerd en dan moest die andere vent hem tot kalmte ma-
nen.'
Dat was precies hetzelfde wat Nicky Haskell ook over hen had gezegd toen
hij Wyman en Hardcastle die ene keer samen had zien zitten. 'Kwam er wel-
eens iemand anders met hen mee of is er weleens iemand bij hen aangescho-
ven?' vroeg Annie.
'Niet tijdens mijn dienst.'
'Heb je ooit gezien dat de een de ander iets gaf?'
Achter de bar rechtte Liam zijn schouders en hij maakte zich zo lang mogelijk, wat nog altijd een aantal centimeters korter was dan Winsome. 'Nooit.
Dat wordt in dit etablissement absoluut niet gedoogd. Drugs.' Hij spuugde
het woord fel uit.
'Ik ben diep onder de indruk,' zei Winsome. Liam bloosde weer.
'Heb je ooit gemerkt dat ze foto's zaten te bekijken?' vroeg Annie, die hoopte
dat ze niet dezelfde reactie zou krijgen als van Haskell.
'Nee,' zei Liam, 'maar ze waren hier meestal wanneer het vrij druk was. Ik
bedoel, ik heb hen niet de hele tijd in de gaten gehouden of zo.' Hij werd
zenuwachtig en keek weer naar Winsome. 'Als u wilt, kan ik mijn ogen en
oren wel openhouden. U weet wel, als ze hier nog eens komen. Nou ja, Hard-

176

castle niet natuurlijk, die is dood, maar die andere man, wie hij ook is, en ik zal zeker…'

'Het is al goed, Liam,' zei Annie, die de indruk had dat Liam haar aanwezigheid volledig was vergeten. 'We denken niet dat hij nog terugkomt. Hartelijk bedankt voor al je hulp.'

'Wat je wel zou kunnen doen,' merkte Winsome op voordat ze vertrokken en ze boog zich een stukje over de bar, zodat haar gezicht dichter bij Liam was en ze iets kleiner leek dan hij, 'is alert zijn op minderjarigen die alcohol gebruiken. En drugs. We hebben een paar meldingen binnengekregen… je snapt het zeker wel, hè? We zouden er echt enorm mee geholpen zijn. Maar alleen als jij er zelf geen problemen mee krijgt, hoor.'

'O, grote god, nee. Ik bedoel, ja, natuurlijk. Minderjarigen die alcohol gebruiken. Jazeker. En drugs. Dat zal ik doen.'

Ze liepen lachend de deur uit. '"Dat wordt in dit etablissement absoluut niet gedoogd"? Allemachtig,' zei Winsome. 'Hoe komt hij erop?'

'Goed gedaan, Winsome,' zei Annie. 'Hij werd helemaal zenuwachtig van je. Zal ik je eens wat zeggen? Volgens mij is hij helemaal smoor op jou. Ik denk dat je best een kans maakt.'

Winsome gaf haar een por tussen haar ribben. 'Ga toch weg.'

Banks had die avond om acht uur met Sophia afgesproken in hun favoriete wijnbar in King's Road. Het was er op dat tijdstip altijd stampvol, maar toch wisten ze een paar krukken te bemachtigen aan de bar. De bar deed Banks altijd denken aan hun eerste avondje samen. De wijnbar in Eastvale was uiteraard iets kleiner en minder chique, en de wijnkaart wellicht iets minder uitgebreid en beslist iets vriendelijker voor de portemonnee, maar de sfeer was hetzelfde: een ronde, zwarte bar, flessen op glazen rekken tegen een verlichte spiegel achter de bar, gedempte verlichting, kaarsjes die tussen bloemblaadjes dreven op de zwarte, ronde tafels, chromen stoelen met een zachte zitting.

Die eerste avond had Banks zijn ogen tijdens het praten niet van Sophia's levendige gezicht kunnen losrukken en zonder dat hij zich er ook maar in de verste verte bewust van was geweest, was hij op een of andere manier al het andere in zijn leven vergeten, had hij zijn gebruikelijke gereserveerde houding laten varen en had hij zijn hand over de tafel naar de hare uitgestoken, en dacht hij alleen maar aan haar donkere ogen, haar stem, haar lippen, het licht- en schaduwspel van de flakkerende kaars op de gladde huid van haar gezicht. Het was een gevoel dat hem altijd zou bijblijven, wist hij, wat er ook gebeurde. Hij merkte dat zijn adem in zijn keel stokte nu hij eraan terugdacht, gezeten op een plekje naast in plaats van tegenover haar in een bar waar ze elkaar amper konden verstaan, en de muziek die hier opstond en hem niet bekend voorkwam, was in elk geval beslist geen Madeleine Peyroux met 'You're Gonna Make Me Lonesome When You Go'.

'Wat een vréselijke man,' sloot Sophia haar relaas af over een interview waaraan ze die middag had gewerkt. 'De meeste schrijvers van misdaadboeken zijn best aardig, maar deze gedroeg zich alsof hij de nieuwe Tolstoj was, negeerde alle vragen die hem werden gesteld, weidde tot vervelens toe uit over navelstaarderige literaire romans en beklaagde zich erover dat hij niet was genomineerd voor de Man Booker. Als je voorzichtig opmerkte dat hij misdaadromans schreef, begon hij te grommen en kreeg hij zowat een rolberoerte. Hij vloekte ook aan één stuk door! En hij stonk een uur in de wind. Ik had zo'n medelijden met Chris die het interview afnam en met hem in die kleine studio opgesloten zat.'

Banks lachte. 'Wat heb je gedaan?'

'Tja, laten we het er maar op houden dat de technicus een vriend van me is en dat het godzijdank niet live werd uitgezonden,' zei Sophia met een ondeugende grijns. 'Op de radio kun je iemand niet ruiken.' Ze nam een flinke teug rioja en klopte op haar borst. Haar gezicht was een beetje rood aangelopen, zoals wel vaker gebeurde wanneer ze opgetogen was. Ze porde Banks zacht in zijn borst. 'Hoe was jouw dag, meneer de superspion?'

Banks hield een vinger tegen zijn lippen. 'Ssst,' zei hij met een blik op de barman. 'Mondje dicht.'

'Denk je dat er een afluisterapparaatje in de rioja zit?' fluisterde Sophia.

'Dat zou zomaar kunnen. Na vandaag kijk ik nergens meer van op.'

'Wat is er vandaag dan gebeurd?'

'Och, helemaal niets, eigenlijk.'

'Krijg ik je af en toe nog te zien zolang je hier bent of sluip je voortdurend in schaduwen en duisternis rond?'

'Dat hoop ik niet, zeg.'

'Maar het kan zeker wel voorkomen dat je er midden in de nacht op uit trekt voor een of andere geheimzinnige missie?'

'Ik kan niet garanderen dat ik alleen tussen negen en vijf zal werken, maar ik doe mijn best om tegen bedtijd thuis te zijn.'

'Hmm. Vertel me dan nu eens hoe het vandaag is gegaan.'

'Ik ben vandaag naar een huis in St. John's Wood geweest, een huis waarvan we konden aantonen dat Laurence Silbert het samen met een onbekende man een week voor Silberts dood heeft bezocht...' Banks vertelde Sophia over Edith en Lester Townsend. 'Ik zweer het je,' zei hij, 'ik had echt het gevoel alsof ik zo in een wereld uit zo'n vreemd fantasyboek was gestapt. Of in een konijnenhol was getuimeld of zoiets.'

'Zij zeiden dus dat ze altijd thuis waren, dat er niemand anders woonde, dat ze het aan niemand hadden verhuurd en dat ze de mannen op de foto geen van beiden kenden?'

'Ja, zo ongeveer wel.'

'Dat klinkt als iets uit *North by Northwest*. Weet je heel zeker dat de mensen van de technische dienst geen fout hebben gemaakt?'

'Ja. Het is hetzelfde huis. Dat zie je zo wanneer je ervoor staat.'

'Nou, dan liegen ze dus,' zei Sophia. 'Dat lijkt me vrij duidelijk. Het is de enige logische verklaring. Denk je ook niet?'

'Dat moet haast wel. De vraag is alleen: waarom?'

'Misschien heeft iemand hen omgekocht?'

'Dat kan.'

'Wellicht hebben ze een bordeel voor homo's?'

'Zo'n klein, oud dametje als Edith Townsend? In St. John's Woods?'

'Waarom niet?'

'Misschien horen ze er wel bij,' zei Banks.

'Waarbij?'

'De plot. De samenzwering. Wat het ook is wat zich hier afspeelt.' Hij goot de rest van zijn drankje in één keer naar binnen. 'Kom, dan gaan we wat eten en intussen praten we over iets anders. Ik ben al die spionnen nu al zat. Mijn hoofd tolt ervan. Bovendien heb ik trek.'

Sophia lachte en stak haar hand uit naar haar tas. 'Over een tollend hoofd gesproken,' zei ze, 'als we opschieten, kan ik het zo regelen dat we straks bij het optreden van Wilco in de Brixton Academy naar binnen kunnen.'

'Nou,' zei Banks, terwijl hij opstond en haar hand pakte. 'Waar wachten we dan nog op? Hebben we onderweg nog wel tijd voor een hamburger?'

10

Sophia vertrok donderdagochtend vroeg naar haar werk, terwijl Banks onder de douche stond in een poging wakker te worden. Het concert van Wilco was geweldig geweest en na afloop waren ze wat gaan drinken met een paar vrienden van Sophia, waardoor het een latertje was geworden. Banks had er gelukkig nog wel aan gedacht zijn nieuwe mobieltje op te laden, en zodra hij zich had aangekleed en wat koffie had gehad, zou hij Annie bellen om haar zijn nummer door te geven.

Hij had nog niet besloten of hij die dag opnieuw bij de Townsends zou langsgaan. Waarschijnlijk niet. Hij zag er het nut niet van in. Aan de ene kant was de zwijgzame meneer Townsend wel naar zijn werk en was zijn vrouw misschien iets mededeelzamer wanneer haar man er niet bij was. Aan de andere kant zou ze vermoedelijk doodsbang zijn, weigeren de deur open te doen en de politie bellen, zodra ze Banks op de stoep zag staan.

Als zij er iets mee te maken hadden, hield dat in dat ze bij de inlichtingendienst hoorden of door hen werden betaald om een veilige schuilplek of iets dergelijks te bieden en als dat zo was, zouden ze heus niets prijsgeven. Als ze, zoals Sophia had geopperd, een bordeel voor homo's runden, was dat er duidelijk een voor welgestelden en gold hoogstwaarschijnlijk dezelfde zwijgzaamheid. Het had er veel van weg dat het spoor naar Charles Lane doodliep.

Banks' enige troost was dat wat daar was voorgevallen er waarschijnlijk niet echt toe deed. Het belangrijkste was dat Silbert daar met een man was geweest en dat foto's van dat bezoek in het bezit waren gekomen van Mark Hardcastle, die de hele kwestie ofwel verkeerd had ingeschat, ofwel juist heel goed had doorgehad. Mogelijk was de identiteit van de man minder belangrijk dan de identiteit van de fotograaf.

Tijdens het afdrogen en aankleden neuriede Banks om een of andere bizarre reden 'Norwegian Woods'. Hij dacht dat hij iemand bij de deur hoorde, maar toen hij naar beneden liep en deze opendeed, was er niemand te bekennen. Verbaasd liep hij naar de keuken, waar Sophia gelukkig wat koffie had achtergelaten in de pot. Hij schonk een kop voor zichzelf in, stopte een snee volkorenbrood in de broodrooster en ging op een kruk bij het kookeiland zitten. Het was een kleine keuken – zeker wanneer je in aanmerking nam dat Sophia het heerlijk vond om te koken – maar wel heel georganiseerd en modern: diverse potten en pannen van goede kwaliteit hingen aan haakjes boven het kookeiland, er was een gasfornuis met oven van geruwd staal en verder zo ongeveer elk keukenapparaat dat je je maar kon wensen, van een messenblok van J.A. Henckels en een mixer met verschillende snelheden tot een goedkope plastic wortelschiller die je als een ring om je vinger droeg.

De geroosterde boterham sprong omhoog. Banks smeerde er boter en grapefruitmarmelade op, en wierp intussen een blik op *The Independent* van die ochtend die Sophia had laten liggen. De zaak-Hardcastle/Silbert werd zo te zien niet langer de moeite waard gevonden en verder stond er weinig belangwekkends in. Amy Winehouse was weer eens in de problemen geraakt vanwege drugs. Jammer, dacht Banks bij zichzelf, want dat leidde de aandacht af van haar buitengewone talent. Of misschien bereikte haar naam zo juist wel een groter publiek. Billie Holiday had ongeveer dezelfde problemen gehad – al was zij wel naar een afkickkliniek gegaan – en toch had ze prachtige muziek gemaakt. Veel muzikanten hadden een drugsprobleem en Banks maakte zich misschien wel meer zorgen om Brian dan nodig was. De enige goede speurneus met een drugsprobleem die Banks kende, was Sherlock Holmes en die had zijn werk uitstekend gedaan. Jammer dat hij niet echt was.

Banks sloeg de krant dicht en schoof hem weg. Hij moest zijn dag indelen. Wat hij zocht, was informatie over Laurence Silbert en die lag niet zomaar voor het oprapen. Sophia's vader was hem halverwege de jaren tachtig in Bonn tegengekomen. In die tijd was Silbert een jaar of veertig geweest en gezien de fysieke staat waarin hij verkeerde toen hij stierf waarschijnlijk zo fris als een hoentje. Wat had hij in Duitsland gedaan? Waarschijnlijk precies hetzelfde wat iedereen met een baan als de zijne toen deed – overlopers over de Berlijnse Muur helpen vluchten, in het Oostblok infiltreren om informatie te vergaren over wetenschappelijke, militaire, industriële en politieke ontwikkelingen, en wellicht zelfs met enige regelmaat een officieuze huurmoord uitvoeren. De hele kwestie vormde zo'n ingewikkelde mengeling van spionage en contraspionage, en enkele, dubbele en drievoudige agenten, dat het voor een buitenstaander en leek onmogelijk was te bepalen waar hij moest beginnen. Daar kwam nog bij dat veel gegevens die betrekking hadden op de twijfelachtige activiteiten uit die tijd verloren waren gegaan of goed waren verstopt. Alleen de Duitsers waren kennelijk vastbesloten de oude Stasidossiers weer bijeen te verzamelen, waarbij ze zelfs zover gingen dat ze een computerprogramma hadden ontwikkeld dat de versnipperde documenten in een oogwenk kon samenvoegen. Afgezien daarvan wilde iedereen zijn schandelijke daden het liefst vergeten.

Toch was er een plek waarmee hij kon beginnen.

Banks waste zijn ontbijtspullen af, controleerde of het koffiezetapparaat uit was en of alles wat hij nodig had in zijn attachékoffertje zat. Bij de voordeur bleef hij staan om het alarmsysteem aan te zetten; daarna liep hij King's Road in en sloeg hij links af in de richting van Sloane Square, terwijl hij inwendig voor de zoveelste keer het feit vervloekte dat dit station van de ondergrondse alleen aan de District Line en aan de Circle Line lag, wat inhield dat hij eerst helemaal naar Baker Street moest reizen of zowel op Victoria als op Green Park moest overstappen. Hij had echter geen haast en het was niet zo ver naar Swiss Cottage, waar hij wilde kijken of Laurence Silberts ex-geliefde Leo Westwood daar nog altijd woonde.

Annie had het kantoor van hoofdinspecteur Gervaise vaker vanbinnen gezien dan haar lief was en nam het aanbod van thee onmiddellijk aan, waarop Gervaise iets liet brengen. De laatste keer dat Annie op deze stoel zat, had ze een lange stroom van zowel lof als misprijzen moeten aanhoren over de afloop van haar laatste grote zaak. Dat begreep ze wel. Het oplossen van een misdaad was iets positiefs; dat er bij het oplossen van een zaak doden vielen niet. Uiteindelijk was ze er gelukkig niet al te slecht van afgekomen, zonder ernstige aantekeningen in haar dossier. Het was mogelijk dat Gervaise haar niet al te hard had aangepakt vanwege haar breekbare geestelijke gesteldheid op dat moment, maar Gervaise stond er niet om bekend dat ze rekening hield met dergelijke dingen. Over het geheel genomen vond Annie dat ze fair was behandeld.

'Hoe gaat het?' vroeg Gervaise op een koetjes-en-kalfjestoon, terwijl ze op de thee wachtten. 'Dat is trouwens een leuk kapsel. Het past bij je.'

'Dank u wel, hoofdinspecteur,' zei Annie. 'Het gaat prima.' Wat moest ze anders zeggen? Trouwens, het ging ook prima. Een beetje saai zo af en toe, maar prima.

'Mooi. Mooi. Akelige kwestie, daar in East Side. Al enig idee? Wat vind je eigenlijk van die Jackie Binns?'

'Waardeloos type,' zei Annie. 'Nicky Haskell is best intelligent, wanneer je eenmaal door zijn gedrag en dat bendetaaltje heen prikt. Ondanks zijn afkeer van school kan hij nog best wat van zijn leven maken. Binns is echter een hopeloos geval.'

'Ik weet niet zeker of het verstandig is om burgers uit onze maatschappij zo negatief te beoordelen, inspecteur Cabbot, met name burgers aan de zelfkant.'

'Misschien niet, hoofdinspecteur,' zei Annie met een glimlachje. 'Wijt u het maar aan mijn politie-instinct.'

'Heeft hij het gedaan?'

'Heeft Jackie Binns Donny Moore neergestoken, bedoelt u?'

'Dat vroeg ik.'

'Ik weet het niet zeker,' zei Annie. 'Ik denk het niet. Ik heb het met brigadier Jackman besproken en we zijn het erover eens dat Haskell bang is, maar we denken niet dat het door Binns komt. Ze kennen elkaar al een hele tijd en er is eerder sprake van een schoorvoetend wederzijds respect dan iets anders. Ze hebben weleens mot gehad. Het probleem is dat het niets voor Binns is om een knul als Donny Moore met een mes toe te takelen. Ik zal niet beweren dat hij een eerzaam burger is, hoor, maar het is gewoon...'

'Zijn stijl niet?'

'Precies.'

'Wie beweert dan dat hij erachter zit?'

'Niemand. Dat is de ellende. Dat hopen we juist van iemand te horen. Hij is in elk geval de leider van de bende aan de zuidkant van de wijk en als hij de indruk had dat Haskell en Moore zijn territorium bedreigden, zou hij vermoedelijk vinden dat hij het volste recht heeft om in actie te komen. Hij kan die taak ook aan iemand anders hebben opgedragen. Niemand geeft echter toe dat ze iets hebben gezien.'

'Als hij het niet heeft gedaan, wie dan wel?'

'Geen flauw idee, hoofdinspecteur. We onderzoeken de kwestie nog steeds. Er hebben zich gelukkig geen nieuwe incidenten of herhalingen voorgedaan.'

'Dat is goed om te horen,' zei Gervaise. 'We willen niet dat de toeristen worden weggejaagd.'

'Ik betwijfel of die ooit van onze East Side hebben gehoord, tenzij ze er net als de Paxtons laatst zijn verdwaald. Die zullen de wijk niet snel vergeten.'

'Hoe het ook zij, we willen niet dat de bendes hun problemen naar het centrum van de stad verplaatsen. We hebben al genoeg aan ons hoofd met die comazuipers elk weekend.'

Ondanks de verkrachting van en moord op een jong meisje na een avondlang drinken een paar maanden eerder was het probleem niet afgenomen, wist Annie. Inmiddels was het bijna een proeve van moed geworden onder jongeren om rond te lopen in de Maze, het doolhof van smalle straatjes aan de overkant van het marktplein waar het meisje was omgebracht. Gelukkig hadden ze de moordenaar vrij snel opgepakt en hadden er geen nieuwe aanvallen plaatsgevonden.

De thee werd gebracht, samen met een paar Penguinbiscuitjes. Gervaise schonk in, deed er melk en suiker bij, en overhandigde een theekopje op een schoteltje aan Annie, die zelf een koekje pakte.

'Ik ben blij dat je de situatie onder controle hebt,' vervolgde Gervaise. 'Dat is echter niet waarover ik het met je wilde hebben.'

'Niet?'

'Nee. Zoals je waarschijnlijk wel weet, heeft inspecteur Banks op mijn aanraden een paar dagen verlof opgenomen die hij nog tegoed had.'

'Ja. Die had hij wel verdiend, zou ik zeggen.'

'Dat ben ik volledig met je eens. Ik vraag me alleen af… nu ja, ik had niet het gevoel dat wat hem betreft die andere kwestie ook echt was afgesloten.'

'Kan zoiets wel ooit echt afgesloten zijn?' merkte Annie op.

'O, alsjeblieft, inspecteur Cabbot. Bespaar me dergelijke filosofische afleidingsmanoeuvres. Denk je nu echt dat ik me daardoor laat inpakken?'

'Het spijt me, hoofdinspecteur.'

'Dat mag ik wel hopen.' Gervaise greep haar theekopje en nam nuffig met opgeheven pink een slokje. 'Je weet toch waarover ik het heb?' zei ze, terwijl ze het kopje weer neerzette.

'Ik neem aan dat u op de zaak-Hardcastle/Silbert doelt.'

'Inderdaad. Twee opgeloste zaken. Dat staat goed in de misdaadstatistieken. De hoofdcommissaris is bijzonder in zijn nopjes.'

'Wat is uw vraag precies, hoofdinspecteur?'

'Hoe denk jij erover?'

'Waarover? Die zaak?'

'Nee. Er is helemaal geen zaak. Over inspecteur Banks.'

'Ach,' zei Annie. 'Hij heeft net een nieuwe vriendin en hij werd in het weekend wel heel onverwacht bij haar weggeroepen. Ik kan me voorstellen dat hij wil afmaken waaraan hij was begonnen, haar een paar dagen meenemen naar zee of zo, om de verloren tijd in te halen.'

'Geloof je dat echt?'

'Ja.'

'Flauwekul, inspecteur Cabbot. Verbaast het je als ik je vertel dat inspecteur Banks gisteren aan het eind van de middag in St. John's Wood een ouder echtpaar met de achternaam Townsend heeft ondervraagd? Zodra hij weg was, hebben ze meteen de plaatselijke politie gebeld. Hij had hen de stuipen op het lijf gejaagd. Hij had hun zijn pas laten zien, waardoor ze ons zijn naam konden vertellen. Wat de Londense politie betreft, had inspecteur Banks zich om te beginnen nooit in hun gebied mogen begeven zonder hun dat te laten weten.'

'Nee, hoofdinspecteur, dat wist ik niet.'

'Wat zegt u daarvan, inspecteur Cabbot? Bij mijn weten ligt St. John's Wood niet aan zee.'

'Dat was niet letterlijk zo bedoeld, hoofdinspecteur,' zei Annie. 'De vriendin van inspecteur Banks woont in Londen. Misschien…' Annies gsm ging over. Hij gaf niet langer 'Bohemian Rhapsody' ten beste, maar het eenvoudige, strakke gerinkel van een ouderwetse telefoon. Voor de verandering was Annie nu eens blij met de onderbreking.

'Neem maar op,' zei Gervaise. 'Misschien is het wel belangrijk.'

Annie nam op en hoorde Banks' stem. 'Het spijt me,' zei ze. 'Ik kan nu niet met je praten. Ik zit in een vergadering.'

'Gervaise?'

'Ja, dat klopt.'

'Weet ze het?'

'Dat lukt me denk ik wel, Winsome. Tot straks.'

'Brigadier Jackman?' vroeg Gervaise.

'Ja, hoofdinspecteur. Ze wil dat ik straks met haar naar de openbare scholengemeenschap van Eastvale ga om met Nicky Haskells leraren te praten.' Dit hadden ze eerder die middag al afgesproken, dus Annie vond niet dat ze echt loog; ze veranderde alleen maar de volgorde waarin alles had plaatsgehad. Zodra ze uit Gervaises kantoor weg kon, zou ze ook inderdaad naar de scholengemeenschap gaan.

'En ik maar denken dat het inspecteur Banks was.'

'Die is op vakantie, hoofdinspecteur.'

'Het lijkt me eerder een werkvakantie, als hij mensen blijft lastigvallen met vragen.' Ze leunde met haar armen op de tafel. 'Annie, ik mag inspecteur Banks graag, echt waar. Ik heb respect voor zijn vaardigheden en ik zou hem niet graag kwijtraken. Ik dring niet altijd tot hem door, maar jou lukt dat kennelijk wel. God mag weten hoe je dat doet.'

'Ik begrijp niet…'

Gervaise gebaarde met haar hand. 'Alsjeblieft. Laat me uitpraten. Ik vind dit even vervelend als jij. Als misdaad was de Hardcastle/Silbert-kwestie vrij gemakkelijk op te lossen. De een heeft de ander vermoord en toen de hand aan zichzelf geslagen. Er zijn echter complicaties. De betrokken personen, of in elk geval een van hen, heeft toevallig een heel nauwe band met de geheime inlichtingendienst en, tja, ik zal er geen doekjes om winden, ook met de hoofdcommissaris zelf. Ik heb van hogerhand in niet malse bewoordingen te verstaan gekregen dat er geen verder onderzoek mag worden verricht en dat de hoofdcommissaris noch ikzelf verantwoordelijk kan worden gehouden voor de gevolgen voor die leden van ons team die zo dwaas zijn iets dergelijks te ondernemen. Ben ik zo duidelijk genoeg?'

'Wat gaan ze dan doen?' vroeg Annie. 'Hem vermoorden?'

Gervaise sloeg met haar vuist op het bureau. 'Niet zo luchthartig, inspecteur Cabbot. We hebben het wel over ernstige staatsaangelegenheden. Zaken waarin mensen als inspecteur Banks en jij zich niet zomaar naar believen kunnen mengen. Niet alleen jullie carrière staat hierdoor op het spel, hoor.'

Annie schrok van het agressieve gebaar. Ze had Gervaise in veel verschillende stemmingen meegemaakt, maar haar nog niet eerder haar zelfbeheersing zien verliezen. Iemand had haar duidelijk flink bang gemaakt. 'Ik begrijp niet goed wat ik volgens u kan doen,' zei ze.

'Je zou het me kunnen laten weten als inspecteur Banks contact met je zoekt, en als hij je om hulp vraagt, zou je kunnen weigeren en onmiddellijk bij mij kunnen komen. Maak hem duidelijk dat hij er alleen voor staat, mocht hij besluiten deze kwestie voort te zetten.'

'U wilt dus dat ik als informant fungeer?'

'Ik wil dat je goed nadenkt over jouw carrière en die van inspecteur Banks. Ik wil dat je je volwassen gedraagt. Ik wil dat je je niet door hem laat mee-slepen en dat je alles wat hij je vertelt aan mij meldt. Denk je dat dat gaat lukken?'

Annie zei niets.

'Inspecteur Cabbot?'

'Ik heb er niets mee te maken,' loog Annie.

'Houd dat dan zo.' Gervaise gebaarde dat Annie kon vertrekken. Toen Annie bij de deur stond, riep Gervaise haar na: 'O ja, inspecteur Cabbot, mocht ik merken dat je brigadier Jackman of een van mijn andere mensen bij deze onderneming hebt betrokken, dan vlieg jij niet alleen de laan uit, maar zij ook. Begrepen?'

'Luid en duidelijk, hoofdinspecteur,' zei Annie. Haar hart bonsde in haar borst en ze trok met trillende handen de deur zachtjes achter zich dicht.

Banks had Annies Gervaise-waarschuwing duidelijk begrepen en had eerst een halfuur in een Starbucks aan Finchley Road gezeten met een latte en een dubbele espresso voordat hij haar terugbelde. Deze keer meldde ze dat ze vrijuit kon praten; ze liep door King Street op weg naar Winsome en de scho-lengemeenschap.

'Wat had ze?' vroeg Banks.

'Donkere wolken pakken zich boven onze hoofden samen,' zei Annie. 'Je bent zonder enige twijfel bijzonder uit de gratie in deze contreien.'

'En iedereen die aan mijn kant staat zeker ook?'

'Precies.'

Annie klonk een beetje ademloos, alsof ze een flinke schok te verwerken had gehad. Ze praatte weliswaar terwijl ze aan het lopen was, bedacht Banks, maar de scholengemeenschap stond onder aan de heuvel waar King Street langs liep, een stukje voorbij het ziekenhuis, en ze was te jong en gezond om zo buiten adem te zijn. Hij werd er zelf ook zenuwachtig van. Hij gluurde om zich heen, maar niemand schonk veel aandacht aan hem. Dat was ook wel te verwachten; daar waren ze te gehaaid voor. Hij probeerde zijn paranoia te onderdrukken en vroeg: 'Wat is er gebeurd?'

'Ze weet waar je gisteren bent geweest en met wie je hebt gesproken.'

'De Townsends?'

'Ja.'

Daar keek Banks van op. Hij had niet verwacht dat ze de politie zouden bellen. Nu hij er echter over nadacht, begreep hij dat het wel voor de hand lag als ze inderdaad banden hadden met de veiligheidsdienst. Nóg een manier om hem te laten terugroepen en op zijn vingers te laten tikken voordat hij echt schade kon aanrichten. Of misschien hadden ze het hun baas verteld en had die de politie gebeld. Hoe dan ook, het resultaat was hetzelfde. 'En de moraal van het verhaal?' vroeg hij.

'Wat denk je zelf? Als ik waarde hecht aan mijn carrière, moet ik me er niet mee inlaten en Gervaise inseinen zodra je contact met me zoekt. Verder mag ik je lekker in je eigen sop laten gaarkoken. Waarom ga je niet een paar dagen met Sophia naar Devon of Cornwall, Alan, zodat ieders leven, ook het jouwe, iets gemakkelijker wordt?'

'Ook gij, Annie?'

'Ach, rot op, mafkees. Ik zei toch niet dat ik zou doen wat ze me heeft gevraagd? Ik gaf alleen maar in grote lijnen weer wat de verstandigste oplossing zou zijn. En die wordt zoals gewoonlijk onmiddellijk afgeschoten.'

'Het is een sluwe, die mevrouw Gervaise,' zei Banks. 'De verstandigste oplossing is overigens niet altijd de beste.'

'Laten ze dat dan later maar op je grafsteen zetten. Goed, ik ben bijna bij de school en ik moet je iets vertellen voordat ik me bedenk. Misschien verandert het iets aan de zaak.'

Banks spitste zijn oren. 'Wat dan?'

'Nicky Haskell liet zich ontvallen dat hij Mark Hardcastle een paar weken geleden met Derek Wyman in The Red Rooster heeft gezien.'

'The Red Rooster? Dat is toch een pub voor jongeren? Karaoke en Amy-Winehouseklonen?'

'Zoiets, ja,' zei Annie.

'Waarom zouden ze daar in godsnaam naartoe zijn gegaan?'

'Geen flauw idee. Tenzij ze dachten dat ze daar geen bekenden zouden tegenkomen.'

'Wyman heeft ons toch verteld dat hij weleens iets ging drinken met Hardcastle? Daar is niets vreemds aan, behalve dan hun keuze voor die locatie.'

'Er is nog meer.' Banks luisterde aandachtig toen Annie hem vertelde dat Wyman Hardcastle had moeten kalmeren.

'Ze hebben elkaar dus niets gegeven?' zei Banks. 'Geen foto's of geheugenstick, helemaal niets?'

'Nicky Haskell heeft in elk geval niets gezien. En Liam, de barman, ook niet.'

'Kun je het hun nog een keer vragen? Zoek iemand anders die daar toen ook was. Met wie was Nicky daar?'

'Zijn vrienden, neem ik aan. Het gebruikelijke zootje.'

'Ga met hen praten. Misschien is een van hen iets opgevallen. Als Gervaise je in de gaten houdt, lijkt het net alsof je aan die steekpartij in East Side werkt.'

'Daar werk ik ook aan.'

'Nou, kijk eens aan. Een paar extra vragen kunnen toch geen kwaad?'

'Ik sta nu bij de oprit van de school. Ik moet ophangen.'

'Trek je het na?'

'Ik trek het na.'

'Annie?'

'Ja?'

'Als je de kans krijgt, probeer Wyman dan eens op de kast te krijgen.'

Volgens Edwina Silbert woonde Leo Westwood ergens in Adamson Road in een flat op de derde verdieping, vlak bij het ondergrondsestation Swiss Cottage. Aan de noordkant van Eton Avenue, tegenover het Hampstead Theatre, stond een rij kraampjes van een boerenmarkt en Banks nam zich voor op de terugweg wat brie de Meaux, chorizoworst en wildpaté te kopen. Sophia zou het gebaar ongetwijfeld op prijs stellen en hij was ervan overtuigd dat ze wel raad wist met chorizo. Als het aan Banks lag, stopte hij de worst met een klodder HP-saus tussen twee sneden brood.

Na een splitsing van de weg liep Adamson Road via de linkertak verder, met aan de rechterkant het Best Western Hotel; het was een met bomen omzoomde straat vol oudere, imposante, drie verdiepingen tellende huizen met witgepleisterde gevels compleet met portieken en zuilen. Ze deden Banks denken aan de huizen aan Powis T. in Notting Hill. In de straten en op de veranda's zaten mensen te kletsen en over het geheel genomen oogde het als een levendige wijk. Volgens de naambordjes woonde Leo Westwood daar nog steeds. Banks drukte op de bel naast diens naam en wachtte. Na een paar tellen klonk er krakend een stem door de intercom. Banks vertelde wie hij was en wat de reden van zijn bezoek was, en hoorde aan de zoemer dat hij naar binnen kon.

De gang en overlopen hadden duidelijk betere tijden gekend, maar straalden toch een soort versleten elegantie uit. De Axminster-tapijten waren dan misschien een tikje versleten, maar het waren wél Axminsters.

Leo Westwood stond bij de deur van zijn appartement. Hij was een kleine, mollige man van begin zestig met zijdezacht grijs haar en een gladde, rode huid, en droeg een zwarte coltrui en een spijkerbroek. Banks had een met antiek volgestouwde flat verwacht, maar na de hal was het woongedeelte binnen juist heel modern: geboende hardhouten vloeren, chroom en glas, heel veel open ruimte, een prachtig erkerraam en een supergeavanceerde geluids- en tv-installatie. Toen Westwood de flat jaren geleden kocht, was deze waarschijnlijk vrij goedkoop geweest, maar nu moest hij minstens een half miljoen pond waard zijn, schatte Banks, afhankelijk van het aantal slaapkamers. Westwood verzocht Banks plaats te nemen in een uit zwart leer en chroom bestaande leunstoel, en bood hem koffie aan. Banks nam het aanbod aan. Westwood verdween in de keuken en Banks nam de gelegenheid te baat om eens goed om zich heen te kijken. Er hing slechts één schilderij aan de muur, in een eenvoudige zilverkleurige lijst, en het trok Banks' aandacht. Het was een abstract werk, een combinatie van geometrische vormen in verschillende kleuren en afmetingen. Het had iets rustgevends, merkte Banks, en paste uitstekend in de kamer. Op een kleine cd-kast naast de geluidsinstallatie lagen boeken – voornamelijk over architectuur en binnenhuisarchitectuur – diverse dvd's, variërend van recente bioscoopsuccessen als *Atonement* en *La vie en rose* tot klassiekers van Truffaut, Kurosawa, Antonioni en Bergman, en een aantal operaverzamelboxen.

'Ik probeer zo min mogelijk rommel in de kamer te laten slingeren,' zei Westwood achter hem; hij zette een zilveren dienblad met een cafetière en twee witte kopjes op de glazen salontafel voor hen neer. Toen ging hij schuin tegenover Banks zitten. 'Hij moet nog even trekken,' zei hij. Hij lispelde een beetje en zijn gebaren hadden iets zenuwachtigs en vrouwelijks. 'Ik vond het vreselijk om te horen van Laurence,' zei hij, 'maar u moet wel beseffen dat het heel lang geleden is. Tien jaar.'

'U had toen een relatie met hem?'

'O ja. Absoluut. Drie jaar. Dat klinkt misschien niet echt lang, maar…'

'Ik hoop dat u het niet vervelend vindt dat ik het vraag, maar waarom bent u uit elkaar gegaan?'

Westwood boog zich naar voren en schonk koffie in. 'Melk? Suiker?'

'Helemaal zwart graag,' zei Banks. 'Mijn vraag kan relevant zijn.'

Westwood reikte hem een kopje aan. 'Zonder wat zoetstof lust ik hem zelf helaas niet,' zei hij. Hij schudde een roze zakje poeder leeg in zijn kopje. Toen leunde hij achterover in zijn stoel. 'Sorry, het was niet mijn bedoeling uw vraag te ontwijken. Ik heb echter gemerkt dat koffie die te lang heeft staan trekken een bittere smaak krijgt die zelfs zoetstof niet kan verdrijven.'

'Dat geeft niet,' zei Banks. Hij nam een slokje. 'Hij smaakt overigens uitstekend.'

'Dank u. Een van de kleine luxe pleziertjes in mijn leven.'

'Even terug naar Laurence en u?'

'Ja. Ik denk eigenlijk dat het door zijn werk kwam. Hij was altijd onderweg ergens naartoe, maar kon me nooit vertellen waar precies. Zelfs wanneer hij weer terug was, had ik geen flauw idee waar hij was geweest. Ik wist dat zijn missies vaak gevaarlijk waren, dus dan lag ik 's nachts te woelen van bezorgdheid, maar hij belde vrijwel nooit. Uiteindelijk…'

'U wist dus wat hij voor werk deed?'

'Tot op zekere hoogte. Ik wist natuurlijk dat hij voor MI6 werkte. Veel meer echter niet…'

'Was hij u weleens ontrouw?'

Westwood dacht goed na voordat hij antwoord gaf. 'Dat geloof ik niet,' zei hij ten slotte. 'Het had natuurlijk wel heel goed gekund. Hij was zo vaak weg. Eén nacht, een weekendje in Berlijn, Praag of Sint Petersburg. Het is best mogelijk. Ik denk echter dat ik dat zou hebben doorgehad. Ik geloof echt dat Laurence van me hield, voor zover hij tenminste in staat was van iemand te houden.'

'Wat bedoelt u daar precies mee?'

'Hij hield een groot deel van zijn leven voor mij verborgen. O, ik begrijp best dat het door zijn werk kwam, nationale veiligheid en wat al niet, maar toch betekende het dat ik maar een heel klein deel van hem te zien kreeg. De rest bestond uit schimmige duisternis, schaduwen, rookgordijnen en spiegels. Uiteindelijk is het onmogelijk gebleken daar dag in, dag uit mee te leven. Soms voelde het net alsof hij alleen maar een buitenkant was wanneer hij bij mij was, en had ik gewoon geen flauw idee wat eronder zat, wat hij echt dacht.'

'U kunt me dus niets vertellen over zijn karakter?'

'Ik ben bang dat ik dat nooit heb gekend. Hij was een kameleon. Wanneer we samen waren, was hij charmant, attent, vriendelijk, zorgzaam, mondain, bijzonder intelligent en ontwikkeld, in politiek opzicht naar rechts geneigd, een atheïst, een man met een fantastische smaak wat betreft kunst en wijn, een liefhebber van antiek… o, ik kan eindeloos doorgaan. Je kon veel over Laurence zeggen, maar toch had je het idee dat je amper door de buitenkant heen kwam. Je kon hem ook nooit ergens op vastleggen. Snapt u wat ik bedoel?'

'Ik denk het wel,' zei Banks. 'Dat gevoel heb ik ook bij deze zaak, deze mensen.'

'Welke mensen?'

'Degenen voor wie Laurence werkte.'

Westwood snoof. 'O, die lui. Tja, dat kan ook bijna niet anders.'

'Wanneer hebt u hem voor het laatst gezien?'

'Jaren geleden, toen we uit elkaar gingen. Hij vertrok om een van zijn reisjes te maken en ik heb hem nooit meer teruggezien.'

'Hebt u zijn collega's weleens ontmoet?'

'Nee. Er werden nu niet bepaald feestjes van het werk georganiseerd. Nee, nu moet ik niet liegen. Ze hebben me natuurlijk wel nagetrokken en ik heb een gesprek gehad. Ze zijn één keer hier geweest. Met zijn tweeën.'

'Wat voor dingen hebben ze u toen gevraagd?'

'Dat weet ik niet precies meer. Niets heel diepgaands. Een paar jaar eerder zou een homoseksuele relatie als de onze natuurlijk niet hebben gekund vanwege de kans op chantage die daardoor ontstond, maar dat speelde toen niet meer mee. Ze vroegen me naar mijn werk, naar de mensen voor wie ik werkte, hoe ik over mijn land dacht en over de VS, over democratie, communisme en dergelijke. Ik nam aan dat ze de meeste informatie over me elders vandaan haalden. Ze behandelden me uiterst respectvol en beleefd, maar er hing een bepaalde sfeer. U weet wel, een verholen dreigement. "We houden je in de gaten, makker. Haal geen geintjes uit, anders bevestigen we elektroden aan je ballen voordat je 'shaken, not stirred' kan zeggen."' Hij lachte. 'Nou ja, iets in die geest dan. De boodschap kwam echter luid en duidelijk over.'

Hardcastle was waarschijnlijk hetzelfde overkomen, dacht Banks bij zichzelf, zeker toen ze eenmaal op de hoogte waren van zijn veroordeling. 'Wat doet u voor werk?' vroeg hij.

'Ik ben architect. In die tijd werkte ik voor een klein bureau, maar nu ben ik zelfstandig. Ik werk vanuit huis, daarom hebt u me ook thuis aangetroffen. Ik kan niet zeggen dat ik tegenwoordig veel opdrachten heb. Ik kan het me veroorloven kieskeurig te zijn. Ik heb geluk gehad. Ik hoef niet meer fulltime te werken. Ik heb in de loop der jaren vrij veel verdiend en een aardig bedrag opzijgezet. Ook heb ik een paar goede investeringen gedaan, zelfs in zware tijden, en ik heb genoeg om de rest van mijn leven in redelijke luxe door te brengen.'

'Hebt u die mensen na uw breuk met Laurence nog teruggezien?'

'Nee. Ik neem aan dat ze me niet langer interessant vonden.'

'Hebt u weleens gehoord van een zekere Fenner? Julian Fenner?'

'Nee, die naam zegt me niets.'

'Of een echtpaar dat Townsend heet?'

'Nee, ook die naam komt me niet bekend voor.'

Banks liet hem de foto's zien van Silbert met de man in Regent's Park en bij de deur in Charles Lane, maar na een korte, licht emotionele reactie bij het zien van zijn voormalige geliefde meldde hij dat het hem niets zei.

'Mag ik u ook iets vragen?' vroeg Westwood toen.

'Ga uw gang.'

'Wie heeft u over mij verteld?'

'Edwina liet uw naam vallen en we hebben een paar oude brieven van u in meneer Silberts kluis aangetroffen.'

'Aha, op die manier... denkt u dat het mogelijk is, wanneer dit alles achter de rug is...?'

'Ik zal kijken wat ik kan doen,' zei Banks. Hij zag dat er in Westwoods rechteroog een traan glinsterde. Hij dacht niet dat het zin had nog langer met hem te blijven praten. Als Westwood Fenner of de Townsends wél had gekend, was dat waarschijnlijk onder een andere naam geweest. Grote kans dat ze net zo vaak van naam veranderden als de meeste andere mensen van ondergoed. Hij dronk zijn koffie op, bedankte Westwood en stond op om te vertrekken. Het had er veel van weg dat hij, telkens wanneer hij meende een stapje dichter bij Laurence Silbert of Mark Hardcastle te komen, juist steeds verder bij hen vandaan raakte. Het was alsof hij probeerde een handvol rook te grijpen.

'Ze zitten op ons te wachten in de lerarenkamer,' zei Winsome toen Annie bij de voordeur van de openbare scholengemeenschap van Eastvale aankwam. Leerlingen renden schreeuwend en lachend tussen de klaslokalen heen en weer, en een paar van hen bleven staan om hen, en dan met name Winsome, aan te gapen en door de hoge gangen weergalmden luide giechelbuien en bewonderend gefluit.

De lerarenkamer lag dicht bij de administratie. Drie leraren, onder wie ook Derek Wyman, zaten op uitgewoonde banken en leunstoelen rond een lage tafel die bezaaid was met kranten van die dag, met de *Daily Mail* opengeslagen op de puzzelpagina. Iemand had met pen het kruiswoordraadsel en de sudoku's ingevuld. De muren waren in vrolijk kinderdagverblijfgeel geschilderd en er hing een enorm kurken prikbord met berichten en memo's erop geprikt. Er was een kleine open keuken met aanrecht, koffiezetapparaat, waterkoker, magnetron en koelkast. Overal kleefden gele Post-itstickertjes die waarschuwden dat je je handen moest wassen, moest afblijven van andermans spullen in de koelkast, afval moest weggooien, alleen je eigen mok mocht gebruiken, je eigen rommel moest opruimen en vooral niet moest vergeten geld achter te laten voor de koffie. Annie vond het onvoorstelbaar dat de leraren bijna net zoveel regels kregen opgelegd als hun leerlingen. Het was heel stil in de kamer, alsof deze was geïsoleerd om het lawaai van buiten te weren, en na de korte wandeling door de gang begreep Annie dat dit waarschijnlijk een van de grootste voordelen ervan was.

'Jullie hebben ons geheime hol dus ontdekt,' zei Wyman, terwijl hij opstond.

'Ik heb gebeld. De secretaresse vertelde me waar ik jullie kon vinden,' zei Winsome.

'Ik merk al dat u niet voor niets bij de politie zit,' merkte een van de andere leraren op.

Winsome en Annie keken elkaar even aan.

Hun reactie ontging Wyman duidelijk niet. 'Neemt u het mijn collega alstublieft niet kwalijk,' zei hij. 'Hij heeft de hele ochtend doorgebracht met veertien- en vijftienjarigen en is daar nog niet van bijgekomen.'

'Het geeft niet,' zei Annie. Ze ging zo zitten dat ze iedereen kon zien en het gesprek gemakkelijk kon sturen. Winsome nam naast haar plaats en haalde haar opschrijfboekje tevoorschijn. 'Dit neemt niet al te lang in beslag,' vervolgde Annie. 'We willen jullie niet van jullie werk houden.'

Ze lachten.

'Jullie zijn hier, omdat jullie allemaal lesgeven aan minstens twee leerlingen die volgens ons betrokken kunnen zijn geweest bij het neersteken van Donny Moore vorige week in East Side. We proberen een goed beeld te krijgen van wat er die avond precies is voorgevallen en daarbij kunnen jullie ons hopelijk helpen. Vertel ons om te beginnen even wie jullie zijn en welk vak jullie geven.'

'Tja, wie ik ben, weten jullie al,' zei Wyman. 'Ik mag toneel en sport geven.' De man naast hem, die de smakeloze grap had gemaakt, zei: 'Ik ben Barry Chaplin, en ik geef natuurkunde en gymnastiek.'

De derde was een vrouw. 'Ik ben Jill Dresler,' zei ze. 'Rekenkunde en algebra. Geen sport.'

'Jullie kennen allemaal Nicky Haskell en Jackie Binns?' vroeg Annie.

Ze knikten bevestigend. 'Ook al laat hij zijn gezicht hier niet vaak zien,' voegde Jill Dresler eraan toe.

'Ja, we weten dat hij regelmatig afwezig is,' zei Annie. 'Hij komt wel af en toe opdagen?'

'Net vaak genoeg om onder een schorsing uit te komen,' zei Barry Chaplin.

'En Jackie Binns?' vroeg Annie.

'Hetzelfde verhaal,' antwoordde Wyman met een blik op de anderen om te zien of ze het met hem eens waren.

'Die komt misschien iets vaker,' zei Chaplin, 'maar niet veel.'

'En het slachtoffer?' ging Annie verder. 'Donny Moore?'

'Donny is geen slechte leerling,' zei Dresler. 'Hij is eerder een volgeling dan een aanstichter. Echt iemand die zich bij de groep rond Haskell heeft aangesloten om erbij te horen. Er schuilt geen kwaad in hem. Hij is de stille van het stel.'

'Geen vechtjas?'

'Totaal niet,' zei Chaplin. 'In tegenstelling tot Haskell.'

'Nicky Haskell vecht dus graag?' vroeg Annie.

'Nou,' zei Chaplin, 'ik wil niet beweren dat hij altijd ruzie zoekt. Het is geen pestkop of zo. Soms heeft iemand het op hem gemunt omdat hij iets kleiner is dan de rest en die persoon staat dan een flinke verrassing te wachten.'

'Mensen onderschatten dus hoe sterk hij is?'

'Ja. Hij is ook goed in sport,' voegde Wyman eraan toe. 'Sterk, snel en scherp met een goede coördinatie. Ik durf zelfs wel te zeggen dat hij een verrekt goede voetballer kan worden als hij zou willen.'

'Maar hij wil zeker niet?'

'O, hij heeft er heus wel oren naar. Alleen is er meer voor nodig. Toewijding. Haskell is een beetje een dromer.'

'Nou ja, hij is nog jong,' zei Annie.

'Dat is Matthew Briggs ook,' antwoordde Wyman.

'Dat is waar. Goed, we vermoeden dat Haskell een getuige is, maar hij weigert iets te zeggen.'

'Typisch iets voor hem,' zei Chaplin. 'Dat is toch logisch? Dan zou hij op zijn bek gaan. Die knullen verraden elkaar nooit, zelfs hun grootste vijand niet.'

'Ik had juist de indruk dat hij bang was.'

'Voor Binns?' zei Chaplin. 'Daar geloof ik niets van. Ik heb die twee het op het voetbalveld tegen elkaar zien opnemen en Haskell heeft zich nooit angstig gedragen. Wat is jouw ervaring, Derek?'

'Ik ben het met je eens. Hij is keihard en beresterk. Net zo gek op boksen en worstelen als op voetbal. Zoals Barry net al zei, ligt het bij hem aan een gebrek aan discipline, niet aan een gebrek aan talent.'

'Jullie geloven dus niet dat hij zou liegen uit angst voor wat Jackie Binns hem kan aandoen?'

'Echt niet,' zei Chaplin. 'Zo stoer is Binns niet. Hij heeft vooral een grote bek.'

'Haskell wil gewoon niemand verraden,' zei Wyman. 'Hij lijkt mij het type dat zijn maten altijd trouw blijft.'

Annie herinnerde zich dat Nicky Haskell haar had verteld dat er helemaal geen erecode was die voorschreef dat je je vrienden nooit verraadde en ze vroeg zich af in hoeverre dat waar was. Als hij weigerde iets te zeggen omdat hij bang was voor Binns, wat steeds onwaarschijnlijker begon te lijken, of omdat hij vond dat hij Binns niet mocht verraden, dan moest daar een andere reden voor zijn. Een waarvan zij niet op de hoogte waren. Ze nam zich voor nogmaals met een paar andere betrokkenen te gaan praten. Haskell en Binns waren de leiders. Ze handelden allebei in drugs, vermoedelijk xtc, wiet, methamfetamine en lsd. Van Binns was bekend dat hij een stiletto bij zich droeg, die hij echter meestal alleen maar gebruikte om op te scheppen en mensen bang te maken, en Donny Moore was niet met zo'n mes gestoken.

'Is er verder nog iets wat jullie ons kunnen vertellen?' vroeg Annie.

'Volgens mij niet,' zei Jill Dresler. 'Ik weet wat jullie nu denken, maar het zijn echt geen slechte jongens. Niet allemaal. Toegegeven, ze overtreden de wet en verkopen drugs, maar het zijn geen grote dealers, ze vormen geen georganiseerde bendes en je hoeft ook niet iemand neer te schieten om erbij te mogen.'

'Dat is dan in elk geval iets om dankbaar voor te zijn,' zei Annie. Ze stond op.

'Ik snap best hoe dit overkomt,' ging Dresler verder, 'maar heus, Binns is geen moordenaar!'

'Gelukkig is er nog niemand overleden,' zei Annie.

'Inderdaad,' zei Dresler. Ze streek met een hand over haar sluike haar. 'Daar hebt u wel gelijk in. Ik wil alleen maar zeggen... u weet wel... het zijn geen monsters. Dat is alles.'

'Ik zal het onthouden,' zei Annie. 'Ik waardeer het bijzonder dat u het voor uw leerlingen opneemt. Ik weet dat het geen monsters zijn, maar iemand liegt en we kunnen deze zaak pas tot op de bodem uitzoeken wanneer de hele waarheid boven tafel komt. De spanning in de wijk neemt toe, dat kunt u zich vast wel voorstellen. De bewoners durven niet meer alleen over straat te gaan. Wat wilt u dan dat we doen: het leger erop afsturen? East Side als een militaire zone bezetten? We hebben in Eastvale geen buurten met een toe-gangsverbod en dat willen we ook niet. Daarom stel ik al die vragen.' Ze zocht in haar tas. 'Als u iets te binnen schiet wat ons misschien kan helpen, belt u ons dan. Hier is mijn kaartje. Meneer Wyman, kan ik u nog even on-der vier ogen spreken?'

'Natuurlijk. Ik loop even met u mee,' zei Wyman.

In de rumoerige gang hield Annie, die hoofdinspecteur Gervaises waarschu-wing er vooral geen anderen bij te betrekken niet was vergeten, even de pas in totdat Winsome een meter of wat voor hen liep. Toen wendde ze zich tot Wyman. 'Kunt u me vertellen wat u een paar weken geleden met Mark Hard-castle in The Red Rooster deed?'

Wyman keek verbaasd, maar antwoordde direct: 'We hebben er iets gedron-ken. Ik had u toch verteld dat we af en toe samen ergens iets gingen drinken om theaterzaken te bespreken?'

'Jawel,' zei Annie, 'maar The Red Rooster is nu niet bepaald een locatie waar je naartoe gaat om rustig iets te drinken en het is ook al niet echt in de buurt.'

'Toen wij er zaten, was het er anders vrij rustig.'

Een lachende jongen die door zijn vriendjes achterna werd gezet, botste tijdens het ontwijken van zijn achtervolgers tegen Annie op. 'Let op waar je loopt, Saunders!' riep Wyman hem na.

'Ja, meneer. Sorry, meneer,' zei Saunders, terwijl hij verder rende.

'Soms vraag ik me weleens af waar ik het eigenlijk voor doe,' mopperde Wy-man.

'The Red Rooster?'

'Ach, het eten is er oké en het bier is niet slecht.'

'Moet u eens horen, meneer Wyman,' zei Annie. 'Het is hier een heel eind vandaan – minstens drie kilometer buiten Eastvale, waar talloze leuke pubs te vinden zijn – en bovendien is het een pub voor jongeren. Het bier mag dan oké zijn, maar het eten is er ronduit slecht. Je zou haast gaan denken dat u geen seconde zonder uw leerlingen kunt, of anders dat u daar naartoe bent gegaan omdat u niet wilde dat iemand u zag.'

'Tja, ik zal het maar eerlijk toegeven,' zei Wyman. 'Er wordt hier al zo veel gekletst en met Marks... ehm... seksuele voorkeur leek het me verstandig iets verder weg te gaan.'

'Ach, houd toch op, Derek. Je eigen leerlingen zitten daar heel vaak. Je bent trouwens ook met Mark naar Londen geweest. Je hebt ons verteld dat jullie daar eveneens een paar keer samen iets hebben gedronken. Je zei dat het je niet kon schelen of iemand homo of hetero was, en je vrouw maakte zich ook totaal niet druk om jouw vriendschap met Mark Hardcastle. Denk je nu echt dat ik geloof dat je…'

'Zeg, luister eens even.' Wyman bleef staan en keek haar aan. 'Dit bevalt me helemaal niet. Ik zie echt niet in waarom ik aan u moet uitleggen waarom ik ergens iets ben gaan drinken. En al evenmin met wie. Of waarom ik over wat dan ook verantwoording aan u zou moeten afleggen.'

'Waardoor was Mark Hardcastle zo overstuur?'

Wyman wendde zijn hoofd af en liep verder. 'Ik heb geen flauw idee waarover u het hebt.'

Annie haalde hem in. 'Je hebt iets gezegd waardoor hij van streek raakte. Vervolgens heb je hem gekalmeerd. Waarom was dat?'

'Onzin. Ik kan me totaal niet herinneren dat er zoiets is voorgevallen. Ik weet niet wie u dit heeft wijsgemaakt, maar iemand verspreidt gemene leugens.'

'Weet je het echt niet meer?' zei Annie. Ze stond bij de deur en Wyman bleef opnieuw staan. Het was duidelijk dat hij niet van plan was verder met haar mee te lopen. 'Grappig,' ging ze verder. 'Andere mensen herinneren het zich namelijk maar al te goed.' Ze duwde de deur open en liep naar Winsome toe, die op de trap stond te wachten. 'Tot ziens, meneer Wyman,' zei ze over haar schouder. 'We spreken elkaar binnenkort vast wel weer.'

11

Na een snelle hamburger met friet en een pint Sam Smith's in Ye Olde Swiss Cottage, een enorme pub met houten balkons die inderdaad wel wat weg had van een flinke skihut die midden in het drukke verkeer op een open strook tussen Avenue Road en Finchley Road was neergezet, ging Banks op weg naar het station van de ondergrondse om naar Victoria te rijden. Het was bloedheet in de wagon en sommige van de mensen met wie hij op een kluitje stond, hadden die ochtend kennelijk niet gedoucht. Het riep herinneringen op aan de tijd dat hij op snikhete dagen in Londen naar zijn werk ging, met allerlei deodorant- en parfumluchtjes vroeg op de ochtend, terwijl de avondspits voornamelijk werd gedomineerd door treurig en vermoeid ogende mensen die naar zweet roken. Toen hij het station verliet, snoof hij onopvallend onder zijn arm en hij kwam opgelucht tot de ontdekking dat zijn antitransparant zich nog steeds van zijn taak kweet.

Na een wandeling van vijf minuten vanaf de ondergrondse stond Banks voor Wymans bed & breakfast in een zijstraatje van Warwick Way. Op een bordje achter het raam werden kamers aangeboden vanaf 35 pond per nacht, wat Banks opmerkelijk goedkoop vond. Hij had begrepen dat geld een probleem kon vormen voor Wyman, aangezien zijn vrouw alleen parttime werkte en ze twee kinderen in de tienerleeftijd hadden met de bijbehorende eetlust. Het salaris van een leraar was niet slecht, maar ook niet buitensporig hoog. Geen wonder dat hij in pensions als deze overnachtte en bij Zizzi at. Ondanks de lage prijzen bleek het een alleraardigste bed & breakfast te zijn. De ingang was schoon, vrolijk en licht van kleur. Banks belde aan en een mollige Pakistaan met een snor en een glimmende schedel deed de deur open. Hij had een schort voor en was blijkbaar druk bezig met het stofzuigen van de gang. Hij zette de stofzuiger uit, stelde zichzelf voor als Mohammed en vroeg glimlachend waarmee hij meneer van dienst kon zijn. Een vleugje currykruiden zweefde vanuit de achterkant van het huis naar Banks toe en ondanks de snel naar binnen gepropte hamburger liep het water hem in de mond. Misschien kon hij Sophia voorstellen om ergens curry te gaan eten of af te halen.

Banks pakte zijn pas en Mohammed bekeek hem van boven tot onder. 'Er zijn toch hoop ik geen problemen?' zei hij en de bezorgde uitdrukking op zijn gezicht trok diepe rimpels in zijn voorhoofd.

'Niet voor u,' zei Banks. 'Het is me eigenlijk vooral te doen om informatie.' Hij beschreef Wyman en de dagen die deze in de B&B zou hebben overnacht. Mohammed had al snel in de gaten over wie Banks het had.

'Ach ja, meneer Wyman,' zei hij. 'Een van mijn vaste gasten. Een keurige heer. Intelligent. Hij is leraar, moet u weten.' Mohammed sprak met een licht Zuid-Londens accent.

'Ja, dat is me bekend,' zei Banks. 'Was hij hier inderdaad op de data die ik net noemde?'

'Het was in elk geval heel recent, dat weet ik nog wel. Een ogenblikje, dan zal ik het voor u opzoeken.' Mohammed kroop achter de kleine receptie en bladerde door een groot boek. 'Ja, hier staat het. Hij is twee weken geleden op woensdag gearriveerd en op zaterdag weer vertrokken.'

'Gedroeg hij zich anders dan tijdens eerdere bezoeken?'

'In welk opzicht?'

'Dat kan ik niet zeggen,' zei Banks. 'Opgewonden, depressief, gespannen, bezorgd?'

'Nee, niets van dat alles. Het is mij tenminste niet opgevallen. Hij leek juist heel... tevreden met alles, gelukkig met het leven.'

'Hoe laat is hij weggegaan?'

'Gasten dienen om elf uur hun kamer te verlaten.'

Dat kwam overeen met wat Wyman hun had verteld tijdens hun gesprek. Hij had gezegd dat hij in een pub had geluncht, daarna wat boeken had gekocht, vervolgens de National Gallery had bezocht en daarna weer op huis was aangegaan. Zijn vrouw Carol had hem rond kwart over zeven op het station van York opgehaald. 'Hebt u enig idee waar hij is geweest of wat hij heeft gedaan tijdens zijn verblijf hier?'

Mohammed fronste zijn wenkbrauwen. 'Ik bespioneer mijn gasten niet, meneer Banks,' zei hij.

'Dat begrijp ik,' zei Banks, 'maar u hebt hem vast wel op gezette tijden zien komen en gaan. Sliep hij hier elke nacht?'

'Voor zover ik weet wel. Zijn bed was altijd beslapen en hij was elke ochtend aanwezig bij het ontbijt.'

'Ik neem aan dat u niet kunt zeggen hoe laat hij meestal wegging of terugkeerde?'

'Nee. Gewoonlijk ging hij direct na het ontbijt weg, zo rond negenen, en soms kwam hij halverwege de middag even een uurtje terug, om een dutje te doen misschien, en 's avonds tegen etenstijd ging hij weer weg. We serveren hier geen andere maaltijden, ziet u. Alleen het ontbijt. Hij gedroeg zich net als alle andere toeristen.'

'Kwam hij 's avonds laat terug?'

'Niet dat ik weet. Ik heb hem een paar keer om een uur of elf zien binnenkomen. Rond dat tijdstip zorg ik er altijd voor dat alles netjes aan kant is en klaar voor de volgende ochtend.'

'Heeft hij bezoekers gehad?'

'We moedigen bezoek op de kamers niet aan. Zoals ik net al zei, houd ik mijn gasten niet voortdurend in de gaten en ik ben er niet altijd, dus hij had inderdaad iemand naar zijn kamer kunnen smokkelen als hij dat wilde. Ik geloof alleen niet dat hij dat heeft gedaan. Nooit, trouwens.'

'Meneer Wyman logeert hier dus regelmatig?'

'Hij komt hier graag voor de theaters, de kunstgaleries en de NFT, heeft hij mee eens verteld. Hij kan alleen moeilijk weg. Leraren hebben wel vakantie, alleen niet altijd wanneer het hen uitkomt.'

Wat ontzettend zielig nou, dacht Banks, die nu eigenlijk vakantie zou moeten houden, bij zichzelf. Nou ja, het was natuurlijk zijn eigen schuld dat hij nu geen vrij had.

'Meneer Wyman is een modelgast,' ging Mohammed verder. 'Hij maakt nooit lawaai. Hij klaagt nooit. Hij is altijd heel beleefd.'

'Mooi,' zei Banks. 'Dit klinkt misschien een beetje vreemd, maar zou ik misschien heel even een kijkje kunnen nemen in de kamer waar hij de laatste keer heeft overnacht?'

Mohammed streek over zijn snor. 'Dat is inderdaad een heel ongebruikelijk verzoek,' zei hij. 'Heel toevallig heeft meneer Wyman graag altijd dezelfde kamer als die beschikbaar is. De prijs van de kamers verschilt namelijk, ziet u, afhankelijk van de mate van luxe die de ruimte biedt, maar hij vindt het niet erg om toilet en badkamer te delen, en heeft geen bezwaar tegen het rumoer van buiten.'

'Uw goedkoopste kamer?'

'Inderdaad.'

'En hij overnacht daar altijd?'

'Bijna altijd. U hebt trouwens geluk. De kamer staat momenteel leeg. Ik snap alleen niet wat u daar denkt te vinden. Er hebben na meneer Wyman alweer andere gasten gelogeerd, hoor, en alles is schoongemaakt en gewassen. Daar sta ik persoonlijk voor in. Mijn vrouw kookt en ik neem al het schoonmaakwerk voor mijn rekening.'

'Hebt u iets bijzonders of interessants aangetroffen toen u de kamer schoonmaakte nadat meneer Wyman hier de laatste keer was?'

'Nee. Ik… wacht eens even,' zei Mohammed. Hij streek met een hand over zijn snor. 'Het was achter de radiator gevallen. Het is altijd moeilijk om daar schoon te maken. Er is heel weinig ruimte.'

'Wat was het?' vroeg Banks.

'Een visitekaartje. Het zou me normaalgesproken niet eens zijn opgevallen, maar er zit een speciaal voorzetstuk op de stofzuiger. Het kaartje was te groot om door de slang te passen, dus bleef het in de zuigmond hangen en ik moest het er met de hand uit halen. Ik weet nog dat ik dacht dat het waarschijnlijk uit het borstzakje van zijn overhemd was gevallen toen hij het uittrok om te gaan slapen. Meneer Wyman was anders altijd een zeer nette gast.'

'Hebt u het kaartje nog?'

'Nee. Ik heb het bij de rest van het afval gedaan.'

'Ik neem aan dat u niet meer weet wat er op het kaartje stond?'

'Nou en of ik dat nog weet,' zei Mohammed. 'Dat kwam door de naam, ziet u.'

'Hoe luidde die dan?'

'"Tom Savage". Zou u die naam niet onthouden?'

'Het zou zomaar kunnen,' zei Banks.

'U zou hem zeker onthouden,' ging Mohammed stralend verder, 'als er stond: "Tom Savage Detectivebureau." Net zoiets als "Magnum, P.I." of "Sam Spade". Ik ben een fan van Amerikaanse detectives, moet u weten.'

'Kan het kaartje daar ook zijn terechtgekomen vóórdat meneer Wyman kwam logeren?'

'Nee,' zei Mohammed. 'Ik ben heel grondig. Tussen de verschillende gasten maak ik elk hoekje en gaatje schoon.'

'Dank u wel,' zei Banks. 'Daar ben ik blij om. Was er verder nog iets bijzonders aan?'

'De linkerbovenhoek was een beetje gekreukt, alsof het met een paperclip aan iets had vastgezeten.'

'U herinnert zich zeker geen adres of telefoonnummer?'

'Helaas niet.'

'Dat geeft niet,' zei Banks. 'Daar kom ik vast en zeker vrij gemakkelijk achter.'

'Wilt u de kamer nog steeds zien?'

'Ja, heel graag.'

'Komt u dan maar mee.'

Mohammed pakte een sleutel van een haakje aan de muur en kwam achter de balie vandaan. Hij liep drie met vloerbedekking beklede trappen op en deed een deur aan de overloop open. Het eerste wat Banks dacht was dat de kamer ontzettend klein was, maar wel kraakhelder en netjes, en erg vrolijk met het gestreepte, beige behang. Zijn oog viel op de radiator. Er stond een stoel met een rechte rugleuning naast. Hij stond dicht bij het bed en leek een voor de hand liggende plek om je kleding voor de volgende dag op klaar te leggen, of een pantalon en colbertje overheen te hangen. Een kaartje kon dan heel gemakkelijk uit een zak zijn gevallen en achter de radiator beland.

Er was geen televisie en het bed was een eenpersoons, maar bij het raam stond wel een kleine leunstoel die uitkeek op de straat. Banks hoorde het verkeer en bedacht dat het er ongetwijfeld erg rumoerig kon zijn, zelfs 's avonds – hier geen dubbele beglazing die het geluid dempte – maar Wyman sliep blijkbaar overal doorheen. Als Banks in Londen een kamer had geweten die zo knus en aangenaam was voor die prijs, zou hij er zelf waarschijnlijk ook hebben overnacht. De meeste kamers in de omgeving van Victoria waarin hij weleens had overnacht, waren akelige hokken geweest.

'Erg mooi,' zei hij tegen Mohammed. 'Ik kan me goed voorstellen dat hij het hier naar zijn zin had.'

'Het is klein, maar schoon en knus.'

'Is er een telefoon?'

'Er is er een in de gang.'

'Zou ik even mogen rondkijken?'

'Ga uw gang. Er is niets te zien.'

Banks begreep al snel wat hij bedoelde. Een vluchtige blik onder het bed leverde niets op, zelfs niet de stofwolken die je daar gewoonlijk aantrof. Mohammed had geen woord te veel gezegd toen hij zei dat hij grondig was. Ook de kledingkast was leeg, op wat kleerhangers na die rammelden toen hij de deur opentrok. Op het bureau lagen een briefje met daarop de tijden waarop het ontbijt werd geserveerd, een schrijfblok en een balpen. De alomtegenwoordige *Gideon's Bible* lag helemaal alleen in de bovenste lade van het nachtkastje.

'Het spijt me dat ik u heb lastiggevallen,' zei Banks.

'Geen probleem. Bent u klaar?'

'Ja, dat denk ik wel. Heel hartelijk bedankt voor het beantwoorden van mijn vragen en voor het tonen van de kamer.'

Banks liep achter Mohammed aan naar beneden en bleef bij de telefoon op de onderste verdieping staan. Er stonden geen telefoonnummers op de muur gebrabbeld en er was geen telefoonboek te bekennen. 'Weet u of hij tijdens zijn verblijf iemand heeft gebeld of dat hij is gebeld?' vroeg Banks.

'Volgens mij niet. Het is wel mogelijk. Ik merk er niet altijd iets van. Ik hoop echt dat meneer Wyman niet in de problemen zit.'

'Dat hoop ik ook,' zei Banks. Hij nam een visitekaartje van Mohammed mee en schudde hem glimlachend de hand voordat hij vertrok. 'Dat hoop ik ook.'

Het detectivebureau zag eruit als een eenmansbedrijfje en was gevestigd in een onopvallend kantorenblok uit de jaren zestig in Great Marlborough Street, tussen Regent Street en Soho. Banks had het adres heel gemakkelijk gevonden in de Gouden Gids. Een groep nonchalant geklede jonge mannen en vrouwen stond buiten voor het gebouw te roken en met fietskoeriers te kletsen. Dat was naast hun eigen huis zo ongeveer de enige plek waar ze nog mochten roken. Banks ging met de schokkerig bewegende lift naar de vijfde verdieping, waar hij een deur zag met het opschrift 'Tom Savage Detectivebureau,' gevolgd door: 'Aanbellen en binnenkomen, a.u.b.' wat hij niet deed. Hij ging het kantoor binnen, waar hij min of meer had verwacht een verfomfaaide, katterige, bijdehante, stoere jongen aan te treffen met een fles Schotse whisky in zijn dossierkast, hoewel hij al heel wat privédetectives had ontmoet die geen van allen aan dat specifieke stereotype voldeden. Savage had een receptioniste, maar die zat niet achter haar bureau haar nagels te lakken; ze was bezig papieren in mappen in de dossierkast op te bergen. Om dat te kunnen doen, moest ze zich diep bukken en haar strakke, laaghangende spijkerbroek liet weinig aan de verbeelding over.

Toen ze Banks hoorde binnenkomen, rechtte ze haar rug en streek ze blozend haar broek glad. Ze wist heel goed waarnaar hij had staan kijken. 'Ja?' zei ze uitdagend. 'Ik heb u niet horen aanbellen. Kan ik u misschien helpen?'

'Ik heb niet aangebeld,' zei Banks. 'Is meneer Savage aanwezig?'

'Hebt u een afspraak?'

'Ik vrees van niet.'

'Tja, dan spijt het me ontzettend...'

Banks haalde zijn politiepas tevoorschijn en hield haar deze voor.

Ze keek hem onderzoekend aan en zei: 'Waarom zei u dat dan niet meteen?'

'Dat doe ik nu toch,' zei Banks. 'Maakt het wat uit dan?'

Ze las de pas nogmaals nauwkeurig. 'Bent u... Alan Banks... U bent toch niet... Bent u de vader van Brian Banks?'

'Ja. Hoezo?'

'O, mijn god!' Ze legde haar handen tegen haar wangen. Banks was even bang dat ze op en neer zou gaan springen. 'U bent het echt. U bent de vader van Brian Banks!'

'Sorry hoor,' zei Banks, 'maar ik snap niet...'

'Ik ben een enorme fan van de Blue Lamps. Ik kan het bijna niet geloven. Ik

203

heb hen een paar weken geleden nog gezien. Uw zoon Brian was echt geweldig. Ik speel zelf ook een beetje gitaar en schrijf mijn eigen nummers. Voor een amateurband, hoor, maar... Wanneer is hij begonnen met spelen? Hoe vaak repeteerde hij?'

'Toen hij een jaar of vijftien was en veel te vaak, terwijl hij eigenlijk andere dingen hoorde te doen,' zei Banks. 'Huiswerk bijvoorbeeld.'

Ze glimlachte kort. Hierdoor klaarde haar hele gezicht op, dat erg knap was, bleek, ovaal, met fraaie jukbeenderen, heldere, openhartige smaragdgroene ogen en een handjevol sproeten, omlijst door steil blond haar dat tot op haar schouders hing. 'Sorry,' zei ze. 'Ik gedraag me als een dwaas schoolmeisje. Wat moet u wel niet van me denken?' Ze stak haar hand uit. 'Tom Savage. Aangenaam. Eigenlijk heet ik Tomasina, maar op een of andere manier heb ik zo het vermoeden dat dát in dit vak niet zo goed zou vallen.'

Banks probeerde niet te laten merken dat hij verrast was. 'En Savage?'

'Mijn echte naam.'

'Heb jij even mazzel. Hoe wist je wie ik was?'

'Ik heb een artikel gelezen over de band, een interview waarin uw zoon vertelde dat zijn vader inspecteur was in Noord-Yorkshire. Er zijn er vast niet zo veel die Banks heten. Mijn excuses. Het was niet mijn bedoeling zo overdreven te doen. Het overviel me alleen een beetje.'

'Geen probleem,' zei Banks. 'Ik ben erg trots op hem.'

'Dat kan ik me heel goed voorstellen. Laten we maar even naar mijn kantoor gaan. Daar is het iets aangenamer.' Ze gebaarde naar de receptieruimte. 'Het is op dit moment een eenvrouwsbedrijf, vrees ik. Ik moet echt alles zelf archiveren. Ik heb vandaag geen afspraken met cliënten, vandaar de vrijetijdskleding. Vandaag is het opruimdag op kantoor.'

'Ik snap precies wat je bedoelt,' zei Banks. Hij liep achter haar aan het kantoor in en nam tegenover haar plaats. De muren zagen er dun en gammel uit, en ze had geen uitzicht. Er was zelfs niet eens een raam. Haar bureau was opgeruimd en voor haar stond een dunne Mac Air.

'De enige luxe die ik mezelf gun,' zei ze met een klopje op de glanzende laptop. 'Ik zag u ernaar kijken.'

'Ik wou dat ik me er een kon veroorloven,' zei Banks.

'Zo,' zei Tomasina. Ze legde haar handen op het bureau. 'Wat kan ik voor u doen?'

'Misschien wel helemaal niets. Ik heb jouw visitekaartje gevonden in een hotelkamer die mogelijk is gebruikt door een verdachte van een moord.' Banks stelde het iets mooier voor dan het was, maar dacht dat dit misschien de beste manier was om haar aan het praten te krijgen.

'En nu?' Ze wees op zichzelf en knipperde met haar ogen. 'Denkt u nu dat ik… ik bedoel, denkt u dat hij mij heeft ingehuurd om iemand te vermoorden?'

'Hij heeft je ongetwijfeld op basis van je naam uit het telefoonboek geplukt. Het klinkt ruig, als een type dat tot alles in staat is.'

'Maar als hij had geweten dat ik eigenlijk Tomasina heet?'

'Precies,' zei Banks. 'Hoe dan ook, ik beschuldig jou niet van moord.'

'O, godzijdank.'

'Ik wil alleen maar weten of je een opdracht hebt aangenomen van een man die Derek Wyman heet, en zo ja, wat die opdracht precies inhield.'

Ze pakte een potlood en begon doelloos te krabbelen. 'Moet u eens horen,' zei ze zonder op te kijken, 'het gaat hier wel om een vertrouwenskwestie. De mensen die bij mij komen, zoeken een privédetective, niet iemand die hun verhaal van de daken schreeuwt of aan de politie doorbrieft.'

'Dat begrijp ik volkomen en ik ben heus niet van plan jouw werkzaamheden overal rond te bazuinen.'

'Toch kan ik u niet vertellen wie mijn cliënten zijn,' zei ze, 'of waarvoor ze me inhuren. Er zit heus niets onwettigs bij. Dat kan ik u verzekeren.'

'Dat neem ik zo van je aan.' Banks liet een korte stilte vallen. 'Luister, ik zou er echt enorm mee geholpen zijn. Ik neem hiermee een flink risico en ik moet weten of ik op de goede weg ben. Als het antwoord nee is, dan… tja, dan weet ik het ook niet meer. Als het antwoord ja is…'

'Kan dit leiden tot een rechtszaak waarin ik als getuige moet optreden?'

'Zo ver zal het niet komen.'

'Ja ja, en dan daal ik zeker helemaal niet in uw achting.'

'Je bent wel heel cynisch voor zo'n jong iemand.'

'Ik bescherm alleen maar mijn eigen belangen.' Ze keek hem recht aan. 'Zoals u zelf kunt zien, lopen de cliënten de deur hier niet bepaald plat – ondanks de stoere, sexy naam. Het kost me eerlijk gezegd juist de grootste moeite om telkens het eind van de maand te halen. En nu verwacht u dat ik míjn reputatie op het spel zet vanwege een of ander risico dat ú neemt.'

'Waarom zoek je dan geen andere baan? Iets lucratievers?'

'Omdat ik mijn werk leuk vind. Ik ben er ook goed in. Ik ben ooit bij een groot bureau begonnen, heb de Association of British Investigators-opleiding gevolgd en het vervolgdiploma ook gehaald. Toen besloot ik voor mezelf te beginnen. Ik heb allerlei cursussen gevolgd. Met vlag en wimpel voor alles geslaagd. Ik ben zevenentwintig, heb een graad in de rechten en in criminologie, en heb vijf jaar werkervaring opgedaan bij grote bureaus voordat ik mijn eigen bedrijf opzette. Waarom zou ik een andere baan zoeken?'

'Omdat je geen cliënten hebt en de huur amper kan betalen?'

Ze wendde met rode wangen haar gezicht af. 'Dat komt heus wel. Het kost gewoon tijd. Ik begin net.'

'Sorry,' zei Banks. 'Het is niet mijn bedoeling je te koeioneren. Ik ben hier echt alleen om je hulp in te roepen. In feite zit ik een beetje in hetzelfde schuitje als jij.'

'U bedoelt dat dit geen officieel onderzoek is?'

'Niet echt.'

'U doet dit dus op eigen houtje? Nee, nou wordt ie helemaal mooi.' Ze liet het potlood vallen. 'U komt dus niet alleen vertrouwelijke informatie opeisen, maar ook nog eens zonder dat het voor een geautoriseerd politieonderzoek is. Het zou fijn zijn als u mijn tijd niet langer verspilt.'

'Volgens mij heb je anders veel te veel tijd om handen. Of ga je liever verder met archiveren?' Banks zag dat haar ogen weer vochtig werden en vond zichzelf een schoft. Ze was iemand die je graag gelukkig wilde zien, het allerbeste toewenste. Als je iemand als Tomasina kon kwetsen, dacht hij bij zichzelf, was je echt een enorme hufter. Toen hield hij zichzelf streng voor dat hij niet zo'n watje moest zijn; je moest tegen een stootje kunnen als je in dit vak wilde overleven en als ze niet hard genoeg was, kon ze daar beter nu achterkomen dan later. Ze huilde echter niet. Ze was kennelijk sterker dan ze eruitzag en daar was hij blij om.

'Hoezo?' zei ze. 'Zodat u weer lekker naar mijn kont kunt gluren? Denk maar niet dat ik dat niet in de gaten had.'

'Het is een erg mooie kont.'

Ze staarde hem kwaad aan en heel even dacht hij dat ze iets naar zijn hoofd zou smijten, de zware presse-papier op haar bureau bijvoorbeeld, die zo te zien een stapel rekeningen bij elkaar hield, maar in plaats daarvan leunde ze met haar handen gevouwen achter haar hoofd achterover in haar stoel en begon ze te lachen. 'Nou, u bent me ook een mooie,' zei ze.

'Houdt dat in dat je me gaat helpen?'

'Ik weet hoe het werkt,' zei ze. 'Ik weet dat ik met de politie moet samenwerken als de situatie daar om vraagt. Ik weet alleen niet met wat voor situatie ik hier precies te maken heb.'

'Het is een beetje moeilijk uit te leggen,' zei Banks.

'Probeer het toch maar. Ik ben slim en kan goed luisteren.'

'Heb je misschien iets gehoord of gelezen over de twee doden die onlangs in Eastvale zijn gevonden?'

'Die twee homoseksuele mannen? Natuurlijk. Dat ging toch om een moord en zelfmoord?'

'Daar heeft het alle schijn van.'

'U klinkt niet overtuigd.'

'O, ik geloof best dat Mark Hardcastle Laurence Silbert met een cricketbat heeft doodgeslagen en zich daarna heeft opgehangen. Ik geloof alleen niet dat hij dat helemaal alleen heeft gedaan, zonder hulp. Een tamelijk ongebruikelijke vorm van hulp.'

'Ik luister.'

Banks legde haar zijn *Othello*-theorie uit en was zich er tijdens het praten terdege van bewust hoe absurd het klonk. Aan het eind kostte het hem de grootste moeite het zelf te geloven. Tomasina lachte hem echter niet uit en maakte evenmin een spottende opmerking, maar bleef nadat hij was uitgesproken een volle minuut lang fronsend met haar handen op elkaar op het bureau voor zich zitten nadenken. Dat is heel lang.

'Nou?' zei Banks, die het niet langer uithield, tenslotte.

'Gelooft u dat echt? Dat het zo is gegaan?'

'Ik vind het heel aannemelijk, ja.'

'Wat voor bewijzen hebt u dan?'

'Niets.' Banks was absoluut niet van plan haar over de geheime inlichtingendienst te vertellen. Dat had hij eerder al besloten.

'Motief?'

'Niet bekend, behalve zakelijke afgunst.'

'Het enige wat u hebt wat ook maar een beetje in de buurt komt van bewijs is dat die Wyman *Othello* regisseerde, dat hij Hardcastle een dag vóór de moord in Londen heeft ontmoet, dat ze een paar keer onenigheid hebben gehad op artistiek vlak, en dat ze onder het genot van een drankje pratend door iemand zijn gezien in een pub een paar kilometer buiten de stad?'

'En dat hij mogelijk een geheugenstick heeft gehad met foto's van Silbert met een andere man. Hardcastle en Silbert hadden geen van beiden een digitale camera waar die stick op paste.'

'En Wyman wel?'

'Hij ook niet. De zijne is een Fuji.'

'En op basis daarvan bent u tot uw theorie gekomen?'

'Ja. Als je het zo stelt…'

'Hoe moet ik het anders stellen?'

'Je zou ook kunnen zeggen dat het, wanneer je alles bij elkaar optelt, verrekt verdacht is. Waarom gaat iemand naar een bedompte pub voor tieners een paar kilometer buiten de stad wanneer er meer dan genoeg goede pubs in Eastvale zelf zijn? Er zat daar nota bene een groep vijftienjarige leerlingen uit zijn klas. En wat zei hij waardoor Hardcastle zo overstuur raakte en hij hem moest kalmeren? Waarom?'

'Niemand kon van tevoren hebben geweten welk effect het spelen van Jago op twee mensen zou hebben.'

'Dat zei Annie ook.'

'Annie?'

'Inspecteur Cabbot. We hebben er samen aan gewerkt.'

'En nu?'

'Tja, officieel zijn we van de zaak gehaald. Opdracht van hogerhand.'

'Waarom?'

'Dat weet ik niet. We kregen gewoon te horen dat we ermee moesten kappen. Zeg, ik dacht eigenlijk dat ík hier de vragen stelde?'

Ze glimlachte weer, die stralende glimlach die je het gevoel gaf dat je koste wat het kost haar geluk in stand diende te houden. 'Ik zei net al dat ik goed ben in mijn werk. Daarvoor had ik een van mijn hoogste cijfers: verhoortechniek. Samen met surveillance en research. Ze heeft trouwens wel gelijk, die partner van u.'

'Ik weet het. Misschien is het gewoon verkeerd afgelopen?'

'Dan was het geen moord. Een heel slechte grap misschien. Een of andere kwaadaardige list die de mist is ingegaan, maar geen moord. Ik neem aan dat u dat zelf ook wel heeft bedacht? In dat geval kunt u hem hooguit pakken op het aanzetten van een ander tot een criminele handeling, dat wil zeggen: als u tenminste kunt bewijzen dat hij inderdaad iemand anders tot een criminele handeling heeft aangezet.'

'Dat doet er niet toe,' zei Banks. 'Het resultaat is hetzelfde. Er zijn twee mannen omgekomen. Op een bijzonder akelige, gewelddadige wijze, mag ik wel zeggen. De een tot moes geslagen en de ander opgehangen aan een boom vlak bij een prachtige plek waar kinderen spelen.'

'Ik laat me echt niet intimideren door die aanschouwelijke beschrijving. Ik heb wel eerder dode lichamen gezien. Ik heb zelfs *Saw IV* en *Hostel: Part II* gezien.'

'Goed, wat werkt dan wél bij jou?'

Tomasina staarde hem opnieuw heel lang aan en zei toen: 'Die foto's heb ik gemaakt.'

'Wat?'

'De foto's waarover u het had. Op de geheugenstick. Die heb ik gemaakt.'

Banks' mond zakte bijna open. 'Zomaar, alsof het niets is?'

'Nou ja, het was zeker niet niets. Ik mocht natuurlijk niet gezien worden.'

'Nee, ik bedoel: je geeft het zomaar ineens toe? Dat waardeer ik heel erg.'

Tomasina haalde haar schouders op. 'Wanneer een knappe man – die ook nog eens de vader is van mijn rockheld – iets aardigs zegt over mijn kont, kan ik zo'n verzoek moeilijk weigeren, hè?'

'Nogmaals: dat spijt me. Het was eruit voordat ik er erg in had.'

Ze lachte weer. 'Het geeft niet. Ik plaag u maar. U zou er echter goed aan doen iets voorzichtiger te zijn. Sommige vrouwen stellen het misschien iets minder op prijs dan ik.'

'Ik weet het. Je bent een kanjer, Tomasina.' Sophia stelde het zeker niet op prijs, ook al zou ze misschien reageren met een 'Dat weet ik' of 'Dat heb ik vaker gehoord,' dacht Banks bij zichzelf. Hetzelfde gold voor Annie. Eigenlijk zou bijna iedere vrouw die hij kende razend zijn geworden om zo'n opmerking. Hoe haalde hij het in vredesnaam in zijn hoofd? Soms merkte hij dat hij de politiek correcte wereld waarin iedereen tegenwoordig leefde onbewust had verruild voor de primitieve oertijd. Misschien kwam het wel door zijn leeftijd dat hij minder voorzichtig werd? Nou ja, zó oud was hij nu ook weer niet, hield hij zichzelf voor. En hij was knáp. 'Kun je me er iets meer over vertellen?' vroeg hij.

'Er valt eigenlijk niet zoveel te vertellen.'

'Derek Wyman heeft jou dus benaderd?'

'Ja. Hij was erg verbaasd, net als de meeste mensen, maar niet omdat ik geen stoere vent was. Ik hoefde niet hardhandig op te treden of zoiets. Hoe dan ook, ik wist hem ervan te overtuigen dat ik het werk aankon.'

'Wat hield het in?'

'Alleen maar surveillance. Nou ja, ik moest er natuurlijk wel voor zorgen dat ik niet werd gezien. Ik neem aan dat dát u wel bekend voorkomt.'

Door de jaren heen had Banks heel wat uren in koude auto's doorgebracht, met alleen een waterflesje om in te plassen. Het had echter niet lang geduurd. Surveillance was eerder iets voor jonge mannen. Hij had er nu het geduld niet meer voor. De fles zou ook veel sneller vol zitten. 'Weet je nog wanneer Wyman voor het eerst bij je kwam?'

'Dat kan ik opzoeken. Een ogenblikje.'

Tomasina stond op en liep terug naar de dossierkasten. Al snel kwam ze terug met een beige map in haar hand, waar ze doorheen bladerde. 'Dat was begin mei.'

'Zo lang geleden al,' merkte Banks peinzend op. 'Wat vroeg hij?'

'Hij gaf me een adres in Bloomsbury en een beschrijving van een man, en vroeg me of ik af en toe – hij zou me van tevoren bellen – het huis in de gaten kon houden, de man die eruit kwam volgen, erachter zien te komen waar hij naartoe ging en foto's van hem maken met alle mensen die hij ontmoette.'

'Heeft hij je ook verteld waarom hij wilde dat je dit deed?'

'Nee.'

'Jij ging er dus gewoon vanuit dat dit allemaal legaal was?'

'Hij leek me wel oké. Ik dacht… u weet wel, dat hij misschien homoseksueel was en bang was dat zijn vriend een verhouding met een ander had. Het komt vaker voor. Het ging hem alleen maar om die foto's. Hij heeft me niet gevraagd iemand iets aan te doen of zo.'

Beelden van Silbert en Hardcastle in het mortuarium schoten door Banks' hoofd. 'Er zijn veel verschillende manieren om iemand iets aan te doen.'

Tomasina liep rood aan. 'U kunt mij het gebeurde niet verwijten. Dat kunt u niet maken.'

'Goed, goed. Het spijt me. Ik verwijt jou ook niets. Ik bedoelde alleen maar dat foto's in verkeerde handen net zo dodelijk kunnen zijn als een pistool. Waren ze misschien bedoeld om iemand te chanteren? Was dat al bij je opgekomen?'

'Eerlijk gezegd niet, nee. Ik hoefde de foto's alleen maar te maken. Zoals ik net al zei, leek hij me wel aardig.'

'Je hebt gelijk,' zei Banks. 'Het is jouw schuld niet. Je deed gewoon je werk.' Hij voelde dat ze aandachtig naar zijn gezicht tuurde om te zien of ze kon ontdekken of hij de waarheid sprak en haar niet zat te pesten. Na een tijdje had ze haar besluit genomen en ontspande ze zich. 'Het was een fluitje van een cent,' zei ze. 'Aan het begin van de avond, om zeven uur, liep de man in kwestie via Euston Road naar Regent's Park. Daar ging hij altijd op een bankje aan het meer met die bootjes zitten totdat hij gezelschap kreeg van een andere man.'

'Hoe vaak ben je hem gevolgd?'

'Drie keer.'

'Ontmoette hij steeds dezelfde man?'

'Ja.'

'Goed. Ga verder.'

'Ze zeiden nooit iets, maar stonden op en wandelden samen naar St. John's Wood. U weet wel, de High Street, waar de begraafplaats is.'

'Ik weet wat je bedoelt,' zei Banks. 'En daarvandaan liepen ze naar Charles Lane en gingen ze samen een huis binnen.'

'Ja. Dat weet u dus allemaal al?'

'We hebben het huis en de straat aan de hand van een van jouw foto's geïdentificeerd.'

'Ach ja, natuurlijk,' zei Tomasina. 'Wat fijn dat jullie daar de middelen voor hebben, hè?'

'Met dank aan het geld van de belastingbetaler. Hoe lang bleven ze binnen?'

'Elke keer bijna twee uur.'

'En daarna?'

'Dan kwamen ze weer naar buiten en gingen ze ieder hun eigen weg. De man die ik moest volgen liep meestal naar de ondergrondse aan Finchley Road.'

'Meestal?'

'Ja. Eén keer is hij langs dezelfde weg waarlangs hij was gekomen weer helemaal teruggelopen naar Bloomsbury.'

'En de andere man?'

'Die heb ik nooit gevolgd. Dat viel niet onder mijn opdracht.'

'In welke richting vertrok hij?'

'Het noorden. Hampstead.'

'Te voet?'

'Ja.'

'Wie van hen tweeën had de sleutel van dat huis aan Charles Lane?'

'Geen van beiden,' zei Tomasina.

'Wil je soms beweren dat ze gewoon naar binnen gingen? Dat de deur openstond?'

'Nee. Ze klopten aan en iemand deed open.'

'Heb je die persoon ook gezien?'

'Niet echt goed. Ze stond altijd in de schaduw, een stukje bij de deur vandaan, en je kunt haar op de foto's ook niet duidelijk zien.'

'Ze?'

'O ja, het was beslist een vrouw. Een oudere vrouw, zou ik zeggen. Met grijs haar, misschien een jaar of zestig. Dat kon ik nog wel onderscheiden. Ik kan haar gezicht alleen niet beschrijven. Ik moest om de hoek blijven staan en de zoomlens gebruiken om te voorkomen dat ze me zagen. Ze was heel klein en keurig gekleed.'

'Edith Townsend,' zei Banks.

'Kent u haar?'

'Min of meer. Heb je er weleens een man gezien?'

'Nee. Alleen de vrouw.'

Lester had natuurlijk in de woonkamer zijn *Daily Telegraph* zitten lezen, bedacht Banks. Ze hadden dus tóch tegen hem gelogen, zoals hij al vermoedde, en dat hield in dat ze bij meneer Browne en zijn spionnen hoorden. Of bij diens tegenstanders. Wat had Silbert allemaal uitgehaald? Het ging niet om een verhouding, daar was Banks vrij zeker van, maar waren de foto's voldoende geweest om Hardcastle ervan te overtuigen dat het wel zo was? Die vriendschappelijke hand op de schouder? In combinatie met bedekte toespelingen en holle frasen à la Jago misschien wel, aangezien Hardcastle van nature al onzeker en jaloers was. Misschien werkte Silbert wel parttime en was hij betrokken bij een of ander speciaal project dat werd geleid door de Town-

211

sends, of zouden die slechts als façade dienen? 'Heeft jouw cliënt je gevraagd nader onderzoek te verrichten toen je hem de geheugenstick gaf?'

'Nee. Hij was alleen maar geïnteresseerd in de foto's van de twee mannen samen. Ik had ook niet de indruk dat het hem echt iets kon schelen wat ze deden of waarom ze hadden afgesproken.'

'Wanneer heb je hem de geheugenstick gegeven?'

'Op een woensdagmiddag. Eind mei. Twee weken geleden.'

'Heb je hem ook afdrukken van de foto's gegeven?'

'Ja. Weet u waar dit allemaal over gaat?'

'Niet echt,' zei Banks. 'Ik heb een vaag idee, maar dat is ook echt alles.'

'Gaat u me het ook vertellen of is dit eenrichtingverkeer?'

Banks glimlachte. 'Voorlopig blijft het inderdaad eenrichtingverkeer en bovendien zitten we volgens mij nog op een doodlopend spoor ook.'

'Dit was het dus? U komt hier binnenwandelen, gebruikt me en zet me dan bij het grofvuil aan de straat?'

'Helaas wel. Neem het niet al te zwaar op, Tomasina. Het is nu eenmaal een hard wereldje. Probeer het positief te bekijken. Je hebt goed gehandeld. Je hebt alles aan de politie verteld.'

'Ja, hoor, het zal wel. Ik heb het aan één politieman verteld en die heeft al te horen gekregen dat hij de zaak moet laten rusten. Ach, laat ook maar zitten ook. Het zit er dus op? U gaat weg en ik zie u nooit meer terug?'

'Het zit er inderdaad op.' Banks stond op. 'Als je me nodig hebt, kun je me via dit nummer bereiken.' Hij krabbelde zijn nieuwe mobiele nummer op de achterkant van zijn kaartje, overhandigde dit aan haar en liep naar de deur.

'Wacht,' riep ze hem na. 'Zou u nu ook iets voor mij willen doen?'

Banks bleef bij de deur staan. 'Het ligt eraan wat het is.'

'De Blue Lamps. Zou u een kaartje voor me kunnen regelen voor hun volgende optreden? En me aan Brian voorstellen?'

Banks keek haar over zijn schouder heen aan. 'Ik zal kijken wat ik kan doen,' zei hij.

12

Donderdag aan het eind van de dag had Annie schoon genoeg van de scholengemeenschap van Eastvale en de problemen in de wijk East Side. Ze had niet echt dorst, maar wel behoefte aan rust en stilte, en dus bestelde ze in The Horse and Hounds een Britvic-sinaasappelsap en verstopte ze zich in de achterkamer van de pub. Zoals meestal het geval was, was ze ook nu de enige aanwezige. Het was er schemerig en kil, een heel geschikte plek om haar gedachten te ordenen en hopelijk even rustig via haar gsm met Banks te praten.

Hoewel ze nog steeds niet helemaal achter Banks' wilde theorieën stond, begon ze wel langzaam maar zeker te geloven dat er een luchtje zat aan Derek Wyman en diens vriendschap met Mark Hardcastle. Wat had er voor hem in gezeten? Was er echt alleen maar sprake van twee film- en theaterliefhebbers die af en toe samen iets gingen drinken om te praten? Een paar vakidioten? Of zat er iets onheilspellenders achter? Als Wyman zich echt zorgen maakte over Hardcastles voornemen om een professioneel theatergezelschap op te richten, waarom gedroeg hij zich dan alsof ze goede vrienden waren?

Het kon weleens lonend zijn om onder vier ogen met Carol Wyman te gaan praten, bedacht Annie. Zolang ze maar niet werd betrapt. Hoofdinspecteur Gervaise zou het helemaal niet op prijs stellen dat ze bijkluste voor Banks. Dan kwamen ze allebei in een heel slecht blaadje bij haar te staan, als ze dat tenminste niet allang stonden. En waarvoor? Een halfbakken theorie die gebaseerd was op een stuk van Shakespeare en die, zelfs áls ze waar was, volgens haar inschatting nooit tot een arrestatie kon leiden. Toch moest Annie toegeven dat de hele kwestie haar intrigeerde en ze twijfelde net genoeg om bereid te zijn zo nu en dan een risico te nemen.

Eerst wilde ze echter Banks spreken, als hij tenminste tijd had. Annie zocht het laatste gesprek met hem op in de oproepenlijst en drukte op de beltoets. Het toestel ging over. Toen Banks opnam, hoorde ze op de achtergrond verkeer.

'Waar ben je?' vroeg ze. 'Zit je achter het stuur? Kun je praten?'

'Ik kan praten,' zei Banks. 'Ik loop net Soho Square op. Wacht even. Ik ga op het gras zitten.' Er viel een korte stilte en toen klonk zijn stem weer: 'Zo, dat is beter. Zeg het maar.'

'Het leek me verstandig om je even bij te praten. Ik heb Derek Wyman in de lerarenkamer van de school gesproken. We hebben hem gevraagd naar Nicky Haskell en de steekpartij, maar op weg naar buiten heb ik laten doorschemeren dat iemand hem met Mark Hardcastle in The Red Rooster heeft gezien.'

'En?'

'Hij reageerde erg chagrijnig, zei dat ik me met mijn eigen zaken moest bemoeien en dat hij het volste recht had om ergens met iemand iets te gaan drinken. Nu ja, iets van die strekking, in elk geval.'

'Wordt de spanning hem te veel?'

'Dat zou ik wel zeggen, ja. Aangenomen dat je gelijk hebt met dat Jagogedoe en zo – en ik zeg niet dat het inderdaad zo is, hoor – maar stel dat er echt zoiets heeft plaatsgevonden...'

'Volgens mij kan ik het tot nu toe volgen.'

'Nou, heb je er al over nagedacht hoe alles daardoor verandert?'

'In welk opzicht?'

'Als Derek Wyman Mark Hardcastle tegen Laurence Silbert heeft opgezet...'

'Er is geen sprake van "als," Annie. Dat heeft hij echt gedaan. Ik heb zojuist de privédetective opgespoord die hij had ingehuurd om Silbert te volgen en foto's te maken.'

Annie liet haar telefoontje bijna vallen. 'Wat?'

'Hij had een privédetective ingehuurd. Een dure grap, zeker als je in aanmerking neemt dat hij niet bepaald bulkt van het geld. Je had de B&B in Victoria eens moeten zien waar hij overnachtte. Spotgoedkoop en erg knus. Ik neem aan dat hij geen keus had. Vanwege zijn werk kon hij natuurlijk niet zo vaak naar Londen als hij had gewild. Bovendien durf ik te wedden dat hij ook niet wilde worden herkend. Vergeet niet dat hij Silbert een of twee keer had ontmoet bij een etentje.'

'Wat is er gebeurd?'

'Die vrouw heeft Silbert gevolgd van de flat in Bloomsbury naar Regent's Park, waar hij op een bankje een man ontmoette met wie hij naar het huis in St. John's Wood is gegaan. Het was Wyman er niet eens om te doen wat ze samen deden, het ging hem alleen om de foto's. Daar was hij op uit, Annie. Foto's van Silbert met een andere man. Bewijsmateriaal.'

'Het kan dus iets heel onschuldigs zijn geweest?'

'Dat betwijfel ik. De foto's zijn op zijn zachtst gezegd dubbelzinnig. Ze ontmoeten elkaar op een bankje in het park, wandelen samen naar een huis en gaan er naar binnen. Ze lopen niet hand in hand. De enige keer dat ze elkaar aanraken is wanneer Silbert als eerste het huis binnengaat. Met Jago's over-redingskracht vormden die volgens mij echter het zout in de pap.'

'Wat spookten Silbert en zijn maatje uit?'

'Ik vermoed dat ze samen aan iets werkten. Een of ander project van de ge-heime dienst. Ik ben bij dat huis geweest en het oude echtpaar van wie het is, is verdacht. Dat lieve oude dametje loog tegen me alsof het gedrukt stond, waardoor ik geneigd ben te geloven dat zij bij hen hoort en geen madam van een chique hoerenkast is.'

'Hij spioneerde dus nog steeds? Hij was niet met pensioen?'

'Daar lijkt het wel op. Of hij werkte voor de andere kant, wie dat ook mogen zijn. Denk je eens in hoe het op Hardcastle moet zijn overgekomen, Annie, zeker met de hulp van Wymans sluwe insinuaties en sprekende beschrijvin-gen.'

'Wat ik eigenlijk wilde zeggen was,' ging Annie verder, 'dat er geen enkele reden is om aan te nemen dat Silbert het beoogde slachtoffer was, als Wyman Hardcastle inderdaad tegen Silbert wilde opzetten. Wyman kende Silbert amper. Hardcastle kende hij daarentegen vrij goed.'

'Wat je dus eigenlijk wilt zeggen is dat Mark Hardcastle het slachtoffer was?'

'Dat zou toch heel goed kunnen? Vergeet ook het eenvoudige, maar veelbete-kenende gegeven niet dat Wyman niet met zekerheid kon zeggen wat de ge-volgen van zijn handelingen zouden zijn.'

'Ik ben het met je eens dat hij niet kan hebben geweten dat Hardcastle Silbert zou vermoorden en daarna de hand aan zichzelf zou slaan.'

'Nou, de here zij geprezen.'

'Hij wist echter wél dat hij een explosieve situatie creëerde en dat daarbij ie-mand iets kon overkomen.'

'Klopt. Zelfs als dat alleen in emotioneel opzicht was, zelfs als het alleen zijn bedoeling was om hen uit elkaar te drijven.'

'Bedoelde je dat soms?'

'Het klinkt logisch. Is dat niet wat je zou verwachten als je iemand ervan overtuigt dat zijn partner hem ontrouw is, in plaats van een bloederige moord en zelfmoord? Wyman had genoeg redenen om wrok te koesteren jegens Hardcastle vanwege de ontwikkelingen rond het theater. Overduidelijk niet genoeg om hem de doden, maar misschien wel genoeg om een beetje schade aan te willen richten.'

'Het zou kunnen,' zei Banks.

'In dat geval,' vervolgde Annie, 'doet al dat spionagegedoe er helemaal niet toe. Wat er is gebeurd had helemaal niets te maken met de veiligheid van het koninkrijk, terroristen, de Russische maffia of dergelijke flauwekul.'

'En meneer Browne dan?'

'Je bemoeide je met zijn territorium, Alan. Allemachtig, als een van onze mensen op die manier omkwam, zouden wij ook binnen de kortste keren en masse komen opdraven.'

'Julian Fenner, import-export, het geheimzinnige telefoonnummer dat niet overgaat?'

'Een vakgenoot? Onderdeel van Silberts werkzaamheden in Londen? Een manier om contact op te nemen met de man op de foto? Weet ik veel.'

'En de waarschuwing aan ons adres om ons er niet in te mengen?'

'Ze willen geen publiciteit. Silbert werkte toevallig voor MI6 en was door de jaren heen mogelijk betrokken geweest bij een flink aantal duistere praktijken. Misschien was hij dat nog steeds, als ik tenminste mag afgaan op wat jij me hebt verteld. Ze willen geen enkel risico lopen dat daar iets van uitlekt in de media of de rechtszaal. Ze willen hun vuile was niet buitenhangen. Het is allemaal keurig netjes afgerond. Moord en zelfmoord. Triest, maar overzichtelijk. Een diepgravend onderzoek was niet nodig. Totdat jij met vooruitgestoken borst en wapperende vuisten gaat lopen verkondigen dat er vuil spel is gespeeld.'

'Zie je me echt zo?'

Annie lachte. 'Een beetje wel.'

'Aangenaam. Ik zag mezelf juist als een ridder die op een wit strijdros tegen windmolens vecht en roet in het eten gooit.'

'Nu haal je metaforen door elkaar. Och, je weet best wat ik bedoel, Alan. Mannen onder elkaar. Een wedstrijd wie het verst kan plassen.'

'Je hebt me nog steeds niet overtuigd.'

'Je bent het wel met me eens dat het om Hardcastle ging en niet om Silbert?'

'Het is een mogelijkheid. Waarom graaf je niet wat dieper in de achtergrond van Wyman en Hardcastle om te zien of je iets kunt vinden? Wie weet? Misschien tref je daar wel een verband aan dat ons tot nu toe steeds ontgaat. Er bestaat ook een kans dat er iemand anders bij betrokken was, dat iemand Wyman ertoe heeft aangezet. Hem er zelfs voor heeft betaald. Ik weet dat je dat hele spionagegedoe niet echt serieus neemt, maar er bestaat ook een kans dat iemand uit dat wereldje het op Silbert had voorzien en Wyman ertoe heeft aangezet. Het ligt minder voor de hand, dat geef ik toe, omdat de afloop verre van vastlag, maar het is niet helemaal onmogelijk.'

'Voorlopig richten we ons op het Wyman/Hardcastle-aspect in plaats van... O, shit!'

'Wat is er, Annie?'

Annie keek naar de ranke, indrukwekkende gedaante van hoofdinspecteur Gervaise, die met een pint in de hand in de deuropening stond. 'Ah, inspecteur Cabbot,' zei Gervaise. 'Hier zit je dus. Heb je er bezwaar tegen als ik er even bij kom zitten?'

'Totaal niet, hoofdinspecteur,' zei Annie zo luid dat Banks haar kon verstaan. Toen drukte ze op de afbreektoets.

Banks vroeg zich af hoe Annie zich uit de netelige situatie zou proberen te redden nu ze in The Horse and Hounds was betrapt door hoofdinspecteur Gervaise, die de opmerking over het Wyman/Hardcastle-aspect ongetwijfeld ook had opgevangen. Ze zou het hem vast wel laten weten zodra ze daar kans toe zag. Hij stond op en klopte het gras van zijn broek. Het was een prachtige avond en het parkje midden op Soho Square liep snel vol: een stelletje lag strelend en zoenend op het gras, een studente zat tegen haar rugzak geleund een boek te lezen, een sjofele oude man at een in vetvrij papier verpakte sandwich. Kantoormedewerkers wandelden erdoorheen op weg van of naar de ondergrondsestations Oxford Street of Tottenham Court Road. Aan de randen van het park verzamelden zich de eerste jongeren, in strakke spijkerbroeken, met steil zwartgeverfd haar en T-shirts met het logo van de band erop, ter voorbereiding op het concert dat die avond in het Astoria werd gegeven. Banks dacht terug aan het optreden van Brians band dat hij daar een paar jaar eerder had bijgewoond, en voelde zich stokoud en totaal passé. Hij liep langs het vreemde tuinhuisje midden in het park en het beeld van koning Charles II, stak Oxford Street over en vervolgde zijn weg via Rathbone Street.

De pubs werden druk bezocht en de stoepen buiten stonden vol rokers. De terrasjes langs Charlotte Street – Bertorelli, Pizza Express, Zizzi – zaten vol en het wemelde in de straten van de mensen die op zoek waren naar een plek om iets te eten. De dure restaurants met hun onopvallende gevels, zoals Pied à Terre, zouden later vollopen, maar op dit tijdstip, in het licht van de vroege avond, wilden mensen juist worden gezien. De meesten waren toeristen en Banks hoorde diverse Amerikaanse accenten, evenals stellen die Duits of Frans spraken.

Banks had eigenlijk geen plannen gemaakt, maar versnelde zijn pas toen hij zag dat een van de tafeltjes buiten bij Zizzi vrijkwam en was er net iets eerder dan een paar Amerikanen die het ook in het vizier hadden. De vrouw keek hem woedend aan, maar haar man gaf een rukje aan haar mouw en ze liepen weg.

Banks had niets met Sophia afgesproken over het avondeten, hij wist niet eens hoe laat ze thuis zou komen en of ze onderweg ergens zou stoppen om iets te eten. Aangezien hij trek had, bedacht hij dat hij net zo goed een pizza en een glas wijn kon nemen in plaats van de curry waaraan hij eerder had lopen denken. Het tafeltje waaraan hij zat, was hooguit geschikt voor twee personen, dus toen de serveerster eindelijk arriveerde om zijn bestelling op te nemen, keek ze niet eens zo heel chagrijnig. De wijn werd snel gebracht, een mooi groot glas, en Banks leunde achterover om onder het genot van een slokje het tafereel voor hem te bekijken.

Dit was ongeveer hetzelfde wat Derek Wyman en Mark Hardcastle ook moesten hebben gezien toen ze hier een week of twee eerder zaten, dacht Banks bij zichzelf. Voornamelijk voetgangers, van wie sommigen heen en weer slenterden totdat ze een tafeltje konden bemachtigen om iets te eten, een paar mooie mensen die in avondkledij uit taxi's en limousines stapten voor een bijzonder evenement in de aangrenzende club. Bleke, knappe meisjes in spijkerbroek en T-shirt met een rugzak op hun rug. Grijsharige mannen die gehuld in een knalblauwe polo en witte broek naast onmogelijk dunne, gebruinde vrouwen met strak over hun schedel getrokken en genaaide gezichten met boze, rusteloze ogen beenden.

Waarover hadden ze zitten praten? Derek Wyman moest op dat moment de geheugenstick en de afdrukken van de digitale foto's van Tom Savage al in zijn bezit hebben gehad, vermoedde Banks. Had hij die hier aan Hardcastle gegeven? Misschien zelfs wel aan ditzelfde tafeltje? Hoe had Hardcastle erop gereageerd? Waren ze daarna gewoon naar de bioscoop gegaan, zoals afgesproken, of was ook dat gelogen geweest? Grote kans dat Hardcastle zich die avond een stuk in zijn kraag had gedronken. Dat zou Banks in elk geval wel hebben gedaan. Hij wist dat Silbert in Amsterdam zat en pas op vrijdag zou terugkeren, dus hij had geen haast gehad om naar Castleview Heights terug te keren. Hij was er de volgende dag met de auto naartoe gegaan, had daar ongetwijfeld nog meer gedronken, de foto's nog eens bekeken en zitten broeden, was toen razend geworden en tegen de tijd dat Silbert thuiskwam, had hij het kookpunt bereikt.

Tom Savage had Banks verteld dat ze Wyman de geheugenstick op woensdagmiddag om een uur of vier had overhandigd, dus had Wyman deze net in zijn bezit toen hij Hardcastle om zes uur hier ontmoette om snel een pizza te eten voordat ze naar de film gingen. Hij had Tomasina's visitekaartje, dat vast en zeker met een paperclip aan de foto's bevestigd had gezeten, natuurlijk verwijderd, in het borstzakje van zijn overhemd gestopt en compleet vergeten. Misschien wilde hij niet dat Hardcastle wist van wie de foto's afkomstig waren, zodat hij niet naar die persoon toe kon gaan om zelf het een en ander te vragen.

Toen de serveerster opdook met zijn pizza diavola vroeg Banks haar of ze heel even had. Ze had het duidelijk druk, maar de aanblik van zijn onopvallend getoonde politiepas werd beantwoord met een kort knikje en ze boog zich een stukje naar hem toe.

'Werk je hier regelmatig?' vroeg Banks.

'Elke dag.'

'Was je hier twee weken geleden ook op woensdag? Op dit tijdstip?'

'Ja. Ik werk elke dag dezelfde uren.'

'Heb je toen rond een uur of zes twee mannen aan een van de tafeltjes buiten zien zitten?'

'Er waren veel mensen,' zei ze. 'Was heel druk. En heel lang geleden.' Banks meende een Oost-Europees accent te bespeuren. Ze was kennelijk bang dat haar baas haar in de gaten hield, want ze wierp een blik over haar schouder. Banks ging snel verder: 'Twee mannen samen. De een gaf de ander iets. Misschien kregen ze ruzie of werden ze luidruchtig.'

Ze sloeg een hand voor haar mond. 'De man die de foto's verscheurt?'

'Wat?' zei Banks.

'Ik bracht net bestelling naar andere tafel, die daar, en die man – ik denk hij verft zijn haar blond – hij kijkt naar foto's en dan wordt hij boos en hij verscheurt ze.'

'Heb je gezien dat de andere man ze aan hem gaf?'

'Nee. Heel druk. Ik zie alleen dat hij ze verscheurt.'

'Was dat vandaag precies twee weken geleden?'

'Ik weet niet. Niet zeker. Misschien. Ik moet gaan.'

Het was niet erg aannemelijk dat zich in de afgelopen twee weken twee van dergelijke incidenten hadden voorgedaan, vond Banks. 'Zijn ze daarna vertrokken?' vroeg hij.

'Ze betalen me. Twee aparte rekeningen. Heel vreemd. Toen hij gaat weg, die ene die de foto's verscheurt.'

'En de ander?'

'Hij raapt stukken op en blijft nog even. Ik moet gaan.'

'Bedankt,' zei Banks. 'Heel hartelijk bedankt.'

De serveerster snelde weg. Banks nam een slokje wijn en zette zich aan zijn pizza. Wyman had de foto's dus bij het restaurant aan Hardcastle gegeven, die ze vervolgens had verscheurd. Dat was natuurlijk de reden dat ze niet in Castle-view Heights waren aangetroffen. Hardcastle had de geheugenstick echter wel meegenomen. Wyman moest wel om twee aparte rekeningen vragen. Ongetwijfeld wilde hij zelfs niet de schijn wekken dat hij zo vriendelijk was geweest om voor Mark Hardcastles maal te betalen, ook al was het maar bij Zizzi. Het was dus één pak leugens. Banks geloofde er niets van dat Hardcastle zich na het zien van de foto's later weer bij Wyman had gevoegd om naar het National Film Theatre te gaan. Het lag meer voor de hand dat hij er in alle staten vandoor was gegaan, zich had bezat, in de flat in Bloomsbury had overnacht, en de volgende dag naar huis was gereden om daar te gaan zitten piekeren en drinken totdat Silbert terugkwam uit Amsterdam.

Banks dacht na over zijn gesprek met Annie en kwam tot de conclusie dat ze het best eens bij het juiste eind kon hebben; misschien was Hardcastle inderdaad het beoogde slachtoffer, niet Silbert, en in dat geval kon het hele spionagegebeuren worden afgeschreven. Hij kwam ook tot de conclusie dat hij graag gelijk had gehad, dat hij graag had gewild dat het iets te maken had met grijze mannen die in het duister snode dingen uitvoerden, met of zonder toestemming van de regering. Hij had beslist te veel fictieve spionageverhalen gezien en gelezen – van *The Sandbaggers* en *Spooks* op televisie tot *Spion aan de muur* en *Dossier Ipcress* in boekvorm. Om nog maar helemaal niet te spreken van James Bond. Ongetwijfeld ging het er in het echt heel anders aan toe.

Daar stond tegenover dat je weleens geruchten opving. Er waren ongetwijfeld echt huurmoorden gepleegd, gekozen regeringen ondermijnd, niet eens alleen door de CIA in Zuid-Amerika, en spionnen of dubbelagenten van de tegenpartij op straat vermoord. Als je was opgegroeid in de tijd waarin Banks was opgegroeid, kon je Philby, Burgess en Maclean onmogelijk snel vergeten. Ook om de Profumo-affaire hing door de rol van Ivanov, een marineattaché van de Sovjetambassade, het waas van de Koude Oorlog, ondanks de aangename afleiding in de gedaante van Christine Keeler en Mandy Rice-Davies. Recentelijk had je die Bulgaar die met een vergiftigde paraplu om het leven was gebracht en Litvinenko, die was vergiftigd met een radioactieve isotoop die een spoor had getrokken door half Londen.

Nee, het was een schimmige en vaak verkeerd begrepen wereld, maar hij bestond wel degelijk en blijkbaar had hun radar Banks nu opgepikt. Het echte probleem was dat je hen nooit kon vinden, ook al konden zij jou altijd vinden wanneer ze dat wilden. Hij kon moeilijk bij Thames House of Vauxhall Cross aankloppen en naar meneer Browne vragen. Er was echter één persoon met wie hij wel kon gaan praten. Hoofdinspecteur Richard 'Dirty Dick' Burgess werkte inmiddels alweer een tijdje voor een of ander elite-antiterrorisme-team. Zelfs de naam ervan was zo geheim dat ze je moesten ombrengen als je hem had gehoord, had hij eens gegrapt. Burgess was een sluwe oude vos, maar Banks en hij kenden elkaar al heel lang, en er bestond een kansje dat hij enkele van de betrokkenen kende of een paar details kon vertellen. Hij kon hem in elk geval bellen.

Banks dronk zijn wijn op, maar besloot de laatste pizzapunt niet meer op te eten. Hij bedacht dat het jonge stel dat zojuist wéér aan de overkant van de straat voorbij was geslenterd echt geen zes keer door Charlotte Street op en neer had hoeven wandelen om een tafeltje voor een van de restaurants te bemachtigen, zoals ze hadden gedaan. Wie had ook alweer gezegd dat paranoia simpelweg inhoudt dat je van alle feiten op de hoogte bent? Banks wenkte de serveerster en haalde zijn portemonnee tevoorschijn.

'Iets te drinken, inspecteur Cabbot?' zei hoofdinspecteur Gervaise, terwijl ze haar pint met een klap op Annies tafel neerzette.

Annie keek op haar horloge. Net na zessen.

'Je hebt toch officieel geen dienst meer? Bovendien vraagt een agent met een hogere rang je iets met haar te drinken.'

'Begrepen. Dank u wel, hoofdinspecteur,' zei Annie. 'Een pint Black Sheep, graag.'

'Uitstekende keuze. Het is trouwens nergens voor nodig me met hoofdinspecteur aan te spreken. We zijn gewoon een paar collega's die na het werk even samen iets drinken.'

Op een of andere manier vond Annie dat dreigender klinken dan Gervaise het waarschijnlijk had bedoeld. Ze wist het echter niet honderd procent zeker. Ze vond de hoofdinspecteur nog altijd moeilijk te peilen. Gervaise was een lastig type. Je moest altijd op je hoede blijven. Het ene moment deed ze of ze je beste vriendin was en het volgende was ze weer een en al zakelijkheid, op en top de baas. Net wanneer je ervan overtuigd raakte dat ze een carrièrevrouw was, linea recta van de universiteit en politieacademie op weg naar een hoge functie, verraste ze je met een verhaal over haar leven of ondernam ze iets wat slechts als roekeloos kon worden omschreven. Annie besloot dat ze zich zo passief mogelijk zou opstellen en Gervaise het voortouw zou laten nemen. Je wist nooit precies wat je aan haar had. Het mens was onvoorspelbaar, wat bij sommigen een bewonderenswaardige eigenschap is, maar niet bij een hoofdinspecteur, en soms wist je na een gesprek met haar nooit helemaal zeker wat er nu eigenlijk was gebeurd of waarmee je precies had ingestemd.

Gervaise keerde terug met de Black Sheep en ging tegenover Annie zitten. Nadat ze had geproost, liet ze haar blik door de kleine ruimte met de in het gedempte licht glanzende, donker gebeitste lambrisering dwalen en ze zei:

'Het is hier prettig toeven. Ik vind de Queen's Arms soms een tikkeltje te rumoerig en druk. Jij ook? Ik kan het je niet kwalijk nemen dat je liever hier zit.'

'Ja, hoof… Ja,' zei Annie, die haar woorden net op tijd inslikte. Twee collega's die na het werk even samen iets drinken. Het spel was dus uit. Gervaise wist van The Horse and Hounds af. Jammer. Annie vond het een prettige pub en het bier was goed. Zelfs de Britvic-sinaasappelsap smaakte er lekker.

'Was dat inspecteur Banks met wie je zojuist zat te praten?'

'Ik… ehm… ja,' zei Annie.

'Geniet hij een beetje van zijn vakantie?'

'Hij zegt van wel.'

'Enig idee waar hij zit?'

'Londen, denk ik.'

'Nog steeds? Hij heeft Devon of Cornwall dus nog altijd niet bereikt?'

'Blijkbaar niet.'

'Hij heeft zijn gsm dus bij zich?'

Annie haalde haar schouders op.

'Dat is dan vreemd, want ik krijg hem steeds maar niet te pakken.'

'Ik neem aan dat hij hem niet de hele tijd aan heeft staan. Hij is tenslotte wel op vakantie.'

'Ach ja, dat zal het zijn. Hoe dan ook, hoorde ik je nu iets zeggen over een verband met Wyman-Hardcastle?'

'Dat zou heel goed kunnen. We zaten wat theorieën bespreken, u kent dat wel… zoals we dat altijd doen…'

Gervaise trok een verbaasd gezicht. 'Dat kan toch helemaal niet? Volgens mijn dossiers is er namelijk geen zaak-Hardcastle. En ik ben nog wel de leidinggevende. Volgens mij luidt de officiële uitspraak van de lijkschouwer ook dat het zelfmoord was.'

'Jawel, hoofdinspecteur.'

'Ik heb je net al gezegd dat je dat formele gedoe achterwege kunt laten. Ik mag toch wel Annie zeggen, hè?'

Het voelde raar aan, maar Annie was niet van plan daar nu moeilijk over te doen. Ze moest erachter zien te komen waar Gervaise naartoe wilde en dat kon je uit haar openingszinnen nooit opmaken. 'Natuurlijk,' zei ze.

'Moet je eens horen, Annie,' vervolgde Gervaise. 'Ik mag jou wel. Je bent een goede politieagent. Je bent slim en als ik moest gokken, zou ik zeggen dat je vrij ambitieus bent. Klopt dat?'

'Ik doe mijn werk graag goed en wil daar ook erkenning voor,' zei Annie.

'Precies. Inzake dat onderzoek waarbij je laatst betrokken was toen je was uitgeleend aan de oostelijke divisie valt niets op jou aan te merken. Men zou kunnen zeggen dat je op het eind enigszins overhaast te werk ging en daardoor de plank missloeg, maar je kon met geen mogelijkheid voorzien dat het zo zou aflopen. Al met al heb je je uitstekend van je taak gekweten. Het is altijd jammer wanneer er bloed vloeit, maar als je je hoofd niet koel had gehouden en alert was gebleven, had het allemaal nog erger kunnen zijn, veel erger.'

Annie vond helemaal niet dat ze het hoofd koel had gehouden, maar je sprak dergelijke lof nu eenmaal niet tegen in het bijzijn van degene die jou ermee overlaadde. Zeker niet als diegene hoofdinspecteur Gervaise was. 'Dank u wel,' zei ze. 'Het was een moeilijke tijd.'

'Dat kan ik me indenken. Goed, dat ligt nu allemaal achter ons. Net als het onderzoek naar Silbert en Hardcastle, was mijn indruk.'

'Gewoon wat losse draden,' merkte Annie op. 'U weet wel, puntjes op de i.'

'Juist ja. En als jullie daarmee klaar zijn, hoe luidt dan de conclusie?'

'Moord en zelfmoord?'

'Inderdaad. In dit geval heeft de hoofdcommissaris persoonlijke belangstelling getoond voor de hele kwestie en hij vindt dat het in het belang van alle betrokkenen is – zijn eigen woorden – dat we het dossier in de kast met opgeloste zaken leggen – hij denkt overigens echt dat zo'n kast bestaat – en dat we de zaak uit ons hoofd zetten en ons volledig op de situatie in East Side concentreren voordat het daar uit de hand loopt. Het toeristenseizoen is namelijk van start gegaan.'

'Laten we vooral ook de gestolen verkeerskegels niet vergeten,' zei Annie.

Gervaise keek teleurgesteld. 'Ach, nou ja. Het punt is dat je, als je je werk zou doen en je aan je instructies hield, als je…'

'Ik werk keihard aan die steekpartij en Donny Moore.'

'Daar ben ik me van bewust, Annie, maar ik ben er niet van overtuigd dat het je gehele aandacht heeft. Ik vang net het eind op van een telefoongesprek tussen jou en inspecteur Banks, die zogenaamd op vakantie is, over een onderwerp dat niet alleen ik, maar ook onze hoofdcommissaris graag wil vergeten. Wat moet ik er dan van denken? Zeg jij me dat eens.'

'U mag denken wat u wilt,' zei Annie. 'Hij wil alleen wat losse draden wegwerken. Dat is alles.'

'Er zijn helemaal geen losse draden. Dat heeft de hoofdcommissaris zelf gezegd.'

'En wie heeft hem dat voorgekauwd?'

Gervaise zweeg. Ze staarde Annie koeltjes aan en antwoordde toen: 'Ongetwijfeld iemand die hoger op de hiërarchische ladder staat dan hij.'

'Voelt u zich dan niet gebruikt wanneer de inlichtingendienst ons territorium binnendringt?' vroeg Annie.

'Nou nou,' zei Gervaise. 'Zo moet je het niet zien. Echt niet. Dit heet nu samenwerking. We staan in deze strijd allemaal aan dezelfde kant, een verenigd front tegen de machten van het kwaad. Ze dringen helemaal nergens binnen, ze bieden ons hun ervaring en kennis aan, helpen ons de juiste richting te vinden en in dit geval bleek dat een doodlopend spoor.'

'Net mijn SatNav,' zei Annie.

Gervaise lachte. Ze dronken nog wat bier. 'Ik wil je graag wat vertellen,' ging ze verder. 'Een paar jaar geleden, toen ik bij de Met werkte, moesten we soms veel nauwer met Special Branch en MI5 samenwerken dan we wel zouden willen. Je hebt gelijk, Annie. Het zijn inderdaad vaak arrogante, sluwe klootzakken en meestal hebben ze helaas een alles verpletterend gelijk aan hun zijde, of het nu om 9/11 gaat of om de bomaanslagen van juli 2005 in Londen. Wanneer iemand dat ter sprake brengt, valt er weinig tegen in te brengen. Nog een glas?'

'Het lijkt me beter van niet,' zei Annie.

'Och, kom.'

'Vooruit dan maar. Deze keer haal ik wel.' Annie stond op en liep naar de bar. Waar wilde Gervaise in vredesnaam naartoe met dit alles, vroeg ze zich af, terwijl ze twee nieuwe pints Black Sheep bestelde. De pub liep langzaam maar zeker vol met de gebruikelijke mengeling van buurtbewoners en toeristen, de laatsten in sommige gevallen met enorme rugzakken bij zich en in wandelkleding gehuld, genietend van hun eerste pint na een wandeling van vijftien kilometer. Uit de muziekinstallatie in de pub klonk 10cc's 'I'm Not in Love'. Annie had dat altijd een mooi nummer gevonden. Een van haar ex-vriendjes, die was afgestudeerd in Engels, had het gebruikt om haar het verschil tussen ironie en sarcasme uit te leggen. Toch was ze niet met hem naar bed gegaan en toen ze hem met een citaat uit 'I Get Along Without You Very Well' om de oren had geslagen, was dat absoluut niet ironisch bedoeld geweest.

Ze droeg de drankjes terug naar het kamertje, klaar voor de volgende ronde.

Het was opnieuw warm en druk in de ondergrondse, en Banks was blij dat hij bij Sloane Square kon uitstappen. Hij liep in het avondlicht door King's Road langs het grote, oersaaie filiaal van Peter Jones en de Habitat naar de plek waar de straat smaller werd, en chique boetieks en juwelierszaken het straatbeeld bepaalden. Tijdens het lopen vertraagde hij instinctief zo nu en dan zijn pas om in een etalageruit te kijken of hij werd gevolgd, en intussen nam hij in gedachten alles door wat hij die dag te weten was gekomen, van Tomasina's onthulling over de foto's en Hardcastles gedrag bij Zizzi tot wat Annie hem had verteld over Nicky Haskell, die Wyman in The Red Rooster met Hardcastle had zien bekvechten of hem de les had zien lezen, en Wymans reactie toen ze er iets over zei.

Hij hoopte dat alles goed ging met Annie. Ze wist zich gewoonlijk heel behendig uit lastige situaties te redden, maar Gervaise kon erg volhardend zijn, om niet te zeggen listig. Een deel van hem wilde niets liever dan de hoofdinspecteur op de hoogte stellen van het bewijsmateriaal dat zijn theorie over de zaak-Hardcastle/Silbert ondersteunde en dat Derek Wyman er tot over zijn oren in zat, maar hij vertrouwde haar niet helemaal. Er viel in deze kwestie geen eer te behalen en hem was duidelijk te verstaan gegeven dat MI5, MI6 en Special Branch niet wilden dat hij zich met de zaak-Silbert bemoeide.

Soms verlangde Banks terug naar die goede oude tijd toen Gristhorpe de leiding had. Met Gristhorpe, een zeer directe Yorkshireman, wist je tenminste waar je aan toe was. Bovendien had deze zich ongetwijfeld tegen de hogere machten verzet. Gristhorpe was geen marionet en nam zelf zijn beslissingen. Dat was wellicht ook de reden dat hij het nooit verder had geschopt dan hoofdinspecteur. Banks bedacht dat hij zijn oude baas en mentor al vrij lang niet had bezocht. Nog iets om toe te voegen aan zijn lijst met voornemens.

Hij liep Sophia's straat in en probeerde alles uit zijn hoofd te zetten. Als Sophia thuis was, konden ze misschien eerst een glas wijn drinken en dan naar de bioscoop gaan of een concert bezoeken, zoals ze laatst hadden gedaan. Banks vond het trouwens ook prima om een avondje samen thuis te blijven. Als ze niet thuis was, had ze waarschijnlijk wel een berichtje ingesproken om hem te laten weten waar ze elkaar later die avond zouden ontmoeten. Toen hij de trap op liep, zag hij dat het licht in de woonkamer brandde, wat betekende dat ze thuis was.

Banks en Sophia hadden afgesproken dat ze allebei konden komen en gaan in elkaars huis alsof het hun eigen huis was, dus stak hij de sleutel in het slot en tot zijn verbazing zwaaide de deur meteen open. Hij was niet afgesloten. Dat was niets voor Sophia. Hij bekeek de deurknop en het slot om te zien of iemand zich met geweld toegang had verschaft, maar kon niets ontdekken. Het alarmsysteem had zoiets trouwens wel opgepikt.

Banks riep Sophia's naam en liep vanuit de gang rechtsaf de woonkamer in, maar op de drempel bleef hij staan. Ze zat daar zo stil met haar hoofd op haar borst dat hij in eerste instantie vreesde dat ze dood was. Toen hij nogmaals haar naam riep, hief ze echter een betraand gezicht naar hem op en begreep hij dat ze lichamelijk ongedeerd was.

Ze zat met haar rug tegen de bank geleund op de vloer met haar lange benen voor zich uitgestrekt in de richting van de berg vernielde spullen die midden op het kleed lag uitgestald. Háár spullen. Banks kon niet goed zien wat er allemaal lag. Het oogde als een willekeurige selectie van gekoesterde bezittingen, afkomstig van verschillende plekken in de kamer: een aan flarden gereten landschapsschilderij dat aan de muur boven de stereo had gehangen; een antiek tafeltje waarop ze diverse voorwerpen had uitgestald, waarvan de dunne poten nu aan diggelen waren geslagen en het parelmoeren tafelblad aan scherven gehakt; een gebroken Eskimobeeld van speksteen; een verbrijzeld keramisch masker; her en der verspreide kralen van kapotgerukte kettingen; een gebarsten beschilderd paasei; gedroogde varens en bloemen die in een parodie op een begrafenis nonchalant over alles waren uitgestrooid.

Sophia hield een teer stuk serviesgoed met een gouden randje in haar hand en klemde dat zo stevig vast dat haar palm bloedde. Ze liet het aan Banks zien. 'Dit was van mijn moeder. Haar grootmoeder heeft het haar gegeven. God mag weten hoe lang zij het al had of hoe ze eraan kwam.' Plotseling smeet ze de scherf naar Banks. Hij kwam tegen de deurpost aan. 'Klootzak die je bent!' krijste ze. 'Hoe kon je dat nou doen?'

Banks wilde naar haar toelopen, maar ze stak haar handen met de palmen naar voren omhoog. 'Blijf uit mijn buurt,' zei ze. 'Blijf uit mijn buurt, anders sta ik niet voor de gevolgen in.'

Ze had haar moeders ogen wanneer ze kwaad was, zag Banks. 'Sophia, wat is er?' vroeg hij. 'Wat is er gebeurd?'

'Je weet donders goed wat er is gebeurd. Dat kun je toch zien? Je bent vergeten de alarminstallatie in te stellen en…' Ze gebaarde om zich heen. 'Dít is er gebeurd.'

Banks hurkte aan de andere kant van de berg tegenover haar neer. Zijn knieen kraakten. 'Ik ben niet vergeten de alarminstallatie in te stellen,' zei hij. 'Dat ben ik nog nooit vergeten.'

'Toch is het zo. Een andere verklaring is er niet. Het alarm is niet afgegaan. Ik kwam net als altijd thuis. De deur was niet opengebroken of wat dan ook. Dit is wat ik aantrof. Hoe kan dit anders zijn gebeurd? Je bent vergeten de alarminstallatie in te stellen. Iemand is zomaar naar binnen gelopen.'

Banks wist dat het zinloos was haar redenering in twijfel te trekken – bijvoorbeeld door te vragen hoe iemand het had kunnen weten als hij inderdaad was vergeten de alarminstallatie aan te zetten – want ze stond er duidelijk niet voor open. 'Heb je de achterdeur gecontroleerd?' vroeg hij.

Sophia schudde haar hoofd.

Banks liep door de gang naar de deur die toegang gaf tot de keuken. Niets.

Geen sporen van inbraak, geen sporen van een indringer. Voor alle zekerheid liep hij de achtertuin in, maar hij zag dat ook daar alles gewoon op zijn plek stond. De poort aan de achterkant was met een hangslot afgesloten, hoewel het natuurlijk heel goed mogelijk was dat iemand eroverheen was geklommen. Dan moesten ze echter nog steeds het alarm zien te omzeilen, want dat bestreek het hele huis.

Hij keerde terug naar de woonkamer. Sophia had zich niet verroerd. 'Heb je de politie gebeld?' vroeg hij.

'Ik wil de politie helemaal niet hier hebben. Wat kunnen zij hier verdomme aan doen?'

'Dat weet je niet,' zei hij. 'Misschien…'

'Ach, ga toch weg. Waarom ga jij niet gewoon weg?'

'Sophia, het spijt me, maar dit is niet mijn schuld. Ik heb vanochtend de alarminstallatie aangezet, net als altijd.'

'Hoe verklaar je dit allemaal?'

'Is er iets weg?'

'Hoe moet ik dat nu weten?'

'Het kan belangrijk zijn. Je moet een lijst opstellen voor de politie.'

'Ik zei net toch al dat ik er geen politie bij wil hebben. Die kan toch niets doen.'

'Nou, de verzekeringsmaatschappij…'

'Rot op met die stomme verzekeringsmaatschappij! Die kunnen dit alles echt niet vervangen.'

Banks staarde naar de hoop kapotte dierbare bezittingen en besefte dat ze gelijk had. Alle voorwerpen die hier lagen, waren persoonlijk en geen van alle veel geld waard. Hij wist dat hij de politie moest bellen, maar ook dat hij dat niet zou doen. En niet alleen omdat Sophia dat niet wilde. Er bestond maar één logische verklaring voor dit alles, wist Banks, en op een bepaalde manier was het dus toch zijn schuld. Het had geen enkele zin de politie te bellen. De mensen die hierachter zaten, waren schaduwen, ongrijpbaar, voor wie dure alarminstallaties kinderspel waren. Meneer Browne had inderdaad geweten waar Sophia woonde. Banks knielde naast de puinhoop neer. Sophia weigerde hem aan te kijken. 'Kom,' zei hij zuchtend. 'Ik help je wel met opruimen.'

'Dank je,' zei Gervaise toen Annie met de drankjes terugkwam. 'Waar was ik gebleven?'

'11 september en de bomaanslagen in Londen.'

'O, ja. Ik was even een beetje afgedwaald. Enfin, je snapt het vast wel. Als je maar lang genoeg met dit soort mensen samenwerkt, ga je vanzelf net zo denken als zij. Een van de mannen in ons team, laten we hem maar Aziz noemen, was moslim. Zijn familie kwam uit Saoedi-Arabië, maar hij was hier opgegroeid en sprak als een echte Eastender; ze bezochten echter nog altijd de plaatselijke moskee, hielden zich aan de gebedstijden en noem maar op. Dit speelde allemaal tijdens de nasleep van de bomaanslagen in Londen in juli en de betreurenswaardige schietpartij in de ondergrondse waarbij een Braziliaan is omgekomen. Iedereen had een korter lontje, zoals je je misschien wel kunt voorstellen. Goed, Aziz had kritiek op de manier waarop de contactpersoon van Special Branch-MI5 een incident bij de moskee had aangepakt, iets in de trant van dat we het nogal onhandig hadden aangepakt en voordat hij het wist was zijn dossier vuistdik. Ze hadden een hele fabel om hem heen verzonnen. Alles stond erin: trainingskampen in Pakistan, ontmoetingen met leiders van terroristische groeperingen, een en ander met documenten en foto's onderbouwd. Een persoonlijke vriend van Osama Bin Laden. Nou ja, je snapt vast wel wat ik bedoel. Alle informatie, elk beeld was nep. Aziz was Engeland zijn hele leven nog nooit uit geweest. Hij kwam zelfs zelden buiten Londen. Toch stond het er, in geuren en kleuren, het leven van een terrorist. We wisten allemaal dat het flauwekul was. Zelfs MI5 wist dat het flauwekul was. Ze wilden echter iets duidelijk maken en dat was hen gelukt.'

Gervaise zweeg en nam een slokje bier. 'Een veldagent een nieuwe identiteit meegeven, zo noemen ze het,' ging ze verder. 'Een valse naam, een verzonnen levensgeschiedenis, compleet met alle bewijzen en documenten die iemand zich maar kan wensen. Tja, dit is dus wat ze Aziz gaven, zonder dat hij erom had gevraagd of zoiets nodig had. Uiteraard doorzochten ze zijn flat, ondervroegen ze hem, dreigden ze dat ze zouden terugkomen, vielen ze zijn vrienden en collega's lastig. Dit was iets wat ieder van ons kon overkomen die niet netjes deed wat hem werd opgedragen, wilden ze hiermee duidelijk maken. Toevallig had Aziz een donkere huid en was hij moslim, maar wij waren evenmin immuun, ook al waren we blank. Misschien denk je nu wel dat ik paranoïde was, Annie, maar jij was er niet bij.'

'Hoe is het met Aziz afgelopen?'

'Zijn carrière was geruïneerd. Alle informatie over trainingskampen en dergelijke zijn natuurlijk weer uit zijn dossier verwijderd – dat was allemaal puur voor het effect – maar ze hadden laten zien waartoe ze in staat waren. Een week later sprong Aziz van een brug over de M1. Het lijkt me niet terecht om MI5 daarvan de schuld te geven. Ze konden ook niet weten dat hij zo labiel was. Of misschien juist wel...'

'Wat bedoelt u daarmee?'

Gervaise nipte weer aan haar bier. 'Ik vertel je gewoon iets, Annie, meer niet.'

'Het is een waarschuwing dat ik me er niet in moet mengen.'

'Waarin zou jij je dan niet mogen mengen? Je zoekt er echt te veel achter. Als ik al iets doe, Annie, dan is het wel jou vertellen dat je heel voorzichtig moet zijn en dat mag je ook tegen inspecteur Banks zeggen wanneer je hem weer spreekt.'

'Er is nog iets,' ging Annie verder. 'Ik weet niet wat, maar er is nog iets. Vindt u ook niet dat er een luchtje zit aan dat gedoe rond Hardcastle en Silbert, dat er iets niet klopt, niet logisch is? Jawel, hè? U vindt dat ook.'

'Je weet net zo goed als ik dat er altijd dingen zijn die niet helemaal kloppen. Ik weet niet welke wilde theorieën inspecteur Banks en jij allemaal hebben bedacht, maar ik wil wel graag opmerken dat wetenschappelijk onderzoek in combinatie met grondig politieonderzoek overtuigend en wettig heeft aange-toond dat Mark Hardcastle eerst Laurence Silbert om het leven heeft ge-bracht en vervolgens zichzelf heeft opgehangen. Dat wilde je toch niet in twijfel trekken, hè? De feiten?'

'Nee, ik...'

'Dan valt er verder niets te onderzoeken.' Gervaise staarde Annie aan. 'En nu we het toch over wilde theorieën hebben, stel dat inspecteur Banks op het bizarre idee was gekomen dat iemand Hardcastle ertoe heeft aangezet. Door hem namaakfoto's te laten zien, hem bepaalde zaken aan te praten, dingen te insinueren, hem op te fokken en dergelijke. Ik heb onlangs *Othello* gezien en ik heb begrepen dat inspecteur Banks de voorstelling afgelopen weekend met zijn vriendin ook heeft bezocht. Misschien is hij daardoor op het idee geko-men. Ik kende het stuk al van school, maar had het jarenlang niet gezien of eraan gedacht. Het is echt een heel krachtig verhaal. Interessant, vind je niet? Jago zette weliswaar een man tegen diens vrouw op, maar er is geen enkele reden dat dit niet van toepassing zou kunnen zijn op een homoseksuele rela-tie, zeker wanneer je het element van buitensporige agressie in aanmerking neemt dat we soms bij moorden op homoseksuelen aantreffen.'

'Wat?' zei Annie. Ze besefte dat ze zich op gevaarlijk terrein begaf. Ze had de *Othello*-theorie niet aan Gervaise willen prijsgeven uit angst dat ze erom zou worden uitgelachen, maar nu kwam het mens er zelf mee aanzetten. Onge-twijfeld om die meteen als onzinnig af te doen.

Gervaise keek haar van opzij aan en glimlachte. 'Och, doe maar niet zo on-schuldig, Annie. Ik ben heus niet zo nat achter mijn oren als jullie lijken te denken. Kun je naast jullie vermoeden dat iemand Hardcastle heeft gemanipuleerd nog een andere reden bedenken dat inspecteur Banks en jij het de moeite waard vinden om het onderzoek naar deze kwestie voort te zetten? Ik weet zeker dat jullie net zo goed als ik beseffen dat onze veiligheidsdienst over een flink aantal psychologische trucs beschikt. Zelfs jullie twee slaan wetenschappelijk bewijsmateriaal en feiten normaal gesproken niet in de wind. Er moet een reden zijn dat jullie dit doen en ik vermoed dat het dat is. Wat betreft inspecteur Banks... nu ja, je weet waarschijnlijk ook wel dat als je hem iets opdraagt hij graag precies het tegenovergestelde doet. Ik hoop alleen wel dat hij beseft wat er gebeurt met spionnen die zich in vijandelijk gebied begeven. En, heb ik gelijk? Wat is er, Annie? Ben je je tong verloren?'

Nadat Banks het huis van Sophia had verlaten, verkeerde hij in tweestrijd. Wat moest hij doen? vroeg hij zich af. Hij zat met bonzend hart en nog altijd bevende handen in de Porsche even verderop in de straat. Hij kon natuurlijk in Sophia's huis overnachten, ook al zou het ondraaglijk zijn om daar in zijn eentje te slapen na wat er net was gebeurd. Het was al laat, maar hij kon ook altijd naar huis gaan. Hij had maar één glas wijn gehad en dat was alweer een tijdje geleden, dus hij had zeker niet te veel gedronken. Hij voelde zich evenmin te moe om te rijden, ook al wist hij dat hij er met zijn aandacht niet bij was. Brians flat was ook een optie, of anders een hotel.

Sophia was ontroostbaar geweest. Wat hij ook zei, ze kon de gedachte niet van zich afzetten dat hij was vergeten de alarminstallatie in te stellen en dat iemand dit had gezien en er zijn voordeel mee had gedaan. Ergens was dit misschien beter dan het idee dat iemand van hun eigen inlichtingendienst het had gedaan om Banks op indringende wijze iets duidelijk te maken, vond hij. Het was hem ook niet ontgaan dat hij met Victor Morton, Sophia's vader, over Silbert had gesproken en dat Victor zijn hele leven bij verschillende Britse consulaten en ambassades over de hele wereld had gewerkt. Verder had je nog die vreemde man aan de bar van The Bridge en alle andere onbekende gezichten die Banks de laatste tijd op straat had zien lopen. Paranoïde? Misschien. De gebeurtenissen van die avond hadden echter wel degelijk echt plaatsgehad. Iemand met de juiste apparatuur of kennis om een ingewikkelde alarminstallatie buiten werking te stellen was Sophia's huis binnengedrongen, had daar rustig een aantal dierbare eigendommen met een grote emotionele waarde kapotgeslagen en ze op een hoop in de woonkamer achtergelaten. Duidelijker kon de boodschap niet zijn. Banks had het hele huis vluchtig bekeken, maar voor zover hij had kunnen zien, was er niets ontvreemd en waren er verder geen kamers overhoopgehaald, dus bleef alleen de puinhoop op het kleed in de woonkamer over. Dat was echter voldoende. Meer dan voldoende.

Sophia had erop aangedrongen dat hij vertrok, maar hij wilde haar niet alleen achterlaten. Ten slotte had hij haar zover gekregen dat ze haar beste vriendin Amy had gebeld en minstens één nacht bij haar zou gaan slapen. Sophia had onwillig met het voorstel ingestemd en Amy had haar met de auto opgehaald. Daar was Banks blij om. Hij vermoedde dat Sophia een taxichauffeur gewoon had opgedragen om haar weer naar huis te brengen. Amy was verstandig en sterk, en een kort gesprek met haar terwijl Sophia haar weekendtas inpakte volstond. Banks had het gevoel dat hij niet bang hoefde te zijn dat Sophia die avond iets stoms zou uithalen. Zijn tweestrijd betrof de vraag of hij in Londen moest blijven, zodat hij er de volgende dag voor haar kon zijn, voor het geval ze van gedachten was veranderd over hem. Voorlopig was hij echter uit de gratie. Heel erg uit de gratie.

Het schoot hem te binnen dat de vrouw aan de overkant van de straat een nieuwsgierig aagje was dat altijd door het raam stond te gluren en er altijd net iets te lang over deed om de gordijnen 's avonds dicht te trekken of 's ochtends open te schuiven. Hij stapte uit de auto en belde bij haar aan. Als ze niet van haar vaste patroon was afgeweken, had ze hem zien aankomen.

Kort nadat hij had aangebeld ging de deur open. 'Ja?' zei ze.

Ze was jonger dan hij op basis van de vage gedaante die hij alleen vanuit de verte had gezien had gedacht en ze straalde iets eenzaams uit in haar vormloze vest dat ze ondanks de warmte om zich heen had geslagen.

'Het spijt me dat ik u stoor,' zei Banks, 'maar we verwachtten vandaag aan de overkant iemand om de computer onder handen te nemen. Ik vroeg me af…'

'Een man en een vrouw?'

'Inderdaad,' zei Banks.

'Die zijn al geweest.'

'Weet u nog hoe laat dat was?'

'Even na vieren. Ik had hen nog niet eerder gezien, dus ik was een tikje achterdochtig.'

'Hebben ze aangebeld?'

'Ja. Toen haalde een van hen een sleutel tevoorschijn en liepen ze zo naar binnen. Dat was wel een beetje vreemd, maar ze gedroegen zich helemaal niet verdacht. Ze deden gewoon de deur open en gingen naar binnen.'

'Dat klopt,' jokte Banks. 'We hadden het bedrijf een sleutel gegeven voor het geval we geen van beiden thuis zouden zijn. Het was belangrijk. Ze hebben alleen geen factuur achtergelaten.'

De vrouw keek alsof ze het volstrekt belachelijk vond dat hij een sleutel bij onbekenden had achtergelaten. 'Misschien komt die via de post?'

'Misschien. Kunt u ze voor me beschrijven?'

'Waarom is dat belangrijk?'

'Ik wil graag weten of het dezelfde mensen zijn met wie ik eerder te maken heb gehad.' Banks merkte dat ze achterdochtig begon te worden, dat zijn smoesje net zo vol zat met gaten als het programma van een politieke partij. 'Ik wil graag een goed woordje voor hen doen.'

'Een man en een vrouw,' zei ze. 'Keurig gekleed. Precies het soort mensen dat je in een straat als deze zou verwachten. Hoewel ik moet bekennen dat zíj meer lijkt op te hebben met langharigen. U uitgezonderd, natuurlijk.'

'Lang haar heeft me nooit goed gestaan,' zei Banks. 'Jong of oud?'

'Jong, zou ik zeggen. Vrij jong. Eind dertig. Zij in elk geval. Ze zagen er niet uit als monteurs. Eerder als mensen van een incassobureau. Of deurwaarders. Is er iets aan de hand?'

'Nee hoor,' zei Banks, die nog nooit van zijn leven een deurwaarder had gezien. Hij wist niet eens of die beroepsgroep nog steeds bestond. Het was in elk geval niet meneer Browne geweest. Het lag ook niet voor de hand dat die zo'n klusje zelf zou opknappen; daar had hij medewerkers voor. 'Het ging alleen maar om de computer,' zei hij. 'U weet wel… Hoe lang zijn ze binnen geweest?'

'Iets minder dan een uur, dus laat hen vooral niet meer in rekening brengen. Ik hoop dat ze goed werk hebben afgeleverd.'

'Ik neem aan dat u hen nog niet eerder had gezien, of wel?'

'Nee. Hoezo? Hoor eens, het spijt me, maar ik heb iets in de oven staan en de kat moet nodig eten.' Ze maakte aanstalten om de deur dicht te doen. Banks mompelde een groet en liep terug naar zijn auto.

Tijdens het instappen hoorde hij zijn gsm overgaan. Hij had zijn nummer alleen aan Annie, Tomasina en Dirty Dick Burgess gegeven. Het was Annie, zag hij, en hij was het aan haar verschuldigd om op te nemen. Ze was erbij betrokken en zette vrij veel op het spel voor zijn onbezonnen privéonderzoek. Hij nam op.

'Alan?'

'Ja. Wat is er gebeurd?'

'Vraag me niet hoe, maar ze heeft me in The Horse and Hounds opgespoord.'

'Wat had ze?'

'Dat weet ik eigenlijk niet zo goed. Ze vertelde me over een jonge moslim politieagent die uit het korps was gezet omdat hij de geheime dienst op hun tenen had getrapt. Ze vertelde me ook dat de hoofdcommissaris in hoogsteigen persoon wilde dat deze kwestie werd beëindigd. Ze prentte me in dat er helemaal niets valt te onderzoeken.'

'Niet meer dan logisch,' zei Banks. 'Verder nog iets?'

'Jazeker. Ze zei dat ze *Othello* had gezien en dacht dat jij wellicht een of andere theorie had ontwikkeld die was gebaseerd op de gebeurtenissen in het stuk.'

'Wat?'

'Dat was ook mijn reactie.'

'Wat heb je tegen haar gezegd?'

'Ik hoefde helemaal niets te zeggen. Ze was me voortdurend één stap voor.'

'Heb je haar over het bewijsmateriaal verteld? Tom Savage? De foto's? The Red Rooster?'

'Natuurlijk niet. Ze is heus niet op haar achterhoofd gevallen, Alan. Het is slechts een kwestie van tijd.'

'Weet ze waar ik ben?'

'Ik heb haar verteld dat je in Londen zit. Ze vindt het verdacht dat ze je niet te pakken krijgt op je gsm.'

'Verdomme.'

'Ik had geen keus, Alan.'

'Ik weet het. Ik weet het. Jij kunt er niets aan doen. Ik had alleen niet verwacht dat het allemaal zo snel fout zou lopen.'

'Hoe bedoel je?'

'Niets. Het is niet belangrijk. Wees voorzichtig, Annie.'

'Dat zei zij ook al. Ik moest trouwens hetzelfde tegen jou zeggen. Volgens haar ben jij het type dat precies het tegenovergestelde doet van wat hem wordt gezegd.'

'Dan wist ze dus dat ik het onderzoek in mijn eigen tijd zou voortzetten. Dit moet dus vanaf het begin haar bedoeling zijn geweest.'

'Zover zou ik niet durven gaan,' zei Annie, 'maar ze was in elk geval niet verbaasd.'

'Ik heb hier geen goed gevoel over.'

'Er is nog iets.'

'Wat dan?'

'Toen Gervaise was uitgepraat, deed ze opeens heel geïnteresseerd; blijkbaar denkt ze dat we iets op het spoor zijn. Ze merkte op dat spionnen over allerlei psychologische wapens beschikken.'

'Jezus Christus. Ze heeft je dus niet opgedragen om ermee op te houden?'

'Nou ja, min of meer wel. Of eigenlijk zei ze dat de hoofdcommissaris dat had gezegd. Op het laatst zei ze nog iets vaags over spionnen die in vijandelijk gebied worden betrapt. Je weet hoe ze is. Volgens mij wilde ze ons – en dan met name jou – duidelijk maken dat we niet op genade hoeven te rekenen als we worden betrapt.'

'Annie, je kunt er nu nog uitstappen,' zei Banks. 'Trek je terug, laat merken dat je al je tijd en energie in het steekincident in East Side stopt.'

'Dat meen je niet.'

'Ik ben nog nooit zo serieus geweest.'

'Wat ga jij dan doen?'

'Dat weet ik nog niet. Misschien ga ik wel naar huis. Zal ik je eens wat zeggen? Ik heb trek in een sigaret.'

Annie lachte. 'Ach, er zijn, denk ik, wel ergere dingen. Ik zit helemaal in mijn uppie in de achterkamer van The Horse and Hounds achter mijn derde pint Black Sheep.'

'Ik weet natuurlijk niet wat jouw plannen zijn,' zei Banks, 'maar waarom bel je Winsome niet om te vragen of je vannacht bij haar kunt logeren?'

'Hmm, misschien doe ik dat wel,' zei Annie. 'Ik heb te veel gedronken om naar huis te kunnen rijden en ik kan wel wat gezelschap gebruiken, als ze me wil hebben.'

'Vast wel,' zei Banks. 'Bel haar maar.'

'Komt voor elkaar, baas.'

'Ik meen het. Vergeet niet dat je voorzichtig moet zijn. Tot gauw.'

Annie wilde nog iets zeggen, maar Banks drukte op de afbreektoets. Hij overwoog zijn mobieltje maar helemaal uit te zetten, maar bedacht toen dat het er met die nieuwe prepaid gevallen waarschijnlijk niet echt iets toe deed. In feite deed niets er nog echt toe, besefte hij. Als ze hem wilden vinden, zou hen dat heus wel lukken. Hetzelfde gold voor alle mensen met wie hij contact had gehad. Ze waren er kennelijk van op de hoogte dat hij tegen hun bevelen in nog steeds aan de zaak werkte en de rotzooi in Sophia's huis was een poging om hem schrik aan te jagen. Hij kon Brian ook al niet bellen. Ze wisten ongetwijfeld allang dat hij een zoon en dochter en een ex-vrouw had, zoals ze ook van Sophia's bestaan hadden afgeweten, maar het was nergens voor nodig Brian er openlijk bij te betrekken. Als hij hem vanavond opzocht, zou dat alleen maar hun aandacht op hem vestigen.

Banks bleef even met zijn handen om het stuur geklemd zitten. Hij had zich nog nooit in zijn leven zo eenzaam gevoeld. Zelfs muziek kon hem nu niet helpen. Bij deze gemoedstoestand paste geen enkel nummer, zou niets verlichting brengen. Drank was een ander verhaal. Vergetelheid. Zelfs dat leek hem nu echter zinloos. Na een tijdje startte hij de wagen en reed hij weg. Hij had geen flauw idee waar hij naartoe ging, wist alleen maar dat hij in beweging moest blijven. Wanneer je in dit spelletje te lang stilstond, gebeurden er alleen maar akelige dingen.

13

Banks voelde zich op vrijdagochtend rond negen uur net zo belabberd als om halfvier 's nachts, toen hij eindelijk in slaap was gevallen. Nadat hij de vorige avond ongeveer een uur lang had rondgereden met één oog voortdurend op de achteruitkijkspiegel gericht, op zoek naar aanwijzingen dat hij werd gevolgd, was hij gestopt bij het eerste het beste fatsoenlijke hotel dat hij tegenkwam. Bij het overhandigen van zijn creditcard drong het tot hem door dat dit het er een stuk gemakkelijker op zou maken als iemand hem echt probeerde op te sporen. Op dat moment kon het hem echter geen bal meer schelen.

Even had hij overwogen naar Mohammeds B&B te gaan, maar het vooruitzicht wakker te worden in eenzelfde kamer als die waarin Derek Wyman normaal gesproken logeerde wanneer hij in de stad was, of zelfs letterlijk in dezelfde kamer, dat was te deprimerend. Hij wilde een kamer met een eigen douche en een beetje ruimte, ergens waar hij zijn auto veilig kon parkeren, met een deugdelijke televisie en een goed gevulde minibar om zijn geest en zintuigen te verdoven. Dat kreeg hij allemaal voor iets meer dan honderdvijftig pond in een hotel in een zijstraat van Great Portland Street in Fitzrovia, hoewel het bij nader inzien niet echt een koopje was als je de prijzen van de minibar eens goed bekeek. Gelukkig had hij zich niet helemaal bezat en was hij niet met een kater wakker geworden. Lichamelijk voelde hij zich na een lange douche en een pot roomservicekoffie weer redelijk fit.

Met een koffie verkeerd en een cranberrymuffin voor zich in een nabijgelegen Caffè Nero maakte Banks een lijst van dingen die hij die dag moest doen. Er viel voor hem niet veel meer te doen in Londen, afgezien van een nieuwe poging om Dirty Dick Burgess te pakken te krijgen en te kijken of Sophia haar telefoon opnam.

Het was verstandiger om die dag naar Eastvale terug te keren en Wyman nogmaals onder handen te nemen. Zodra ze eenmaal Tom Savages relaas had gehoord, moest zelfs hoofdinspecteur Gervaise het ermee eens zijn dat ze voldoende hadden om hem op te pakken of hem op zijn minst naar het bureau te halen voor ondervraging wegens het aanzetten tot een misdaad of pesterij. Annie had juist gehandeld door het haar een dag eerder niet te vertellen, maar misschien werd het tijd dat ze het hoorde. Als hij de hoofdinspecteur ervan kon overtuigen dat de kwestie niets te maken had met Silbert en geheim agenten, maar iets persoonlijks was tussen Wyman en Hardcastle, zag ze misschien wel in dat het wel degelijk zin had te achterhalen hoe het precies in elkaar stak.

Banks wilde net Sophia en Burgess weer bellen op zijn prepaid, maar toen ging het ding over. Deze keer was het niet Annie of Burgess.

'Meneer Banks?'

'Ja.'

'U spreekt met Tom. Tom Savage.'

'Tomasina. Wat is er?'

'Er zijn een paar mensen langs geweest. Ze stonden me op te wachten toen ik vanochtend aankwam. Ze... ik ben bang, meneer Banks.'

Banks klemde het telefoontje stevig vast. Zijn hand voelde klam aan. 'Zijn ze er nog steeds?'

'Nee. Ze zijn vertrokken. Ze hebben van alles meegenomen... Ik...' Banks hoorde dat ze huilde.

'Ben je nog steeds op kantoor?'

'Ja.'

'Goed. Blijf daar.' Hij keek op zijn horloge. Great Marlborough Street was niet heel ver bij hem vandaan; het was niet eens de moeite waard om een taxi aan te houden. 'Ik ben over tien minuten bij je. Doe niets.'

'Dank u wel. Ik ben meestal niet zo'n... huilebalk... Ik begrijp gewoon niet...'

'Het komt wel goed, Tomasina. Houd vol. Ik kom eraan.'

Banks zette de gsm uit, liet hem in zijn zak glijden en rende vloekend de straat op.

'Sorry dat ik u op uw werk stoor,' zei Annie, 'maar heeft u misschien heel even voor me?'

Carol Wyman keek het jonge meisje naast haar aan. 'Kun je voor me waarnemen, Sue? Ik ga heel even koffie drinken.' Sue keek een beetje verrast, maar zei glimlachend dat het goed was. Ze stonden allebei achter een balie. Twee andere vrouwen zaten omringd door dossierkasten aan een bureau in een klein voorkamertje. Uit wat Annie kon opmaken, werd ook het kantoor erachter omzoomd door dossierkasten. Zo te zien was iedereen hard aan het werk. De gedachte dat de National Health Service zijn doelstellingen haalde was meer dan voldoende om je bloeddruk te doen stijgen, dacht Annie bij zichzelf.

Carol Wyman pakte haar handtas en dook onder de klep door. 'Aan de overkant zit een goede koffietent,' zei ze. 'Tenzij u iets anders in gedachten had.'

'Uitstekend,' zei Annie. Het was vrijdagochtend negen uur en ze was wel toe aan haar tweede kop. Hij kon onmogelijk slechter zijn dan het vaatwater dat op het bureau werd geschonken.

'Waar gaat het eigenlijk over?' vroeg Carol toen ze in het ochtendzonnetje bij het zebrapad stonden te wachten tot het verkeer stilhield. Het medisch centrum was een oud, vier verdiepingen tellend gebouw van kalksteen en grove zandsteen met een leistenen dak en een spitse gevel dat ooit dienst had gedaan als victoriaanse pastorie. Brede stenen traptreden leidden naar een zware, gebeitste houten deur. Het stond een stukje van Market Street vandaan aan een pleintje waar het personeel zijn auto's parkeerde, samengeperst tussen twee winkelrijen en ongeveer honderd meter ten noorden van het theater aan de overkant van de weg. Handig voor Carol als ze na het werk ergens met haar man wilde afspreken, bedacht Annie, hoewel hun werktijden ongetwijfeld nogal uiteenliepen.

'Slechts een paar routinevragen,' zei Annie, terwijl ze Market Street overstaken en naar de Whistling Monk wandelden. Het was er tamelijk rustig; het was te laat voor mensen die vóór het werk langskwamen en te vroeg voor bussen met toeristen. Ze kozen een tafeltje bij het raam. Het blauwwit geruite tafelkleed oogde onberispelijk schoon en gestreken, en tussen het peper- en zoutstel stond een op namaakperkamenten papier in blauw schuinschrift gedrukt menu.

Een jonge serveerster nam hun bestelling op, nadat ze eerst haar verontschuldigingen had aangeboden omdat het espressoapparaat het niet deed. Annie bestelde een caffè lungo en Carols keuze viel op een kop kruidenthee. Ook bestelden ze allebei warm krentenbrood.

'Kunt u zich de tijd nog herinneren dat er alleen Nescafé werd geserveerd?' zei Annie.

'De poedervariant, vóór al die dure korrelversies en gold blends,' zei Carol. 'Als je geluk had, kon je heel misschien Cona krijgen.'

'Dat kostte dan wel een fortuin.'

'Moet je ons nu eens horen,' zei Annie. 'We klinken als twee oude vrouwen. Voordat je het weet, zitten we ons te beklagen over de tijd dat alles op de bon was.'

'Dát kan ik me echt niet herinneren,' zei Carol. Ze lachten. De koffie en thee werden gebracht, samen met het krentenbrood. 'U hebt uw haar laten doen sinds die keer dat u bij ons thuis was,' ging Carol verder. 'Erg mooi. Het staat u goed. Hebt u weleens overwogen om het blond te laten verven?'

'Ik weet niet of ik dat aandurf,' zei Annie. 'Het is wel een idee.' Ze blies in haar koffie en schonk er een flinke scheut room in. 'Eigenlijk wilde ik het met u over uw man hebben.'

Carol Wyman fronste haar wenkbrauwen. 'Derek? Waarom? Wat heeft hij gedaan?'

'We denken niet dat hij iets heeft gedaan,' loog Annie. 'We willen alleen graag iets meer weten over zijn relatie met Mark Hardcastle en Laurence Silbert.'

'Ik dacht dat dat allemaal was afgesloten. Dat zei jullie hoofdinspecteur tenminste op het nieuws.'

'Een paar losse draden die moeten worden afgehandeld,' zei Annie glimlachend. 'Soms bestaat ons werk puur uit papierwerk.'

'Ik begrijp wat u bedoelt,' zei Carol, terwijl ze uit een roze theepot lichtgroene thee inschonk. Hij rook naar munt en kamille. 'Bij mij op het werk is het precies hetzelfde verhaal. En sommige artsen zijn ook nog eens ontzettende Pietjes Precies.'

'Maar hun handschrift is zeker met geen mogelijkheid te ontwarren?' zei Annie.

Carol lachte. 'Eerlijk gezegd,' zei ze, 'is dat inderdaad een probleem.'

'Hoe lang regisseert uw man nu al toneelstukken voor het theater?'

'Een eeuwigheid,' zei Carol. 'Nou ja, niet voor het theater zelf, maar voor de amateurtoneelgroep van Eastvale. Vroeger traden ze op in het wijkcentrum en soms ook wel in het zaaltje van de kerk.'

'Hij lijkt me wat zijn werk betreft heel gedreven.'

'O, dat is hij ook,' zei Carol. 'Soms denk ik weleens dat hij meer om zijn werk geeft dan om mij. Nee, dat is niet fair. Hij is een goede echtgenoot. Een goede vader ook. Ik vind soms alleen dat hij te veel hooi op zijn vork neemt. Het lesgeven put hem echt uit en...'

'Ik dacht dat hij het leuk vond?'

'Nou ja, dat is ook zo. Ik bedoel, zo'n baan geeft je de kans om iets van betekenis te doen, hè? Om toekomstige generaties te inspireren.' Ze liet haar blik door het restaurantje glijden, boog zich naar voren en ging zachtjes verder: 'De meesten kan het echter helemaal niets schelen. Ze nemen niet eens de moeite om hun gezicht op school te laten zien. Dat is moeilijk wanneer je echt om iets geeft, om voortdurend te worden omringd door mensen die er de spot mee drijven.'

'Ziet Derek dat zo?'

'Soms.'

'Is hij daardoor dan niet cynisch geworden?'

'Nou, hij kan soms erg verbitterd zijn, kan ik u wel vertellen.' Ze nam een slokje van de dampende thee. 'Hmm, heerlijk,' zei ze. 'Precies wat ik nodig had.'

'Waarom overweegt hij dan niet om een andere baan te zoeken?'

'Probeer op je tweeënveertigste maar eens iets anders te vinden als je meer dan twintig jaar leraar bent geweest.'

'Ik snap het.'

'Ik weet niet wat hij zou doen als hij het theater niet had. Volgens mij is dat het enige wat hem op de been houdt. Hij vindt de nieuwe situatie helemaal top. Ziet u, hij voelt zich net iets belangrijker nu hij in een echt theater werkt in plaats van in het dorpshuis.'

'Dat kan ik me indenken,' zei Annie. 'Hij voelt zich nu ongetwijfeld een professioneel theatermaker.'

'Dat klopt. Hij werkt keihard. Maar goed, wat wilde u eigenlijk weten?'

'Heeft uw man het weleens gehad over een bezoek aan de pub The Red Rooster?'

'The Red Rooster? In Medburn? Dat is toch een ketenpub? Derek drinkt alleen maar echte ale. Hij is zelfs nog een tijd lid geweest van Campaign for Real Ale, de CAMRA. Hij zou nog niet dood in zo'n tent willen worden aangetroffen. Hoezo?'

'Het is niet belangrijk,' zei Annie, die de zaak steeds merkwaardiger vond worden. 'Zoals ik net al zei, handel ik alleen wat losse draden af. Bij een onderzoek als dit worden we overspoeld met informatie en moeten we het koren van het kaf scheiden.'

'Dat zal haast wel,' zei Carol langzaam.

Annie merkte dat ze iets minder toeschietelijk werd. Als ze nu nog meer vragen stelde die suggereerden dat Carols man iets in zijn schild voerde of zich abnormaal gedroeg, zou dat het eind van hun gezellige gesprek betekenen. De deur ging open. Een echtpaar op leeftijd stak hun hoofd om de hoek van de deur en besloot dat ze hier zouden blijven. Ze begroetten hen en namen twee tafels verderop plaats. 'Het moet verschrikkelijk zijn geweest voor Derek toen zijn broer stierf,' veranderde Annie, die terugdacht aan de foto in de woonkamer van de Wymans, abrupt van onderwerp.

'Grote god, dat was het zeker,' zei Carol. 'Derek aanbad Rick. Hij verafgoodde hem. Hij was er helemaal kapot van, zat in zak en as. Dat gold voor ons allemaal.'

'Wanneer is het precies gebeurd?'

'15 oktober 2002. Ik zal die datum niet snel vergeten.'

'Dat geloof ik best. Kende u hem goed?'

'Rick? Ja, natuurlijk. Een prachtvent. Weet u, iedereen denkt dat SAS-leden allemaal macho zijn, van die types uit de boeken van Andy McNab, en waarschijnlijk zijn de meesten dat ook wel, maar Rick ging hartstikke goed met de kinderen om, zo zachtaardig als wat. Hij was ook heel attent. Vergat nooit een verjaardag of trouwdag.'

'Zat de broer van uw man bij de SAS?'

'Ja. Ik dacht dat hij jullie dat wel had verteld.'

'Nee.' Zelfs Annie wist dat de SAS geheime operaties uitvoerde en als Laurence Silbert voor MI6 had gewerkt, was hij ongetwijfeld weleens met hen in contact gekomen; misschien had hij zelfs wel opdracht gegeven tot bepaalde missies of had hij ze van nuttige informatie kunnen voorzien. Dit was meer iets voor Banks, maar zíj hield tenminste alle opties open. Ze geloofde echt dat iemand, hoogstwaarschijnlijk Derek Wyman, Hardcastle zo had gemanipuleerd dat hij Silbert vermoordde en daarna de hand aan zichzelf sloeg – mogelijk eerder per ongeluk dan opzettelijk – maar waarom wist ze niet. Het kon ergernis zijn vanwege het theater, al kon het gezien Silberts verleden ook een ernstiger achtergrond hebben.

'Was Rick getrouwd?' vroeg ze.

'Niet officieel. Ze hadden geen boterbriefje. Hij woonde samen met Charlotte. Ze waren al jaren samen. Hij heeft me ooit verteld dat hij de trouwbelofte niet hardop wilde uitspreken. U weet wel: tot de dood ons scheidt en zo. Dat had te maken met zijn werk. Hij was bang dat het hem ongeluk zou brengen of zoiets. Rick was een beetje bijgelovig. Ze hielden ontzettend veel van elkaar. Dat zag je meteen wanneer ze bij elkaar waren.'

'Kinderen?'

'Nee.' Er verscheen een diepe rimpel op Carols voorhoofd. 'Rick heeft weleens gezegd dat Charlotte graag kinderen wilde, maar dat hij het door zijn werk gewoon niet aandurfde, vanwege alle risico's, maar ook vanwege het soort wereld waarin ze dan zouden moeten opgroeien. Ik denk dat Charlotte zich uiteindelijk bij de situatie had neergelegd. Nou ja, dat moet ook wel, hè? Als je echt van iemand houdt.'

Daar kon Annie geen antwoord op geven; ze had nog nooit zoveel van iemand gehouden. 'Hebt u haar adres voor me?' vroeg ze.

'Nee. Het huis heette "Wyedene", dat weet ik nog wel. Dat herinner ik me van de keren dat we bij hen op bezoek waren.'

'Wat was Charlottes achternaam?'

'Fraser.'

'Rick was dus vaak van huis?'

'Vaak zou ik niet zeggen. Ze hadden een prachtig huis op het platteland. Ross-on-Wye. Charlotte woont daar nog steeds. Hij moest vaak op oefening, maar hij ging ook wel op missie. Dat heeft hem uiteindelijk de das omgedaan.'

'Wat?' zei Annie. 'Ik dacht dat het een helikopterongeluk was.'

Carol ging weer zachter praten. 'Tja, ze moeten immers iets zeggen. Dat is de officiële lezing. Ze willen niet dat de bevolking weet hoe het er daar écht aan toegaat. Wat zich daar écht afspeelt. Net als in de oorlog, toen ze het volk ook het slechte nieuws niet wilden vertellen. Daarom hebben ze al die propaganda-filmpjes gemaakt.'

'Dat is waar,' zei Annie. 'Wat is er dan wel gebeurd?'

'Het fijne weet ik er niet van af.'

Annie voelde dat Carol terugkrabbelde, maar was niet van plan het onder-werp te laten rusten. Nog niet. 'Dat krijgen we toch meestál nooit te horen?' zei ze. 'Zelfs in mijn werk zijn leidinggevenden vaak zo gesloten als een oes-ter. De helft van de tijd hebben we geen flauw idee waarom we bepaalde vragen stellen of waarom het onderzoek een bepaalde kant op gaat. Het gaat echt niet zoals op de televisie, dat kan ik u verzekeren.'

'Jawel, maar in dit geval weet ik het echt niet. Ik weet alleen dat het om een geheime missie ging en dat het geen ongeluk was. Er was iets misgegaan.'

'Hoe weet u dat?'

'Dat heeft Derek me verteld. Na de begrafenis, toen iedereen een paar glazen op had, heeft hij enkele van Ricks vrienden gesproken. De begrafenis was hier, in Pontefract, waar ze allemaal hun jeugd hebben doorgebracht. Ze ga-ven ook niet veel weg – dat was er bij hen wel ingestampt – maar Derek vertelde me dat hij de indruk had dat Ricks vrienden vonden dat hij moest weten dat zijn broer niet bij een of ander stom ongeluk was omgekomen, maar dat hij tijdens een militaire actie was gestorven, als een held.'

Annie kon niet zeggen of dit relevant was of niet, maar het was in elk geval iets waar Derek Wyman omheen had gedraaid toen ze hem de eerste keer spraken. Misschien kon Ricks vriendin Charlotte hun meer vertellen. Annie zou de SAS nooit zover krijgen dat ze haar te woord wilden staan, zeker niet nu het onderzoek zonder officiële toestemming werd uitgevoerd en er welbe-schouwd eigenlijk ook helemaal geen zaak was. De kans was juist groot dat ze op een mooie nacht door haar raam naar binnen zouden komen denderen om haar mee te nemen naar Guantánamo Bay of de Britse versie daarvan. Charlotte Fraser van 'Wyedene' daarentegen stond misschien wel open voor een luisterend oor en het kon niet al te moeilijk zijn om haar op te sporen.

'Ik weet dat dit een brutale vraag is,' zei Annie, 'en je moet het echt niet ver-keerd opvatten, maar maakte je je er nooit zorgen over dat je man zo nauw omging met een homoseksueel?'

'Waarom zou ik?'

'Nou ja, sommige mensen… u weet wel…'

'Als ik niet honderd procent zeker was van Derek, was dat misschien wel gebeurd,' gaf ze toe.

'Maar…?'

Carol liep rood aan en wendde haar blik af. 'Och,' zei ze, 'laten we het er maar op houden dat ik in dat opzicht absoluut geen twijfels heb.'

'Neem me niet kwalijk dat ik erover ben begonnen,' zei Annie. 'Hoe gaat het nu met Derek?'

'Ach, wel goed. Hij is natuurlijk nog wel van streek over Mark, een beetje stilletjes en kregelig. Tja, dat ligt ook wel voor de hand. Het komt niet elke dag voor dat een goede vriend en collega zich zomaar ophangt. Iemand die bij jou thuis is komen eten en zo, bedoel ik.'

'Hoe waren die? De etentjes?'

'Heel geslaagd. Behalve dan dat ik, toen ze bij ons kwamen eten, de rosbief te lang had gebraden, zoals mijn moeder ook altijd deed.'

'De mijne ook,' zei Annie met een glimlach rond haar mond, hoewel ze zich eigenlijk niet kon herinneren dat ze haar moeder ooit rosbief had zien braden. 'Ik doelde eigenlijk meer op de gesprekken. Waar hadden jullie het over? Waar hadden Mark en Laurence het over?'

'Och, na een paar flessen wijn was het ijs gebroken en kwam het pas goed op gang. U kent dat vast wel. Meneer… Laurence vertelde allerlei verhalen.'

'Waarover, als ik vragen mag?'

'Dat mag. Ik begrijp alleen niet waarom het belangrijk is. Over verre oorden. Ik heb niet zoveel gereisd. O, we zijn wel op de gebruikelijke plekken geweest, hoor – Mallorca, Benidorm, Lanzarote, zelfs een keer in Tunesië, maar hij was echt overal geweest. Rusland. Iran. Irak. Chili. Australië. Nieuw-Zeeland. Zuid-Afrika. Dat moet heel opwindend zijn geweest.'

'Ja,' zei Annie. 'Ik had al gehoord dat hij heel bereisd was. Heeft hij het misschien ook over Afghanistan gehad?'

'Ja, nu u het zegt. Dat kwam ter sprake toen we het over… u weet wel… over Rick hadden.'

'Natuurlijk. Wat zei hij daarover?'

'Alleen maar dat hij daar was geweest.'

'Zei hij ook wanneer?'

'Nee. Ik had de indruk dat hij het geen fijn land vond.'

'Een gevaarlijke plaats, lijkt me,' zei Annie. 'Gaat het verder goed met uw man?'

'Ja, hoor. Hoewel ik wel denk dat hij aardig is geschrokken door dat gedoe met die bende.'

'Dat zal best,' zei Annie. 'Ik heb gisteren met hem gesproken over een paar van zijn leerlingen die betrokken waren bij de steekpartij in East Side.'
'O? Dat heeft hij me niet verteld.'
Nee, dat geloof ik graag, dacht Annie bij zichzelf. 'Het was niet zo belangrijk.'
'Nou ja, zoals ik net al zei: je doet het omdat je hoopt dat wat je doet invloed heeft, maar soms…' Ze streek met haar vinger over de rand van haar kopje. De nagel was gespleten en afgebeten, zag Annie. 'Hoe zal ik het zeggen? Soms denk ik weleens dat Rick misschien gelijk had. Wat een wereld om kinderen in te krijgen.'
'Met die van jullie gaat het toch goed?'
Carols gezicht klaarde op. 'O, ja. We hebben er de handen vol aan, dat wel. Ik zou echter niet willen dat het anders was.' Ze wierp een blik op haar horloge. 'Goh, is het al zo laat? Ik moet nu echt terug, anders wordt Sue boos.'
'Ik loop even met u mee,' zei Annie.

Toen Banks arriveerde, zat Tomasina achter het bureau. Het was duidelijk dat ze had gehuild, zoals hij aan de telefoon al had gehoord, maar daar was ze mee opgehouden. Dicht bij haar op het bureau stonden een doos papieren zakdoekjes en een grote mok thee met melk. De mok was wit met allemaal rode hartjes erop.
Op het eerste gezicht zag het kantoor er nog net zo uit als tijdens zijn vorige bezoek en hetzelfde gold voor de receptie. Misschien had Tomasina alles al opgeruimd of waren de bezoekers heel netjes geweest.
'Sorry dat ik zo zat te janken aan de telefoon,' zei ze. 'Toen we ophingen, kon ik mezelf wel voor het hoofd slaan.'
'Dat geeft helemaal niet,' zei Banks. Hij ging tegenover haar zitten.
'Jawel, dat geeft wel, maar dat begrijpt u natuurlijk niet.'
Wat een vat vol tegenstrijdigheden, dacht Banks bij zichzelf. Een knappe meid, spijkerhard, kwetsbaar, maar tegelijkertijd ook strijdbaar. En dat allemaal terwijl hij hooguit een half uur in haar gezelschap had doorgebracht.
'Vertel me eens wat er precies is gebeurd,' zei hij.
Ze nam een slok thee en hield de mok met beide handen vast. Ze beefden. 'Ik was net binnen toen ze om een uur of negen kwamen.'
'Met hoeveel personen waren ze?'
'Vier. Twee van hen doorzochten het hele kantoor en de andere twee… nu ja, ze noemden het een gesprek.'
'Hebben ze je ruw behandeld?'
'Niet lichamelijk.'

'Zeiden ze wie ze waren?'

'Ze zeiden alleen maar dat ze van de regering waren.'

'Hebben ze je een pas of iets dergelijks laten zien?'

'Ik kon het niet goed lezen. Het ging allemaal heel snel.'

'Namen?'

Ze schudde haar hoofd. 'Het zou kunnen dat een van hen Carson of Carstairs heette. En de vrouw Harmon of Harlan. Sorry. Het ging allemaal razendsnel, alsof ze niet wilden dat het goed tot me doordrong. Ik had beter moeten opletten, maar ik was totaal overdonderd. Ze overvielen me.'

'Je hoeft jezelf niets te verwijten. Daar zijn ze heel bedreven in. Een van hen was dus een vrouw?'

'Ja, een van de ondervragers. Het was eigenlijk best interessant, want zij speelde de gemenerik.'

'Wat waren het voor types, de twee die jou ondervroegen?'

'O, heel keurig. Netjes gekleed. Hip. Hij had een donker zijden pak aan en een kapsel dat hem minstens vijftig pond moet hebben gekost. Knap op een Hugh-Grantachtige manier. De kleren van haar kwamen al evenmin uit een warenhuis. Begin dertig, gok ik. Zo'n vrouw die Agatha Christie als gezond en blond zou omschrijven. Ze spraken allebei nogal bekakt.'

'Wat wilden ze weten?'

'Waarom u gisteren bij me was geweest.'

'Wat heb je gezegd?'

'Niets.'

'Je zult toch wel íéts hebben gezegd?'

Ze bloosde. 'Nou ja, ik heb gezegd dat u de vader van mijn vriendje was, dat u voor zaken in de stad was en zomaar even was langsgekomen. Dat was het beste wat ik op dat moment kon bedenken.'

'Hebben ze je gevraagd of je wist dat ik politieman was?'

'Ja. Ik zei dat ik dat wist, maar dat ik u daarom niet minder aardig vond.'

'Hoe reageerden ze daarop?'

'Ze geloofden me niet, dus begonnen ze van voren af aan met hun vragen. Daarna wilden ze mijn hele levensverhaal horen: waar ik ben geboren, op welke scholen ik heb gezeten en op welke universiteit, vriendjes, vriendinnen, waar ik vroeger heb gewerkt, hoe ik in het vak verzeild ben geraakt en noem maar op. Ze waren eigenlijk best spraakzaam. Toen werden ze weer zakelijk en omdat ik mijn verhaal niet wijzigde, begon Blondje te dreigen met een rechtszaak. Ik vroeg nog waarom, maar ze zei dat het er helemaal niet toe deed en dat ze mijn bedrijf zomaar konden sluiten als ze dat wilden. Is dat trouwens waar?'

'Ja. Ze kunnen doen wat ze willen. Alleen denk ik niet dat ze het ook echt zullen doen.'

'Waarom niet?'

'Omdat ze daar geen enkele reden toe hebben en dergelijke dingen vaak meer problemen veroorzaken dan het hen waard is. Publiciteit. Het zijn net vleermuizen. Ze kunnen het daglicht niet verdragen.'

'Hoe zit het met mijn rechten?'

'Die heb je niet. Weet je dan niet dat de slechteriken hebben gewonnen?'

'Met wie hebben we eigenlijk precies te maken?'

'Tja, dat is een goede vraag. Die lui zijn meedogenloos en machtig, vergis je daar niet in, maar hun grootste zwakte is hun behoefte aan geheimhouding. Je vormt geen bedreiging voor hen. Ze zullen je niets aandoen. Ze willen alleen maar weten wat je uitspookte en waarom ik bij je ben geweest.'

'Hoe wisten ze dat dan?'

'Ze zullen me wel hebben gevolgd. Het is mijn schuld. Het spijt me. Ik ben zo voorzichtig mogelijk geweest, maar het is een erg drukke stad.'

'Daar zegt u zowat. Ik ken het hier goed genoeg om te weten hoe moeilijk het is om te kunnen zien of je wordt gevolgd, zeker als het door vaklui wordt gedaan.'

'Toch had ik nog voorzichtiger moeten zijn. Wat deden die andere twee tijdens dat gesprek?'

'Die doorzochten letterlijk alles, zelfs mijn schoudertas. Ze hebben een paar dossiers meegenomen. En ook mijn laptop, mijn mooie Mac Air. Ze zeiden er natuurlijk wel bij dat alles zou worden teruggebracht zodra ze er klaar mee waren.'

'Zat het dossier van Derek Wyman erbij?'

'Ja.'

'Zaten de foto's erin?'

'Ja. Ik had extra afdrukken gemaakt. Plus mijn verslag.'

'Shit. Dan zal het niet lang meer duren voordat ze doorhebben waarom ik hier was. Ik vind het echt verschrikkelijk dat ik je zoveel ellende heb bezorgd, Tomasina.'

Ze deed de uitspraak van een stoere Amerikaan na: '"A man's gotta do what a man's gotta do." Maakt u zich niet druk. Het hoort allemaal bij de doorsnee werkdag van een vrouwelijke privédetective. Wat gaan ze eigenlijk doen wanneer ze de waarheid weten?'

Banks dacht even na. 'Waarschijnlijk niets,' zei hij toen. 'Tenminste, niet meteen. Soms handelen ze snel, maar gewoonlijk verzamelen ze liever eerst informatie voordat ze iets ondernemen. Dan weten ze namelijk de antwoorden op alle vragen al vóórdat ze die stellen. Momenteel gaat hun belangstelling voornamelijk uit naar Derek Wyman. Ik verwacht dat ze hem zullen schaduwen, zijn doopceel lichten, dat soort dingen.'

'En ik?'

'Jij telt wat hen betreft niet meer mee. Jij bent gewoon een vakvrouw die haar werk deed. Dat begrijpen ze wel.'

'Maar waarom dan?' vroeg Tomasina. 'Waarom doen ze dit allemaal?'

'Ik zou het echt niet weten,' zei Banks.

'En als u het wel wist, zou u het me niet vertellen.'

'Hoe minder je weet, des te beter. Geloof me. Het heeft iets te maken met die andere man op de foto. Dat was een van hun mensen. Eerst wilden ze de gebeurtenissen in de doofpot stoppen en alle betrokkenen door middel van intimidatie ertoe aanzetten het onderzoek op te geven. Volgens mij was dat een natuurlijke, instinctieve reactie om de schade beperkt te houden. Nu is hun belangstelling echter gewekt. Dat is echt alles wat ik je kan vertellen.'

'Ik snap het. Tenminste, dat denk ik.' Ze fronste haar voorhoofd. 'Even kijken of ik het goed begrijp. Meneer Wyman heeft me dus in de arm genomen om foto's te maken van een spion die had afgesproken met een andere spion op een bankje in Regent's Park en samen met hem naar een huis in St. John's Wood is gegaan. Is meneer Wyman ook een spion?'

'Nee,' zei Banks. 'Bij mijn weten niet tenminste.'

'Wat dan wel?'

'Ik weet het niet. Het is ingewikkeld.'

'Dat heb ik door, ja. Stel nu eens dat ze denken dat ík een spion ben?'

'Ik betwijfel ten zeerste dat ze dat zullen denken. Ze weten wat voor werk je doet.'

Ze zwegen allebei een tijdje, totdat Tomasina's maag begon te knorren. 'Ik heb trek,' zei ze. 'Ik vind dat u me op zijn minst een lunch verschuldigd bent voor dit alles.'

'Hamburger en friet?'

Ze keek hem met samengeknepen ogen aan. 'O nee, zo gemakkelijk komt u er niet van af. Bentley's is hier niet ver vandaan en het is vroeg genoeg om nog een tafeltje in het bargedeelte te bemachtigen.'

Bentley's was een peperduur visrestaurant, wist Banks, en het eigendom van Richard Corrigan, de eigenaar van Lindsay House. Een lunch met wijn voor twee ging hem waarschijnlijk meer dan honderd pond kosten. Nu ja, bedacht Banks, als hij daarmee het schuldgevoel kon afkopen dat hem bekroop bij de gedachte dat Tomasina hier door zijn toedoen in verzeild was geraakt, had hij het er wel voor over, hoewel Wyman strikt genomen eigenlijk degene was die daar verantwoordelijk voor was. 'Uitstekend,' zei hij. 'Als je heel even hebt, wil ik graag eerst een paar telefoontjes afhandelen.'

'Wilt u even alleen zijn?'

'Ja, graag.'

'Dan ga ik buiten een sigaret roken.'

Toen Annie op het bureau al het papierwerk had bijgewerkt, was het lunchtijd. The Horse and Hounds was geen optie meer en hetzelfde ging op voor de Queen's Arms, dus wandelde ze naar The Half Moon, een pub iets verderop aan Market Street waar ze al eens eerder iets had gegeten, met hanging baskets vol felrode geraniums en een glanzende, zwarte voorgevel. Ze liep naar de bar en bestelde daar vegetarische lasagne met patat en een pint bitter shandy. Ze had dorst en geen trek in sinaasappelsap.

Ze ging naar buiten en zocht een plekje in de biertuin aan de achterkant. Veel viel er niet te zien, want de tuin werd omringd door een muur, maar de lucht voelde warm aan en de zon scheen op de parasol die schaduwen op haar tafeltje wierp. Er zaten al enkele groepjes en stelletjes, allemaal diep in gesprek, dus niemand zou kunnen horen wat ze via haar mobieltje allemaal besprak.

Ze miste Winsome, dacht ze bij zichzelf toen ze haar eerste slokje shandy nam, en ze voelde zich een beetje schuldig omdat ze de afhandeling van de kwestie in East Side helemaal aan haar en Harry Potter had overgelaten. Ze zou het die middag goedmaken, nam ze zich voor, en vanaf dat moment zou ze zich volledig storten op het werk dat ze eigenlijk behoorde te doen. Gervaise had zich de vorige dag opvallend weinig bedreigend opgesteld, maar Annie wist dat ze binnenkort op zijn minst een flinke uitbrander kon verwachten als ze zo doorging. Misschien werd ze zelfs op het matje geroepen door de hoofdcommissaris, wat ze eigenlijk ook wel verdiende.

Wat kon ze trouwens nog meer voor Banks doen? De volgende logische stap was Wyman op het bureau ontbieden en hem in het licht van hun nieuw verworven kennis opnieuw aan de tand voelen. Dat lag een beetje moeilijk, aangezien er officieel nog steeds geen sprake was van een lopend onderzoek en omdat de beschuldigingen aan zijn adres op zijn zachtst gezegd nogal vaag waren. Dat was echter niet haar probleem. Als dit alles ergens toe leidde, was het aan de openbare aanklager om te bepalen waarvoor Wyman in staat van beschuldiging werd gesteld. Als Banks naar huis kwam en alles aan hoofdinspecteur Gervaise vertelde, konden ze Wyman misschien stevig op zijn vingers tikken, hem naar zijn vrouw terugsturen en zich weer op hun werk concentreren.

Annie bedacht opeens iets en haalde haar opschrijfboekje tevoorschijn. Ze had Charlotte Fraser, Rick Wymans vriendin, nagetrokken en via de telefoonmaatschappij vrij gemakkelijk haar telefoonnummer opgeduikeld. Ze had geen geheim nummer. Wat ze hoopte te winnen bij een gesprek met Charlotte wist ze niet zo goed, maar het was de moeite van het proberen waard. Als Wyman hoorde dat ze met haar hadden gesproken voordat ze hem verhoorden, maakte dat hem hopelijk zo nerveus dat ze aan hem konden zien of hij iets te verbergen had.

Annie at eerst van de lasagne tot ze genoeg had gehad en toetste toen het nummer in. De telefoon ging een paar keer over. Toen hoorde ze een stem.

'Ja? Hallo?'

'Charlotte Fraser?'

'Met wie spreek ik?'

Annie vertelde de vrouw wie ze was en probeerde zo duidelijk mogelijk uit te leggen waarom ze belde.

'Ik begrijp het niet helemaal,' zei Charlotte toen Annie was uitgesproken. 'Waarmee kan ik u precies helpen?'

'Tja, ik weet eigenlijk niet of u me wel kúnt helpen,' zei Annie. 'Zelfs al zou u dat willen. Ik ben me ervan bewust dat deze dingen vaak door geheimzinnigheid zijn omgeven. Waar het om gaat is dat ik een aantal tegenstrijdige dingen te horen heb gekregen omtrent de dood van uw... van Rick Wyman en ik vroeg me af of u me kunt helpen het misverstand uit de wereld te helpen.'

'Hoe weet ik dat u bent wie u beweert te zijn?'

Dat was een vraag waar Annie enorm tegen op had gezien. Het enige wat ze kon doen was zich er met bluf uit zien te redden. 'Ik kan u het telefoonnummer geven van het politiebureau, het hoofdbureau van de westelijke divisie in Eastvale, dan kunt u me daar terugbellen, als u dat wilt.'

'Och, laat ook maar,' snauwde Charlotte. 'Waarom wilt u dat eigenlijk weten?'

Dat was eveneens een vraag waar Annie tegen op had gezien en het was logisch dat Charlotte hem stelde. Ze had niet één goed argument kunnen verzinnen waarmee ze de vrouw zover kon krijgen dat ze haar te woord stond, laat staan dat deze haar geheimen, waarschijnlijk nog militaire ook, zou toevertrouwen, áls ze er tenminste al van op de hoogte was. Bij twijfel kon je de waarheid het best zo vaag mogelijk houden, hield Annie zichzelf voor. 'Het houdt verband met een zaak waaraan we hebben gewerkt,' zei ze. 'Het kwam ter sprake in connectie met een van de slachtoffers.'

'En wie was dat dan wel?'

'Een zekere Laurence Silbert.'

'Nooit van gehoord.'

'Nee, dat had ik eigenlijk ook niet verwacht,' zei Annie.

'Het spijt me. Ik wil niet onbeschoft zijn, maar ik zat in de tuin te lunchen met een paar goede vriendinnen toen u belde en ik...'

'Het geeft niet,' zei Annie. 'Mijn verontschuldigingen. Ik zal u niet lang ophouden.' Als u me tenminste vertelt wat ik wil weten, suggereerde haar stem.

'Nou, toe dan maar. Ik heb u echter al gezegd dat ik die Silver niet ken.'

'Silbert,' zei Annie. Daarmee was een van haar vragen al beantwoord. Waarom zou ze Silbert ook kennen? 'Het gaat eigenlijk over uw... over Derek Wyman.'

'Derek? Hij zit toch niet in de problemen, hè?'

'Niet dat ik weet,' zei Annie. 'Het ligt een beetje ingewikkeld, maar het is vooral een kwestie van wie wat tegen wie heeft gezegd.'

'En wat is Dereks rol in het geheel?'

'Derek heeft ons verteld dat de dood van zijn broer het gevolg was van een ongeluk, een neergestorte helikopter.'

'Dat was inderdaad wat er indertijd in de kranten werd gezegd,' zei Charlotte.

'Maar klopt het ook? We hebben namelijk ook iets anders gehoord.'

'Wat dan?'

'Dat hij op missie was en bij een gevecht is omgekomen.'

'Ik ben bang dat ik daarop niet kan ingaan,' zei Charlotte. 'Dat moet u toch van tevoren hebben geweten.'

'Ik had al zo'n vermoeden,' zei Annie, 'maar dit kan toch amper onder de geheimhoudingsplicht vallen? Ik vraag u toch niet wat het doel van de missie was of om informatie over het mislukken ervan?'

'Alsof ik dat zou weten.'

'Nee, natuurlijk niet. Ik begrijp best dat u terug wilt naar uw lunch, dus misschien kunt u me simpelweg antwoorden door niets te zeggen, zogezegd? Als hij tijdens een gevecht is gesneuveld in plaats van omgekomen bij een ongeluk, hangt u dan alstublieft gewoon op.'

Annie wachtte met haar gsm stevig tegen haar oor gedrukt. Ze was zich bewust van het geruis van de gesprekken om haar heen en meende aan de andere kant van de verbinding in de verte vrouwenstemmen te horen. Ze begon er net van overtuigd te raken dat Charlotte iets zou gaan zeggen toen de verbinding werd verbroken. Ze had opgehangen.

14

Toen Banks later die vrijdagmiddag met zijn twee gasten Bentley's verliet, was zijn portemonnee zo'n honderddertig pond lichter. Maar hij had mooi wél de allerlekkerste fish & chips gegeten die hij ooit had geproefd en de glimlach op Tomasina's gezicht was elke penny waard geweest. Een van de mensen die hij eerder die middag had gebeld terwijl zij buiten voor het gebouw een sigaret stond te roken, was zijn zoon Brian, die niet alleen tijd had om met hen te gaan lunchen, omdat zijn vriendin Emilia op dat moment in Schotland zat voor film-opnamen, maar ook bereid was zijn vaders gezelschap te delen met een hulpbe-hoevende onbekende. Zo had Banks het tenminste gebracht. Ze zaten net achter hun eerste glas wijn toen Brian arriveerde en zich bij hen voegde. Tomasina's gezicht straalde van vreugde en van onvergetelijke herinneringen. Uiteraard had ze met de mond vol tanden gestaan en werd ze rood tot aan haar haarwortels, maar Brians natuurlijke charme had binnen de kortste keren het ijs gebroken en tegen de tijd dat het eten werd gebracht, zaten ze als oude vrienden te kletsen.

Nu stonden ze buiten voor het restaurant in Swallow Street, tussen Regent Street en Piccadilly, op het punt ieder hun eigen weg te gaan. Tomasina haal-de een pakje Silk Cut tevoorschijn, Banks' oude merk. Heel even benijdde hij haar. Ze liet het pakje rondgaan en tot Banks' verwondering nam Brian er eentje uit, maar hij zei niets. Als ze al in de gaten werden gehouden, dan ge-beurde dat vanuit de verte. Het straatje was zo kort en smal dat elke ver-dachte handeling Banks onmiddellijk zou zijn opgevallen.

'Het spijt me verschrikkelijk,' zei Brian tegen Tomasina, 'maar ik moet er als een speer vandoor. Ik vond het erg leuk kennis met je te maken.' Hij stak een hand in zijn binnenzak. 'We treden volgende week op in Shepherd's Bush Empire. Hier heb je een paar vrijkaartjes en een backstagepas. Kom ons na het concert maar opzoeken. Ik beloof je dat het er echt niet zo wild en gek aan toegaat als weleens wordt gedacht.'

'Dat is je geraden,' zei Banks.

Tomasina nam de kaartjes blozend in ontvangst. 'Bedankt,' zei ze. 'Geweldig. Ik kom zeker kijken.'

'Top,' zei Brian. 'Dan moet ik er nu echt vandoor. Tot gauw, Tom. Dag, pa.' Hij schudde Banks de hand en verdween in de richting van Piccadilly Circus.

'Dank u wel,' zei Tomasina tegen Banks. 'Dank u wel. Dat was heel aardig van u.'

'Voel je je al iets beter?'

'Stukken beter.' Ze schuifelde met haar voeten en streek haar haren achter haar oren, zoals ze in het restaurant ook had gedaan. 'Ik weet niet goed hoe ik dit het beste kan zeggen en u moet beloven dat u me niet zult uitlachen, maar ik ken eigenlijk niemand aan wie ik, nou ja, aan wie ik dit kaartje kan geven. Wilt u misschien mee?'

'Met jou?'

'Ja. Zo erg is dat toch niet?'

'Nee. Nee, natuurlijk niet. Ik dacht alleen... ja, natuurlijk, met alle plezier.'

'Het is het gemakkelijkst als u mij na werktijd van kantoor komt afhalen,' zei ze. 'Dan gaan we eerst nog iets drinken. Is dat goed?'

'Prima,' zei Banks, die aan Sophia moest denken. Normaal gesproken zou hij met haar naar het concert zijn gegaan en dat was hij nog steeds van plan, als ze de komende week tenminste weer met hem wilde praten. Daar stond tegenover dat hij Tomasina op dat moment niet wilde teleurstellen. Ze had dankzij hem heel wat moeten doorstaan. Ach, bedacht hij, hij zou het even aankijken en zien hoe alles liep. Het was niet bepaald een afspraakje of iets dergelijks. Tomasina was jong genoeg om zijn dochter te zijn. Maar ja, in theorie was Sophia ook jong genoeg om zijn dochter te zijn. Misschien konden ze met hun drieën gaan. Dat zou Sophia wel begrijpen.

'Dan ga ik maar eens,' zei Tomasina.

'Terug naar kantoor?'

'Nee. Daar heb ik voor vandaag even genoeg van. Ik ga naar huis.'

'Waar woon je?'

'Clapham. Ik pak de ondergrondse vanaf Piccadilly. Tot volgende week.'

Ze gaf Banks vlug een zoen op zijn wang en holde opgewekt door Swallow Street weg. Wat zijn jongeren toch veerkrachtig, dacht Banks bij zichzelf.

De auto met zijn koffer erin stond nog steeds bij het hotel in Fitzrovia en hij bedacht dat hij daar maar beter naartoe kon gaan om aan de lange rit terug naar Eastvale te beginnen. De andere persoon die hij had gebeld terwijl Tomasina een sigaretje rookte, was Dirty Dick Burgess geweest, maar hij had hem weer niet te pakken gekregen.

Banks liep genietend van het zonnetje en de lichte roes van twee glazen witte wijn door Regent Street naar Oxford Circus, en hield onderweg zo goed en zo kwaad als het ging zijn omgeving in de gaten om te zien of hij werd gevolgd. Hij ging een paar minuten bij de Bosewinkel naar binnen om een geluiddempende koptelefoon die hem wel aansprak uit te proberen. Vlak bij Great Marlborough Street werd de menigte toeristen hem te druk, dus ging hij rechtsaf om Oxford Circus te vermijden. Hij wilde ook nog even bij Borders en HMV langsgaan voordat hij weer naar het noorden vertrok. Hij bevond zich ergens tussen Liberty en het Palladium toen hij een enorme explosie hoorde en het trottoir onder hem voelde trillen alsof er een aardbeving had plaatsgevonden. De hoge ramen van de panden aan weerszijden van de straat sprongen kapot, en glasscherven en brokken pleisterwerk regenden neer op het wegdek.

Heel even leek het alsof de wereld tot stilstand was gekomen, bevroor, maar toen was er opeens weer overal geluid en beweging, en Banks werd zich ervan bewust dat mensen met een verwarde, angstige uitdrukking op hun gezicht krijsend langs hem renden, terug naar Regent Street of juist dieper Soho in. In een smalle zijstraat links van hem zag hij een sluier zwarte rook vermengd met donkere oranje vlammen. Overal gingen alarminstallaties af. Zonder na te denken rende hij tegen de in paniek geraakte mensenmassa in door Argyll Street naar Oxford Street, waar hij terechtkwam in een tafereel van verwoesting dat regelrecht uit de blitzkrieg leek te komen.

Op verschillende plaatsen was brand uitgebroken. De donkere, verstikkende rook prikte in zijn ogen. Het rook naar verbrand plastic en rubber. Vergruisde pleisterkalk dwarrelde door de lucht en overal lag puin. Glasscherven knarsten onder zijn voeten. Aanvankelijk verliep alles in slow motion. Banks ving het geluid van sirenes op in de verte, maar de plek waar hij zich bevond, midden in de rookwolk, voelde aan als een soort eiland dat was afgescheiden van de rest van de stad. Het was alsof hij het stille middelpunt van de duisternis had bereikt, het oog van de storm. Daar had niets het kunnen overleven. Overal lagen brokstukken: delen van auto's; verwrongen fietsen; een brandende houten kar; bonte souvenirsjaals, pashmina's en goedkope koffers en reistassen lagen over de weg verspreid; een man lag roerloos en bloedend half door zijn autoruit. Toen kwam er opeens een gedaante naar Banks toe gestrompeld, een oude Aziatische vrouw in een felgekleurde sari. Haar neus was weg en er stroomde bloed uit haar ogen. Ze had haar armen voor zich uitgestoken.

'Help!' riep ze. 'Help me dan toch. Ik zie niets. Ik ben blind.'

Banks greep haar vast bij haar arm en zij klampte zich onmiddellijk aan hem vast alsof haar leven ervan afhing. Hij probeerde iets troostends en bemoedigends te mompelen. Misschien was het maar goed dat ze niets kon zien, schoot het door zijn hoofd terwijl hij haar door de straat wegleidde. Overal in de rookdampen wankelden mensen met voor zich uit gestoken armen voort, als zombies in een horrorfilm. Sommigen schreeuwden, anderen kropen gillend uit brandende auto's en weer anderen zaten of lagen kreunend van de pijn op de straat.

Eén man lag brandend op het wegdek en rolde wild heen en weer in een poging de vlammen die hem verteerden te doven. Banks kon niets voor hem doen. Hij struikelde over een been. Het zat niet langer vast aan een lichaam. Vervolgens liep hij door iets wat een onaangenaam zompend, zuigend geluid onder zijn voeten maakte en hij zag overal lichaamsdelen liggen. Toen hij de Aziatische vrouw uit de rook had weggevoerd en haar op de stoeprand had laten plaatsnemen tot er hulp arriveerde, keerde hij tussen de brokstukken en het puin door terug. Hij vond een gedesoriënteerd jongetje van een jaar of tien, elf en sleurde hem enigszins hardhandig naar de rand van het tafereel waar de rook dunner was, naar de plek waar hij de Aziatische vrouw had achtergelaten; hij keerde meteen terug om de volgende persoon die hij kon vinden uit het rampgebied te loodsen.

Hij wist niet hoe lang hij hiermee bezig was, hoe lang hij mensen bij de arm pakte en hen meetrok, hen soms zelfs van de weg optilde of hen meenam naar de rand van Oxford Circus, waar het weliswaar nog steeds naar brandend plastic stonk, maar de lucht in elk geval kon worden ingeademd.

Een brandende taxi lag op zijn kant en een knappe, jonge blondine in een met bloed besmeurde gele zomerjurk probeerde door het raampje naar buiten te klauteren. Banks schoot haar te hulp. Ze hield een hondje als een bol wol tegen haar borst geklemd, evenals een tas van Selfridges die bijna te groot was om door het raam te wurmen. Ze slaagde erin uit het wrak te klimmen, maar weigerde het hengsel van de tas los te laten, hoe hard Banks ook probeerde haar weg te trekken. Hij was bang dat de taxi elk moment kon ontploffen. Ten slotte trok ze de tas met een ruk los en wankelde ze op haar hoge hakken regelrecht Banks' armen in. Een vluchtige blik op de bestuurdersstoel was voldoende om vast te stellen dat de chauffeur dood was. De vrouw klampte zich aan Banks vast, en met de tas om haar ene arm en de hond in de andere gekneld schuifelden ze voetje voor voetje in de richting van de schonere lucht. Voor het eerst rook hij te midden van de ellende iets anders dan de dood: het was haar parfum, een subtiele muskgeur. Hij liet haar huilend achter op de rand van het trottoir en keerde terug. Een harmonicabus lag brandend op zijn zij en hij wilde kijken of hij mensen kon helpen eruit te komen. Toen hij wegliep, hoorde hij de vrouw achter hem klaaglijk jammeren en het hondje begon te keffen.

Voordat hij goed en wel doorhad wat er gebeurde, stroomde het gebied vol met donkere gedaanten in beschermende kleding met gasmaskers op of zware ademhalingsapparatuur met zuurstoftanks op hun rug gebonden; sommigen van hen hadden een lichte mitrailleur bij zich en iemand kondigde via een luidspreker aan dat iedereen het gebied moest verlaten. Banks ging door met zijn zoektocht naar overlevenden tot hij een zware hand op zijn schouder voelde die hem meetrok.

'Ga maar, kerel, laat alles maar aan ons over,' zei de stem die bij de hand hoorde gedempt door de ademhalingsapparatuur. 'Je weet maar nooit. Straks volgt er nog een of explodeert een van de auto's.'

De sterke, rustige hand duwde hem vriendelijk doch dringend langs Oxford Circus en de hoek om naar Regent Street.

'Alles goed?' vroeg de man hem.

'Met mij wel,' zei Banks. 'Ik ben van de politie. Ik kan helpen.' Hij haalde zijn pas tevoorschijn.

De man bekeek hem aandachtig en Banks wist dat hij zijn naam in zijn geheugen opsloeg.

'Het is al goed,' zei de man en hij trok hem mee. 'Zonder de juiste uitrusting kun je hier niets beginnen. Het is te gevaarlijk. Heb je het zien gebeuren?'

'Nee,' zei Banks. 'Ik liep in Great Marlborough Street. Ik hoorde de explosie en ben hiernaartoe gekomen om te kijken of ik kon helpen.'

'Laat het verder maar aan de vaklui over, kerel. Als je zeker weet dat je niets mankeert, kun je het beste naar huis gaan en de artsen de ruimte geven voor de mensen die hen echt nodig hebben.'

Verderop in Regent Street zag Banks de uitgerukte brandweerauto's, politiewagens, ambulances en gepantserde voertuigen van de ME staan, en de straat zag zwart van de uniformen. Overal stonden wegversperringen en de wijk was helemaal tot aan Conduit Street afgezet. Hij was blij dat hij nu tenminste weer lucht kreeg en strompelde tussen de met stomheid geslagen toeschouwers door langs de versperringen.

'Wat is er gebeurd, joh?' vroeg iemand.

'Een bom, natuurlijk,' antwoordde iemand anders. 'Dat zie je toch zo. Verdomde terroristen.'

Banks liep zonder aandacht te schenken aan de vragen weg door de menigte, terug in de richting waar hij vandaan was gekomen – hoe lang geleden dat was geweest kon hij niet zeggen. In het begin, te midden van de lichaamsdelen, menselijke fakkels, bijtende rook en rondstrompelende gewonden, was het net geweest alsof de tijd stil was blijven staan, maar wanneer hij zich nu omdraaide om naar de chaos achter hem in Regent Street te staren, kreeg hij het gevoel dat het allemaal in een flits, een onbewaakt ogenblik, had plaatsgevonden. De medewerker van het reddingsteam had gelijk gehad; hij kon verder niets uitrichten. Hij zou alleen maar in de weg lopen. Hij had zich nog nooit van zijn leven zo nutteloos gevoeld en het laatste wat hij wilde, was als ramptoerist blijven rondhangen. Hij vroeg zich af hoe het met de blinde Aziatische zou gaan, en met de jonge blondine met haar schoothondje en haar tas van Selfridges.

Hoe dichter hij bij Picadilly Circus kwam, des te meer de chaos en vernielingen op de achtergrond vervaagden. Hij wist niet waar hij naartoe ging en het kon hem ook niet schelen ook, zolang hij alles maar achter zich liet. Zijn ademhaling was weer bijna normaal, maar zijn ogen brandden nog steeds. Mensen staarden hem met open mond aan wanneer hij langsliep; iedereen was zich er inmiddels van bewust dat er iets ernstigs was gebeurd, ook al hadden ze zelf misschien niets gehoord. Je kon de rookwalm vanaf Oxford Street nog steeds achter de elegante, in een boog lopende voorgevels van Regent Street omhoog zien kronkelen en de zachte zomerse lucht was doordrongen van de stank.

Toen Banks langs Piccadilly Circus kwam, wist hij opeens wat hij wilde. Een glas alcohol. Misschien wel twee. Hij liep verder door Shaftesbury Avenue naar Soho, waar hij vroeger, in zijn beginjaren bij de Met, vaak te vinden was geweest, en ging ten slotte een beetje wankel ter been een oude pub in Dean Street binnen die hij zich van jaren geleden herinnerde. Er was weinig veranderd. Het was druk in de bar en zelfs de rokers waren weer naar binnen gekomen om de ingelaste nieuwsuitzending op het grote televisiescherm achterin te volgen. Die had hiervóór ongetwijfeld alleen maar gediend voor het uitzenden van voetbalwedstrijden, vermoedde Banks, maar toonde nu beelden van de vernielingen in de omgeving van Oxford Circus nog geen anderhalve kilometer verderop. Het kwam hem allemaal heel onwerkelijk voor nu hij op het grote scherm voor zich zag waar hij slechts enkele minuten eerder zelf nog deel van had uitgemaakt. Een andere wereld. Een andere plek. Was dat niet meestal zo? Gebeurden zulke dingen niet altijd ergens anders? Darfur. Kenia. Zimbabwe. Irak. Tsjetsjenië. Nooit een stukje verderop in de straat. De barman stond ook naar de televisie te kijken, maar toen hij Banks zag, keerde hij terug naar zijn vaste plek achter de bar.

'Allemachtig,' zei hij. 'Wat is er met jou gebeurd, kerel? Je ziet eruit alsof je net… Ach, verdomme. Dat héb je ook, hè?'

Andere mensen wierpen nu ook een blik op Banks en trokken zacht pratend aan de mouw van de mensen naast hen of stootten hun arm aan. Banks knikte.

'Zeg het maar, kerel, dan krijg je dat van me,' zei de barman.

Banks wilde twee dingen. Hij wilde een pint om zijn dorst te lessen en een dubbele cognac om zijn zenuwen tot bedaren te brengen. Hij bood aan om voor een ervan zelf te betalen, maar de barman wilde er niets van weten.

'Als ik jou was, man,' zei hij, 'zou ik eerst even snel naar het herentoilet gaan. Dat is vlak achter je. Je voelt je vast stukken beter als je jezelf eerst een beetje fatsoeneert.'

Banks nam een stevige teug bier en volgde toen de raad van de barman op. Net als de meeste toiletten in Londense pubs was het ook hier niet veel soeps; de urinoirs zaten onder de donkergele vlekken en stonken naar pis, maar boven de gebarsten wasbak hing wel een spiegel. Eén blik volstond. Zijn gezicht zag zwart van de rook en zijn ogen waren net twee starende gaten in het donker. De voorkant van zijn witte overhemd was zwartgeblakerd, en zat onder de bloedspetters en god mocht weten wat nog meer. Gelukkig was zijn windjack er niet al te erg aan toe. Het was vuil, maar omdat het donkerblauw van kleur was, waren de vlekken niet al te duidelijk zichtbaar, en op zijn spijkerbroek zaten alleen wat schroei- en teerplekken. Hij wilde niet eens dénken aan wat er allemaal onder op zijn schoenzolen zat.

Het drong tot hem door dat er momenteel niet veel meer inzat dan een oppervlakkige opknapbeurt: zijn gezicht goed wassen en zijn overhemd zo goed mogelijk verbergen, wat hij deed door zijn jack helemaal tot boven aan toe dicht te ritsen. Hij liet het water flink stromen tot het warm was, spoot wat vloeibare zeep in zijn handen en ging zo goed en zo kwaad als dat ging aan de slag. Na een tijdje was het hem gelukt het meeste vuil weg te boenen, maar aan de blik in zijn ogen kon hij weinig doen.

'Dat is stukken beter, kerel,' zei de barman.

Banks bedankte hem en dronk zijn pint leeg. Toen hij het glas neerzette en iets rustiger van de cognac dronk, vulde de barman zonder iets te zeggen zijn pintglas weer. Banks zag hem ook een groot glas whisky voor zichzelf inschenken.

'Ze denken dat het een zelfmoordaanslag met een autobom is,' zei de barman met een gebaar naar de televisie die de andere klanten nog altijd in haar greep hield. 'Dat is nieuw voor me. Hij reed vlak bij het Circus vanuit Great Portland Street Oxford Street in. Logisch. Je kunt daar nergens parkeren, en in Oxford Street mogen alleen bussen en taxi's komen. Smerige hufters. Ze bedenken steeds iets nieuws.'

'Hoeveel gewonden zijn er?' vroeg Banks.

'Dat weten ze nog niet precies. De laatste stand is vierentwintig doden en ongeveer evenveel zwaargewonden. Dat is een voorzichtige inschatting. Jij komt daar toch vandaan, hè?'

'Ja.'

'Van de plek waar het is gebeurd?'

'Ja.'

'Hoe was dat?'

Banks nam een slokje cognac.

'Sorry. Dat had ik niet moeten vragen,' zei de barman. 'Ik heb zelf het nodige meegemaakt. Ex-para. Noord-Ierland. Ook geen lolletje.' Hij stak zijn hand uit. 'Ik ben trouwens Joe Geldard.'

Banks schudde zijn hand. 'Aangenaam, Joe Geldard,' zei hij. 'Alan Banks. Bedankt voor alles, trouwens.'

'Stelt niets voor, man. Hoe voel je je nu?'

Banks nam weer een slok cognac. Hij merkte dat zijn hand nog steeds trilde. Op zijn linkerhand zat een oppervlakkige brandwond, zag hij nu voor het eerst, maar hij voelde nog geen pijn. Het zag er niet al te ernstig uit. 'Hierdoor al veel beter,' zei hij met opgeheven cognacglas. 'Ik overleef het wel.'

Joe Geldard liep terug naar het uiteinde van de bar om samen met de anderen de berichtgeving op de televisie te volgen. Banks bleef alleen achter. Voor het eerst lukte het hem zijn gedachten te ordenen en tot zich te laten doordringen wat er zojuist was voorgevallen, hoe ongelooflijk dat ook nog steeds leek.

Kennelijk had een zelfmoordenaar vlak bij de plek waar hij had gelopen een autobom tot ontploffen gebracht. Als de drukte in Regent Street hem niet te veel was geworden en hij niet precies op dat moment Great Marlborough Street was ingeslagen, zou hij in Oxford Street hebben gelopen en wie weet wat hem dan was overkomen. Dat hij zich in de vlammen had begeven, was niet voortgekomen uit moed, wist hij, maar puur uit instinct, ook al was hij nog niet eens zo heel lang geleden zelf bijna omgekomen bij een brand in zijn eigen huis.

Hij dacht aan Brian en Tomasina. Die waren waarschijnlijk allebei veilig weggekomen. Ze zouden allebei de ondergrondse vanaf Piccadilly Circus nemen. Misschien kostte het hen moeite om een metro te vinden, zeker als de lijnen snel waren gesloten, maar afgezien daarvan was er vast niets aan de hand. Hij zou hen later voor alle zekerheid allebei even bellen, zodra hij een beetje van de gebeurtenissen was bekomen. Hij bedacht dat zij zich misschien ook zorgen om hem maakten.

En Sophia? Jezus, ze werkte vaak in Western House, een stukje verderop in Great Portland Street, tenzij ze in een andere studio moest zijn of ergens een live-interview regisseerde. Misschien was ze in haar lunchpauze wel naar Oxford Street gegaan om wat te winkelen. Dat deed ze eigenlijk nooit, herinnerde Banks zich. Ze zei dat ze dat vreselijk vond vanwege de vele toeristen.

Op mooie dagen haalde ze weleens een sandwich bij een Pret A Manger-fili-aal, die ze dan het liefst in de tuinen van Regent's Park opat, of bij een lunch-concert in het openluchttheater. Hij zou haar wel bellen, ook omdat hij graag de kans kreeg om het goed te maken.

Een golf van misselijkheid overspoelde hem en hij nam een grote slok cognac. Hij moest ervan hoesten, maar het hielp wel. Hij wierp steels een blik op de televisie en zag helikopteropnamen van de uitdijende rookwolken, maar wist niet of het geluid van sirenes afkomstig was van de beelden op het nieuws of van buiten op straat. Een tikkertape gleed onder de beelden voorbij met de allerlaatste berichten. Het dodental stond inmiddels op zevenentwintig, het aantal gewonden op tweeëndertig.

Banks wendde zijn blik af en concentreerde zich op zijn tweede pint. Zijn rechterhand was opgehouden met trillen en zijn linkerhand klopte zachtjes. Toen hij in de spiegel achter de rijen flessen met sterke drank en wijn keek, herkende hij het gezicht dat terugstaarde bijna niet. Het werd tijd om iets te doen.

Hij bedacht dat hij eerst nieuwe kleding moest hebben. Hij had zijn porte-monnee en beide gsm's bij zich, maar verder niets. De rest van zijn spullen lag in zijn auto bij het hotel. Hij wist dat hij daar kon komen zonder langs Oxford Circus te moeten lopen, maar daar had hij geen zin in. Niet alleen had hij geen zin daar nu in de buurt te komen, maar ook niet om terug te rijden naar Eastvale, besefte hij. Hij zou wat nieuwe kleding kopen, naar King's Cross gaan en daar de trein pakken, en kwam wel terug om de auto te halen wanneer hij zich iets beter voelde. Sophia had een sleutel – ze vond het leuk om af en toe zelf in de Porsche te rijden – dus hij kon haar altijd vragen de auto op te halen en voor haar huis neer te zetten, waar hij veilig stond. Dat zou ze vast wel voor hem willen doen, ook al weigerde ze met hem te pra-ten.

Toen drong het tot hem door dat de stations van de ondergrondse en de trei-nen waarschijnlijk voorlopig wel allemaal gesloten zouden blijven. Het werd hem allemaal te veel, zijn hersenen weigerden dienst en hij begreep dat hij voorlopig nergens naartoe zou kunnen. De alcohol zorgde ervoor dat hij langzaam maar zeker tot rust kwam en wiste een deel van de verschrikkingen van het afgelopen uur uit zijn geheugen, dus hij bestelde een nieuwe pint en zei tegen Joe Geldard dat hij er zelf ook een mocht nemen.

15

Annie vroeg zich af waarom Banks wilde dat ze zaterdagochtend vroeg naar zijn cottage in Gratly reed. Ze was ervan uitgegaan dat hij bij Sophia in Londen zou blijven, in elk geval tot het eind van het weekend, maar dat was blijkbaar niet het geval.

Al haar pogingen hem de avond ervoor te bellen waren op niets uitgelopen, omdat hij niet in staat of niet bereid was geweest om zijn gsm's op te nemen. Na het werk was ze gewoon naar huis gegaan en had ze vol ontzetting op televisie de berichtgeving over de gebeurtenissen na de bomaanslag op Oxford Circus gevolgd. Speciale antiterreureenheden waren in Dewsbury, Birmingham en Leicester in actie gekomen, zo werd gemeld, en het gerucht ging dat er al drie mensen waren gearresteerd en dat er een inval was gedaan bij één moskee in Londen.

De moslimgemeenschap stond op de achterste benen vanwege de schending van de onaantastbaarheid van hun gewijde gebedshuis, maar Annie betwijfelde of er iemand naar hen luisterde, zeker nu de beelden van het televisiescherm op ieders netvlies stonden gebrand en Al Qaida de verantwoordelijkheid voor de aanslag had opgeëist. Hoewel Annie respect probeerde op te brengen voor alle godsdiensten, was ze zich ervan bewust dat religie vaker dan wat ook in de geschiedenis van de mensheid als excuus had gediend voor oorlogen en criminele activiteiten. Nu religieus extremisme hand over hand toenam, werd het steeds moeilijker om de onaantastbaarheid van een geloof als reden voor massamoorden te omarmen.

Maar ach, het was een heerlijke ochtend om door de Dale te rijden, hield ze zichzelf voor, en terwijl haar stokoude Astra bochten nam en over plotseling opduikende hellinkjes hobbelde, zette ze de nieuwsbeelden uit haar hoofd. Rechts van haar strekte The Leas zich uit, een vlak, waterrijk natuurgebied langs de rivier de Swain, die zich traag tussen weilanden vol boterbloemen, ooievaarsbek en klaver door slingerde. Daarachter verhieven zich, aanvankelijk geleidelijk, maar allengs steiler en getooid met kriskras lopende stapelmuurtjes, de heuvelhellingen tot aan de hoger gelegen weidegronden. Het groen van het gras werd fletser naarmate het dichter aanschurkte tegen het rotsachtige hoogland van kalkstenen richels die het begin vormden van het uitgestrekte heidelandschap. Ze had haar raampje helemaal opengedraaid en op de stereo klonk een nummer van de cd met greatest hits van Steely Dan, 'Bodhisattva'. Banks zou het helemaal niets hebben gevonden, maar dat kon haar geen barst schelen. Alles verliep voorspoedig.

Nou ja, bijna.

Winsome had een nieuwe aanwijzing gevonden in het East-Sideonderzoek. Een van de plaatselijke criminelen had zich laten ontvallen dat er een nieuwe deelnemer was opgedoken, 'een Albanees of Turk of zoiets', die kort geleden uit Londen was gearriveerd, en alle jongeren die tot voor kort vrijuit op kleine schaal drugs hadden kunnen dealen dienden zich nu uit zichzelf uit de markt terug te trekken of voor hem te gaan werken, want anders... kon je misschien weleens worden neergestoken. Ze hadden de nieuwkomer, die luisterde naar de naam de Stier, nog niet weten op te sporen, maar Annie voelde dat het slechts een kwestie van tijd was. Het gerucht ging dat hij belangrijke connecties had en van plan was op grote schaal heroïne in te voeren in Eastvale. Als het hen lukte de Stier op te pakken, zou dat hun beslist een pluim van hoofdinspecteur Gervaise opleveren, om maar niet te spreken van assistent-hoofdcommissaris McLaughlin en de hoofdcommissaris in hoogsteigen persoon, die dan op televisie konden vertellen dat ze de oorlog tegen de drugs aan het winnen waren.

Annie reed door de High Street van Helmthorpe, langs de kerk, de pubs en de winkels met wandelspullen, sloeg bij de school links af en vervolgde haar weg langs de heuvelhelling naar Gratly. Ze reed voorzichtig de smalle, stenen brug op waar een paar oude mannen onder het genot van hun pijp met elkaar stonden te kletsen, sloeg een paar honderd meter verderop rechts af Banks' oprit in en hield vlak voordat deze doodliep bij de bosrand stil naast de stenen muur langs Gratly Beck. Tot haar verbazing was zijn auto nergens te bekennen.

Annie verbaasde zich telkens weer over de prachtige, eenzame plek die Banks had uitgekozen om te wonen nadat zijn huwelijk was gestrand. Door de renovatiewerkzaamheden die hij had laten uitvoeren na de brand had hij nu veel meer ruimte, maar alles was smaakvol uitgevoerd in dezelfde lokaal gewonnen kalksteen en het huisje zag er vermoedelijk niet eens zo heel anders uit dan toen het pas was gebouwd – in 1768, volgens de latei van grove zandsteen.

Ze klopte aan. Banks deed open en ging haar via de woonkamer voor naar de keuken.

'Koffie?' vroeg hij.

'Graag.'

Hij wist hoe ze hem dronk, zag Annie. Zwart en sterk. Zo dronk hij hem zelf ook.

'Laten we naar de serre gaan,' stelde hij voor.

Annie liep achter hem aan door de keukendeur. Honingzacht zonlicht stroomde door de glazen zijmuren naar binnen en door de ramen kwam net voldoende wind binnen om te voorkomen dat het er te warm werd. Dat was het probleem met serres, dacht Annie bij zichzelf; één dag mooi weer en het was er bloedheet. In sommige opzichten was het er 's winters met een elektrische kachel aan, oplichtende namaakkolen en een paar brandende stangen veel prettiger vertoeven. Zo vroeg op de ochtend was het er echter heel aangenaam. Het uitzicht op de helling helemaal tot aan de kalkstenen richel bovenaan, die deed denken aan de grimas van een skelet, was werkelijk adembenemend en overal liepen schapen. Ze herinnerde zich dat de rotan leunstoelen diep en uitnodigend waren, met kussens zo zacht dat het moeilijk was weer op te staan wanneer je eenmaal zat. Ze nam toch plaats en zette haar koffie neer op de lage, glazen tafel, naast de ochtendkranten die nog ongelezen waren. Dat was niets voor Banks. Hij vond het niet altijd nodig op de hoogte te blijven van het laatste nieuws, maar las wel de muziek- en filmrecensies, en deed graag de kruiswoordpuzzels. Misschien had hij uitgeslapen. Op de achtergrond klonk zachtjes vreemde, orkestrale muziek, sombere, dissonerende klanken, een vibrafoon en trompetten, timpanen, een koor dat inviel en weer wegzakte.

'Wat is dat voor muziek?' vroeg Annie toen Banks tegenover haar was gaan zitten.

'Sjostakovitsj. Symfonie no. 13. Het heet "Babi Yar". Hoezo? Heb je er last van?'

'Nee hoor,' zei Annie. 'Ik vroeg het me gewoon af. Het klinkt nogal apart.' Het was natuurlijk geen Steely Dan, maar wel rustig om op de achtergrond te horen. 'Hoe laat ben je gisteravond teruggekomen?' vroeg ze.

'Laat.'

'Ik heb je 's avonds nog gebeld.'

'Die verrekte batterij was leeg en ik had de oplader niet bij me.'

Hij zag er nog magerder uit dan anders en zijn felblauwe ogen glansden minder helder dan anders. Om zijn linkerhand zat een verband gewikkeld.

'Wat heb je uitgespookt?' vroeg ze.

Hij tilde zijn hand op. 'O, dit? Gebrand aan de ijzeren koekenpan. De dokter roept al tijden dat mijn eetgewoonten nog eens mijn dood worden. Het heeft weinig om het lijf. Ik was eigenlijk van plan vanochtend naar het bureau te gaan, maar ben van gedachten veranderd. Daarom heb ik je ook gevraagd hierheen te komen.'

'Omdat je jezelf hebt verwond?'

'Wat? Nee. Ik zei toch dat het weinig om het lijf heeft. Nee, het gaat om iets anders.'

'Wat dan?'

'Dat vertel ik je straks wel.'

'Mij best, hoor,' zei Annie luchtig. 'Doe maar lekker geheimzinnig. Alsof mij dat iets kan schelen. We hebben een belangrijke aanwijzing gevonden inzake die steekpartij in East Side.' Ze vertelde hem over de Stier. Ze merkte dat hij er tijdens haar verhaal niet bij was met zijn gedachten, dus rondde ze haar relaas snel af en ze zei: 'Wat is er, Alan? Waarom heb je me gevraagd om hierheen te komen?'

'Ik vond dat we het over Wyman moesten hebben,' zei Banks. 'Gezien alle nieuwe informatie. We moeten hem eigenlijk op het bureau ontbieden.'

'Nieuwe informatie? Zoveel is er niet, behalve dan dat we nu weten dat hij iemand opdracht heeft gegeven om die foto's van Silbert te maken.'

'Is dat dan niet voldoende?' zei Banks. 'Dat is trouwens niet alles. Bij lange na niet. Het groeit me eigenlijk allemaal een beetje boven het hoofd.'

Banks vertelde haar dat Hardcastle de foto's had verscheurd, en beschreef wat er op donderdagavond bij Sophia thuis en de vorige dag in Tomasina's kantoor was gebeurd. Annie luisterde met steeds verder openzakkende mond. Toen hij was uitgesproken, wist ze alleen maar uit te brengen: 'Jij was gisteren toch in Londen? Is het niet afschuwelijk? Je kan nooit ver uit de buurt van Oxford Circus zijn geweest toen het gebeurde.'

'Ik was in Regent Street,' zei hij. 'Alle stations zijn vier uur lang afgesloten geweest. Daarom was ik ook zo laat terug. Ik moest een taxi nemen vanaf het station van Darlington.'

'Ik dacht dat je er met de auto naartoe was gegaan.'

'Die heb ik laten staan. Ik kon het niet opbrengen om dat hele eind terug te rijden. Al dat verkeer. Bovendien had ik bij de lunch wat gedronken. Hoezo? Word ik nu aan de tand gevoeld?'

'Waarom ben je niet bij Sophia blijven slapen? Dat arme mens moet doodsangsten hebben uitgestaan.'

'Ze logeert bij een vriendin.' Banks staarde Annie aan en heel even dacht ze dat hij haar ging vertellen dat ze zich met haar eigen zaken moest bemoeien. Er klonk een solo, vervolgens zette het koor in en ten slotte deed ook het orkest weer mee, harde koperinstrumenten en donderende slaginstrumenten, staccato ritmes, een gong. Het was echt bizarre muziek voor zo'n prachtige zaterdagochtend. Zo te zien luisterde Banks even tot de muziek een climax had bereikt en weer zachtjes verderging, net een gregoriaans gezang, en toen zei hij: 'Om je de waarheid te zeggen wilde ze me niet in haar buurt hebben. Ze vond dat het gebeurde eigenlijk mijn schuld was, omdat ik de alarminstallatie niet zou hebben ingesteld.'

'Was dat ook zo?'

'Nee, natuurlijk had ik dat verdomde systeem wel ingesteld.'

'Heb je haar dat ook gezegd?'

'Ze was overstuur. Ze wilde me niet geloven.'

'Heb je de politie gebeld?'

'Je weet met wie we te maken hebben, Annie. Dacht je nu heus dat ik er iets mee was opgeschoten als ik de politie had gebeld? Godallemachtig, ik ben zelf van de politie en ook daar schiet ik niets mee op. Bovendien wilde zij dat niet.'

'Heb je Sophia wel de waarheid verteld, haar gezegd wie er volgens jou achter zaten?'

'Nee.'

'Waarom niet?'

'Wat heeft het voor zin om haar bang te maken?'

'Dan was ze in elk geval gewaarschuwd.'

'Waarom maak jij je er trouwens zo druk over? Je mag haar niet eens.'

'Dat is niet waar,' zei Annie gekwetst. 'Ik maak me gewoon zorgen om jou. Daar is het me de hele tijd al om te doen.'

'Nou, dat is nergens voor nodig. Bovendien zullen ze haar heus niets aandoen. En Tomasina ook niet. Als dat hun bedoeling was geweest, hadden ze dat allang kunnen doen. Mij ook. Nee, ze wilden slechts iets duidelijk maken en dat is hen gelukt. Daar zal het voorlopig wel bij blijven. Ze proberen ons gewoon weg te jagen. Daarom is het hoog tijd om Wyman op te pakken.'

'Ze hebben jou anders niet weggejaagd. En mij evenmin.'

Banks glimlachte mat en zei: 'Wat heb je ontdekt?'

'Een paar interessante dingen.' Annie vertelde hem over haar gesprek met Carol Wyman.

Toen ze was uitgesproken, merkte Banks op: 'Dat gedoe rond Rick Wyman is interessant. De SAS nota bene. Je weet toch zeker wel van wie zij hun opdrachten krijgen, hè? MI6, wed ik. Dat zou het verband kunnen zijn tussen Wyman en Silberts wereldje. Ik heb al die tijd al gedacht dat er meer meespeelde dan alleen zakelijke rivaliteit. Heb je het nagetrokken?'

'Ik heb gesproken met zijn...' Hoe moest ze Charlotte Fraser in vredesnaam noemen? 'Zijn weduwe,' zei ze ten slotte, ook al was dat strikt genomen niet helemaal juist. 'Ze wilde me uiteraard niets vertellen, maar ik heb haar wel zo ver gekregen dat ze toegaf dat Rick Wyman tijdens gevechten om het leven is gekomen, en niet bij een helikopterongeluk tijdens een oefening.'

'Interessant,' zei Banks. 'Heel interessant. Konden we nu maar iets meer gegevens boven tafel krijgen, zoals het doel van de missie, wie de opdracht gaf en hun informatie verschafte, dan kwamen we misschien nog eens ergens. Stel dat Wyman gelooft dat Silbert verantwoordelijk was voor de dood van zijn broer? Stel dat hij dat ook daadwerkelijk was? Stel dat het iets is wat MI6 wil verdoezelen?'

'Dan zullen ze alles doen wat in hun vermogen ligt om te voorkomen dat jij het openbaar maakt.' Annie strekte een hand uit naar haar koffie. Er werd een solopartij gezongen, met op de achtergrond het ijle geluid van de vibrafoon en toen zette het hele koor weer in. 'Hoe wilde je daar trouwens achterkomen?'

'Voordat jij arriveerde,' zei Banks, 'ben ik teruggebeld door hoofdinspecteur Burgess. Dirty Dick Burgess.'

'Ik herinner me hem nog wel,' zei Annie. 'Die seksistische, racistische, homofobe smeerlap die denkt dat hij een godsgeschenk is.'

'Die ja,' beaamde Banks. 'Ik was al een paar dagen bezig hem te pakken te krijgen en had allerlei cryptische berichten bij hem ingesproken. Wat dit soort zaken betreft is hij bijzonder vindingrijk. Ik weet niet precies voor welke afdeling hij tegenwoordig werkt, maar het heeft in elk geval iets te maken met antiterrorisme en hij behoort tot het selecte groepje ingewijden. Heeft naadloos de politieke overstap gemaakt van Thatcher en Major naar Blair en Brown.'

'Ach, voor zover ik weet, zit daar toch al amper verschil tussen,' zei Annie.

'Jij bent te jong om je Thatcher nog te kunnen herinneren.'

'Ik herinner me de Falklandoorlog anders nog best,' sputterde Annie tegen. 'Ik was vijftien.'

'Hoe dan ook, ik had een tijdje niets van Dirty Dick gehoord en dacht dat het wellicht iets te maken had met het feit dat ik uit de gratie was bij zijn bazen. Als dat zo was, zou hij daar zeker van op de hoogte zijn. Toevallig blijkt dat nog te kloppen ook, maar dat was niet de reden. Hij zit momenteel niet in Londen, maar in Dewsbury.'

'Dewsbury,' herhaalde Annie. 'Is dat niet waar...?'

'Een van de plegers of bedenkers van de bomaanslag vandaan kwam? Ja, dat had ik ook al bedacht. Daarom zit hij daar waarschijnlijk ook. Het punt is dat hij erin heeft toegestemd me ergens te ontmoeten.'

'Waar? Wanneer?'

'Vanochtend, bij Hallam Tarn. Dat zou weleens onze enige kans kunnen zijn om een echte connectie te vinden tussen Wyman en Silbert, en dat gedoe rond de SAS en MI6, en er hopelijk achter te komen wat Silbert sinds zijn zogenaamde pensionering de afgelopen paar jaar eigenlijk precies heeft gedaan, waarom hij met mannen afsprak op een bankje in Regent's Park enzovoort.'

'Als er al een connectie bestaat,' waarschuwde Annie hem.

'Inderdaad.' Banks keek haar aandachtig aan. 'Ik weet dat jij nog steeds denkt dat Hardcastle het beoogde slachtoffer was en jaloezie van een vakgenoot het motief. Schrijf die optie nog maar niet af; je kunt nog steeds gelijk hebben. Wyman heeft Hardcastle die foto's inderdaad gegeven, en deze reageerde geschokt en vol afschuw. Laat me dit alsjeblieft nog heel even doorzetten.' Banks pakte een pen en blocnote uit de boekenkast naast hem. 'Wat weet je nog meer over Rick Wyman?'

Annie vertelde hem alles wat ze wist, wat niet bepaald veel was.

'Aan de hand daarvan moet hij toch te traceren zijn,' zei Banks. 'Weet je zeker dat de datum klopt? 15 oktober 2002?'

'Dat is wat Carol Wyman me heeft verteld.'

'Goed.'

'En als er toch geen enkel verband bestaat?'

'Dat zien we wel weer als het echt zover komt.'

'Wat doen we nu? Als ze Wyman op het spoor zijn, wat volgens jou het geval is nu ze die dossiers van Tom Savage hebben doorgespit, loopt hij dan geen gevaar?'

'Dat hangt ervan af in hoeverre hij een bedreiging voor hen vormt. Maar ja, ik ben het inderdaad wel met je eens dat we vrij snel moeten handelen, hem op het bureau ontbieden en dit tot op de bodem uitzoeken.'

Annie was inmiddels de draad van de muziek allang kwijt; deze schoot nu heen en weer tussen het gejaagde, luide orkest en de tenorsolo. Soms viel ze zelfs helemaal weg. 'We zullen eerst met de hoofdinspecteur moeten gaan praten,' zei ze.

'Zou jij dat willen doen?' vroeg Banks.

'Ik? Jezus nog aan toe, Alan!'

'Alsjeblieft?' Banks wierp een blik op zijn horloge. 'Ik heb zo met Burgess afgesproken en we hebben geen tijd te verliezen. Straks weet ik misschien weer wat meer, maar als we bij hoofdinspecteur Gervaise toestemming kunnen lospeuteren om Wyman op het bureau te ondervragen over zijn opdracht om die foto's te maken kunnen we tenminste verder.'

'Maar ik…'

'Toe, Annie. Ze weet immers toch al dat je je met deze zaak hebt beziggehouden?'

'De zaak die helemaal geen zaak is? Ja, dat weet ze.'

'Vertel haar welk bewijsmateriaal we hebben. Leg de nadruk op de theaterkwestie en zwak de invalshoek van de inlichtingendienst zo veel mogelijk af. Dat is toch het enige waar zij zich echt druk over maakt. Op die manier trapt ze er geheid in.'

'Oké, oké,' zei Annie. Ze stond op om te vertrekken. 'Ik zal het proberen. En jij?'

'Ik kom later. Ik bel wel dat iemand me moet komen ophalen zodra ik klaar ben. Haal Wyman naar het bureau nadat je met Gervaise hebt gesproken en laat hem een tijdje alleen zitten piekeren.'

'Hoe luidt de aanklacht?'

'Je hoeft hem niet in staat van beschuldiging te stellen, vraag hem gewoon vrijwillig met je mee te komen.'

'En als hij weigert?'

'Dan arresteer je hem, verdomme.'

'Op welke grond?'

'Om te beginnen omdat hij een vuile leugenaar is.'

'Kon dat maar...'

'Zorg dat hij naar het bureau komt, Annie. Wie weet levert dat weer nieuwe informatie op.'

Toen Annie vertrok, speelde het orkest een mysterieuze, indringende melodie, maar de dag leek lang zo mooi niet meer.

Toen hij weer alleen was, schonk Banks een laatste kop koffie voor zichzelf in. 'Babi Yar' was afgelopen en hij wist niet wat hij nu wilde horen. Het was bijna tijd om te vertrekken en dit was een afspraak die hij niet wilde missen, hoe moe hij ook was. Hoewel hij zich afvroeg waarom hij de moeite nog nam, sloot hij toch de cottage af voordat hij Tetchley Fell op liep naar Hallam Tarn.

Hij had de vorige nacht geen oog dichtgedaan; zijn hoofd had vol gezeten met de beelden waarvan hij op Oxford Circus getuige was geweest, en de geur van verbrand vlees en plastic hing nog altijd in zijn neus. Bepaalde beelden zou hij in gedachten altijd blijven zien, wist hij, en dingen die hij meende slechts vluchtig te hebben opgemerkt, een gedaante zonder hoofd aan de rand van zijn gezichtsveld, glinsterende ingewanden, opgevangen door een waas van stof en rook heen, zouden in zijn fantasie groeien en veranderen, en hem nog jarenlang in zijn dromen achtervolgen.

In sommige opzichten waren het echter niet de beelden, maar juist de gevoelens die hem het hardst aangrepen. Hij nam aan dat hij toch in slaap was gesukkeld, in elk geval een paar keer heel kort, want hij herinnerde zich het droomgevoel dat je niet hard genoeg kunt lopen om aan iets nachtmerrieachtigs te ontsnappen, je te laat bent voor een belangrijke afspraak, maar je niet kunt herinneren hoe je er moet komen, je naakt en verdwaald door donkere, dreigende straten ronddoolt en steeds verder in paniek raakt naarmate het later wordt, traptreden onder je voeten stroperig aanvoelen wanneer je naar boven probeert te lopen, je een afgrond in trekken en onder je in het niets oplossen. Toen hij wakker werd, voelde zijn borst hol aan en klopte zijn hart troosteloos, doelloos, zonder echo.

Nadat hij uit Joe Geldards pub was weggegaan, had hij bij een Marks & Spencer nieuwe kleding gekocht en was hij te voet door achterafstraatjes van Bloomsbury naar station King's Cross gelopen. Zelfs in Euston Road kon hij nog slierten rook door de lucht zien zweven en had hij een enkele sirene horen loeien. Hij wist niet precies hoe laat de bomontploffing zich had voorgedaan, maar had uitgerekend dat het rond halfdrie moest zijn geweest, midden op zo'n zomerse vrijdagmiddag waarop mensen meestal vroeg van hun werk vertrokken. Toen hij bij het treinstation aankwam, was het vijf uur geweest, maar de treinen reden nog altijd niet, ook al was het gebouw een uur eerder veilig verklaard en heropend.

Een enorme mensenmassa hoopte zich op rond de aankondigingsborden, klaar om een sprintje te trekken zodra hun perron bekend werd gemaakt. Een enkele reis naar Darlington kostte hem een klein fortuin en hij had geen enkele garantie over het tijdstip waarop de trein daadwerkelijk zou vertrekken. De sandwichkraampjes hadden geen van alle eten en flesjes water meer. Tijdens het wachten belde Banks Brian en Tomasina, met wie alles helemaal in orde was, hoewel ze erg geschrokken waren omdat ze zich zo dicht bij de ramp hadden bevonden. Hij belde ook Sophia's nummer thuis, maar er werd, zoals hij al had verwacht, niet opgenomen. Hij liet een berichtje achter met het verzoek of ze zijn auto wilde ophalen en zei dat hij hoopte dat het goed met haar ging. Hij was niet van plan ook maar iemand over zijn middag te vertellen; nu niet en misschien wel nooit.

Banks had geluk: de eerste trein richting het noorden vertrok om vijf over halfzeven en hij wist een plekje te bemachtigen naast een ernstige, jonge student uit Bangladesh, die graag wilde praten over wat er was gebeurd. Banks wilde er juist níét over praten en liet dat meteen duidelijk merken. Tijdens de rest van de reis voelde de student zich duidelijk niet op zijn gemak, ongetwijfeld omdat hij dacht dat Banks niets met hem te maken wilde hebben omdat hij Aziatisch was.

Het kon Banks op dat moment niet schelen wat de jongen dacht of wat anderen dachten. Hij staarde uit het raam, zonder een boek of zelfs zijn iPod om zijn gedachten af te leiden van de reis en zijn herinneringen. Hij had zich toch niet op de woorden of muziek kunnen concentreren. Zijn hoofd voelde als verdoofd, en een paar miniatuurflesjes Schotse whisky van het karretje met versnaperingen verergerden dat gevoel alleen maar.

In Darlington, dat net iets dichter bij Gratly lag dan York, had hij een taxi naar huis genomen en ook dat had hem een fortuin gekost. Het aanhoudende geklets van de chauffeur over de kansen van Middlesborough in het komende seizoen was een gratis bijkomend voordeel geweest. Hij was gelukkig niet over de bomaanslag begonnen; soms voelde het noorden zo ver verwijderd van alles dat het bijna een ander land leek, met heel andere problemen. Al met al was het een duur dagje geworden, bedacht Banks terwijl hij de taxichauffeur betaalde: de hotelrekening, de lunch, zijn nieuwe kleren, het treinkaartje en nu dit. Godzijdank accepteerde iedereen tegenwoordig creditcards.

De treinreis was traag verlopen, met onverwacht, onverklaard oponthoud in Grantham en Doncaster, en Banks was pas om halfelf thuis. Hij moest toegeven dat het een enorme opluchting was om terug te zijn en de deur achter zich dicht te kunnen doen, ook al had hij geen flauw idee wat hij moest doen om zijn zinnen te verzetten. Hij wilde het journaal niet zien, had geen zin om de beelden van dood en lijden tot vervelens toe herhaald te zien worden of het stijgende aantal doden bij te houden. Nadat hij een groot glas rode wijn voor zichzelf had ingeschonken, een oude Marx Brothers-film had opgezet en in de televisiekamer was gaan zitten, kon hij niet zeggen hoe hij zich voelde. Toen hij zichzelf eens grondig onderzocht, kwam hij tot de ontdekking dat hij niet triest, kwaad of neerslachtig was. Misschien kwam dat later nog. Wat er was gebeurd, had hem meegevoerd naar een nieuwe plek heel diep in hemzelf, een plek die hij niet kende en nog nooit had onderzocht, en hij bezat er geen plattegrond van. Zijn wereld was veranderd, de as verschoven. Er was een verschil tussen weten dat dergelijke dingen gebeurden, ze op televisie andere mensen zien overkomen, en er zelf bij aanwezig zijn, er middenin zitten, het lijden met eigen ogen zien en weten dat je helemaal niets, of heel weinig, kunt doen. Hij had wel een paar gewonden geholpen. Daar moest hij zich aan vastklampen. Hij dacht terug aan de blinde, Aziatische vrouw wier hand hij nog altijd om zijn arm kon voelen, de jonge blondine in de met bloed besmeurde gele jurk met haar dwaze schoothondje en de tas die ze maar niet wilde loslaten, het bange kind, de dode taxichauffeur, al die mensen. Zij hoorden nu bij hem, maakten deel van hem uit, en dat zou altijd zo blijven.

Ondanks alle angst en verdriet ervoer hij echter ook een intense kalmte, een gevoel van onvermijdelijkheid en loslaten dat hem verraste. Het was net als de wandeling die hij nu maakte. Het had iets eenvoudigs en geruststellends om zijn ene voet voor de andere te zetten, en langzaam naar de top van de heuvel te klimmen.

Hij wandelde over het voetpad langs Tetchley Fell dat door verschillende velden liep en zocht met zijn ogen de stapelmuurtjes af op zoek naar een plaats om overheen te klimmen naar het volgende. De zon stond stralend tegen de felblauwe lucht, maar er was een zachte bries die de warmte enigszins afzwakte. Af en toe keek hij over zijn schouder om te zien of hij werd gevolgd en hij zag twee gedaanten, eentje met een rood jack dat ze met de mouwen om haar middel had gebonden en de ander in een T-shirt met een rugzak om. Banks bereikte hijgend en zwetend de Romeinse weg die dwars over de helling van de vallei naar het dorpje Fortford in de verte voerde, en besloot dat hij daar even zou pauzeren, zodat ze hem konden inhalen.

Toen ze hem passeerden, groetten ze hem, zoals wandelaars altijd deden, en vervolgens sloegen ze links af de Romeinse weg in. Ze konden die bij Mortsett verlaten, bedacht Banks, of helemaal doorlopen naar Relton of Fortford, maar ze gingen in elk geval niet zijn kant op. Het waren trouwens gewoon twee jongeren, een paar studenten die de frisse plattelandslucht kwamen opsnuiven. Zelfs MI6 had toch zeker wel een minimumleeftijdsgrens?

Banks klom over een muurtje en vervolgde zijn tocht over het smalle pad door de velden naar de top van de heuvel. Het gras werd schaarser en bruiner, en al snel wandelde hij om rotsblokken heen en door met heide en gaspeldoorn begroeid terrein. Ze zouden binnenkort wel gaan bloeien, vermoedde hij, en het saaie heidelandschap opvrolijken met hun paarse en gele kleur. Hij kwam nu ook veel minder schapen tegen.

Al een hele tijd voordat hij de top echt bereikte dacht hij steeds dat hij er al was. De ene valse top volgde de andere op. Uiteindelijk was hij er dan toch en nu hoefde hij alleen maar aan de andere kant langs de steile helling af te dalen om bij Hallam Tarn te komen. Het stelde niet zo heel veel voor, een uitgeholde kom water helemaal boven aan Tetchley Fell van zo'n honderd meter breed en tweehonderd meter lang. Op sommige plaatsen stond er een muur omheen, omdat er kinderen in waren gevallen en verdronken. Ooit was hier het lichaam van een jonge jongen gedumpt, herinnerde Banks zich. Om het bergmeertje liep een pad dat deel uitmaakte van een prachtige wandelroute en op die dag stonden er aan het andere uiteinde van het terrein, waar de weg naar boven vanuit Helmthorpe bij de rand van het water eindigde, vijf of zes auto's geparkeerd.

Er bestond een legende waarin werd verteld dat Hallam Tarn ooit een dorpje was geweest, maar de dorpelingen bleken zich aan verdorven praktijken te bezondigen, de duivel te aanbidden en mensenoffers te brengen, waarop God hen met zijn vuist velde en uit de deuk die hij veroorzaakte toen hij het dorp verpletterde, ontstond het meer. Op bepaalde dagen, zo werd gezegd, als de lichtval goed was, kon je de oude huizen en straten onder het water zien liggen, evenals de vierkante, padachtige kerk met het ondersteboven geplaatste kruis, en het bloedstollende gekrijs horen van de dorpelingen die zich tijdens een of andere rituele ceremonie tot waanzin opzweepten.

Op sommige dagen zou je dat ongetwijfeld zomaar geloven, vond Banks, terwijl hij naar het parkeerterrein liep, maar op deze dag had de plek helemaal niets weg van een oord waar het kwaad en duivelse riten hadden plaatsgevonden. Een stelletje passeerde hem hand in hand op het pad en het meisje glimlachte verlegen naar hem, met een grassprietje in haar mond. Een man van middelbare leeftijd in trainingspak en op sportschoenen jogde met een rood gezicht en zwetend van inspanning langs als een prachtig voorbeeld van een dreigende hartaanval.

Banks bereikte het uiteinde van het meertje waar de auto's stonden geparkeerd en zijn oog viel op een bekende gedaante. Aan de waterkant stond hoofdinspecteur Dirty Dick Burgess platte steentjes naar het water te keilen, die meteen zonken en niet opketsten. Hij zag Banks aankomen, klapte in zijn handen, wreef ze over elkaar en zei: 'Banksy. Fijn dat je kon komen. Je bent geloof ik een beetje stout geweest, hè?'

Typisch iets voor Banks om haar op te zadelen met de taak met Gervaise te gaan praten, dacht Annie bij zichzelf, toen ze later die ochtend voor het huis van de hoofdinspecteur stilhield. Gervaise had aan de telefoon een tikkeltje humeurig geklonken – haar man was met de kinderen naar een cricketwedstrijd en vandaag was haar tuinierdag, zei ze – maar had erin toegestemd Annie heel even te woord te staan.

Tijdens de rit over het rustige landweggetje piekerde Annie over Banks en zijn vreemde gedrag van die ochtend. Hij had zich anders dan anders gedragen en ze kwam tot de conclusie dat het gekibbel met Sophia ernstiger moest zijn geweest dan hij het had doen voorkomen. Hij had haar ooit verteld hoeveel waarde Sophia hechtte aan de objecten uit de natuur en de kunstwerken die ze door de jaren heen had verzameld, dus het had haar ongetwijfeld enorm veel verdriet gedaan om de moedwillige vernieling ervan te moeten aanzien. Tja, vond Annie, als dat domme wicht haar zeeschelpen belangrijker vond dan Banks, dan was dit haar verdiende loon.

Annie parkeerde haar auto voor het huis en belde aan. Een stem riep: 'Ik ben achter het huis. Loop er maar omheen.' Een smal paadje langs de zijkant van het huis en de garage gaf toegang tot de achtertuin.

Annie begon bijna te giechelen bij de aanblik van de hoofdinspecteur, die een breedgerande hoed op had, een wijd mannenoverhemd en een witte korte broek droeg, op sandalen liep, en een snoeischaar in haar hand hield, maar ze wist zich in te houden.

'Ga zitten, inspecteur Cabbot,' zei Gervaise met een gezonde blos op de wangen. 'Gerstewater?'

'Graag.' Annie pakte het glas aan, ging zitten en nam een slokje. Ze had in geen jaren gerstewater gedronken, niet meer sinds haar moeder het voor haar maakte. Het smaakte heerlijk. Er stond een ronde tafel met vier stoelen op het gazon, maar geen beschuttende parasol, en ze wilde nu maar dat ze een hoed had meegenomen.

'Heb je weleens een coupe soleil overwogen?' vroeg Gervaise.

'Nee, hoofdinspecteur.'

'Misschien zou je dat eens moeten doen. Het zou je prima staan in het zonlicht.'

Wat had dit te betekenen? vroeg Annie zich verwonderd af. Eerst Carol Wyman die suggereerde dat ze haar haren moest laten blonderen en nu had Gervaise het over een coupe soleil.

Gervaise ging zitten. 'Ik neem aan dat je hier bent om me bij te praten over belangrijke ontwikkelingen in het onderzoek naar de steekpartij in East Side?'

'Winsome is er druk mee bezig, hoofdinspecteur,' zei Annie. 'Ik ben ervan overtuigd dat er elke dag een doorbraak kan komen.'

'Hoe eerder, hoe beter. Zelfs de burgemeester wordt een beetje ongeduldig. En hoe staat het met jouzelf, inspecteur Cabbot? Waarmee ben jij eigenlijk precies bezig?'

Annie schoof ongemakkelijk heen en weer op haar stoel. 'Tja, dat is eigenlijk wat ik met u wilde bespreken, hoofdinspecteur. U zult het vast niet leuk vinden.'

Gervaise nam een slokje gerstewater en glimlachte. 'Kom maar op dan.'

'U herinnert zich vast ons gesprek over Derek Wyman van laatst nog wel.'

'Banks' Jagotheorie, bedoel je?'

'Ja.'

'Ga verder.'

'Nou, stel nu eens dat er toch iets in zat? Dat hij toch gelijk had, bedoel ik.'

Een wesp zoemde lui om Annies gerstewater. Ze wuifde hem weg.

'Zoals?' vroeg Gervaise.

'Tja, ziet u, ik sprak laatst meneer Wymans vrouw Carol en zij…'

'Ik dacht dat ik je had gezegd dat je hen met rust moest laten.'

'Niet met zoveel woorden, hoofdinspecteur.'

'O, in 's hemelsnaam, inspecteur Cabbot. Misschien heb ik het niet met zoveel woorden gezegd, maar je wist donders goed wat de strekking was. Het is voorbij. Laat het rusten.'

Annie haalde diep adem en gooide het eruit: 'Ik zou Derek Wyman graag op het bureau willen ondervragen.'

De stilte die Gervaise liet vallen, was zenuwslopend. De wesp zoemde weer voorbij. Ergens hoorde Annie een tuinslang sissen en een radio waaruit 'Moon River' klonk. Na een tijdje zei hoofdinspecteur Gervaise: 'Jij? Of inspecteur Banks?'

'Wij allebei.' Nu het hoge woord eruit was, durfde Annie wel weer. 'Ik weet dat u te verstaan hebt gekregen dat we ons er niet mee mogen bemoeien,' ging ze verder, 'maar nu hebben we bewijzen. Het heeft trouwens niets te maken met de geheime inlichtingendienst.'

'Is dat zo?'

'Ja, echt. Inspecteur Banks heeft een privédetective gevonden die de foto's van Silbert met die andere man heeft gemaakt.'

'Een privédetective?'

'Ja. Hij heeft ook een serveerster van Zizzi gesproken die zich herinnerde dat ze een man, hoogstwaarschijnlijk Hardcastle, foto's heeft zien verscheuren.'

'Hoogstwaarschijnlijk?'

'Nou ja, de opdracht voor de foto's kwam van Wyman en hij heeft ons zelf verteld dat hij met Hardcastle bij Zizzi had gegeten voordat ze naar het National Film Theatre gingen.'

'Waarom dan wel?'

'Om Hardcastle te manipuleren.'

'Hoogstwaarschijnlijk, bedoel je dan zeker?'

'Tja, het klinkt toch logisch? Waarom zou hij anders al die kosten maken? Zo rijk is hij niet.'

'Waarom zou hij dat in godsnaam hebben gedaan? Hij kende Silbert toch amper?'

'Klopt. Ze hadden elkaar een paar keer ontmoet, bij elkaar gegeten, maar hij kende Silbert inderdaad nauwelijks. Het was iets persoonlijks, denk ik. Hardcastle was het doelwit, maar wanneer je zoiets in gang zet, is niet altijd te voorspellen hoe het zal aflopen.'

'Dat geloof ik best. Vertel vooral verder.'

'Voor zover ik uit mijn gesprek met Carol Wyman heb kunnen opmaken is haar man zijn baan als leraar spuugzat en ligt zijn hart bij het toneel.'
'Dat weet ik,' zei Gervaise. 'Hij heeft *Othello* geregisseerd.'
'Dat is het hem nu juist,' ging Annie haastig verder. 'Hij wil veel meer regisseren. Het liefst als fulltimebaan. Zoals ik echter al opmerkte tijdens het gesprek waarin u het onderzoek voor gesloten verklaarde, zou er voor Wyman geen plek meer zijn geweest als het Hardcastle en Silbert was gelukt hun eigen, onafhankelijke toneelgroep op te richten. Hardcastle wilde zelf gaan regisseren. Wyman zou met lege handen zijn achtergebleven. Een dergelijke mislukking en vernedering kunnen een man tot het uiterste drijven en zijn trots knakken.'
'Waarmee je dus wilt zeggen dat Wyman een motief had voor het doden van twee mannen?'
'Ik denk niet dat hij van plan was iemand te doden. Het was slechts een akelige streek die helemaal verkeerd heeft uitgepakt. Ik ben ervan overtuigd dat hij Hardcastle wilde kwetsen, want anders had hij heus niet al die moeite gedaan. Ik vermoed dat hij door het regisseren van *Othello* op het idee is gekomen. Wat hij eigenlijk wilde, was een wig tussen Hardcastle en Silbert drijven, zodat Hardcastle zich hopelijk verplicht zou voelen uit Eastvale te vertrekken en het theatergezelschap te verlaten.'
'Ik weet het zo net nog niet,' zei Gervaise. 'Ik vind het nog steeds een beetje vergezocht klinken. Misschien vergis ik me wel, maar ik begrijp nog steeds niet welke misdaad er nu precies is gepleegd.'
'Dat komt later wel. Mensen hebben wel om minder anderen vermoord – een baan, een carrière, rivaliteit, jaloezie vanwege de creativiteit van een ander. Ik zeg ook niet dat Wyman bewust iemand heeft gedood. Het is wel mogelijk dat hij Hardcastle tot zijn daden heeft aangezet. Misschien heeft hij hem herhaaldelijk lastiggevallen met beschrijvingen en insinuaties, zoals Jago ook bij Othello deed. Misschien bezit Wyman een zeker psychologisch inzicht – dat zou je wel verwachten van een toneelregisseur – en wist hij hoe hij zoiets het beste kon aanpakken. Dat durf ik niet te zeggen. Ik geloof gewoon dat hij het heeft gedaan.' Gervaise schonk haar glas nogmaals vol uit de kan en bood Annie ook iets aan. Ze sloeg het aanbod af. 'Wat vindt u ervan?' vroeg ze.
'Het klinkt inderdaad wel enigszins geloofwaardig,' gaf Gervaise toe. 'Alleen zullen we in nog geen miljoen jaar kunnen aantonen dat het zo is gegaan.'
'Tenzij Wyman bekent.'
'Waarom zou hij dat doen?'
'Uit schuldgevoel. Omdat het bijvoorbeeld een gemeen plannetje was dat helemaal uit de hand is gelopen. Omdat het niet zijn bedoeling was dat er

iemand om het leven zou komen. Omdat we hier niet te maken hebben met een koelbloedige moordenaar. Hij heeft toch zeker ook gevoel? Wat er is gebeurd, moet een zware last voor hem zijn. Volgens zijn vrouw is hij de laatste tijd erg afwezig. Ik durf te wedden dat het voortdurend door zijn hoofd spookt.'

'Goed, inspecteur Cabbot,' zei Gervaise. 'Laten we er eens van uitgaan dat Wyman zijn bij *Othello* opgedane regie-ervaring inderdaad heeft aangewend om een plan te bedenken om Hardcastle dwars te zitten en dat dit enigszins uit de hand is gelopen. Kun je me garanderen dat dit totaal niets te maken had met de inlichtingendienst en het werk van Silbert?'

Het verliep precies zoals Banks had voorspeld, dacht Annie bij zichzelf. Zodra de inlichtingendienst geen rol meer speelde, was Gervaise wél bereid om het idee te accepteren. 'Ja,' zei ze.

Gervaise slaakte een zucht, zette haar hoed af en gebruikte deze om zichzelf koelte toe te wuiven. Daarna zette ze hem weer op. 'Waarom gaat het nu nooit eens gemakkelijk?' zei ze. 'Waarom doen mensen niet gewoon wat hun wordt opgedragen?'

'Het is onze taak de waarheid boven tafel te krijgen,' zei Annie.

'Sinds wanneer? Dat is een luxe die we ons eigenlijk niet kunnen permitteren.'

'Er zijn door Wymans toedoen twee mensen overleden. Het doet er niet toe of dat zijn bedoeling was of niet en evenmin of hij in theorie een misdaad heeft begaan of niet. Dan is het toch onze plicht iets te doen?'

'Je moet wél beseffen dat het de wet er bij een kwestie als deze vooral om gaat of hij een criminele handeling heeft verricht of niet, en ik kan niets bedenken.'

'Daar mag de openbare aanklager zich dan over buigen.'

'Hmm. Heb je enig idee hoeveel druk er van bovenaf op me is uitgeoefend om dit te laten rusten? Assistent-hoofdcommissaris McLaughlin is ongeveer de enige die me niet op de nek heeft gezeten en dat komt alleen maar doordat hij niet zoveel opheeft met de geheime inlichtingendienst. De hoofdcommissaris is echter onvermurwbaar. Ik wil dit niet op mijn bordje hebben. Haal Wyman vooral naar het bureau. Praat met hem. Als hij ook maar iets toegeeft wat jullie theorie onderbouwt, stuur je het dossier naar de openbare aanklager en laat je hen een oplossing zoeken. Het is aan inspecteur Banks en jou om er verdomd goed voor te zorgen dat het niet alsnog verkeerd loopt.'

'Ja, hoofdinspecteur,' zei Annie. Ze dronk haar glas in één keer leeg en stond op voordat Gervaise van gedachten kon veranderen. 'Dat zal ik zeker doen.'

'Waar hangt inspecteur Banks trouwens toch uit?'

'Hij brengt de rest van zijn vakantie thuis door,' zei Annie.

'Is het niet goed gegaan in Londen?'

'Ik neem aan van niet.'

'Kom, laten we dan maar hopen dat het snel beter gaat. Ik kan geen inspecteur met liefdesverdriet gebruiken die op het bureau loopt te kniezen. Vooruit. Aan de slag. Ik moet nodig terug naar mijn borders voordat Keith en de kinderen thuiskomen van de cricketwedstrijd en hun avondeten willen hebben.'

'Wat een godvergeten rotplek heb je als ontmoetingsplaats uitgekozen, zeg,' zei Burgess tijdens hun wandeling over het pad rond het meer.

'Het gebied wordt anders geroemd om de fraaie natuur,' zei Banks.

'Je kent me toch. Een stadsjongen in hart en nieren. Ik moet eerlijk zeggen, Banksy, dat Dewsbury niet meer is dan een steenpuist op de kont van het heelal.'

'Ze hebben er wel een mooi stadhuis. Van dezelfde architect die ook Leeds heeft ontworpen, als ik me niet vergis. Cuthbert Broderick. Of Broderick Cuthbert.'

'Dat verrekte stadhuis kan de pot op. Het gaat mij om de moskeeën.'

'Ben je daarom hier?'

Burgess zuchtte diep. 'Ja, natuurlijk. Het gaat van kwaad tot erger.'

'Is er al een oplossing in zicht?' vroeg Banks.

'Nog niet echt, dus als je een suggestie hebt... Ik ben nu al een week of wat in Dewsbury om verschillende aan terrorisme gelieerde zaken te onderzoeken en we weten dat daar twee jonge gozers wonen die betrokken waren bij het bedenken van de bomaanslag van gisteren. Tegenwoordig zijn ze allemaal hier geboren en getogen. Terroristen hoeven allang niet meer vanuit het buitenland te worden geïmporteerd.'

'Trek het je niet aan. Ze hadden je ook naar Leicester kunnen sturen.'

'Ik denk niet dat het veel gaat opleveren. Hoe dan ook, we zijn op zoek naar een garage of een box ergens op een afgelegen plek. Om de auto en de bestuurder gereed te maken, moeten ze een rustige plek hebben gehad, ver bij alles en iedereen vandaan. Dat kan Dewsbury zijn geweest.'

'Leicester is dichter bij Londen,' merkte Banks op.

'Dat heb ik ook gezegd, maar denk je dat ze luisteren?'

'Waarom beginnen ze niet in Londen zelf?'

'Zo werken die dingen niet. Het is hun gewoonte om in kleine groepen te werken. Via een netwerk. Alles wordt uitbesteed. Je kunt een dergelijke onderneming niet centraal voorbereiden. Daar kleven te veel risico's aan. Londen zit trouwens helemaal op slot, nog steviger dan de slaapkamerdeur van een oude vrijster.'

'Er kleven anders ook aardig wat risico's aan een rit met een auto vol explosieven over de M1 van Dewsbury naar Londen,' zei Banks. 'Of vanuit Leicester. Heb je *The Wages of Fear* nooit gezien?'

'Geweldige film. Tegenwoordig gebruiken ze echter veel stabieler spul, man. Dat is niet te vergelijken met glycerine.'

'Maar dan nog,' zei Banks.

Burgess schopte een steen van het pad. 'Stel je toch eens voor, man. Een of andere klojo die driehonderd kilometer of nog meer aflegt in een auto vol explosieven in de wetenschap dat hij aan het eind van de rit het loodje zal leggen?'

'Hetzelfde gaat op voor de terroristen in die vliegtuigen die zich in het World Trade Center hebben geboord. Daar worden ze speciaal voor opgeleid.'

'O, van hun opleiding weet ik alles af, Banksy, maar ik kan er gewoon met mijn hoofd niet bij. Tweeëntwintig was ie, de gozer die het heeft gedaan. Slimme jongen, zegt iedereen. Afkomstig uit Birmingham. Afgestudeerd in islamkunde in Keele. Goed, zo iemand hangt dus explosieven om zijn nek die in verbinding staan met een kofferbak vol explosieven, legt driehonderd kilometer af naar de beoogde bestemming en drukt daar op de knop. Hij mag veertig maagden op zijn conto bijschrijven, zesenveertig doden, achtenvijftig gewonden van wie enkele ernstig, en drieënzeventig wezen.' Burgess zweeg even. 'Ik heb ze zelf geteld. Zal ik je eens wat vertellen? Toen ze een van de flats binnenvielen, troffen ze daar plannen aan voor vergelijkbare aanslagen op Piccadilly Circus, Trafalgar Square en de voorgevel van Buckingham Palace, waar al die toeristen zich altijd staan te vergapen aan de wisseling van de wacht.'

'Waarom dan Oxford Circus?'

'Pure mazzel, denk ik.'

Banks zei niets.

'Wacht eens even, was jij gisteren niet in Londen?'

'Ja,' zei Banks.

'Was je daar soms ergens in de buurt? Ja, hè?'

'Ik was erbij,' zei Banks. Hij had zich voorgenomen niemand iets te vertellen, maar Burgess was bijzonder gehaaid en had zoiets snel door.

Burgess bleef staan en tuurde over het water. Het oppervlak vertoonde enkele rimpels, die werden veroorzaakt door de zachte bries. 'Da's klote,' zei hij. 'Ik zal maar niet vragen...'

'Nee,' zei Banks. 'Doe dat maar niet. Bedankt. Ik wil er niet over praten.' Hij voelde een brok in zijn keel en in zijn ogen prikten tranen, maar dat gevoel ebde weg. Ze wandelden verder.

'Hoe dan ook,' ging Burgess verder, 'volgens mij weet ik al zo'n beetje waarover je me wilde spreken. Het heeft zeker te maken met die twee dooie flikkers, hè? Met name die ene die voor MI6 werkte. Het antwoord is en blijft nee.'

'Luister nou eerst even naar wat ik te zeggen heb,' zei Banks. Hij vertelde Burgess wat hij te weten was gekomen over Wyman, Hardcastle en Silbert, evenals wat er bij Sophia thuis en op Tomasina's kantoor was voorgevallen.

Burgess luisterde tijdens het lopen met gebogen hoofd. Zijn haar was in de loop der jaren steeds dunner geworden en uiteindelijk had hij ervoor gekozen zijn hoofd te laten kaalscheren, in plaats van wat spaarzame haren over zijn schedel te kammen, iets wat een heleboel mannen onbegrijpelijkerwijs wél deden. Hij zag er redelijk fit uit, zijn buikje was sinds hun vorige ontmoeting een beetje afgeslankt en hij deed Banks uiterlijk denken aan Pete Townshend van The Who.

Toen Banks klaar was met zijn relaas, zei Burgess: 'Geen wonder dat je als gevaarlijk, ongewenst individu staat aangemerkt.'

'Het gaat niet alleen om mij,' zei Banks. 'Als het alleen om mij ging, kon ik het wel hebben. Ze hebben het ook gemunt op mensen die je dierbaar zijn.'

'Tja, terroristen maken nu eenmaal ook geen onderscheid. Het zijn interessante tijden. Er gebeuren akelige dingen. Er moeten overhaast lastige beslissingen worden genomen. Ik meen het serieus, Banks, er heerst daarbuiten iets duisters. Dat zou jij toch moeten weten.'

'Jazeker, en de strijd gaat erom het ook daarbuiten te hóúden.'

'Dat is me te abstract. Ik vang alleen de slechteriken maar.'

'Je praat hun daden dus goed? Wat ze in Sophia's huis hebben aangericht en in Tomasina's kantoor?'

'Dat zijn juist degenen die aan de goede kant staan, Banksy! Als ik het niet voor hen opneem, aan wiens kant sta ik dan?'

'Ken jij een zekere meneer Browne?'

'Nooit van die goeie man gehoord. Echt, Banks, MI5 en MI6 zijn niet mijn mensen. Ik werk af en toe voor hen, maar ik hoor bij een heel andere afdeling. Ik ken die lui niet.'

'Maar je weet wel wat er precies gaande is?'

'Je kent me, ik houd graag een vinger aan de pols. Kunnen we misschien even op dit bankje gaan zitten? Mijn benen beginnen pijn te doen.'

'We zijn anders pas twee keer rond het meer gelopen. Dat is amper een kilometer.'

'Ik denk dat ik slecht tegen de hoogte kan. Kunnen we goddomme alsjeblieft even gaan zitten?'

'Natuurlijk.'

Ze namen plaats op het bankje, dat was gedoneerd door een of andere bekende heidelandschapliefhebber uit de omgeving wiens naam in een koperen plaatje stond gegraveerd. Burgess bekeek de naam eens goed. 'Josiah Branksome,' zei hij in zijn beste Yorkshirese accent. 'Klinkt erg noordelijk.'

Banks leunde naar voren, legde zijn ellebogen op zijn knieën en steunde met zijn hoofd op zijn handen. 'Waarom hebben ze het in vredesnaam gedaan?' vroeg hij.

'Omdat ze hartstikke gestoord zijn.'

'Nee. Ik bedoel MI5. Waarom hebben ze Sophia's spullen kapotgemaakt en Tomasina de stuipen op het lijf gejaagd?'

'Waarom denk je dat MI5 daarachter zit?'

Banks keek hem van opzij aan. 'Browne zei dat hij van MI5 was.' Hij ging in gedachten terug naar het gesprek en wist opeens niet zeker meer wat Browne precies had gezegd. 'Hoezo? Wat weet jij ervan?'

'Ik zeg alleen maar dat Silbert voor MI6 werkte. Dat zijn totaal andere types. Die twee clubs weten echt niet van elkaar wat de ander uitspookt. De helft van de tijd praten ze niet eens met elkaar.'

'Dus jij denkt dat de kans groter is dat MI6 hierbij is betrokken dan MI5?'

'Ik zeg alleen maar dat die kans bestaat.'

'Ik had juist de indruk dat hun ambtsbevoegdheid alleen het buitenland gold.'

'Dat is ook zo. Meestal tenminste. Ik kan me echter indenken dat ze de moord op een van hun eigen mensen zelf willen onderzoeken, ongeacht waar die heeft plaatsgevonden. Ze zien waarschijnlijk niet graag dat MI5 dat voor hen doet. Het is maar een ideetje. Niet dat het er iets toe doet, hoor. Ze zijn allemaal goed in het uithalen van smerige streken. Het resultaat is hetzelfde.'

'Wat stel jij dan voor?'

'Als je echt wilt weten hoe ik erover denk – en dat is dan puur gebaseerd op het kleine beetje dat ik van hèn en hun manier van werken afweet – zou ik zeggen dat ze niet redeneren; ze reageren. Ze zijn niet echt in jouw vriendinnetje geïnteresseerd. Of in die privédetective. Hoewel ik moet toegeven dat ze wellicht een geldige reden hadden om haar te ondervragen als ze inderdaad foto's heeft lopen maken van een MI6-agent, gepensioneerd of niet, die in het geheim mensen ontmoette in Regent's Park. Het is echter voornamelijk een manier om jou iets duidelijk te maken. Je moet het zo bekijken: een van hun eigen mensen is vermoord. Er heeft bloed gevloeid. De aasgieren cirkelen rond. Wat had je dan verwacht?'

'Waarom komen ze dan niet achter mij zelf aan?'

'Dat hebben ze toch gedaan? Die meneer Browne naar wie je net vroeg.'

'Die man was totaal nutteloos. Hij is één keer langs geweest, werd nijdig toen ik weigerde mee te werken en vertrok weer.'

Burgess begon te lachen. 'Ach, Banksy toch, je bent echt onbetaalbaar. Wat had je dan verwacht? Nog een beleefdheidsbezoekje misschien? "Alstublieft, meneer Banks, houd er onmiddellijk mee op." Die hufters rommelen heus niet zomaar wat aan, hoor. Van MI5 noch van MI6. Daar hebben ze de tijd niet voor. Geduld is bij hen géén schone zaak. Snap je het dan niet? Dit is een compleet nieuw ras. Ze zijn een stuk akeliger dan de oude garde en hebben een heleboel nieuwe speeltjes. Het zijn geen heren. Eerder handelaren uit de City. Ze zijn in staat in een oogwenk je verleden te wissen en je leven te herschrijven. Ze hebben software tot hun beschikking waarbij in vergelijking jullie HOLMES-systeem een soort Rolodex is. Je moet hen niet kwaad maken. Ik meen het serieus, Banks, met hen moet je geen mot krijgen.'

'Daar is het nu een beetje te laat voor.'

'Trek je dan terug. Na verloop van tijd verliezen ze vanzelf alle belangstelling. Het is niet alsof ze geen andere dingen aan hun hoofd hebben.' Hij zweeg en wreef langs de zijkant van zijn neus. 'Nadat ik je berichtje had gehoord, heb ik met iemand gesproken die er meer van weet, gewoon om te zien of ik te weten kon komen wat er speelde. Hij was erg terughoudend, maar vertelde me wel een of twee dingen. Om te beginnen weten ze niet goed wat ze aan Wyman hebben en ze houden niet van onzekerheid.'

'Waarom hebben ze hem dan niet uitgehoord?'

'Dat kun je toch zeker zelf ook wel bedenken? Die meneer Browne die bij jou op bezoek kwam, die inbraak in het huis van je vriendin en die spullen van haar die zijn vernield, dat was allemaal bedoeld om jou af te schrikken. Ze wilden dat je het onderzoek stop zou zetten. Dat is puur een kwestie van instinct bij hen, geheimhouding, hun tweede natuur. Maar dan vinden ze de foto's van die vrouwelijke privédetective en beginnen ze opnieuw te twijfelen aan die Wyman. Ze vragen zich af waar hij eigenlijk mee bezig was. Voor wie hij zou kunnen werken. Wat hij eventueel wist. En, nog belangrijker: wat hij aan anderen zou vertellen. Ze besluiten jou het vuile werk te laten opknappen en houden je intussen vanaf een afstandje in de gaten. Je kunt nu nog steeds alles uit je handen laten vallen en het de rug toekeren. Dan zal je vriendin en jou verder niets overkomen. Geen blijvende gevolgen. Dat is nog zoiets, Banksy. In dit wereldje vermoorden mensen elkaar niet zo snel. Het zijn vak-

lui. Als het al eens voorkomt, kun je er donder op zeggen dat het om uitstekende politieke of veiligheidsredenen is, niet om een persoonlijke. Stop ermee. Je wint er niets mee door hen nog verder tegen de haren in te strijken.'
'Er zijn nog steeds een paar dingen die ik wil weten.'
Burgess slaakte een zucht. 'Het is alsof ik tegen een stenen muur sta te praten,' zei hij. 'Wanneer houd je eens op met aan mijn hoofd zaniken?'
'Ik wil iets meer weten over Silberts achtergrond, wat hij precies heeft gedaan, waarmee hij volgens hen bezig was.'
'Waarom?'
'Omdat Wyman daar misschien van op de hoogte is. Het kan zijn dat Silbert zijn mond voorbij heeft gepraat, in een onderonsje tussen twee geliefden bijvoorbeeld, en dat Hardcastle dit tijdens een van hun knusse gezamenlijke drankgelagen aan Wyman heeft doorgebriefd.'
'Waarom zou dat een reden zijn voor Wyman om te doen wat hij volgens jullie heeft gedaan?'
'Dat kan ik nog niet zeggen,' zei Banks. 'Het brengt me echter wel op mijn volgende verzoek. Wyman had een broer die Rick heette. SAS. Hij is op 15 oktober 2002 omgekomen in Afghanistan. Volgens de mediaberichten bij een helikopterongeluk toen hij op oefening was, maar volgens andere bronnen is Rick Wyman omgekomen bij gevechten tijdens een geheime missie.'
'Nou en? Het is standaardprocedure om tijdens een oorlog het aantal eigen dodelijke slachtoffers af te zwakken. Dit is één manier om dat te doen. Eigen vuur is er ook een.'
'De propagandistische invalshoek interesseert me niet,' zei Banks. 'Waar het mij om gaat is dat Silbert mogelijk betrokken was bij de informatievoorziening tijdens die missie. In 2002 werkte hij nog voor MI6. Hardcastle en hij hadden een paar keer met de Wymans gegeten en hij heeft hun verteld dat hij in Afghanistan was geweest. Ik vermoed dat de SAS achter Bin Laden aan zat, een belangrijk terroristenkamp zocht of de leider van een groep probeerde te traceren – dit speelde kort na 9/11 – en dat ze informatie ontvingen over de plek waar ze het gezochte konden vinden die op een of andere manier niet accuraat was en dat ze toen zijn verdwaald of dat de plek beter beveiligd was dan de agent die hun contactpersoon was dacht. Misschien ziet Wyman Silbert wel als de schuldige. Ik wil weten wanneer Silbert in Afghanistan was en waarom. Ik wil ook weten of Silbert een rol kan hebben gespeeld in dit alles en of er een verband bestaat met terrorisme.'
'Je vraagt nogal wat, zeg. Stel nu eens dat Silbert inderdaad verantwoordelijk was voor de dood van Rick Wyman. Hoe kan Derek Wyman daar dan achter zijn gekomen? Het betrof immers een geheime missie?'

'Geen idee. Misschien weer een onderonsje tussen geliefden? Silbert verklapt in bed na een van die dineetjes iets aan Hardcastle en Hardcastle vertelt het door.'

'Gelul, Banks. Silbert en zijn collega's zijn daar veel te goed voor getraind.'

'Toch kan het zo zijn gegaan.'

'Je klampt je vast aan strohalmen, vriend.'

'Kun jij het voor me uitzoeken? Jij zit tenslotte bij een antiterreurteam, jij moet bij die informatie kunnen komen.'

'Dat weet ik zo net nog niet,' zei Burgess. 'En zelfs als dat zo was, dan weet ik nog niet zo zeker of ik het wel zou doen.'

'Ik vraag toch niet of je je geheimhoudingsplicht wilt verzaken?'

'Waarschijnlijk doe je dat juist wel, maar dat is wel de minste van mijn zorgen. Wat je me wél vraagt kan een hoop ellende veroorzaken voor de inlichtingendienst, inclusief mezelf, die zit daar nu echt niet op te wachten, en daarnaast ook voor jezelf, je vrienden en familieleden. Ik weet niet zeker of ik dat wel op mijn geweten wil hebben.'

'Dat hoeft ook niet. Ik draag daar zelf de verantwoordelijkheid voor. Derek Wyman heeft een reeks gebeurtenissen in gang gezet die resulteerde in de gewelddadige dood van twee mannen. Hij heeft een wrede streek uitgehaald, als het inderdaad niet meer dan een streek was, en ik wil weten waarom. Als het hoe dan ook verband houdt met de dood van zijn broer, als er een terroristische connectie is, dan wil ik dat weten.'

'Waarom is dat zo belangrijk? Waarom ram je geen bekentenis uit hem en laat je het daarbij?'

'Omdat ik wil weten wat een man kan aanzetten tot zo'n kille daad, iets waarvan hij moet hebben beseft dat het op zijn minst een hoop onnodig verdriet zou veroorzaken in twee mensenlevens, ook al had hij misschien niet kunnen weten dat het met de dood van twee mensen zou eindigen. Begrijp je dat dan niet? Uitgerekend jij. Ga me nou niet vertellen dat je als agent nooit een dergelijke beroepsmatige nieuwsgierigheid hebt gekend. Dat is wat in dit vak de mannen juist van de jongens onderscheidt. Je kunt een schitterende carrière opbouwen bij de politie zonder je ooit druk te maken over het waarom, zolang je het wie, wat en wanneer echter maar weet. Als je echter iets wilt leren over de wereld, over de mens en waarom deze is zoals hij is, moet je verder kijken, dieper graven. Dan rust je niet totdat je het wéét.'

Burgess stond op en stak zijn handen in zijn zakken. 'Tja, nu je het zo stelt, Banksy, kan ik moeilijk weigeren.'

'Dus je doet het?'

'Ik zat je gewoon wat te dollen, man. Luister, het is een fluitje van een cent om iets over Silberts verleden op te diepen – algemene dingen bedoel ik dan, geen belastende details uiteraard – maar het zal iets minder gemakkelijk zijn om een verband te vinden met een specifieke missie. Als hij een eeuwigheid geleden in Afghanistan zat, zal niemand zich daar nu nog over opwinden, maar als het recentelijk was, ligt dat heel anders. Ze praten niet over zulke dingen en ik heb geen onbeperkte toegang tot dossiers. Als ze wisten dat ik dit zelfs maar overweeg, zouden ze me levend villen. Ik ga echt geen risico's lopen, zelfs niet voor jou.'

'Wat kun je wél uitzoeken?' zei Banks. 'Wat kun je me redelijkerwijs vertellen?'

'Redelijkerwijs? Niets. Als ik me redelijk gedroeg zou ik nu direct weglopen zonder zelfs maar gedag te zwaaien. Redelijkheid is echter nooit een van mijn sterkste kanten geweest en misschien heb ik wel net zoveel last van die beroepsmatige interesse als jij. Misschien ben ik daarom wel zo goed in mijn werk. Je zegt dat je al weet dat Silbert in Afghanistan is geweest. Dat wil op zichzelf niet zo heel veel zeggen, hoor. Die lui reizen om allerlei verschillende redenen heel wat af.'

'Dat weet ik, maar het is een begin. Kun je me ook laten weten waarmee Silbert zich de laatste tijd bezighield? Wie hij in Londen ontmoette?'

'Dat meen je toch niet, hè? Ik denk dat ik hooguit voor je kan achterhalen of Silbert werkzaam was op een gebied en in een functie waardoor de kans groot is dat hij in 2002 betrokken was bij SAS-missies in Afghanistan. Die informatie zal niet echt geheim zijn. Kun je daarmee leven?'

'Ik zal wel moeten. Hoe weet ik trouwens of ik jou kan vertrouwen? Jij bent een van hen, ook al werk je officieel niet bij MI5 of MI6. Hoe weet ik of jij me de waarheid vertelt?'

'Fuck, Banksy. Dat weet je niet.'

'Je kunt me dus in feite alles wijsmaken wat je wilt?'

'En zij kunnen op hun beurt mij ook allerlei dingen wijsmaken, omdat ze willen dat jij die weet. Welkom in de duizelingwekkende wereld die de geheime inlichtingendienst heet. Is je telefoontje veilig?'

'Het is een prepaid.'

'Hoe lang heb je hem al?'

'Ongeveer een week.'

'Gooi dat ding weg zodra je iets van me hebt gehoord. Dat meen ik.' Hij mompelde bijna onverstaanbaar: 'Ik ben ook hartstikke gek ook,' en liep terug naar zijn auto, Banks alleen op het bankje in de zon achterlatend.

16

'Waar gaat het eigenlijk over?' vroeg Derek Wyman aan Banks nadat Annie hem had opgehaald en een uur lang in de verhoorkamer had laten wachten. 'Het is zaterdag. Ik word in het theater verwacht. Ik moet een toneelstuk regisseren.'

'Ze zullen het even zonder u moeten doen,' zei Banks. 'Dat is al eens eerder voorgekomen. U weet wel, toen u in Londen zat?'

'Jawel, maar...'

'U hebt er toch mee ingestemd om hierheen te komen? U bent toch vrijwillig meegekomen?'

'Ja, dat is zo. Ik probeer een beetje mee te werken. Ik heb niets te verbergen.'

'Dan zullen we ons best doen u niet al te lang op te houden. Ik waardeer uw houding, meneer Wyman,' zei Banks. 'Geloof me, ons leven zou een stuk eenvoudiger zijn als iedereen er zo over dacht als u. Het probleem is alleen dat de meeste mensen wél iets te verbergen hebben.'

'Word ik ergens van beschuldigd? Moet ik een advocaat bellen?'

'U bent niet gearresteerd. U bent niet in staat van beschuldiging gesteld. U kunt te allen tijde vertrekken. U bent hier alleen om enkele vragen te beantwoorden. Ik moet u er wel bij vertellen dat u niet verplicht bent iets te zeggen, maar dat het ten nadele van uw verdediging kan zijn als u nu iets voor ons achterhoudt waarop u zich later in de rechtszaal wilt beroepen. Alles wat u zegt, kan en zal als bewijs worden gebruikt.'

'Mijn verdediging? De rechtszaal?'

'Het is een formele waarschuwing, meneer Wyman. Standaardprocedure. Ter bescherming van ons allemaal. Wat betreft een advocaat: dat moet u zelf weten. Denkt u dat u er een nodig zult hebben? U hebt er inderdaad recht op, als u denkt dat u er iets mee opschiet, en in dat geval kunt u uw eigen advocaat, als u die tenminste hebt, van de golfbaan laten halen of anders krijgt u er een toegewezen.'

'Ik heb helemaal niets gedaan.'

'Niemand beweert het tegendeel.'

Wyman wierp een blik op de opnameapparatuur en likte over zijn lippen. 'U neemt dit gesprek wel op.'

'Ook dat is standaardprocedure,' zei Annie. 'Een voorzorgsmaatregel. Daar is iedereen bij gebaat.'

'Ik weet niet…'

'Bij twijfel,' ging Annie verder, 'staat het u vrij te vertrekken, zoals inspecteur Banks u zo-even al vertelde. Dan zoeken we wel een andere manier om dit te doen.'

'Hoe bedoelt u?'

'Inspecteur Cabbot bedoelt slechts dat we een paar vragen voor u hebben waar we graag antwoord op krijgen,' zei Banks. 'Dit is de gemakkelijkste manier. Er zijn ook andere methoden. Blijven of vertrekken. Aan u de keuze.'

Wyman beet op zijn onderlip en zei toen: 'Oké. Kom maar op met die vragen. Zoals ik net al zei, heb ik niets te verbergen.'

'Mooi,' zei Banks. 'Zullen we dan nu maar meteen van start gaan?'

Wyman sloeg zijn armen over elkaar. 'Prima.' Hij oogde stijf en gespannen.

Banks gebaarde naar Annie dat zij moest beginnen. 'Kunnen we misschien eerst iets te drinken voor u halen, meneer Wyman?' vroeg ze. 'Een kopje thee misschien? Of koffie?'

'Nee, dank u wel. Laten we alstublieft beginnen.'

'Uitstekend. Hoe zou u uw relatie met Mark Hardcastle omschrijven?' was Annies eerste vraag.

'Dat kan ik niet zeggen. Die had ik namelijk niet. Niet in de zin die u bedoelt.'

'O? In welke zin bedoel ik het dan?'

'U moet niet denken dat ik me niet bewust ben van de subtiele insinuaties achter uw woorden. Ik regisseer toneelstukken. Van subtiele insinuaties weet ik alles af.'

'Daar twijfel ik geen moment aan,' zei Annie, 'maar ik was helemaal niet subtiel. Ik insinueerde ook al niets. Ik was juist heel direct. Wat u dus in feite zegt is dat u geen relatie met hem had, maar jullie waren toch wel vrienden?'

'Eigenlijk eerder collega's dan vrienden.'

'U ging toch zo nu en dan na werktijd weleens samen met hem iets drinken?'

'Ja, een enkele keer.'

'Mark Hardcastle en zijn partner Laurence Silbert zijn ook een keer bij u thuis komen eten. En u bent met uw vrouw Carol een keer bij hen thuis geweest in Castleview Heights. Klopt dat?'

'Ja. Dat weet u best. Ik koester geen vooroordelen over homoseksuelen.'

'Waarom bagatelliseert u de relatie dan voortdurend? Is er iets wat u ons niet vertelt?'
'Nee. Het is allemaal precies gegaan zoals ik u heb verteld.'
'Jullie waren echter meer dan alleen maar collega's. Zo is het toch?' vervolgde Annie. 'U bent niet alleen samen met Mark Hardcastle naar Londen geweest, maar u hebt ook verschillende keren iets met hem gedronken in The Red Rooster. We willen alleen maar weten waarom u ons dat tijdens ons eerste gesprek niet hebt verteld.'
'Ik dacht dat het niet belangrijk was wáár we iets hadden gedronken.'
'Misschien wilde u er ook liever niets mee te maken hebben?' opperde Annie. 'Dat is niet ongebruikelijk, hoor, dat mensen graag afstand nemen van een moordonderzoek. Het kan heel akelig worden en soms heeft dat invloed op de levens van alle betrokkenen.'
'Moord? Welke moord?' Wyman keek enigszins verward.
'Laurence Silbert is zeker vermoord,' zei Annie, 'en we geloven dat iemand bewust op een ruzie heeft aangestuurd tussen Silbert en Hardcastle. Misschien verwachtte deze persoon alleen maar dat het tot een breuk zou leiden en kreeg hij meer dan waarop hij had gehoopt, maar zelfs dat eerste is al bijzonder kwalijk natuurlijk.'
'Best mogelijk. Ik zou het u niet kunnen zeggen.'
'Denkt u alstublieft goed na, meneer Wyman. Als er iets is wat u nu voor ons achterhoudt waarop u zich later wilt beroepen, kan dat verkeerd voor u uitpakken. Dit is uw kans op een schone lei.'
'Ik heb jullie alles verteld wat ik weet.'
'U had toch een veel inniger band met Mark en Laurence dan u ons in eerste instantie wilde doen geloven?'
'Misschien. Dat is moeilijk te zeggen. Het viel niet mee om hen echt goed te leren kennen.'
'Wat was de bedoeling van al die drankjes in The Red Rooster?'
'Pardon?'
'Och, houd toch op, Derek,' zei Banks. 'Je weet best waar we het over hebben. Het is niet bepaald een kroeg waar intellectuele mannen van de wereld zoals Mark Hardcastle en jij normaal gesproken graag rondhangen. Waarom daar? Vanwege de karaoke soms? Zie je jezelf misschien als de nieuwe Robbie Williams?'
'Toen wij daar waren, was er helemaal geen karaoke. Het was er juist vrij rustig. En ze hebben er heerlijk bier.'
'Het bier daar is walgelijk,' zei Banks. 'Denk maar niet dat we geloven dat je er daarom naartoe ging.'

Wyman staarde kwaad naar Banks en keek vervolgens smekend naar Annie, alsof zij zijn reddingsboei was, alsof zijn geestelijke gezondheid en veiligheid van haar afhingen. 'Wat is daar voorgevallen, Derek?' vroeg ze vriendelijk. 'Toe maar. Je kunt het ons vertellen. We hebben gehoord dat Mark overstuur raakte door iets wat jij zei en dat jij hem hebt gekalmeerd. Waar ging dat over?'

Wyman sloeg zijn armen weer over elkaar. 'Niets. Ik kan het me niet herinneren.'

'Dit schiet niet op zo,' merkte Banks op. 'Ik denk dat het beter is als we overstappen op een officiële juridische ondervraging.'

'Wat wil dat zeggen?' vroeg Wyman en zijn blik gleed van de een naar de ander. 'Wat houdt dat "officiële" in?'

'Inspecteur Banks is een beetje ongeduldig,' zei Annie. 'Maak je geen zorgen. Dit is een informeel gesprek en we hadden eigenlijk gehoopt dat onze problemen hiermee konden worden opgelost. We maken liever geen gebruik van maatregelen als in bewaring stellen, visitaties, huiszoekingen, het afnemen van DNA-monsters en wat dies meer zij. Nog niet, tenminste. Niet zolang de mogelijkheid bestaat dat we zaken op een prettige manier kunnen afhandelen, zoals nu.'

'Ik laat me niet door jullie intimideren,' zei Wyman. 'Ik weet wat mijn rechten zijn.'

'Ging het over jullie werk?' vroeg Annie.

'Wat?'

'Dat gesprek van jou met Mark in The Red Rooster.'

'Dat zou zomaar kunnen. Daar hadden we het meestal over. Ik zei net toch al dat we eerder collega's waren dan vrienden?'

'Ik begrijp dat je een beetje van slag was, omdat Mark zelf toneelstukken wilde gaan regisseren en bezig was een professionele toneelgroep op te richten met betaalde plaatselijke spelers en gastoptredens van professionele acteurs, met het theater van Eastvale als thuisbasis,' zei Annie. 'Je was natuurlijk bang dat dit jouw positie zou aantasten. Ik kan me voorstellen dat het aan je vrat. De enige manier om nog een beetje professionele voldoening te vinden na een dag op de scholengemeenschap met types als Nicky Haskell en Jackie Binns.'

'Ze zijn niet allemaal zo erg.'

'Misschien niet, nee,' zei Annie. 'Toch moet het af en toe deprimerend zijn. Het theater is immers je lust en je leven? Het enige waar je nog enthousiasme voor kunt opbrengen? En toen dook Mark Hardcastle op, een briljant decorontwerper die in de coulissen stond te trappelen om ook nog eens het regisseursstokje over te nemen. Artistiek leider van zijn eigen gezelschap. Dat zou nooit een eerlijke strijd zijn geweest, hè?'

'Mark bakte er niets van als regisseur.'

'Hij was wel de nieuwe, jonge ster aan het firmament,' zei Banks. 'Hij had ervaring met het professionele theaterwereldje. Hij had grootse ideeën. Hij zou het theater van Eastvale veel duidelijker op de kaart hebben gezet dan zo'n amateurgezelschapje. Jij bent een leraar die het regisseursschap erbij doet. Zoals inspecteur Cabbot net al zei: het zou geen eerlijke strijd zijn geweest.'

Wyman schoof onrustig heen en weer op zijn stoel. 'Ik weet niet waar jullie met dit alles naartoe willen, maar…'

'Ik zal het je laten zien,' zei Banks. 'Inspecteur Cabbot mag je dan met fluwelen handschoenen aanpakken, maar ik ben dat voorzichtige gehannes spuugzat.' Hij haalde een paar foto's uit de envelop die voor hem lag en schoof ze over de tafel naar Wyman.

'Wat is dit?' vroeg Wyman, terwijl hij ze vluchtig bekeek.

'Je herkent Laurence Silbert toch wel?'

'Hij zou het inderdaad wel kunnen zijn. Het is niet echt een goede foto.'

'Gelul, Derek. De foto is prima. Wie is die andere man?'

'Geen flauw idee.'

'Wie heeft ze gemaakt?'

'Hoe moet ik dat weten?'

Banks boog zich naar voren en leunde met zijn armen op de tafel. 'Dat zal ik je eens vertellen,' zei hij. 'Ze zijn gemaakt door een jonge, vrouwelijke privédetective die Tomasina Savage heet. In opdracht van jou. Wat heb je daarop te zeggen?'

'Dat is een privéaangelegenheid! Een vertrouwelijke… Het… Jullie mogen helemaal niet…' Wyman maakte aanstalten om op te staan, maar knalde met zijn knie tegen de onderkant van de vastgeschroefde tafel en ging snel weer zitten.

'Een privéaangelegenheid? Je hebt iets te veel Amerikaanse politieseries gezien,' zei Banks. 'Waarom heb je Tomasina Savage ingehuurd om Laurence Silbert te volgen en die foto's te maken? We weten dat je ze in Zizzi aan Mark hebt gegeven en dat hij ze direct verscheurde zodra hij ontdekte wat erop stond; de geheugenstick heeft hij echter bewaard. Is hij daarna echt met je naar de bioscoop gegaan? Of is alles gelogen?'

'Zou ik wat water mogen?'

Annie schonk een glas voor hem vol uit de kan op tafel.

'Waarom heb je Tomasina Savage betaald om die foto's te maken?' vroeg Banks nogmaals.

Wyman nam een slokje water en leunde achterover in zijn stoel. Hij zweeg een hele tijd, maar leek toen een knoop te hebben doorgehakt en zei ten slotte: 'Omdat Mark me dat had gevraagd. Daarom heb ik het gedaan. Omdat Mark me dat had gevraagd. Het was niet mijn bedoeling dat er iemand zou sterven. Moge God mijn getuige zijn.'

Op zaterdagavond tegen zessen begon Winsome er schoon genoeg van te krijgen om met Harry Potter door East Side te sjouwen. Het was tijd om naar huis te gaan, vond ze; dan kon ze een lekker bad nemen, een mooie jurk aantrekken en naar het feestje van de speleologieclub in The Cat and The Fiddle gaan. Misschien ging ze na afloop nog even rustig iets drinken met Steve Farrow, als hij het haar tenminste vroeg. Al zat dat er misschien niet in, want ze waren de Stier op het spoor.

Tot dusver hadden ze ontdekt dat een van Jackie Binns' recentste rekruten, de vijftienjarige Andy Pash, een zogenaamd stoere jongen die zich bij de rest van de bende geliefd probeerde te maken, de Stier had verteld dat Donny Moore hem een lelijke, Arabische klootzak had genoemd en had gezegd dat hij zijn trekken nog wel thuis zou krijgen. Moore had dat helemaal nooit beweerd – hij was niet dom en evenmin gek – maar de Stier geloofde het en was achter hem aangegaan. Niemand had de steekpartij zien gebeuren – dat zeiden ze tenminste – maar ze wisten allemaal wie erachter zat en zoals te verwachten was had iemand op een gegeven moment een naam laten vallen.

Nu waren ze onderweg naar Andy Pash om hem aan de tand te voelen en Winsome had een voorgevoel dat hij misschien wel de zwakste schakel vormde.

Pash woonde met zijn moeder en twee zussen in een van de prettigste straten van de wijk. Hier waren geen dichtgetimmerde ramen te vinden en stonden geen verroestte auto's in tuinen geparkeerd. De vrouw in minirok met geblondeerd haar en een veel te dikke laag make-up op die met een sigaret in de ene hand en een handtas in de andere de deur opendeed, bleek zijn moeder Kath te zijn. Als ze het al vreemd vond even na zessen op zaterdagavond een zwarte vrouw van 1 meter 80 en een wel heel erg op Harry Potter lijkende agent op de stoep aan te treffen die haar zoon graag wilden spreken, liet ze dat niet merken.

'Hij zit in zijn kamer,' zei ze. 'Horen jullie die teringherrie? Ik ga nu weg.'

'U hoort er eigenlijk bij aanwezig te zijn wanneer we hem ondervragen,' zei Winsome.

'Waarom? Hij is een grote jongen. Mijn zegen hebben jullie. Veel succes ermee. Doe de deur goed achter jullie dicht.'

Ze wrong zich langs hen heen. Winsome en Doug Wilson keken elkaar veelbetekenend aan. 'Heeft ze ons nu zojuist toestemming gegeven?' vroeg Wilson.

'Volgens mij wel,' zei Winsome. 'We komen hem trouwens niet arresteren. We willen alleen maar dat hij ons vertelt waar de Stier woont.'

Wilson mompelde iets in de trant van 'bewijs verkregen op basis van illegaal verworven informatie,' wat hij volgens Winsome vermoedelijk uit een of andere Amerikaanse politieserie had, maar ze gingen toch naar binnen en trokken de deur stevig achter zich dicht. In de woonkamer lag een meisje van een jaar of dertien op de bank naar *The Simpsons* te kijken. Ze had net een sigaret opgestoken. Ongetwijfeld zodra haar moeder was vertrokken.

'Zeg, jij bent veel te jong om te roken,' zei Winsome.

Het meisje sprong verschrikt op. De televisie stond zo hard dat ze Winsome en Wilson niet eens de kamer had horen binnenkomen. Op het scherm hakte Itchy Scratchy weer eens aan mootjes onder het toeziend oog van een giechelende Bart en Lisa. 'Fuck, wie zijn jullie?' zei het meisje en ze graaide naar haar gsm. 'Viezeriken. Ik bel de politie.'

'Niet nodig, kind, we zijn er al.' Winsome liet haar politiepas zien. 'Let een beetje op je woorden,' zei ze, 'en maak die sigaret uit.'

Het meisje staarde haar woedend aan.

'Uitmaken,' zei Winsome nogmaals streng.

Het meisje mikte haar sigaret nonchalant in een halflege mok op de salontafel – die aan de lippenstift op de rand te zien van haar moeder was. De sigaret doofde sissend.

'Netjes, hoor,' zei Wilson.

Het was een pyrrusoverwinning, besefte Winsome, want zodra ze hun hielen hadden gelicht, zou het kind gewoon een nieuwe opsteken, maar met zulke kleine overwinningen won je soms de oorlog. 'We gaan naar boven, naar je broer,' zei ze. 'Gedraag je.'

'Hebben jullie even mazzel,' zei de jonge roker en ze richtte haar aandacht weer op de televisie.

Winsome en Wilson namen de trap naar boven. Het lawaai was afkomstig uit de kamer achter de tweede deur aan de rechterkant, maar voordat ze konden aankloppen, ging de deur aan de andere kant van de overloop open en werden ze door een ander meisje aangestaard. Ze was jonger dan haar zus, een jaar of negen, misschien tien, een stuntelig jong ding met een bril met dikke glazen. Ze had een boek in haar hand en was totaal niet bang, eerder nieuwsgierig naar wat er aan de hand was. Winsome liep naar haar toe.

'Wie zijn jullie?' vroeg het meisje.

Winsome hurkte naast haar neer, zodat ze haar recht kon aankijken. 'Ik ben Winsome Jackman. Ik ben van de politie. Dat is Doug. Hoe heet jij?'

'Winsome is een mooie naam. Ik ben hem nog niet eerder tegengekomen. Ik heet Scarlett. Volgens mij heb ik uw foto in de krant gezien.'

'Dat kan heel goed,' zei Winsome. De laatste keer dat ze de krantenkoppen had gehaald was toen ze midden op de afdeling etenswaren van de Marks & Spencer in het Swainsdale winkelcentrum een verdachte met een spectaculaire rugbytackle had gevloerd. 'We komen voor je broer.'

'O,' zei Scarlett, alsof dat dagelijks voorkwam.

'Wat ben je aan het lezen?' vroeg Winsome.

Het meisje klemde het boek stevig tegen zich aan, alsof ze bang was dat iemand het van haar zou afpakken. '*Woeste hoogten.*'

'Dat heb ik op school gelezen,' zei Winsome. 'Mooi, hè?'

'Geweldig!'

Winsome kon in de kamer achter haar kijken. Die was vrij netjes opgeruimd, hoewel er wel her en der op de vloer kledingstukken lagen verspreid. Er stond een boekenkast die bijna helemaal was gevuld met tweedehands paperbacks. 'Lees je graag?' vroeg ze.

'Jazeker,' antwoordde Scarlett. 'Alleen is het soms te rumoerig. Er wordt de hele tijd geschreeuwd en Andy zet zijn muziek altijd heel hard.'

'Dat hoor ik, ja,' zei Winsome.

'Soms is het heel moeilijk om de woorden te volgen.'

'Tja, het is ook wel een erg volwassen boek voor een klein meisje.'

'Ik ben al tien,' zei Scarlett trots. 'Ik heb *Jane Eyre* ook gelezen! Ik zou alleen zo graag willen dat ze iets stiller zijn, zodat ik rustig kan lezen.'

'We zullen eens zien wat we daaraan kunnen doen.' Winsome kwam overeind. 'Tot ziens, Scarlett.'

'Dag.' Scarlett deed de deur van haar slaapkamer dicht.

Na een kort klopje duwde Winsome de deur van Andy Pash' kamer open, en gingen Wilson en zij naar binnen.

'Hé,' zei Pash, die van zijn onopgemaakte bed opvloog. 'Wat moet dat? Fuck, man. Wie denken jullie wel dat jullie zijn?'

'Politie,' zei Winsome. Ze wapperde met haar pas. 'Je moeder heeft ons binnengelaten. Ze zei dat we je gerust een paar vragen mochten stellen. Kun je dat iets zachter zetten? Helemaal uit zou nog beter zijn. Je zusje probeert aan de overkant van de overloop te lezen.'

'Die kleine boekenwurm. Die zit altijd met haar neus in een boek,' klaagde Pash terwijl hij naar de stereo liep.

De muziek was een of andere bonkende, kloppende technobeat die Winsome in de oren klonk als een product van computers en drummachines met een of andere Caraïbische melodie eronder. De meeste mensen gingen er automatisch van uit dat Winsome een fan was van reggae of calypso, maar ze had juist enorm de pest aan reggae, de lievelingsmuziek van haar vader, en calypso, waar haar grootouders helemaal lyrisch over waren. Als ze al naar muziek luisterde, wat niet zo heel erg vaak was, ging haar voorkeur uit naar de 'het beste van'-benadering van klassieke muziek zoals je die op Classic FM vond. Alle interessante stukken muziek in een handig pakket. Waarom zou je naar het saaie tweede deel van een symfonie luisteren, vond ze, als je alleen maar dat leuke thema uit het derde wilde horen?

Andy Pash zette met een gezicht als een oorwurm de muziek uit die werd voortgebracht door een glanzende zwarte iPod in een bijbehorende houder en ging op de rand van zijn bed zitten. Het was een kleine kamer en aangezien er geen stoelen stonden, bleven Winsome en Doug Wilson tegen de muur naast de deur geleund staan. Het eerste wat Winsome opviel toen ze de kamer in zich opnam, waren de boekenkasten die langs een van de muren stonden – en dan met name de rij in verschillende kleuren geschilderde verkeerskegels die erbovenop stonden.

'Een ware kunstenaar, zie ik, Andy,' merkte ze op.

'O, dat... ach, nou ja...'

'Ik neem aan dat je weet dat wat jij hebt gedaan diefstal is?'

'Het zijn verdomme maar een paar verkeerskegels, hoor.'

'Verkeerskegels van de afdeling verkeer en vervoer van de gemeente Eastvale, om precies te zijn. Laat dat vloeken in mijn bijzijn trouwens maar achterwege. Daar houd ik niet van.'

'Jullie mogen ze terughebben. Het was maar een geintje.'

'Fijn dat je de humor ervan inziet.'

Pash tuurde naar Wilson en zei: 'Heeft iemand u weleens verteld dat u sprekend lijkt op...'

'Kop dicht,' zei Wilson. Hij wees met een vinger naar hem. 'Jij houdt nu meteen je kop dicht, eikel.'

Pash stak zijn handen in de lucht. 'Goed, hoor. Best. Cool, man. U zegt het maar.'

'Andy,' zei Winsome, 'heb jij weleens van een kerel hier in de buurt gehoord die de Stier wordt genoemd?'

'De Stier? Jazeker. Een coole gozer.'

Amerikaanse televisieseries waren echt aansprakelijk voor het verpesten van de Engelse taal, vond Winsome. Zelf had ze op het dorpsschooltje in de bergen les gehad van een uit haar eigen dorp afkomstige, maar in Oxford opgeleide vrouw die na een verblijf van vele jaren in Engeland was teruggekeerd om iets voor haar volk te doen. Ze had Winsome een warme liefde bijgebracht voor de Engelse taal en literatuur, en haar gestimuleerd in haar droomwens op een goede dag in Engeland te gaan wonen, waardoor ze hier nu was. Misschien niet helemaal op de plek die mevrouw Marlowe in gedachten had gehad, maar ze was hier wel, in het land van Jane Austen, Shakespeare, Dickens en de gezusters Brontë. Haar politie-instinct, voor zover je daarvan kon spreken, had ze van haar vader, die agent was geweest op het wijkbureau. 'Enig idee wat zijn echte naam is?' vroeg ze.

'Nee. Het lijkt een beetje op Torgi of Tory, een of andere buitenlandse naam. Arabisch of Turks, denk ik. Iedereen noemt hem altijd de Stier. Het is een grote vent.'

'Draagt hij altijd een hoodie?'

'Ja.'

'Weet je waar hij woont?'

'Zou zomaar kunnen.'

'Wil je het ons vertellen?'

'Hé, man. Ik wil niet dat de Stier denkt dat ik hem heb verlinkt aan de politie.'

'We willen alleen maar even met hem babbelen, Andy. Net als nu met jou.'

'De Stier moet niks van smerissen hebben.'

'Dat geloof ik meteen,' zei Winsome. 'We zullen hem echt allervriendelijkst bejegenen.'

'Watte?'

Winsome zuchtte en sloeg haar armen over elkaar. Het was duidelijk dat Pash even dom als vervelend was, wat voor hen een geluk bij een ongeluk was, want anders had hij zijn klep wel dichtgehouden. 'Andy, heb jij tegen die Stier gezegd dat Donny Moore, Nicky Haskells rechterhand, hem een lelijke, Arabische klootzak heeft genoemd?'

'Donny Moore is helemaal gestoord. Het is allemaal zijn eigen stomme schuld.'

'Dat hij is neergestoken, bedoel je?'

'Weet ik veel.'

'Weet jij wie hem dat heeft geflikt, Andy?'

'Geen idee. Het was er niet een van ons.'

'Wat moest je doen om lid te mogen worden van Jackie Binns' bende?'

'Hoezo?'

'Je weet best wat ik bedoel, Andy. Meestal moet je een of andere opdracht uitvoeren om je trouw en moed te tonen voordat je door een bende wordt geaccepteerd. Op sommige plaatsen gaat het zelfs zo ver dat je zomaar iemand moet doden, maar hier in Eastvale hebben we tenminste nog een rudiment van beschaving.'

'Ik weet echt niet waarover u het hebt, hoor. Ik ken helemaal geen Rudy of zo.'

'Ik zal het eenvoudig houden,' zei Winsome. 'Wat droeg Jackie Binns jou op om te doen voordat je bij zijn bende mocht?'

'Hij heeft me helemaal niets opgedragen.'

'Je liegt, Andy.'

'Ik...'

'Andy!'

Pash draaide zich om en tuurde nukkig naar de muur. Onder dat stoere uiterlijk van hem ging duidelijk een verwarde, angstige knul schuil, dacht Winsome bij zichzelf. Dat wilde niet zeggen dat hij niet gevaarlijk kon zijn, of gewelddadig, maar ze betwijfelde of hij ooit echt een grote schurk zou worden. In het ergste geval misschien een domme kruimeldief, degene die altijd weer werd betrapt.

'Oké,' zei hij. 'Oké. U hoeft niet zo tegen me te schreeuwen. Nicky en Jackie zijn nooit dikke vrienden geweest. Toen dook de Stier ineens op en die is dus groter dan zij allebei. Jackie dacht dat het misschien wel een goed idee was om ze tegen elkaar op te stoken, dus hij zei dat ik tegen de Stier moest zeggen dat Donny hem had uitgescholden. Verder weet ik nergens iets van. Dat moet u geloven. Ik weet niet wie Donny heeft neergestoken en ik heb niets gezien.'

'Heeft de Stier altijd een mes bij zich?'

'Ja, de Stier heeft een mes. Een heel groot mes.'

'Zijn adres, Andy. Het adres van de Stier.'

'Ik weet helemaal geen adres.'

'Waar woont hij?'

'In de torenflats. Hague House. Tweede verdieping. De flat heeft een groene deur, de enige groene deur daar. De zijkant kijkt uit op het kasteel. Het nummer weet ik niet, dat zweer ik. Vertel hem alstublieft niet dat ik jullie heb gestuurd.'

'Maak je geen zorgen, Andy. Dat zou niet eens bij me opkomen. Je zult trouwens wel eerst mee moeten naar het bureau, dan kunnen we alles wat jij ons hebt verteld keurig netjes volgens de wet vastleggen, met een advocaat erbij en zo.'

'Moet dat?'

'Laat ik het zo zeggen. Op dit moment ben ik geneigd die verkeerskegels door de vingers te zien, maar als je moeilijk doet, pak ik je op vanwege het in bezit hebben van gestolen goederen. Is dat duidelijk?' zei Winsome.

Pash zei niets. Hij griste zijn jack van de vloer en volgde Winsome naar beneden.

'Je moet het eens zo bekijken,' zei Winsome. 'Nu kan je zusje tenminste eindelijk in alle rust *Woeste hoogten* lezen.'

Toen ze vertrokken, snoof Winsome de sigarettenrook uit de woonkamer op.

'Eens kijken of ik het goed heb begrepen,' zei Banks in de warme, benauwde verhoorruimte tegen Derek Wyman. 'Nu beweer je dus dat Mark Hardcastle jou had gevraagd om zijn partner, Laurence Silbert, te bespioneren, omdat hij vermoedde dat Silbert hem bedroog?'

'Inderdaad,' zei Wyman. 'Het was helemaal niet de bedoeling dat het zo zou aflopen, dat iemand iets ergs zou overkomen. Echt niet.'

'Waarom deed hij het zelf niet?'

'Hij wilde niet dat iemand hem zag.'

'Waarom heb je Tomasina Savage in de arm genomen?'

'Eenvoudigweg omdat ik niet altijd in staat was zelf naar Londen te reizen wanneer Laurence daar naartoe ging. Bovendien kende hij me. Er bestond altijd een kans dat hij me zou zien. Ik heb in de Gouden Gids gekeken en ik vond de naam wel wat hebben. Dat het uiteindelijk om een vrouw bleek te gaan, deed er ook niet toe. Ze heeft uitstekend werk verricht.'

'Hoe zit het met die gesprekken met Mark in The Red Rooster?'

'Het was een afgelegen plek. Ik wist niet dat de leerlingen van mijn school daar regelmatig iets kwamen drinken. Mark heeft me alles verteld over zijn vermoedens. Geen wonder dat hij zo overstuur was. Hij hield echt van Laurence.'

'Heeft hij je ook verteld dat hij vroeger al eens was veroordeeld wegens huiselijk geweld tegen een ex-minnaar?'

Wyman keek Banks niet-begrijpend aan. 'Nee, dat heeft hij me niet verteld.'

'Je besloot dus puur en alleen vanuit de goedheid van je hart Mark hiermee te helpen?'

'Ja.'

'Zonder enig idee te hebben wat de consequenties zouden kunnen zijn?'

'Dat lijkt me wel duidelijk. Ik zei net al dat het nooit mijn bedoeling was dat iemand iets ergs zou overkomen.'

'Zo duidelijk vind ik het anders niet, Derek,' zei Banks. 'Wat had je eigenlijk tegen Laurence Silbert dat je hem zo agressief achtervolgde? Je moet op zijn minst hebben geweten dat wat jij deed hem veel leed kon berokkenen. Mark leed er in elk geval onder.'

'Tja, maar het was toch Laurence' eigen schuld, omdat hij Mark bedroog?'

'Was je verliefd op Mark?'

'Grote god, nee zeg! Hoe komt u daar in vredesnaam bij? Ik ben niet... ik... nee, zeg.'

'Oké,' zei Banks. 'Rustig maar. We moeten dergelijke vragen nu eenmaal stellen, zie je, voor alle zekerheid.'

'Ik deed alleen maar wat Mark me had gevraagd. Als gunst. Als goede vriend. Ik wilde niet... nou ja, wat er is gebeurd, is natuurlijk verschrikkelijk. Ik zou nooit...'

'Je weet heel zeker dat je niet uit eigenbelang handelde, dat het niets, maar dan ook niets te maken had met de situatie in het theater, en dat je geen enkele andere reden had om te wensen dat Laurence Silbert zijn trekken thuiskreeg?'

'Nee. Waarom zou ik?'

Dit was gevaarlijk terrein. Hoofdinspecteur Gervaise had erop gestaan dat ze op geen enkele wijze aan Silberts werk refereerden, maar Banks vond dat het geen kwaad kon om een kleine zijweg in te slaan. 'Wat dacht je toen je de foto's zag en Tomasina's verslag hoorde?' vroeg hij.

'Dat Mark gelijk had. Laurence had inderdaad met een andere man afgesproken.'

'Ze zaten alleen maar samen op een bankje in het park en liepen vervolgens naar een huis in St. John's Wood, waar een oude vrouw de deur voor hen opendeed. Ze mag dan op de foto's niet te zien zijn geweest, maar ze stond wel vermeld in Tomasina's verslag. Wil je me nu wijsmaken dat dit als een ontmoeting tussen een man en zijn minnaar op jou overkwam?'

'Hoe moet ik dat nu weten?' zei Wyman. 'Het was niet aan mij om uit te zoeken wie of wat hij was, ik hoefde alleen maar aan Mark door te geven dat hij met iemand had afgesproken.'

'Ook als die ontmoeting totaal onschuldig was? In de zin dat ze helemaal geen verhouding hadden, maar elkaar om een compleet andere reden ontmoetten?'

'Het was niet aan mij om daarover te oordelen. Ik heb de foto's aan Mark overhandigd en hem verteld wat de privédetective had gezien. Waarom zouden ze trouwens anders met elkaar hebben afgesproken? Misschien nam die man hem wel mee naar huis om hem aan zijn moeder voor te stellen.'

'Hoe reageerde Mark?'

'Wat denkt u zelf?'

'Hij heeft de foto's toch woedend verscheurd?'

'Ja. Dat wist u al.'

'Zijn jullie daarna alsnog gewoon samen uitgegaan?'

'Nee. Hij smeerde hem. Ik weet niet waar naartoe.'

'Ben jij wel gewoon naar het National Film Theatre gegaan?'

'Ja.'

'Alles wat je ons eerder hebt verteld, was dus gelogen?'

Wyman wendde zijn blik af. 'Grotendeels wel.'

'Wist je ook al dat Silbert een gepensioneerd MI6-agent was vóór ik je dat in de bar van het theater vertelde?' zei Banks.

'Nee.'

'Weet je dat heel zeker? Je hebt namelijk al eens eerder tegen ons gelogen.'

'Hoe had ik dat dan moeten weten? Wat doet dat er trouwens nog toe? U zei immers net al dat hij met pensioen was?'

'Het is mogelijk dat hij nog een paar parttimeklussen voor zijn vroegere bazen verrichtte. In tegenstelling tot een verhouding zou dat wel een verklaring kunnen zijn voor zijn bezoekjes aan St. John's Wood.'

'Hoe kon ik dat nu weten?'

'Silbert zal Mark toch zeker wel hebben verteld dat het werkreizen waren, ook al vertelde hij er niet bij wat het doel ervan was? Waarom dacht Mark eigenlijk dat Silbert hem ontrouw was?'

'Ik zou het u niet kunnen zeggen. Dat heeft hij mij nooit verteld. Door allerlei kleine dingen, vermoed ik.'

Banks besefte dat hij de volgende vraag beter niet kon stellen, omdat hij daarmee de uiterste grenzen van hoofdinspecteur Gervaises toorn opzocht, maar hij kon zich niet inhouden, helemaal niet nu Wyman de deur zelf had opengezet. 'Heeft Mark je enige aanleiding gegeven om te denken dat Silbert iets van doen had met de dood van je broer?'

Wymans mond zakte open. 'Wat?'

'Derek, ik weet dat je broer Rick bij gevechten tijdens een geheime missie in Afghanistan om het leven is gekomen, niet door een helikopterongeluk. Ik vraag me gewoon af of dit alles een extra lading voor jou had, een vorm van wraak, zullen we maar zeggen, of genoegdoening.'

'Nee. Nee, natuurlijk niet. Dat is echt te zot voor woorden. Ik wist niet eens dat Laurence voor MI6 heeft gewerkt, dus hoe had ik hem dan in verband moeten brengen met Ricks dood? Dit gaat echt veel te ver. Ik heb u al verteld dat ik het alleen maar deed omdat Mark het me vroeg. Ik heb helemaal niets verkeerds gedaan. Ik heb geen misdaad begaan.' Hij keek op zijn horloge. 'Nu wil ik graag aan het werk. U zei toch dat het me vrij stond te vertrekken wanneer ik dat wilde?'

Banks keek nogmaals naar Annie. Ze wisten allebei dat Wyman gelijk had. Hij was verantwoordelijk voor de dood van twee mannen, maar ze konden niets tegen hem beginnen en hadden geen enkele reden om hem vast te houden. Of hij nu wel of niet had gelogen toen hij beweerde dat Hardcastle hem had verzocht Silbert te bespioneren, deed er niet echt toe. Of het hem om wraak was te doen, omdat Silbert direct betrokken was geweest bij de dood van zijn broer of omdat Wyman om die reden iets tegen MI6 in het geheel had, deed er al evenmin toe. Misschien zouden ze het wel nooit te weten komen, tenzij Dirty Dick Burgess erin slaagde de gevraagde informatie voor hen op te sporen. Formeel was er geen misdaad gepleegd. Banks was nog steeds diep teleurgesteld over het resultaat, maar hij beëindigde het gesprek, zette de opnameapparatuur uit en vertelde Wyman dat hij kon gaan.

Banks was blij dat hij het politiebureau kon verlaten en een avondje thuis kon doorbrengen. Hij zette de cd van Sarabeth Tucek op die hij de afgelopen maanden steeds beter was gaan vinden, schonk een drankje voor zichzelf in en liep ermee naar de serre om daar te genieten van de avondgloed op de hellingen van Tetchley Fell. De bomaanslag in Londen spookte nog altijd door zijn hoofd wanneer hij alleen was, maar was in zijn herinnering al iets vervaagd, had iets onwerkelijks en afstandelijks gekregen, en er waren momenten dat het hem lukte zichzelf wijs te maken dat de gebeurtenissen in een ver verleden iemand anders waren overkomen.

Hoewel het onderzoek nu echt was afgelopen, waren er nog steeds een paar losse draden die hij wilde opruimen, puur voor zijn eigen gemoedsrust. Hij pakte de telefoon en belde het nummer van Edwina Silbert in Longborough. Nadat het toestel zes keer was overgegaan, nam ze op.

'Hallo?'

'Edwina? Je spreekt met Alan Banks.'

'Ach,' zei ze, 'mijn allereigenste charmante, jonge agent.'

Banks hoorde dat ze sigarettenrook uitblies. Hij was blij dat hij het niet door de telefoon heen kon ruiken. 'Dat zou ik niet durven zeggen,' zei hij. 'Hoe gaat het met je?'

'Ik sla me erdoorheen. Wist u al dat ze het lichaam hebben vrijgegeven? De begrafenis is volgende week. Als u daarachter zit, wil ik u er graag voor bedanken.'

'Dat heb je niet aan mij te danken,' zei Banks, 'maar ik ben wel blij voor je.'

'Belt u zomaar?'

'Ik wilde je laten weten dat de zaak officieel is gesloten.'

'Ik dacht dat dat vorige week al was gebeurd.'

'Niet voor mij.'

'O, op die manier. En?'

Banks vertelde haar wat Derek Wyman had gedaan en waarom.

'Dat is absurd,' zei Edwina. 'Laurence bedroog Mark helemaal niet.'

'Mark dacht van wel.'

'Ik geloof er niets van.'

'Waarom niet?'

'Ik geloof er gewoon niets van.'

'Toch vrees ik dat het waar is.'

'Mark wist juist donders goed dat Laurence nog altijd banden had met de inlichtingendienst.'

'Echt? Dat vermoeden had ik eigenlijk al, maar...'

'Ja, natuurlijk. Hij wist misschien niet precies wat hij deed, maar hij wist heus wel dat die reisjes naar Londen en Amsterdam met zijn werk te maken hadden. Waarom zou hij iemand vragen om Laurence te bespioneren?'

'Dat weet ik niet,' zei Banks. 'Hij moet om een of andere reden achterdochtig zijn geworden.'

'Flauwekul. Volgens mij liegt die meneer Wyman alsof het gedrukt staat,' zei Edwina. 'Volgens mij heeft hij dit allemaal op eigen houtje gedaan, uit rancune. Hij maakte gebruik van Marks onzekerheid en gaf zijn eigen invulling aan die foto's.'

'Je zou best eens gelijk kunnen hebben,' zei Banks, 'maar helaas maakt dat nu allemaal niets meer uit. Ik kan het niet bewijzen en zelfs als ik dat wel kon, dan nog heeft hij geen misdaad begaan.'

'Wat een wereld,' verzuchtte Edwina in een nieuwe rookwolk. 'Twee schatten van mensen dood, maar er is geen misdaad gepleegd. Belde u daarom?'

'Deels.'

'Er is dus nog iets?'

'Ja. Herinner je je ons gesprek nog waarin je me vertelde dat Laurence voor MI6 werkte?'

'Ja.'

'Het is toen toch bij je opgekomen dat zij misschien wel verantwoordelijk waren voor zijn dood? Je zei tegen mij dat ik ook voorzichtig moest zijn, weet je nog?'

Er viel een korte stilte en Banks hoorde ijsklontjes rinkelen. 'In het begin misschien wel,' zei Edwina toen. 'Wanneer iemand met Laurence'... verleden een gewelddadige dood sterft, spreekt het voor zich dat je verdenkingen koestert. Het zijn vreselijke mensen.'

'Kwam dat door Cedric?'

'Wat?'

'Toen je het over je man had, vertelde je me dat hij tijdens de oorlog voor de geheime inlichtingendienst had gewerkt en dat hij daar nog altijd connecties had. Hij was in een of andere oliedeal in het Midden-Oosten verwikkeld en op het hoogtepunt van de Suezcrisis omgekomen bij een auto-ongeluk. Is er toen geen belletje bij je gaan rinkelen?'

'Misschien wel,' zei Edwina. 'Cedric was een uitstekende chauffeur en het ongeluk werd helemaal niet onderzocht.'

'Dus toen Laurence ook onder verdachte omstandigheden om het leven kwam, is het toen bij je opgekomen dat er wellicht een verband bestond?'

'Daar heb ik Dicky Hawkins na Cedrics dood al naar gevraagd. Hij ontkende het natuurlijk, maar er was iets in zijn manier van doen, in zijn lichaamstaal... Ik weet het niet.'

'Jij denkt dus dat Cedric kan zijn vermoord?'

'Dat is nu juist de ellende met deze mensen, meneer Banks,' zei Edwina. 'Je weet het nooit helemaal zeker. Nu moet ik ophangen. Ik ben moe. Goedenavond.' Ze verbrak de verbinding.

Toen Banks de telefoon neerlegde, hoorde hij Sarabeth Tucek 'Stillborn' zingen, een van zijn lievelingsnummers. De zaak-Hardcastle/Silbert, voor zover je kon spreken van een zaak, was dus afgerond, ongeacht of Derek Wyman met zijn boosaardige handelswijze de aanstichter van alles was geweest. Ze hadden Wyman als een vrij man laten gaan. Ze konden hem niets ten laste leggen en wat Edwina Silbert er ook van dacht, ze konden zijn verhaal met geen mogelijkheid weerleggen, hoewel Banks vermoedde dat er meer had meegespeeld dan hij hun had verteld en dat wat ze in de verhoorkamer hadden meegemaakt eerder een toneelstukje was geweest dan een bekentenis, dat Wyman er eenvoudigweg in was geslaagd hen telkens één stap voor te blijven en met een waterdichte verklaring op de proppen was gekomen toen hij die het hardst nodig had. Hardcastle en Silbert leefden niet meer, Wyman was, al dan niet opzettelijk, verantwoordelijk voor hun dood en hij was ermee weggekomen.

Nu hij zich niet langer met Wyman hoefde bezig te houden, had hij meer tijd om na te denken over zijn andere probleem: Sophia. Er moest toch een oplossing te vinden zijn, dacht hij, een manier om hun relatie te redden; misschien iets heel simpels, zoals haar even de tijd geven. Misschien hielp het ook haar ervan te overtuigen dat het echt niet zijn schuld was als hij haar iets meer over het onderzoek vertelde, onder andere het gesprek dat hij met Burgess had gehad. Een cadeautje was ook geen gek idee, dat wist hij zeker. Geen cd, maar iets speciaals, iets wat deel kon gaan uitmaken van haar 'collectie'.

Hij kon de dingen die ze was verloren natuurlijk niet vervangen, maar hij kon haar wel iets nieuws aanbieden, iets wat mettertijd een eigen verhaal zou krijgen, een eigen voorgeschiedenis en traditie zou ontwikkelen. Door het juiste voorwerp te vinden kon hij haar laten merken dat hij het begreep, dat hij wist hoe belangrijk haar spullen voor haar waren en dat het geen zuiver materialistische obsessie betrof. Hij geloofde ook echt dat hij het begreep. Het was in elk geval een begin.

Er verstreek een uur. Banks had Sarabeth net vervangen door Cat Powers *The Cover Record*, dat opende met een langzame, akoestische, bijna ondraaglijk trieste versie van '(I Can't Get No) Satisfaction' toen de telefoon ging. Hij herkende de stem niet meteen.

'Alan?'

'Ja.'

'Je spreekt met Victor Morton, Sophia's vader. Hoe gaat het met je?'

'Goed hoor,' zei Banks. 'Wat kan ik voor je doen?'

'Om te beginnen zou je me kunnen vertellen wat er allemaal aan de hand is.'

Banks' hart bonsde in zijn keel. Jezus, had Sophia haar vader over de inbraak verteld? Vond Victor ook dat het Banks' schuld was? 'Wat bedoel je daar precies mee?' vroeg hij met een droge mond.

'Ik heb gisteren een zeer interessant gesprek gevoerd met een oud-collega van me,' vervolgde Victor. 'We liepen elkaar stom toevallig op straat tegen het lijf – niet te geloven, hè? – en hij stelde voor om iets te gaan drinken.'

'Wie was het?'

'Zijn naam doet er niet toe. Het was iemand die ik nog kende uit Bonn, een man die ik nooit heb gemogen en die ik er altijd van heb verdacht dat hij min of meer... nu ja, hetzelfde deed als die man over wie we het laatst hadden.'

'Silbert? Een spion, bedoel je?'

'Is het werkelijk nodig om alles tot in de kleinste details uit te leggen voor iedereen die meeluistert?'

'Het is niet belangrijk,' zei Banks. 'De zaak is gesloten. Hardcastle dacht dat Silbert een verhouding had en had iemand ingehuurd om bewijs te vergaren. Zo luidt de officiële versie. Het draaide uiteindelijk allemaal om een jaloerse geliefde en heeft gewoon verschrikkelijk verkeerd uitgepakt. Einde verhaal.'

'Tja, misschien zou iemand dat dan tegen mijn collega moeten zeggen.'

'Hoezo?'

'Het gesprek begon eigenlijk vrij onschuldig – die goede oude tijd, pensioen, vrijetijdsbesteding en dergelijke – maar toen bracht hij jou ter sprake, wat ik van jou als politieman vond en hoe ik over je relatie met mijn dochter dacht.'

'Wat zei je?'

'Ik houd er niet van te worden uitgehoord, Alan. Ik heb hem niets verteld. Hij stapte op een wat omslachtige manier over op een ander onderwerp en begon te praten over hoe het er in consulaten en ambassades over de hele wereld aan toegaat, dat je overal brokjes informatie opvangt, stukjes van de puzzel, dingen die je maar beter zo snel mogelijk weer kon vergeten. Ik beaamde dat. Toen vroeg hij me of ik iets afwist van een man die Derek Wyman heette. Ik zei nee. Ken jij hem?'

'Hij was het,' zei Banks. 'Hij was degene aan wie Hardcastle vroeg bewijzen te verzamelen. Het had echter niets te maken met geheimen, in elk geval geen overheidsgeheimen. Zoals ik net al zei, draaide het allemaal om jaloezie.'

'Hoe dan ook, hij zanikte nog een tijdje door over die Wyman, of ik hem echt niet kende en zo, en vervolgens informeerde hij naar mijn "knappe dochter Sophia" – hij noemde haar daadwerkelijk bij haar naam – en hoe het met haar ging. Ik antwoordde dat het bij mijn weten uitstekend met haar ging en zocht mijn spullen bij elkaar om te vertrekken. Ik had er inmiddels meer dan genoeg van. Toen ik wilde opstaan, greep hij me vast bij mijn mouw en waarschuwde hij me vooral voorzichtig te zijn. Dat was het enige wat hij zei. Het was geen openlijk dreigement. Alleen maar: "Wees voorzichtig, Victor." Wat had dat te betekenen, denk je?'

'Melodramatisch gedoe,' zei Banks, die kippenvel kreeg, ook al probeerde hij te doen alsof er niets aan de hand was. 'Daar zijn die lui net zo gek op als op spelletjes en codes.'

'Nou, dat hoop ik dan maar, Alan. Dat hoop ik echt. Als mijn dochter ook maar íéts overkomt, dan zal ik…'

'Als jouw dochter iets overkomt, zul je een nummertje moeten trekken. Dan sta ik namelijk vooraan in de rij.'

'Mag ik hieruit opmaken dat we elkaar goed begrijpen?'

'Absoluut,' zei Banks. 'Goedenavond, Victor.'

Banks dronk wat wijn en wreef, peinzend over wat hij zojuist had gehoord, over zijn kin. Hij voelde de stoppels van de afgelopen twee dagen prikken. Kort daarna zette Cat Power het grimmige, wanhopige 'Wild Is the Wind' in en een traag boven de helling voortglijdende wolk wierp een schaduw in de vorm van een rennend hert op de grond. Banks stak een hand uit naar de wijnfles.

In de al wat langer wordende schaduwen naderden Winsome en Doug Wilson Hague House, samen met de geüniformeerde agenten die ze ter versterking hadden opgetrommeld. Als de Stier gewapend was, kon hij gevaarlijk zijn. De agenten hadden een miniatuurstormram bij zich die liefkozend werd aangeduid als 'de grote rode sleutel' en die zou worden ingezet als er niet werd opengedaan. Aan de voet van de trap in het trappenhuis, waar zich een kleine menigte mensen had verzameld, stonden nog meer agenten in uniform. Andy Pash had met grote tegenzin een officiële verklaring afgelegd, waardoor ze voldoende grond hadden om de Stier op te pakken als serieuze verdachte van het neersteken van Donny Moore. Ze hadden ook zijn echte naam achterhaald, die Toros Kemal luidde – vandaar dus Stier, hoewel Winsome niet dacht dat 'Toros' in het Turks ook stier betekende – en zijn strafblad, dat vrij omvangrijk was.

De liften waren zoals gewoonlijk buiten werking, dus namen ze de trap aan de buitenkant van het gebouw. Doordat Kemal op de tweede verdieping woonde, hoefden ze niet al te ver te klimmen. Enkele schimmige gedaanten smeerden hem meteen zodra ze de uniformen zagen.

Winsome had de groene deur zo gevonden. Ze ving in de flat erachter het geluid op van een televisie. Andy Pash had zich laten ontvallen dat Kemal samenwoonde met een jonge vrouw die Ginny Campbell heette en die als enige huurder bekend was bij de woningbouwvereniging. Ze had twee kleine kinderen van een andere man, dus bestond er gijzelingsgevaar en zouden ze heel zorgvuldig te werk moeten gaan.

'Een stukje naar achteren graag, brigadier,' zei een van de agenten in uniform. 'Dit deel nemen wij voor onze rekening.'

'Ga je gang,' zei Winsome. Doug Wilson en zij deden een paar stappen achteruit in de richting van de trap die zo'n tien meter verderop was.

De agent roffelde op de deur en brulde: 'Toros Kemal. Doe open. Politie.' Er gebeurde niets.

Hij klopte opnieuw op de deur en zijn collega naast hem stond klaar met de stormram, die hij maar al te graag zou gebruiken, in de aanslag. Er doken steeds meer mensen in deuropeningen en achter ramen op.

Na een tijdje ging de deur toch open en op de drempel stond een lange man met ontbloot bovenlijf, met alleen een trainingsbroek en sportschoenen aan. Hij wreef over zijn hoofd alsof hij net wakker was geworden. 'Wat is er?'

'Meneer Kemal,' zei de geüniformeerde agent. 'U moet mee naar het bureau om te worden verhoord over het neersteken van Donny Moore.'

'Moore. Zegt me niets,' zei Kemal. 'Wacht, dan trek ik even een shirt aan.'

'Ik loop met u mee, meneer,' zei een van de agenten. Ze gingen naar binnen. De tweede agent liet teleurgesteld de stormram zakken, ontspande zich en keek schouderophalend naar Winsome. Soms gingen dingen gemakkelijker dan verwacht. Toen Kemal en de eerste agent weer naar buiten kwamen, stond Winsome met Wilson bij de trap. Kemal had nu een rood T-shirt aan. 'Ik moet mijn veters nog strikken, man,' zei hij in de deuropening. Hij knielde neer. De agenten deden een stap achteruit en bleven achter hem staan. In een fractie van een seconde verscheen er een mes in Kemals hand, die hij uit een schede had gehaald die om zijn onderbeen zat bevestigd. De agenten trokken hun uitschuifbare wapenstok, maar ze waren veel te langzaam. De Stier bleef er niet op wachten. Bij de trap versperde Winsome hem de weg en Wilson stond verdekt achter haar opgesteld. De Stier stormde in volle vaart recht op haar af, alsof hij net de arena had betreden, strekte met een loeiharde kreet uit zijn openhangende mond zijn arm voor zich uit en richtte tijdens het rennen het mes op haar.

Winsome voelde een huivering door haar lichaam trekken, maar toen schoten haar haar zelfverdediginglessen weer te binnen en ze reageerde instinctief. Ze bleef staan, zette zich schrap en zodra hij haar dicht genoeg was genaderd, greep ze zijn uitgestrekte arm met het mes met beide handen vast. Ze liet zich achterover op haar rug vallen, plantte haar voeten in zijn maag en duwde uit alle macht, daarbij profiterend van de snelheid die hij had opgebouwd.

Kemal had zoveel vaart dat het zich allemaal in één vloeiende, choreografische beweging afspeelde. De mensen beneden hapten naar adem toen hij ondersteboven door de lucht vloog, met zijn rug op de gammele reling klapte en met een luide gil over de rand tuimelde. Winsome lag hijgend op haar rug op de betonnen vloer. Ze had stevig afgezet met haar lange benen en hij had aardig wat snelheid gehad.

Binnen een paar tellen stonden Doug Wilson en de twee agenten in uniform verontschuldigend en bewonderend naast haar. Ze wuifde hen weg, haalde een paar keer diep adem en krabbelde overeind. Ze wist dat ze van geluk mocht spreken. Een kleine misrekening en ze had waarschijnlijk een mes in haar borst gehad. Ze hadden Kemal in de boeien moeten slaan en fouilleren voordat ze hem meenamen. Ach, dat kwam allemaal in de rapporten te staan en er stond iedereen ongetwijfeld een stevige donderpreek te wachten. Op dat moment was Winsome alleen maar blij dat ze nog leefde. Ze draaide zich om en keek over de reling naar de binnenplaats beneden. De Stier had minder geluk gehad. Hij lag op zijn rug, zijn lijf helemaal verwrongen, met een steeds donkerder kleurende vlek onder zijn hoofd die langzaam groter werd. Wilson verzocht via zijn mobieltje om een ambulance en daarna konden ze maar beter naar beneden lopen. In alle drukte was de vrouw met wie Kemal samenwoonde, Ginny Campbell, uit haar flat tevoorschijn gekomen en nu hing ze met een baby tegen haar borst geklemd over de reling naar het lichaam van haar vriend te staren. Ze krijste jammerend: 'Jullie hebben hem vermoord! Jullie hebben hem vermoord, vuile hufters! Moordenaars die jullie zijn!' Haar woede sloeg over op de toeschouwers, die nu ook allerlei beledigingen begonnen te schreeuwen. Winsome vond het maar niets dat de stemming zo snel omsloeg.

Voordat alles nog verder uit de hand kon lopen, belde ze naar het politiebureau om versterking te vragen en daarna liepen ze langzaam met hun vieren naar beneden om te zien of ze iets voor Toros 'de Stier' Kemal konden doen.

17

Op zondagochtend kwam de regen met bakken uit de lucht vallen en toen Banks op maandag met de kranten en zijn tweede kop koffie de serre in liep, hoosde het nog steeds. Het was begonnen zoals het altijd begon, met een zacht getik op het glazen dak, maar al snel stroomde het in dikke, glibberige stralen langs de ramen omlaag en vervormde het water het uitzicht op de vallei als een lachspiegel op de kermis. Zo had Banks de wereld de laatste tijd wel meer gezien, dacht hij bij zichzelf, als in een wazige spiegel: Hardcastle en Silbert, Wyman, Sophia, de bomaanslag – godallemachtig, vooral die bomaanslag – het was allemaal een vervormde versie van de duisternis die, zo begon hij langzaam maar zeker te geloven, de kern van alles vormde.

Het weer paste prima bij Banks' stemming. De muziek ook. Boven het lawaai van de regen uit zong Billie Holiday in een opname van een van haar laatste optredens in 1959 'When Your Lover Has Gone'. Het klonk alsof ze aan het eind van haar Latijn was.

Hij had de afgelopen drie nachten nauwelijks een oog dichtgedaan. De beelden die op zijn netvlies stonden gebrand, weigerden weg te gaan; ze werden alleen maar steeds erger vervormd. Hij had de dood al eerder in afgrijselijke gedaanten meegemaakt. Als jonge wijkagent was hij naar verkeersongelukken gestuurd, kettingbotsingen op de M1 waarbij zes auto's waren betrokken en lichaamsdelen in een cirkel met een straal van bijna een halve kilometer verspreid lagen. Zijn huis was ooit in brand gestoken met hem erin, hoewel hij zich daar maar weinig van kon herinneren, aangezien hij al snel bedwelmd was geraakt.

Dat was echter niet te vergelijken met wat er vrijdag was gebeurd. Dat was heel anders geweest, met name omdat het opzettelijk was gedaan, net als de brandstichting bij hem thuis. Iemand had dit doelbewust gedaan om zo veel mogelijk pijn en verdriet aan te richten bij onschuldige mensen. Hij had in de loop der jaren uiteraard misdadigers meegemaakt die dat ook deden, maar niet op deze schaal of zo'n lukrake manier. De moordenaars die hij had ontmoet, waren er trouwens ook geen van allen happig op geweest zichzelf samen met al die anderen, onder wie ook vrouwen en kinderen, aan flarden te laten rijten. Hij had zich meer dan eens afgevraagd hoe het nu zou gaan met de mensen die hij uit het rampgebied had weggehaald: de Aziatische vrouw, het jongetje, de knappe blondine in de gele jurk. Misschien kon hij daar eens navraag naar doen.

De muziek was afgelopen en hij had trek in nog wat koffie, dus hij liep eerst naar de televisiekamer, waar hij iets luchtigs en instrumentaals opzette, een energiek, jazzachtig strijkkwartet dat *Zapp* heette, en schonk daarna in de keuken zijn mok nogmaals vol. Hij was net weer gaan zitten met de kruiswoordpuzzel voor zich toen zijn telefoon ging.

Even kwam hij in de verleiding om niet op te nemen, maar het kon Sophia zijn. Binnenkort, nam hij zich voor, zou hij toch eens investeren in een telefoon waarop het nummer van de beller zichtbaar was. Uiteraard had je daar alleen iets aan als het geen geheim nummer was en je het nummer herkende. Hij had die zondag een paar keer overwogen Sophia te bellen en telkens wanneer de telefoon ging, had hij gehoopt dat zij het was. Dat was echter niet één keer het geval geweest. Brian had gebeld. Annie ook, om hem het laatste nieuws te vertellen over Winsomes recente, met ware doodsverachting uitgevoerde manoeuvre. Tracy, zijn dochter, had haar wekelijkse verslag uitgebracht. Victor Morton had natuurlijk gebeld. Daar hield het wel mee op.

Deze keer was ze het wél.

'Alan, ik heb je auto verplaatst. Nog een geluk dat de politie hem niet had weggesleept. Het is hier echt een gekkenhuis. Hoe dan ook, hij staat nu iets verderop bij mij in de straat. Daar is hij veilig. Ik heb de sleutel in het handschoenenkastje gelegd. Je beseft toch wel dat je je iPod erin hebt laten liggen, hè?'

'Jazeker,' zei Banks. 'Hoe gaat het nu met je?'

'Met mij gaat alles prima.'

'Je klinkt een beetje...'

'Wat?'

'Ik weet het niet.'

'Het gaat echt prima.'

'Ik wil je heel graag zien. Ik heb nog steeds vakantie en het is hier een stuk rustiger.'

'Ik ben blij dat te horen, maar ik weet het niet. Ik heb deze week een heel druk schema.'

'Dat is nog nooit eerder een probleem geweest.'

'Dat weet ik wel, maar... het gaat erom... nou ja, ik weet het gewoon even niet.'

'Wat weet je niet?'

'Ik denk dat ik wat meer tijd nodig heb.'

'Tijd zonder mij?'

Ze zweeg even en zei toen: 'Ja.'

'Sophia, ik ben echt niet vergeten de alarminstallatie aan te zetten.'

'Hoe is het dan mogelijk dat iemand rustig mijn huis is binnengegaan en mijn spullen heeft vernield zonder dat de politie werd gewaarschuwd?'

'De mensen die hierachter zitten, zijn experts op dat gebied,' zei Banks. 'Geloof me alsjeblieft. Ze kunnen overal binnenkomen.' Dat had hij haar niet eerder verteld, omdat hij haar niet bang wilde maken, maar blijkbaar hoefde hij zich daar geen zorgen over te maken.

'Ik weet niet wat erger is,' zei Sophia. 'Dat je het alarmsysteem niet hebt aangezet of die paranoïde waanideeën van je over de geheime dienst. Geloof je dat nu echt of is het een of andere ingewikkelde smoes die je ter plekke bedenkt? Want als dat zo is, dan...'

'Het is geen smoes. Het is echt waar. Ik heb je al eerder over hen verteld. Laurence Silbert was een gepensioneerd MI6-agent. Nu ja, semi-gepensioneerd.'

Aan de andere kant van de lijn viel een diepe stilte. 'Nou ja, daar gaat het me niet eens om. Ik heb geen zin in ruzie.'

'Ik ook niet. Wat is er dan wel?'

'Dat weet ik niet. Het gaat me allemaal veel te snel. Ik heb gewoon wat tijd nodig. Als je ook maar iets om me geeft, gun je me dat.'

'Goed dan,' zei hij ten slotte uitgeput. 'Neem rustig de tijd. Neem alle tijd die je wilt maar.'

Dat was dus dat.

Het regende nog steeds en Banks meende het in de verte te horen onweren. Hij dacht aan Sophia, die altijd heel emotioneel werd tijdens onweersbuien. Dan vrijde ze als een wild dier en als er ooit een moment zou zijn gekomen waarop ze tegen hem had kunnen zeggen dat ze van hem hield, was dat volgens hem tijdens een onweersbui geweest. Dat zat er nu niet echt meer in. Ze hadden in bepaalde opzichten zo goed als samengewoond, maar in andere juist ook weer niet. Geen wonder dat het haar allemaal te snel ging.

'Het spijt me dat ik u stoor,' zei Carol Wyman toen ze de deur voor Annie opendeed, 'echt waar, maar ik ben echt vreselijk bezorgd.'

Dat was haar wel aan te zien, vond Annie. Ongekamde haren, geen make-up en donkere kringen onder haar ogen. 'Dat hoeft niet, hoor,' zei Annie. 'Wat is precies het probleem?'

'Kom binnen,' zei Carol, 'dan zal ik het u vertellen.'

De woonkamer was erg rommelig, maar Annie wist een zitplekje op de bank te bemachtigen. Carol bood aan om thee te zetten en aanvankelijk sloeg Annie het aanbod af. Toen Carol aandrong en zei dat ze zelf ook wel een kop lustte, zwichtte ze. Ze was helemaal van Harkside naar Eastvale gereden en deed nu, op weg naar het hoofdbureau van politie van de westelijke divisie waar hoofdinspecteur Gervaise het hele team om twaalf uur bij elkaar had geroepen in de vergaderkamer, het huis van de Wymans even aan. Terwijl ze zat te wachten tot Carol thee had gezet, liet Annie haar blik door de kamer glijden en het viel haar op dat de foto van Derek Wyman met zijn broer en ook enkele andere waren verdwenen.

'Wat is er aan de hand?' vroeg Annie toen Carol terugkwam met de thee en naast haar ging zitten.

'Het gaat om Derek,' zei ze. 'Ik weet niet waar hij is. Hij is verdwenen. Derek is spoorloos verdwenen.'

Ze begon te huilen. Annie sloeg een arm om haar schouders en gaf haar een papieren zakdoekje uit de doos op de salontafel. 'Hoe lang is hij al weg?' vroeg ze.

'Hij is gisteravond na de avondvoorstelling niet thuisgekomen. Ik heb hem niet meer gezien sinds hij vertrok voor de middagvoorstelling van twee uur. Meestal komt hij op zondag tussen de twee voorstellingen naar huis om te eten, maar gisteren is dat niet gebeurd.' Ze lachte schril. 'Jullie hebben hem toch niet opgesloten zonder mij iets te vertellen?'

'Dat zouden we nooit doen,' zei Annie. Ze haalde haar arm weg.

'Eerst dacht ik nog dat hij misschien ergens een broodje had gehaald in plaats van thuis te komen eten – dat doet hij wel vaker – en dat hij na de voorstelling ergens iets was gaan drinken met zijn vrienden, maar…'

'Hij heeft ook niet gebeld?'

'Nee, hij heeft helemaal niets laten horen. Dat is niets voor hem. Begrijp me goed, Derek is heus niet perfect – wie wel? – maar zoiets zou hij nooit doen. Hij weet dat ik snel van slag ben. Hij weet wat voor effect dat op me zou hebben.' Ze stak haar handen uit. 'Moet u nou zien. Ik tril helemaal.'

'Hebt u de politie gebeld?'

'Ja, vanochtend. Ze weigerden echter in actie te komen. Ze zeiden dat hij een volwassen man is en pas één nacht werd vermist. Ik heb hun nog over afgelopen zaterdag verteld, dat hij toen met jullie op het bureau heeft gesproken en dat hij sindsdien helemaal overstuur was, maar ze wisten niet eens dat hij daar was geweest. Daarom heb ik u gebeld. U had me uw nummer gegeven. U zei dat ik altijd kon bellen.'

'Dat is ook zo,' zei Annie. De dagcoördinator die op maandagochtend dienst had, kon onmogelijk weten dat Wyman op zaterdagmiddag op het bureau had gezeten; hij was niet gearresteerd of in staat van beschuldiging gesteld, dus kwam zijn naam niet voor op het overzicht van de arrestaties die dat weekend hadden plaatsgevonden of de lijst van in bewaring gestelde mensen. Ze hadden hem alleen maar verhoord en hem daarna weer laten gaan. 'U hebt heel verstandig gehandeld. Hebt u enig idee waar hij kan zijn? Bij vrienden bijvoorbeeld?'

'Nee. Ik heb al zijn collega's van school en het theater al gebeld. Zij weten ook niet waar hij is. Ze zeiden dat hij gisteravond niet bij de avondvoorstelling was.'

'Wel bij de matineevoorstelling?'

'Ja. Die was rond halfvijf afgelopen. Volgens Maria is hij toen uit het theater weggegaan en ze ging ervan uit dat hij naar huis ging om te eten. Hij is echter nooit thuis aangekomen. Ik heb geen flauw idee waar hij naartoe kan zijn gegaan.'

'Heeft hij hier in de buurt familie wonen?'

'Een oom en tante in Shipley. Daar zou hij nooit naartoe gaan. Die heeft hij al in geen jaren gezien. Hij heeft ook een tante in Liverpool, maar die woont in een tehuis.'

'Hij is dus na de middagvoorstelling op zondag verdwenen?'

'Dat klopt.'

'Is zijn auto weg?'

'Ik geloof van wel. Hij staat in elk geval niet hier in de straat geparkeerd.'

'Ik heb een paar gegevens nodig.' Annie noteerde wat voor kleding Wyman had aangehad, en ook het merk, de kleur en het kenteken van de auto waarin hij reed.

'Er is hem vast iets overkomen,' ging Carol verder. 'Ik denk dat het iets te maken had met die mensen die zijn langsgekomen.'

'Welke mensen?' vroeg Annie.

'Gisteren aan het eind van de middag, toen Derek in het theater was. Een man en een vrouw. Ze kwamen namens de overheid. Ze waren vrij kortaf. Opdringerig. Ze wilden van alles weten, allerlei persoonlijke dingen, maar weigerden te zeggen waarom. Ze hebben het hele huis van boven tot onder doorzocht. Ze hebben ook wat spullen meegenomen. Papieren, foto's, Dereks computer met alle documenten van zijn werk, zowel van school als van het theater. Ze hebben me wel een reçu gegeven, hoor.' Ze liet het aan Annie zien. Het was een vel papier met een lijst van voorwerpen die waren meegenomen. De handtekening was onleesbaar.

'Hebben zij ook de familiefoto's meegenomen die op de schoorsteenmantel stonden?'

'Ja. Ze waren toch wel echt van de overheid, hè? Ik ben toch niet stom bezig geweest? Het waren toch geen inbrekers? Ik snap gewoon niet wat er allemaal gaande is.'

'Rustig maar,' zei Annie. 'Ze zijn inderdaad wie ze zeggen dat ze zijn.' Alleen schieten we daar niets mee op, voegde ze er in gedachten aan toe. 'U bent echt niet stom bezig geweest. Was Derek op de hoogte van dit bezoek?'

'Dat kan haast niet. Hij was bij de matinee.'

Tenzij hij natuurlijk op weg naar huis was geweest en hen vanaf de hoek van de straat had gezien, bedacht Annie. Misschien was hij er daarom wel vandoor gegaan.

'Zijn gsm deed het niet,' vervolgde Carol. 'Misschien was de batterij leeg. Dat overkomt hem heel vaak. Of zou hij er een andere vrouw op na houden?'

'Nu moet u zich vooral geen gekke dingen in uw hoofd halen,' zei Annie, die zelf niet eens kon zeggen wat het ergste was wat Carol Wyman zich in haar hoofd kon halen: dat haar man iets akeligs was overkomen of dat hij er tussenuit was geknepen met een andere vrouw.

'Wat kan er toch met hem zijn gebeurd?'

'Ik ga naar het bureau om hem als vermist op te geven en een zoektocht op touw zetten,' zei Annie. 'Als ik het doe, moeten ze wel luisteren. Als u in de tussentijd nog iets te binnen schiet, aarzel dan niet en bel me meteen.' Annie stond op. 'Mijn chef zal u wel willen spreken over de twee mensen die zijn langs geweest.'

'Die mensen van de overheid?'

'Ja.'

'Hoezo? Denkt u echt dat zij hier iets mee te maken hebben?'

'Dat kan ik nu nog niet zeggen,' zei Annie, 'maar ik verwacht het niet. Waarschijnlijk is er een heel eenvoudige verklaring voor. Ik ga erachteraan.' Ze zweeg even. 'Mevrouw Wyman, u ziet er... Nou ja, u bent er niet best aan toe. Kan ik misschien iemand...?'

'Ik red me wel. Heus. Gaat u maar. Doe wat u moet doen om Derek te vinden. De kinderen zijn naar school. Het leek me het beste hen als altijd de deur uit te sturen. Ik heb altijd mijn buurvrouw nog, mevrouw Glendon van hiernaast. Zij wil me vast wel een tijdje gezelschap houden. Maakt u zich geen zorgen.'

'Zolang u zich maar redt. Vergeet niet dat ik in de buurt ben. Als u ook maar iets hoort...'

'Dan bel ik u direct. O, ik hoop toch zo dat hij niets mankeert. Zorgt u alstublieft dat u hem vindt.'

'Maakt u zich geen zorgen,' zei Annie. 'We vinden hem vast wel.'

De sfeer in de vergaderkamer was bijzonder gespannen, voelde Banks toen het team Ernstige Delicten zich had verzameld rond de indrukwekkende, met was geboende, ovalen tafel onder de misprijzende blikken van de victoriaanse katoenmagnaten, wier in olieverf uitgevoerde portretten de wanden sierden. De regen gleed in slierten langs de brede schuiframen omlaag, roffelde ongenadig op de leistenen dakpannen, druppelde uit de verstopt geraakte goten en gorgelde in de oude regenpijpen. Dit kon je geen zomer meer noemen.

'Goed,' zei Gervaise, die was opgestaan en met haar handen op het tafelblad leunde. Ze had er duidelijk zin in; tijd om de schuldvraag aan te snijden en te kijken wie zich aangesproken voelde. 'Ik zie dat inspecteur Cabbot het nog niet nodig heeft gevonden om hierbij aanwezig te zijn, maar laten we toch maar meteen ter zake komen. Het wordt tijd dat we een eind maken aan dit alles. Laten we maar met jou beginnen, brigadier Jackman.'

Winsome schoot overeind. 'Ja, hoofdinspecteur.'

'Dat was een heel stomme streek die je op zaterdagavond hebt uitgehaald. Dat ben je toch hopelijk wel met me eens?'

'Ja maar, hoofdinspecteur, welbeschouwd…'

'Welbeschouwd had je veel meer versterking moeten meenemen en uit de weg moeten blijven tot de verdachte geboeid en in bedwang was. Je wist dat hij groot was en waarschijnlijk een mes bij zich droeg. Het heeft geen enkele zin te proberen de geüniformeerde dienst hiervan de schuld in de schoenen te schuiven, ook al zullen de twee betrokken agenten op de vingers worden getikt indien dat nodig wordt geacht.'

'Ja maar, hoofdinspecteur, we hadden geen enkele reden om aan te nemen dat hij zo zou doordraaien.'

'Wanneer er drugs in het spel zijn, moet je toch weten dat het pure dwaasheid is te proberen te voorspellen wat iemand wel of niet zal doen, brigadier Jackman. Toros Kemal had methamfetamine gebruikt en was zo high als wat. Gezien het onderwerp waarover jullie hem wilden spreken, had je moeten beseffen dat je iets dergelijks kon verwachten. Dat valt met geen mogelijkheid goed te praten.'

'Nee, hoofdinspecteur.' Winsome tuurde omlaag. Banks zag dat haar onderlip trilde.

Gervaise liet een korte stilte vallen, richtte toen opnieuw het woord tot Winsome en zei: 'Ik heb begrepen dat je flitsende voetenwerk een lust voor het oog was. Uitstekend gedaan, brigadier Jackman.'

Winsome glimlachte. 'Dank u, hoofdinspecteur.'

'Als je het maar uit je hoofd laat om nog eens zo'n stunt uit te halen. We willen je niet kwijt. Hoe maakt die driftkop het?'

'Tja,' zei Winsome, 'ik ben gisteren bij het ziekenhuis langsgegaan en hij is buiten levensgevaar. Hij was zelfs bij kennis en toen hij mij zag, riep hij… nou ja, riep hij een paar bijzonder grove dingen, hoofdinspecteur. Dingen die ik liever niet hardop herhaal.'

Gervaise lachte. 'Dat verbaast me niet.'

Winsome verschoof een stukje op haar stoel. 'Hij heeft een gebroken sleutelbeen, een gebroken arm, een gebroken been en een lichte schedelbasisfractuur, plus een flink aantal schaaf- en snijwonden.'

'En niet te vergeten een gekwetst ego,' zei Banks.

'Ach, misschien schold hij me daarom wel uit,' zei Winsome.

Gervaise keek naar Banks. 'Goed, inspecteur Banks, doe mij eens een plezier en vertel me alsjeblieft dat ik geen enkele reden heb om te vrezen dat we nog lang niet af zijn van de gevolgen van de kwestie-Hardcastle/Silbert waarin u tegen mijn bevelen in bent blijven spitten.'

'Maakt u zich geen zorgen,' zei Banks. 'Dat is allemaal achter de rug. Derek Wyman heeft toegegeven dat hij Laurence Silbert in de gaten hield en een privédetective heeft ingehuurd om foto's van hem te maken met iedereen die hij ontmoette. Toen we hem gisteren aan de tand voelden, vertelde hij ons dat Hardcastle hem had gevraagd dat te doen. Hij was achterdochtig geworden omdat Silbert zo vaak naar Londen ging en was bang dat hij een affaire had. Het draaide allemaal om jaloezie. Wyman had ons dat niet eerder verteld omdat hij zich schuldig voelde over wat er was voorgevallen en er niet bij wilde worden betrokken.'

'Juist ja,' zei Gervaise. 'En jullie geloven hem?'

'Niet helemaal,' zei Banks. 'Edwina Silbert heeft me ervan verzekerd dat Mark Hardcastle ervan op de hoogte was dat haar zoon voor zijn werk naar Londen en Amsterdam moest, dus waarom zou hij Wyman dan hebben gevraagd hem te volgen?'

'Ik neem aan dat iets zijn achterdocht kan hebben gewekt,' zei Gervaise. 'Bijvoorbeeld omdat hij een zakdoek met monogram had gevonden of het ondergoed van een onbekende in de wasmand had aangetroffen. Misschien bracht dat hem wel op het idee dat Silbert zijn werk gebruikte als dekmantel om een verhouding te verbergen. Misschien deed hij dat ook wel.'

Banks keek haar aan. 'U hebt een zeer levendige fantasie, hoofdinspecteur,' zei hij. 'Het is inderdaad heel goed mogelijk. Alleen doet het er niet toe wat wij denken. We kunnen hem nergens op pakken.'

'Ik had dus gelijk toen ik die theorie van je over Othello en Jago als halfbakken omschreef?'

'Daar lijkt het wel op, ja,' mompelde Banks. 'Als we zijn bekentenis tenminste moeten geloven.'

'De betrokkenheid van de geheime inlichtingendienst was dus zuiver oppervlakkig?'

'Tot op zekere hoogte wel. Silbert was in een bepaalde hoedanigheid nog steeds actief in zijn vak – als ik moest gokken, zou ik zeggen dat de man die hij in Londen ontmoette de geheimzinnige Julian Fenner, import-export, was – maar naar nu blijkt was dat allemaal niet relevant voor de moord en zelfmoord.'

'Dat weet je heel zeker?'

'Tja, met deze lui weet je nooit helemaal zeker waar je aan toe bent,' herhaalde Banks de woorden van Edwina. 'Maar inderdaad, hoofdinspecteur, zo zeker als we ooit kunnen zijn.'

'Dus ik kan de hoofdcommissaris en degenen die in zijn nek lopen te hijgen vertellen dat alles achter de rug is?'

'Ja,' zei Banks. 'Hoewel ik het idee heb dat de hoofdcommissaris dat allang weet.'

Gervaise keek hem argwanend aan, maar ging niet op zijn opmerking in. 'Mooi. Dan hoop ik dat je iets hebt geleerd van deze betreurenswaardige kwestie.'

'Jazeker, hoofdinspecteur,' zei Banks.

Op dat moment kwam Annie Cabbot de kamer binnenhollen. Ze ging zitten en Gervaise keek van Banks naar haar. 'Ach, inspecteur Cabbot,' zei ze. 'Wat fijn dat u toch nog kon komen.'

'Het spijt me, hoofdinspecteur,' zei Annie. 'Ik ben weggeroepen.'

'In verband waarmee?'

'Er wordt iemand vermist,' zei ze met een blik op Banks. 'Derek Wyman is verdwenen.'

'Hè? Maar waarom dan?' vroeg Gervaise. 'Ik dacht dat je zei dat hij van de verdachtenlijst was geschrapt. Jullie hebben hem laten gaan.'

'Dat is hij ook,' zei Banks, 'en dat hebben we ook gedaan.' Hij keek naar Annie. 'Sinds wanneer?'

'Gistermiddag. Hij is na de matinee uit het theater weggegaan en niet teruggekeerd voor de avondvoorstelling. Er is trouwens nog iets.'

'En wat mag dat dan wel zijn?' zei Gervaise.

'Dit zult u niet leuk vinden om te horen, hoofdinspecteur.'

'Ik vind alles wat ik tot dusver heb gehoord niet leuk. Vertel het me toch maar.'

'Gistermiddag zijn er twee mensen bij Wyman thuis geweest. Een man en een vrouw. Ze lieten zijn vrouw zo schrikken dat ze bijna in haar broek schee... ze het bijna in haar broek deed van angst, namen een paar foto's en paperassen mee, en vertrokken weer. Ze beweerden dat ze voor de overheid werkten.'

'Shit!' zei Gervaise. 'Gisteren, zeg je?'

'Ja. Ik zei al dat u het niet leuk zou vinden, hoofdinspecteur.'

'Je schiet er niets mee op door me daaraan te herinneren, inspecteur Cabbot,' snauwde Gervaise.

'Kan hij op tijd uit het theater zijn teruggekomen om te hebben gezien dat die mensen zijn huis binnengingen of uitkwamen?' vroeg Banks aan Annie. 'Denk je dat het mogelijk is dat zij hem hebben opgepakt en meegenomen?'

'Het kán,' zei Annie. 'Het tijdstip lijkt in elk geval aardig te kloppen.'

'Inspecteur Banks heeft me zojuist verzekerd dat deze ellende achter de rug was,' zei Gervaise.

'Dat was ook zo,' zei Annie. 'En misschien is dat ook nog steeds zo. Het zou zomaar kunnen dat hij bijvoorbeeld... tja, een vriendin heeft. Of hem is gesmeerd. Die dingen gebeuren nu eenmaal. Dat hij nu wordt vermist hoeft niet per se te betekenen dat MI6 hem naar een van hun geheime ondervragingskampen heeft meegesleept.'

'Zulke kampen bestaan helemaal niet,' merkte Gervaise op.

'Kijk eens aan. Naar een van hun geheime, niet-bestaande ondervragingskampen dan.'

'Heel bijdehand. Laat je fantasie niet met je aan de haal gaan, inspecteur Cabbot.'

'Hebben die overheidstypes toegang gehad tot onze dossiers?' vroeg Banks aan Gervaise.

'Niet via mij,' antwoordde ze, 'en evenmin via iemand anders in deze kamer, zou ik zo denken.'

'Is de hoofdcommissaris hier de laatste tijd vaak geweest?'

Gervaise zweeg. 'Iets vaker dan anders. Wat wil je precies suggereren, inspecteur Banks? Heeft dit soms iets te maken met die dubbelzinnige opmerking die u zo-even maakte?'

'Volgens mij weet u dat best, hoofdinspecteur. U geeft het misschien niet graag toe, maar u weet het best. Ze hebben ons vanaf het begin met argusogen gevolgd, in elk geval vanaf het moment dat ze doorkregen dat ik me er

niet van liet weerhouden het onderzoek voort te zetten. Ze hebben mij gevolgd. Misschien Annie ook wel. Waarschijnlijk weten ze precies wat wij weten. Wij hebben hun niets verteld, dus ik ben heel benieuwd hoe ze er dan
achter zijn gekomen. Ik durf te wedden dat ze het hogerop hebben gezocht.
De hoofdcommissaris is ambitieus en heeft politieke aspiraties.'

'Besef je wel wat je daar zegt?' zei Gervaise. 'Je wilt toch zeker niet beweren
dat de regering verantwoordelijk is voor Wymans verdwijning? We leven hier
niet in een of andere ordinaire Zuid-Amerikaanse dictatuur, hoor.'

'Je hoeft heus niet zo ver naar het zuiden te gaan als het gaat om burgers die
spoorloos verdwijnen,' merkte Banks op. 'Ach, ik weet het ook niet. Ik wijs u
slechts op de feiten.'

'Waarom zouden ze in vredesnaam belangstelling koesteren voor iemand die
lesgeeft aan een middelbare school en regisseur is van een amateurtoneelgezelschap?'

Banks krabde aan zijn oor. 'Omdat hij een privédetective had ingehuurd om
foto's te maken van Silbert en een andere man op een bankje in Regent's
Park,' zei hij. 'En ook omdat wíj in hem geïnteresseerd zijn. Het lijkt me logisch om aan te nemen dat dit geen liefdesaffaire betrof, maar dat de gebeurtenissen deel uitmaakten van de werkzaamheden die Silbert na zijn pensionering in het geheim uitvoerde. En dan hebben we die broer ook nog.'

'Welke broer?'

'Wymans broer Rick. Hij zat bij de SAS. In 2002 is hij omgekomen tijdens
een geheime missie in Afghanistan. Het ministerie van Defensie heeft alles in
de doofpot gestopt. Het werd afgedaan als een ongeluk tijdens een oefening.
Silbert is in Afghanistan geweest. Mogelijk was hij verantwoordelijk voor de
informatievoorziening en is Wyman dat via Hardcastle aan de weet gekomen,
waardoor hij hem Ricks dood ging verwijten.'

'Och, het moet toch ook niet gekker worden.' Gervaise keek Banks nijdig
aan, ademde diep uit, streek met een hand over haar haren en schonk een glas
met water in uit de kan op het dienblad naast haar. De regen kletterde nog
altijd op de dakpannen en ramen. 'Wat een fantastisch begin van de week is
dit, zeg,' zei ze. 'Ik stel voor dat we dit straks verder bespreken in mijn kantoor, zodra we over iets meer informatie beschikken.'

'Uitstekend, hoofdinspecteur.'

Gervaise stond op. 'Laten we dan voorlopig maar onze zegeningen tellen en
onze wonden likken,' zei ze. 'Ook al maakt Derek Wyman het ons verrekte
lastig, we hebben wél Donny Moores aanvaller te pakken en hopelijk weer
een kleine stap gezet in de strijd tegen de invoer van heroïne en methamfetamine in East Side. Dat maakt het weekend gelukkig nog een beetje goed.'

'Vergeet ook niet dat we de verkeerskegels weer terug hebben, hoofdinspecteur,' deed Doug Wilson een duit in het zakje.

Gervaise wierp hem een vernietigende blik toe.

Bij gebrek aan zijn iPod had Banks zijn oude draagbare cd-speler weer opgedoken en die maandagavond in de trein naar Londen luisterde hij naar Laura Marlings *Alas, I Cannot Swim*. Hij had zijn auto nodig en ondanks alles wat er aan de telefoon was gezegd, was hij ervan overtuigd dat hij Sophia wel zou kunnen overhalen bij hem te blijven als hij haar maar een paar minuten kon spreken. Verder had hij geen plannen. Annie had de leiding over de zoektocht naar Derek Wyman, hoewel ze nog geen heidevelden uitkamden en voornamelijk de lijst met vrienden en familieleden naliepen die verspreid door het hele land woonden. Tot dusver had niemand Wyman gezien.

De trein die Banks eerder die dag in Darlington had genomen vertrok om even na vijven uit York. Rechts van hem stond het Yorkshire Wheel, een miniatuurversie van de London Eye, troosteloos te draaien, compleet verlaten in de regen die gestaag was blijven vallen sinds de sluizen op zondagochtend waren opengezet. Er was nu al sprake van overstromingen in Wales en Gloucester.

Aan een tafeltje aan het gangpad vlak bij Banks' zitplaats zaten vier tieners die al aardig wat ale naar binnen hadden gewerkt. Ze klonken alsof ze al sinds Newcastle in de trein zaten. Banks had zelf ook wel trek in een glas, maar besloot er nog niet aan toe te geven. Er bestond immers nog altijd een kans dat hij direct zou terugrijden naar Eastvale.

Het landschap en de stations gleden langs het raam voorbij: Doncaster, Grantham, Newark. Peterborough, waar hij was opgegroeid. Hij dacht aan zijn ouders, die een cruise maakten op de Middellandse Zee. Sinds ze het geld van zijn broer hadden geërfd, was hun leven niet echt opvallend veranderd, vond Banks, maar ze waren in tegenstelling tot wat hij had verwacht wel enthousiast aan het cruisen geslagen.

Hij moest ook aan Michelle Hart denken, een inspecteur bij het lokale bureau en een ex-vriendin van hem. Ze was naar Hampshire overgestapt, had hij gehoord, naar Portsmouth, en toen de trein langs de flatgebouwen langs de rivier reed waar zij indertijd had gewoond, riep dat allerlei herinneringen in hem wakker. Hij kon ook nooit langs Peterborough komen zonder aan zijn jeugdvrienden te denken: Steve Hill, Paul Major, Dave Grenfell. En natuurlijk Graham Marshall, die was verdwenen en jaren later in een graf in een veld teruggevonden, en Kay Summerville, het eerste meisje met wie hij naar bed was geweest. Hij was haar een paar jaar geleden nog tegen het lijf gelopen toen hij thuis was voor een feest ter ere van de trouwdag van zijn ouders en zij bezig was het huis van haar overleden moeder leeg te halen. Ze hadden het nog eens dunnetjes overgedaan. Na afloop hadden ze afgesproken dat ze contact zouden houden, maar ze hadden allebei geweten dat daar toch niets van kwam. Ze hadden hun kans gehad, twee keer zelfs en gelukkig was het beide keren goed verlopen. Van die korte momenten moest je het vaak hebben. Je ziet ze tussen je vingers wegglippen. De rest is niets dan ellende. Met beide handen loslaten. Geen spijtgevoelens.

Sophia was echter een heel ander verhaal. Haar wilde hij niet loslaten.

Zijn prepaid mobieltje trilde onopvallend in zijn zak. Hij had een hekel aan mobiele-telefoongesprekken in de trein, zowel die van hemzelf als van anderen, maar hij zat niet in de stiltecoupé, dus hij overtrad geen voorschriften. Hij haalde het koptelefoontje uit zijn oren en nam op.

'Banksy?'

'Ach, meneer Burgess.'

'Precies. Ik moet het kort houden. Luister je?'

'Jazeker.'

'Laurence Silbert was alleen in het Koude-Oorloggebied actief, met name in Berlijn, Praag en Moskou. Hoor je me?'

'Ja.'

'Zijn enige bezoek aan Afghanistan dateert uit 1985, toen de Russen daar zaten. Een operatie die werd uitgevoerd in samenwerking met de CIA. Ik denk dat we met grote zekerheid kunnen stellen dat het waarschijnlijk te maken had met het verlenen van steun aan anti-Russische Talibantroepen. Deze informatie is overigens niet geheim – de details ervan weer wel – maar ik zou het heel erg waarderen als je het voor je hield.'

'Dat spreekt voor zich.'

'In feite was Laurence Silbert een Koude-Oorlogadept in hart en nieren. Hij heeft nooit iets van doen gehad met de situatie in het Midden-Oosten, tenzij het van invloed was op de Koude Oorlog. Hij sprak Russisch, Duits en Tsjechisch, en die landen vormden ook zijn belangrijkste werkterrein.'

'En na zijn pensionering?'

'Ik heb je al gezegd dat ik je daar niets over kan vertellen, maar het lijkt me toch vrij duidelijk. Als ík twee en twee bij elkaar kan optellen, dan kun jij dat vast en zeker ook wel. Iedereen weet dat voormalige agenten van de KGB en de Stasi zijn opgedoken in een of andere variant van de georganiseerde misdaad, of "zakenman" zijn geworden, zoals ze dat zelf graag noemen. Ze opereren tegenwoordig vrij openlijk in het Westen. Silbert maakte vroeger lange tijd deel uit van dat wereldje. Hij kende alle deelnemers, hun sterke en zwakke punten, handelsroutes, geheime bergplekken, noem maar op.'

'Het was hun dus gewoon te doen om zijn kennis van vroeger?'

'Ja. Dat zou ik wel denken. Het blijft overigens een vermoeden, hoor.'

Banks lette erop dat hij zachtjes praatte: 'Waarom dan al die geheimzinnigheid? De ontmoetingen in Regent's Park. Het huis. Fenners telefoonnummer. De Townsends. We vechten toch allemaal tegen de Russische maffia? Waarom ging hij niet gewoon naar Thames House of waar dan ook om daar met hen te praten, als ze hem toch alleen maar wilden uithoren?'

Banks hoorde Burgess aan de andere kant van de lijn grinniken. 'Zo werken die lui nu eenmaal niet, Banksy. Ze zijn dol op spelletjes, codes, wachtwoorden en dergelijke. In wezen zijn het gewoon net kleine kinderen. Wanneer hij klaar was voor een gesprek, belde Silbert een telefoonnummer dat ze hem hadden gegeven, een niet te traceren nummer, zoals je ongetwijfeld hebt ontdekt, en dan kreeg hij steeds de melding dat het nummer niet langer in gebruik was, maar daardoor wisten zij dat hij zo ver was. Als iemand anders het nummer belde, wisten ze dat ook en zo zijn ze er volgens mij ook achter gekomen dat jij je neus in hun zaken stak.'

'Zou kunnen,' zei Banks. 'Julian Fenner, import-export. Ik heb geen enkele moeite gedaan mijn identiteit geheim te houden.'

'Misschien was het juist beter geweest als je dat wél had gedaan. Hoe dan ook,' ging Burgess verder, 'ze wilden overduidelijk niet dat iemand wist dat ze hem gebruikten, omdat de andere kant natuurlijk ook precies weet wat en wie Silbert allemaal wist en kende, en dan zouden ze hun plannen, methoden en personeel daarop kunnen afstemmen.'

'Is dat alles?'

'Ik kan verder niets bedenken. Jij wel? Vergeet trouwens niet wat ik over je gsm heb gezegd. Weggooien dat ding. Je staat bij me in het krijt, Banksy. Nu moet ik weer islamitische parlementsleden gaan pesten. De groeten.'

De verbinding werd verbroken. Banks zette zijn mobieltje uit en stopte hem in zijn zak. Hij zou het ding later ergens dumpen, in de Theems bijvoorbeeld, bij alle andere geheimen die daar in de loop der jaren waren weggegooid.

18

Het was een zwoele avond in de straten van Londen. Toen Banks rond een uur of halfnegen door King's Road liep, was het opgehouden met regenen, al hing er wel een zware mist in de lucht die alles met zijn warme, vochtige waas omhulde. In de straat zelf heerste de gebruikelijke drukte, constante beweging en activiteit. Dat was een van de dingen die Banks zo fijn vond aan Londen en tevens iets wat hij graag achterliet wanneer hij terugging naar Gratly.

De straatlantarens vormden vage halo's in de nevel en zelfs de geluiden van de drukke straat klonken gedempt. Tijdens de rit met de ondergrondse en zijn wandeling voelde Banks dat er een vreemde stemming hing. Londen was nog steeds in shock door de bomaanslag van de vrijdag ervoor, maar tegelijkertijd waren de bewoners vastbesloten door te gaan alsof er niets aan de hand was en te laten zien dat ze zich niet klein lieten krijgen. Zo te zien liepen er nu zelfs meer mensen buiten in de straten rond dan normaal gesproken op zo'n klamme maandagavond het geval zou zijn. Ze wilden worden gezien, zich doen gelden. Banks herkende dat gevoel. Zijn voornaamste doel was echter Sophia vinden.

Hij liep haar straat in, waar het aanzienlijk rustiger was, en merkte dat hij tijdens het aanbellen verstrakte. Er werd niet opengedaan. Hij had een sleutel, maar was niet van plan die te gebruiken. Bovendien had het geen zin om naar binnen te gaan als zij toch niet thuis was. Hij had haar bewust niet gebeld om te vertellen dat hij kwam, voor het geval ze daar niet goed op zou reageren en probeerde hem te ontlopen.

Waarschijnlijk was ze nog aan het werk. Ze moest uit hoofde van haar beroep 's avonds vaak aanwezig zijn bij allerlei evenementen – lezingen, openingen, premières – dus hij besloot naar hun vaste wijnbar om de hoek te gaan. Net als alle andere cafés en barretjes die hij onderweg passeerde, was het ook daar heel druk. Slechts een enkele horecagelegenheid aan King's Road had buiten op de stoep tafeltjes neergezet – er was domweg niet genoeg ruimte – dus waren de tafeltjes binnen allemaal bezet en stonden overal waar maar een beetje plek was groepjes mensen met een glas in de hand tegen pilaren geleund te kletsen.

Banks liep naar het dichtstbijzijnde gedeelte van de bar, waar hij zich tussen een paar luidruchtige, vrolijke gezelschappen wurmde die waarschijnlijk na het werk iets waren gaan drinken en te lang waren blijven hangen. Niemand schonk enige aandacht aan hem, inclusief het barpersoneel. Angie, de blonde, Australische barjuffrouw, werd volledig in beslag genomen door haar favoriete tijdverdrijf – met klanten flirten.

Opeens ontdekte Banks in de menigte aan een van de tafels een profiel dat hij herkende. Sophia. Ze was het echt, met haar gladde wang, de elegante welving van haar hals, haar donkere haar opgebonden en op zijn plek gehouden door de bekende schildpadden kam met een paar losse plukken die over haar schouders krulden. Ze zat met haar gezicht half van hem afgewend en kon hem alleen maar zien als ze omkeek. Dat zou ze echter niet doen.

Tegenover haar zat een jonge man met sluik, vrij lang, blond haar en zo'n stoppelbaard die ontstaat wanneer je je een dag of vier, vijf niet scheert. Hij droeg een jack van lichtgroene ribstof met daaronder een zwart T-shirt. Banks had hem nog nooit gezien, maar dat zei helemaal niets. Hij wist dat Sophia veel vrienden had in de kunstwereld die hij bij lange na niet allemaal had ontmoet. Hij wilde net naar hen toelopen toen hij zag dat Sophia zich naar de man toeboog op de manier waarop vrouwen dat doen wanneer ze geïnteresseerd zijn in iemand. Banks verstijfde. Nu wilde hij al helemaal niet meer dat ze hem opmerkte en hij schuifelde van de bar naar de uitgang zonder zelfs maar een drankje te hebben besteld. Al snel liep hij met een bonzend hart door de straat zonder te weten wat hij nu moest doen.

Iets verderop aan King's Road stond een pub die Chelsea Potter heette. Banks wankelde als verdoofd naar binnen en bestelde een pint. Er waren geen stoelen meer vrij, maar onder de ramen aan de voorkant hing een plank waar hij zijn glas op kon zetten. Vanaf die positie kon hij het begin van Sophia's straat zien. Als ze alleen naar huis ging, zou hij haar aanspreken, nam hij zich voor, maar als de man uit de wijnbar bij haar was, reed hij terug naar Eastvale.

Iemand had de *Evening Standard* laten liggen en met één oog op de straat gericht begon hij aan een artikel over de nasleep van de bomaanslag. Er stond een foto bij van de jonge blondine in de gele jurk – een model, stond eronder, en een van de overlevenden. Ze had de verslaggever verteld hoe verschrikkelijk het allemaal was geweest, maar meldde er niet bij dat iemand haar had gered. Ze meldde evenmin dat ze de tas van Selfridges niet had willen loslaten, maar wel dat haar allerliefste hondje Louie het ook had overleefd.

Ongeveer anderhalf uur later, toen Banks het krantenartikel allang uit had en de bodem van zijn tweede pint Pride bijna in zicht kwam, zag hij Sophia en haar vriend de straat in lopen. Er liepen buiten nog altijd vrij veel mensen, dus hij liet de rest van zijn drankje staan en stak onopvallend te midden van de menigte de straat over. Vanaf de hoek keek hij toe hoe ze naar Sophia's voordeur wandelden. Ze bleven daar even staan kletsen en toen stak ze de sleutel in het slot. Ze hield even stil, draaide de sleutel om en tuurde naar de plek waar Banks' auto nog steeds stond geparkeerd. Toen duwde ze de deur open. De man legde zijn hand op haar onderrug en ging na haar naar binnen. Banks liep weg.

Annie wandelde binnensmonds vloekend vanwege de regen om de stilstaande auto heen. Doordat de wind van opzij kwam, bood haar paraplu vrijwel geen beschutting en uiteindelijk was het veel gemakkelijker om het ding op te klappen en zich nat te laten regenen. Ze had een leren jack aan dat tot op haar middel viel en met een spray was behandeld waardoor het waterdicht zou moeten zijn, een spijkerbroek die ze niet had behandeld en haar rode plastic laarzen, die werkelijk alles buiten hielden. Alleen haar haren raakten echt doorweekt en die waren nu zo kort dat ze in een paar tellen weer droog zouden zijn. Ze dacht terug aan wat Carol Wyman had gezegd over blonderen. Misschien deed ze dat wel.

Op dat moment stond ze echter naar Derek Wymans Renault uit 2003 te kijken, die op een parkeerhaven tegenover de Woodcutter's Arms stond geparkeerd, een paar kilometer buiten het dorpje Kinsbeck en zo'n dertig kilometer ten zuidwesten van Eastvale, aan de andere kant van de heidevelden die bij Gratly en Helmthorpe begonnen.

Een surveillanceauto van het lokale bureau had de auto ongeveer een uur eerder ontdekt en het gemeld. Inmiddels waren Annie en Winsome ter plekke, en verjoegen ze de schapen. De lokale agenten, een stel norse kerels die Drury en Hackett heetten, wat Annie deed denken aan een bar slecht komisch duo, stonden tegen hun auto geleund een sigaretje te roken en konden zo te zien haast niet wachten tot ze naar de pub konden waar ze hun dienst gewoonlijk uitzaten. Annie was niet van plan het hun gemakkelijk te maken. Ze hadden overduidelijk laten blijken dat het hen niet zinde dat ze opdrachten moesten opvolgen van twee vrouwelijke agenten in burger, van wie er ook nog eens één zwart was.

Het zag er niet naar uit dat er een misdaad in het spel was, nog niet, tenminste, dus hoefde Annie de plek niet af te zetten of te beschermen, hoewel ze zich ervan bewust was dat een forensisch onderzoek van de auto noodzakelijk kon worden als de situatie veranderde. Er waren echter bepaalde dingen die ze moest uitzoeken. Ze voelde aan het portier aan de kant van de bestuurder, maar dat zat op slot, net als het portier aan de andere kant. Ze voelde er niets voor zich met geweld toegang te verschaffen. Ze veegde de regen weg en tuurde door het raampje. Ze zag dat de sleutels weg waren en een vluchtige inspectie in het sombere licht onthulde dat er aan de binnenkant van de wagen geen opvallende dingen te zien waren. Geen bloedspetters. Geen sporen die duidden op een worsteling. Geen raadselachtige boodschap op de voorruit. Helemaal niets. Ze keek naar agent Drury. 'Een vreemde plek om je auto achter te laten,' zei ze. 'Enig idee wat er kan zijn gebeurd?'

'Ik zat te denken dat hij misschien wel zonder benzine is komen te zitten,' zei Drury. 'Zal ik even kijken?'

'Goed plan,' zei Annie, die er totaal geen moeite mee had hem het klusje, dat duidelijk mannenwerk was, te laten klaren en een meetstok te laten opdiepen waarmee het benzinepeil kon worden gemeten. Toen hij klaar was, leek Drury erg blij met zichzelf en Annie begreep dat hij gelijk had gekregen.

'Geen druppeltje,' zei hij, 'en de dichtstbijzijnde garage is hier minstens vijf of zes kilometer vandaan.'

'Is er in het dorp zelf niets?'

'Een jaar geleden gesloten.'

'Denk je dat hij naar de garage kan zijn gelopen om benzine te halen?'

'Zou kunnen,' zei Drury, 'maar als het mij was overkomen, was ik naar de Woodcutter's gelopen om daarvandaan te bellen en had ik lekker een pintje genomen tot ze er waren.' Hij wees naar de weg, niet in de richting van het dorp, maar de andere kant op. 'De garage is die kant uit. Je kunt het niet missen.' Hij keek op zijn horloge. 'Alleen denk ik niet dat ze zo laat nog open zijn.'

Het was na achten. Annie wist dat de meeste bedrijven in dit deel van het land vroeg dichtgingen. 'Waarom gaan jullie daar niet even een kijkje nemen?' zei ze. 'Bel hen zo nodig maar uit bed.'

Ze gebaarde naar de pub. 'Jullie kunnen ons straks dáár vinden.'

Drury keek haar chagrijnig aan, maar wisselde toen een paar woorden met zijn partner, die zijn sigaret uittrapte. Ze stapten overdreven langzaam in hun politieauto en reden weg.

Winsome en Annie liepen de welkome beschutting van de bar in die vrijwel leeg was, op een oude man na die met zijn hond bij de lege haard zat en twee boerenknechten die een pintje dronken aan de bar. Iedereen keek om.

'Goedenavond allemaal,' zei Annie glimlachend. Ze liep naar de bar. De boerenknechten staarden met open mond naar Winsome en schoven een stukje opzij om plaats voor hen te maken. 'Bedankt,' zei Annie. Ze keek naar de barman. 'Twee cola, graag.'

'Met ijs?'

Winsome schudde haar hoofd.

'Eentje wel,' zei Annie. 'Pittig avondje daarbuiten.'

'Heb weleens erger meegemaakt,' zei de barman.

'Mijn collega en ik zijn van de afdeling Ernstige Delicten uit Eastvale,' zei Annie en ze wapperde met haar pas. 'We zijn hier in verband met de auto die aan de overkant van de weg staat geparkeerd.'

'Die staat d'r al sinds gisteren,' merkte de barman op.

Derek Wyman was dus duidelijk niet verderop aan de weg benzine gaan halen. Of misschien ook wel, maar had iets hem belet terug te komen. Je kon hier echter nergens anders naartoe. Voor zover Annie wist, was dit allemaal vlak, open terrein – de pub stond praktisch aan de rand van de heide. Schapen liepen ernaast te grazen en snuffelden aan de auto's die er stonden. Annie wist niet of er op de B-weg die er voorlangs liep ook bussen reden, maar ze betwijfelde het. Als Wyman in de wildernis was verdwenen, moest ze tot morgen wachten voordat ze een zoektocht op touw kon zetten; het licht was nu al niet best meer en het zou snel donker worden.

De barman overhandigde haar de glazen en ze rekende af. 'Gisteren, zei u?' zei ze. 'Enig idee hoe laat?'

'Nou,' zei de barman en hij wreef over zijn hoofd, 'als ik moest gokken, zou ik zeggen dat het waarschijnlijk vanaf dezelfde tijd was dat de bestuurder ervan hier binnenkwam.' De boerenknechten grinnikten.

Ach ja, dacht Annie bij zichzelf, typisch Yorkshirese humor. Het gebied zat boordevol met die grapjassen, als je tenminste op Drury en Hackett mocht afgaan. Er zat vast iets in het water. Of het bier.

'Zag hij er ongeveer zo uit?' vroeg Annie, terwijl ze Wymans foto uit haar tas haalde.

De barman bekeek hem aandachtig. 'Aye,' zei hij ten slotte. 'Zo zag hij er inderdaad wel uit, ja.'

'Zag hij er alleen zo uit of wás hij het ook?'

De barman bromde iets.

'Dat zal ik dan maar als een ja opvatten,' zei Annie. 'Hoe laat kwam hij hier binnen?'

'Zondagavond om een uur of zeven.'

Annie herinnerde zich dat Carol haar had verteld dat de matinee om halfvijf was afgelopen. Je had er echt geen tweeënhalf uur voor nodig om van Eastvale hiernaartoe te rijden, dus was hij ongetwijfeld eerst nog ergens anders geweest, of misschien had hij doelloos wat rondgereden, tenzij dat stel van MI6 hem had achtervolgd. 'Hoe lang is hij gebleven?' vroeg ze.

'Twee glazen.'

'Hoe lang is dat?'

'Hangt ervan af hoe lang je erover doet om die leeg te drinken.'

Winsome boog zich over de bar heen. 'Als u de tent liever dichtgooit en mee-gaat naar Eastvale om onze vragen te beantwoorden, kan dat geregeld wor-den, hoor.'

Hij schrok zich lam. De boerenknechten gierden het uit en hij liep rood aan. 'Anderhalf uur ongeveer.'

'In wat voor stemming was hij?' vroeg Annie.

'Hoe moet ik dat nou weten?'

'Denk even goed na. Was hij overstuur, vrolijk, agressief? Kwam hij zenuw-achtig over? Iets anders misschien?'

'Hij was erg op zichzelf. Ging heel stil en alleen daar in die hoek zitten drin-ken.'

'Deed hij verder nog iets? Had hij een boek bij zich? Een krant? Een gsm? Een tijdschrift?'

'Niks van dat alles. Hij zat daar gewoon. Alsof hij diep nadacht of zo.'

'Hij zat dus na te denken?'

'Die indruk had ik wel.'

'Hoe weet jij dat nou, jij denkt toch nooit na?' zei een van de boerenknech-ten. De andere lachte. Winsome wierp hem een waarschuwende blik toe en ze schuifelden ongemakkelijk van hun ene voet op hun andere.

'Heeft hij iets gezegd?' vroeg Annie. 'Heeft hij met u gesproken of met ie-mand anders misschien?'

'Nee.'

'Had hij iemand bij zich?'

'Ik zei toch dat hij alleen was.'

'Is er misschien iemand binnengekomen die iets tegen hem zei?'

'Nee.'

'En na zijn vertrek? Is er toen iemand langs geweest die hem zocht, naar hem vroeg?'

'Alleen jullie maar.'

'Hebt u gezien waar hij naartoe ging toen hij vertrok?'

'Hoe kan dat nou? Ik was achter de bar aan het werk. Je kunt de weg hiervan-daan niet zien.'

'Oké,' zei Annie. 'Enig idee waar hij naartoe kan zijn gegaan?'

'Hoe moet ik dat nou weten?'

'Doe eens een gok,' zei Annie. 'Is hier in de buurt bijvoorbeeld een plek waar een reiziger naartoe kan om de nacht door te brengen?'

'Tja, verderop aan de weg staat een jeugdherberg.'

'Vergeet ook Brierley Farm niet, Charlie,' zei een van de boerenknechten.

'Brierley Farm?'

'Aye. Daar hebben ze een paar jaar geleden de schuur omgebouwd tot B&B. Dat is ongeveer een kilometer in de richting van Kinsbeck. U kunt het niet missen. Er staat een joekel van een bord buiten.'

'Nog andere opties?'

'Hier in de buurt niet. Niet zo dichtbij dat je de auto hier laat staan en er-naartoe loopt.'

'Hij had geen benzine meer,' zei Annie.

'Berts garage gaat op zondag om vijf uur dicht,' zei de barman, 'dus daar had hij niets aan.'

Op dat moment ging de deur open en iedereen keek weer om.

'Hè, wordt het toch nog gezellig,' mompelde Annie tegen Winsome. 'Daar heb je Treurniet en Haaknaald.'

'Onze namen zijn Drury en Hackett, inspecteur,' zei een van hen met een lange stilte voor dat 'inspecteur'.

'En? Iets gevonden?' vroeg ze.

'Nee. Ze hadden hem daar niet gezien. Ze waren trouwens dicht.'

'Goed,' zei Annie. Ze dronk haar glas leeg. 'Het lijkt me een beetje aan de late kant om vanavond nog zoekteams de heide op te sturen, maar we kunnen wel alvast een buurtonderzoek opstarten hier in de omgeving – te beginnen met de jeugdherberg en Brierley Farm. Akkoord, heren?'

'Wij moeten onze ronde nog rijden,' sputterde een van de agenten tegen.

'Zal ik jullie chef even bellen?' vroeg Annie.

'Nee,' mompelde de agent. 'Laat maar. Kom, Ken,' zei hij tegen zijn partner. 'Dan gaan we eerst naar Brierley.'

Als hij eerlijk was, moest hij toegeven dat hij beter niet achter het stuur had kunnen kruipen, bedacht Banks toen hij op een goddeloos nachtelijk tijdstip voor zijn cottage in Gratly stilhield. Hij had gewoon niet in Londen willen blijven. Nadat hij eenmaal zijn prepaid mobieltje in de Theems had gemikt, móést hij er weg.

De rit terug naar huis was niet eens slecht verlopen. Hij had behoefte gehad aan harde, rauwe rock-'n-rollmuziek uit de jaren zestig, niet aan treurige smartlappen, dus had hij zijn Led-Zeppelinverzameling op 'shuffle' gezet. Het eerste nummer dat uit de geluidsinstallatie kwam, was 'Dazed and Con-fused', wat de situatie aardig samenvatte. De rest van de rit was in een soort auditieve diavertoning van gitaarsolo's, herinneringen en afwisselend woede en berusting verlopen. Hij mocht van geluk spreken dat hij nog leefde, vond hij. De M1 kon hij zich op dat moment helemaal niet herinneren, alleen de harde muziek, en de dansende gloed van rode remlichten en felle koplampen die hem vanaf de andere weghelft tegemoet hadden geschenen.

Tijdens de rit had hij zichzelf achteraf bekritiseerd en zichzelf voorgehouden dat hij in de wijnbar op Sophia en haar vriend had moeten afstappen of hen bij de voordeur had moeten aanspreken en die gozer een mep op zijn neus had moeten verkopen. Daar was het nu te laat voor. Hij had niets gedaan en als gevolg daarvan was hij nu hier.

Hij had ook geprobeerd zichzelf ervan te overtuigen dat het allemaal heel onschuldig was geweest, gewoon een drankje met een oude vriend, maar hun lichaamstaal, de vanzelfsprekendheid tussen hen, de chemie waren zo duidelijk geweest dat hij dat eenvoudigweg niet geloofde, en hij kon de gedachte aan Sophia en de jonge man samen in bed, het bed waarin zíj samen hadden geslapen met het halfronde, gebrandschilderde ruitje boven het raam en de vitrage die zachtjes wapperde in de wind, niet uit zijn hoofd zetten.

Toen hij eindelijk de deur achter zich dichttrok, voelde hij zich uitgeput, leeg, maar hij wist dat hij desondanks de slaap niet zou kunnen vatten. Hij probeerde het niet eens, maar schonk in plaats daarvan een flink glas wijn voor zichzelf in en ging zonder een lamp aan te doen of muziek op te zetten in de serre zitten.

Zo voelde een gebroken hart dus aan, dacht hij. Verdomme, het was echt net alsof er daadwerkelijk iets kapot was. Hij voelde de scherven binnen in hem langs elkaar schuren. Het was al zo'n tijd geleden dat hij dat gevoel had gekend. Toen Annie en hij uit elkaar gingen, was zijn hart niet gebroken geweest, hooguit een beetje gekneusd. Michelle en hij waren simpelweg uit elkaar gegroeid. Nee, de laatste keer dat hij dit gevoel had ervaren was toen Sandra hem verliet. Hij legde zijn voeten op een stoel, haalde diep adem, pakte de fles van de tafel naast hem en schonk zijn glas nogmaals vol. Hij had sinds de lunch niets meer gegeten en zijn maag knorde, maar hij kon zich er niet toe zetten te gaan kijken of er nog iets in de koelkast stond. Hij dacht trouwens van niet. Het deed er ook niet toe. De regen tikte tegen de ramen. De wijn zou het hongergevoel zo wel wegnemen en als hij snel genoeg dronk, kwam de slaap vanzelf wel. Of anders de vergetelheid.

19

'Wat is er verdorie aan de hand?' vroeg hoofdinspecteur Gervaise op dinsdag-ochtend tijdens een 'informeel' gesprek bij een kop koffie in haar kantoor aan Banks. Het regende nog altijd stevig, Derek Wyman werd nog steeds vermist en Banks' hoofd klopte pijnlijk. In de kleine uurtjes van de ochtend had hij eindelijk vergetelheid gevonden, maar wel pas nadat hij zó'n grote hoeveel-heid rode wijn naar binnen had geklokt dat hij er een barstende hoofdpijn aan had overgehouden waartegen zelfs extra sterke paracetamol niet was op-gewassen.

'We vermoeden dat Wyman een stad heeft weten te bereiken,' zei Banks. 'Harrogate, Ripon, misschien zelfs wel York. Mogelijk heeft hij een lift gekre-gen of ergens een bus genomen. Vanaf een van die plaatsen kan hij werkelijk overal naartoe zijn gereisd. Zelfs naar het buitenland. Annie en Winsome doen op dit moment navraag bij alle bus- en treinstations. We hebben zijn foto in alle kranten laten plaatsen en hij wordt vanavond ook tijdens het lo-kale nieuws op televisie getoond. De geüniformeerde politie gaat alle super-markten en mannenkledingzaken in een straal van vijftig kilometer langs, voor het geval hij nieuwe kleren nodig had. Zijn creditcard en bankpas wor-den eveneens in de gaten gehouden. Als hij die gebruikt, weten we meteen waar hij uithangt.'

'Meer kunnen we niet doen, denk ik,' zei Gervaise.

Banks dronk zijn koffie op en schonk zijn kop nogmaals vol uit de kan.

'Zware nacht gehad?' vroeg Gervaise.

'Ik ben gewoon moe.'

'En, hoe denk jij over dit alles?'

'Het is duidelijk dat hij ontzettend is geschrokken van iets,' antwoordde Banks. 'Misschien heeft meneer Browne de duimschroeven wel aange-draaid.'

'Dit is niet het juiste moment om grapjes te maken. Ik heb je ruim een week geleden juist speciaal opgedragen je er niet mee te bemoeien om een derge-lijke situatie te voorkomen.'

'Met alle respect, hoofdinspecteur,' zei Banks, 'maar dat was niet de reden. U hebt me opgedragen me er niet mee te bemoeien omdat MI6 dat tegen de hoofdcommissaris had gezegd en hij de boodschap aan u had doorgegeven. U kon geen kant uit. Ik durf echter te wedden dat u verdomd goed wist dat me opdragen me er niet mee te bemoeien de beste manier was om mij zo ver te krijgen dat ik in mijn eigen vrije tijd wat ging rondneuzen. U hebt mij de kastanjes uit het vuur laten halen, terwijl u me er zogenaamd bij uit de buurt hield, net als MI6 in feite. Het enige wat u niet had voorzien was dat Wyman ervandoor zou gaan.'

Gervaise zei een tijdlang niets, maar toen gleed er een kort glimlachje over haar gezicht. 'Je vindt jezelf zeker heel slim, hè?' zei ze.

'Het is toch zo?'

'Als jij dat wilt geloven, moet je dat vooral doen, maar ik kan er met geen mogelijkheid op ingaan.' Ze wuifde met haar hand. 'Het doet er nu trouwens ook allemaal niet meer toe. Of we nu willen of niet, hier zitten we dan. De vraag is: wat doen we eraan?'

'Om te beginnen gaan we Derek Wyman zoeken,' zei Banks, 'en daarna zorgen we ervoor dat iedereen weer tot bedaren komt. Ik weet dat het onmogelijk klinkt, maar volgens mij moeten we met MI6 of wie dan ook om tafel kunnen gaan zitten om alles te bespreken en op een of andere manier tot een oplossing zien te komen. Het gaat er niet meer om of Wyman de boel op stelten heeft gezet vanwege zijn broer of omdat hij kwaad was op Hardcastle. Hij heeft de wet niet overtreden en het wordt hoog tijd dat iedereen dat beseft.'

'Denk je echt dat het zo gemakkelijk gaat?'

'Ik zie niet in waarom niet. Laat de hoofdcommissaris zijn vriendjes maar uitnodigen. Hij hoort immers bij hen?'

Gervaise reageerde niet op zijn stekelige opmerking. 'Ik geloof niet dat het hen er momenteel om te doen is waaróm Wyman tussen Hardcastle en Silbert heeft lopen stoken,' zei ze, 'maar eerder om hoeveel en wat hij afweet van zaken die topgeheim zijn.'

'Volgens mij weet hij helemaal niets,' zei Banks.

'Hmm, dan ben je duidelijk van gedachten veranderd.'

'Niet echt. Ik heb het me al eerder afgevraagd en er zelfs over gespeculeerd, maar inmiddels heb ik tijd gehad om erover na te denken. Ik ken iemand die verstand heeft van dergelijke dingen en hij heeft me verteld dat Silbert helemaal niets met Afghanistan te maken had, afgezien van één gezamenlijke missie met de CIA in 1985, en dat zijn recentere werkzaamheden vooral gericht waren op de activiteiten van de Russische maffia.'

'Geloof je hem?'

'Ja, tot op zekere hoogte. Ik ken hem al jaren. Hij heeft geen enkele reden om te liegen. Dan had hij eerder gezegd dat hij het niet wist of er niet achter kon komen.' Of, Burgess kennende, dat ik kon oprotten, voegde Banks er in gedachten aan toe.

'Het kan natuurlijk ook dat iemand hem valse informatie heeft verschaft.'

'Wie is hier nu paranoïde?'

Gervaise glimlachte. 'Die zit.'

'Wat ik wil zeggen is,' ging Banks verder, 'dat we het misschien wel nooit helemaal zeker zullen weten, zoals Edwina Silbert nooit helemaal zeker weet of MI6 haar man heeft vermoord. Ze vermoedt van wel. Het zou kunnen dat ze eveneens betrokken waren bij de moord op Laurence Silbert. Misschien was hij een dubbelagent en wilden ze daarom van hem af? Dat komen we waarschijnlijk nooit te weten. Ondanks al het wetenschappelijke bewijsmateriaal vind ik het nog steeds niet vergezocht om te denken dat een van hun experts op het gebied van smerige streken het huis is binnengedrongen en hem heeft gedood. U hebt net als ik gezien hoe nutteloos die plaatselijke beveiligingscamera's waren wat betreft dekking van het gebied waarnaar onze belangstelling uitging. In dat geval zijn er geen bewijzen en zullen die er nooit komen ook. De hele kwestie komt me de strot uit. De vraag is alleen hoe we dit een halt kunnen toeroepen voordat het echt de spuigaten uitloopt. Beseft u eigenlijk wel dat Wyman daarbuiten aan onderkoeling kan overlijden als hij geen schuilplek, schone kleding, eten en water heeft gevonden? Het is niet alleen nat, maar ook stervenskoud. En waarom? Omdat een stel omhooggevallen padvinders in nette pakken zijn huis ondersteboven heeft gekeerd en hem doodsbang heeft gemaakt, zoals ze dat Tomasina Savage ook hebben geflikt?'

'Ja, maar stel nu eens dat Wyman voor de andere kant werkt?' merkte Gervaise op.

'De Russische maffia? Ach, houd toch op,' zei Banks. 'Wat heeft zo'n club nekloze voormalige KGB-agenten nou aan een onbenullig leraartje als Derek Wyman? En als hij wél bij hen hoort, waarom heeft hij dan een privédetective in de arm genomen? Die lui hadden Silbert heus wel door hun eigen beveiligingsmensen laten volgen. Als zij hierbij betrokken waren, hadden ze trouwens Silberts nek wel gebroken of hem voor een rijdende auto geduwd. Misschien hadden ze hem zelfs wel doodgeschoten. Dat zal hen verder een zorg zijn. Ik geef toe dat wat er is gebeurd naar het dwaze gedrag van de Britse geheime dienst riekt of anders de Amerikanen met hun exploderende sigaren voor Castro – het zou zo regelrecht uit Monty Python kunnen komen – maar de Russische maffia? Dat dacht ik toch niet.'

'Sinds wanneer ben jij opeens een expert op dit gebied?'

'Ik ben geen expert,' zei Banks, die moeite moest doen om boven het gebonk in zijn hoofd uit te komen. 'Dat pretendeer ik ook helemaal niet. Het is slechts een kwestie van gezond verstand. Volgens mij hebben we in dit geval allemaal, ikzelf incluis, een deel daarvan thuis laten liggen.'

'Misschien wel,' zei Gervaise. Ze wierp een blik op haar horloge. 'Ik heb over een halfuur een gesprek met de hoofdcommissaris. Ik zal jouw voorstel met hem bespreken. Ik denk niet dat hij ervoor zal gaan, maar ik wil het wel proberen.'

'Dank u wel,' zei Banks. Hij schonk zijn koffiekop nog eens vol en nam deze mee naar zijn eigen kantoor, waar hij een tijdje bij het raam naar het marktplein bleef staan turen. Zijn hoofd klopte en er trokken golven van misselijkheid door zijn maag. Zijn eigen schuld. Hij kon het nog steeds nauwelijks geloven. Wanneer hij eraan terugdacht, kreeg de vorige avond in King's Road hetzelfde onwerkelijke, droomachtige karakter als de gebeurtenissen op Oxford Circus. Aan de vorige avond kon hij echter misschien nog iets doen. Hij kon in elk geval ophouden met vluchten en Sophia erop aanspreken. Misschien had ze er wel een goede verklaring voor. Misschien zou hij die dan wel geloven.

De regen striemde schuin over het plein en spatte weg op de keitjes. Op alle kruispunten lagen diepe plassen en mensen liepen eromheen om geen natte voeten te krijgen. De lucht had een meedogenloze zandsteengrauwe kleur en niet één van de weermannen- en vrouwen durfde te voorspellen wanneer er een eind zou komen aan dit afgrijselijke weer. Banks dacht aan Wyman, die helemaal alleen en angstig ergens daarbuiten rondliep, en hoopte ondanks alle ellende die hij had veroorzaakt maar dat hij een droge, beschutte plek had gevonden in een of andere knusse B&B. Dit hele gedoe was begonnen met een zelfmoord; hij hoopte maar dat het niet met een tweede zou eindigen. Toen zijn telefoon overging, dacht hij dat het misschien Sophia was die belde om het uit te leggen of te zeggen dat het haar speet. In plaats daarvan was het Tomasina.

'Hallo,' zei ze. 'Het valt niet mee om u te pakken te krijgen. Dat telefoonnummer dat u me hebt gegeven, werkt niet meer.'

'O, sorry,' zei Banks. 'Dat was maar een tijdelijk nummer. Ik heb er gewoon niet bij stilgestaan. Dat toestel ligt op de bodem van de Theems.'

'Wat een verspilling. Gelukkig weet ik waar u werkt.'

'Gelukkig ben ik er vandaag ook,' zei Banks. 'Wat kan ik voor je doen? Toch niet nog meer problemen, hoop ik?'

'Nee, dat is het niet. Nou ja, ze hebben mijn dossiermappen nog steeds niet teruggebracht.'

'Geef hun even de tijd. Wat is er dan?'

'Tja, eigenlijk is het een beetje gênant,' zei Tomasina.

'Vertel het me maar.'

'Nou, weet u nog van dat concert van de Blue Lamps in Shephard's Bush Empire?'

'Ja.' Het was Banks totaal ontschoten, maar nu ze erover begon, herinnerde hij het zich weer. Het was een belangrijk optreden voor Brian en hij wist dat hij echt moest proberen erbij te zijn. 'Dat is toch vrijdag?' zei hij.

'Dat klopt.'

Banks was eigenlijk van plan geweest dat weekend met Sophia door te brengen, maar hij begreep nu dat dát waarschijnlijk niet doorging, tenzij er een of ander wonder gebeurde. Hij kon natuurlijk altijd ergens anders onderdak vinden. Brian en Emilia hadden een slaapbank. 'Je kunt toch nog wel, hoop ik?' zei hij.

'O, jazeker. Het is alleen zo dat ik, ehm, ik zat gisteravond dus in de pub en daar kwam ik een oude studievriend van me tegen. Hij is een enorme fan van de Lamps en, nou ja, we dronken samen wat, u kent het vast wel, en toen vroeg ik of hij niet met me mee wilde, snapt u, naar het concert, want ik had namelijk kaartjes. U vindt het toch niet erg, hè? Ik dacht namelijk dat u vast wel een nieuw kaartje aan Brian kon vragen. Dan kunnen we nog steeds van tevoren iets gaan drinken en na afloop backstage een kijkje nemen en zo. Het spijt me echt heel erg.'

'Hoho, niet zo snel,' zei Banks. 'Zeg je nu ons afspraakje af?'

Tomasina giechelde zenuwachtig. 'Het was niet echt een afspraakje. Toch?'

'Hoe wilde je het dan noemen?'

'Nou ja, u hebt immers een vriendin. Ach, moet u horen, ik weet dat ik het eerst aan u heb beloofd en als u er echt op staat, vertel ik hem wel...'

'Het is al goed,' zei Banks. 'Ik plaag je alleen maar. Natuurlijk moet je met die vriend van je gaan. Misschien haal ik het niet eens.'

'Werkdruk?'

'Zoiets ja,' zei Banks. 'Hoe dan ook, veel plezier samen, hè? En als ik er niet ben, doe Brian dan de groeten van me.'

'Dat zal ik zeker doen. Dank u wel, hoor.'

Banks legde de hoorn op de haak en staarde weer door het raam naar de regen. Hij kon de heuvelhellingen achter het kasteel nauwelijks meer zien.

Het werd die avond vroeg donker en tegen tien uur was Banks' cottage bij Gratly in inktzwarte duisternis gehuld. Het regende nog steeds. Op het muurtje langs de beek zitten zat er die avond vast niet in, bedacht Banks tijdens het opruimen van de resten afhaalvindaloo. Hij had voor de televisie zitten eten met een biertje erbij en de dvd van *No Country for Old Men* op. De film was bijna net zo somber als hij zich voelde. Hij besefte dat hij zwolg in zelfmedelijden, nu zelfs de herinnering aan Tomasina's telefonische afzegging van hun afspraak om samen Brians optreden te bezoeken als verraad aanvoelde.

De zoektocht naar Wyman die dag had niets opgeleverd. Annie had vanuit Harrogate gebeld om te zeggen dat ze geen steek was opgeschoten en Winsome had vanuit Ripon hetzelfde gemeld. De lokale politiekorpsen hielpen zoveel ze konden, maar hun middelen waren nog altijd beperkt. Als ze hem niet snel vonden, werd het tijd om alsnog de heidevelden af te zoeken en wellicht zelfs Hallam Tarn te laten dreggen.

Gedurende de avond had Banks verschillende keren op het punt gestaan Sophia te bellen, maar elke keer was hij er toch voor teruggeschrokken. Ze had tijd nodig, had ze gezegd, en bovendien had ze blijkbaar een nieuwe relatie. Vaak gingen die twee dingen hand in hand. Wanneer een stel uit elkaar ging, wist Banks, was de kans groot dat een van beiden een ander had gevonden, zelfs als die ander alleen maar een excuus was om eruit te kunnen stappen en de nieuwe relatie niet lang standhield. Hetzelfde was hem overkomen met Sandra, hoewel zij met die ellendeling was getrouwd en een kind met hem had gekregen. Met Annie was het echter anders verlopen. Zij had hem niet voor een ander verlaten; zij had hem gewoon verlaten.

Had hij de situatie van de vorige avond misschien verkeerd geïnterpreteerd? Was het toch volkomen onschuldig geweest? Hoe kon hij daar ooit achterkomen als hij het haar niet vroeg?

Hij stapte over op rode wijn, schonk een flink glas voor zichzelf in en liep naar de serre. Hij maakte net aanstalten om haar dan toch maar te bellen, maar meende toen in de achtertuin iets te horen. Het klonk als het tikje van de klink van de poortdeur. Hij hield zijn adem in. Daar had je het weer. Er zat daarbuiten iets of iemand in de bosjes. Hij besloot een keukenmes te pakken en buiten te gaan kijken wat er aan de hand was, maar hoorde toen een zacht getik op de glazen serredeur. Hij kon door het matglas niets onderscheiden omdat het al zo donker was, maar er stond daar beslist iemand. Het getik hield aan. Banks liep naar de deur toe en legde zijn hand op de klink.

'Wie is daar?' vroeg hij. 'Wie ben je?'

'Ik ben het,' antwoordde een bekende stem fluisterend. 'Derek Wyman. U moet me binnenlaten. Alstublieft.'

Banks deed de deur open en Wyman strompelde naar binnen. Zelfs in het donker was duidelijk te zien dat hij helemaal doorweekt was.

'Allemachtig,' zei Banks. Hij deed de lamp op tafel aan. 'Moet je jou nu eens zien. Net de spion aan de muur.'

Wyman rilde. Hij bleef druipend in de deuropening staan.

'Kom binnen,' zei Banks. 'Eigenlijk zou ik je over mijn knie moeten leggen en je een flink pak slaag moeten geven, maar ik denk dat ik maar beter een handdoek voor je kan halen en wat droge kleding. Wil je iets drinken?'

'Een flink glas whisky zou er wel ingaan,' zei Wyman klappertandend.

Ze liepen naar de keuken, waar Banks een glas Bell's voor hem inschonk; daarna gingen ze naar boven, waar Wyman zich in de badkamer afdroogde, terwijl Banks op zoek ging naar een oude spijkerbroek en een katoenen shirt. Het shirt zat als gegoten en de spijkerbroek was weliswaar aan de korte kant, maar paste prima rond zijn middel. Daarna keerden ze terug naar de serre. Banks schonk zijn wijnglas nog eens vol.

'Waar heb jij uitgehangen?' vroeg hij nadat ze waren gaan zitten.

Wyman had de handdoek om zijn nek geslagen, alsof hij zojuist een hardloopwedstrijd of voetbalwedstrijd achter de rug had en net onder de douche vandaan kwam. 'De heide,' zei hij. 'Ik heb hier vroeger heel veel gewandeld en grotten bezocht. Ik ken alle hoekjes en gaatjes.'

'We dachten dat je naar Harrogate was gegaan en daar de trein had gepakt naar verre oorden.'

'Dat is wel bij me opgekomen, maar uiteindelijk bleek het toch te riskant. Te opvallend. Ik was bang dat ze op de stations naar me uitkeken.' Wyman zette het glas aan zijn mond en nam een teug. Zijn hand beefde.

'Rustig aan,' zei Banks. 'Niet zo snel. Neem er de tijd voor. Heb je iets gegeten?'

Wyman schudde zijn hoofd.

'Ik heb nog een restje vindaloo,' zei Banks. 'Het is in elk geval vers.'

'Lekker.'

Banks liep naar de keuken, warmde de vindaloo en een half naanbrood op in de magnetron, en deed alles op een bord voor Wyman. Wyman at snel, veel sneller dan iemand vindaloo eigenlijk hoorde te eten, maar het had zo te zien geen schadelijke gevolgen.

'Je zei "ze",' merkte Banks op.

'Sorry?'

'Je zei net dat je bang was dat "ze" op de stations naar je zouden uitkijken, niet wij, niet de politie.'

'O, dat.'

'Wil je vertellen waarom je ervandoor bent gegaan?' vroeg Banks. 'Vanaf het begin graag.'

'Ik zag hen bij mij thuis naar binnen gaan,' zei Wyman. 'Die spionnen. Ik was na de zondagmatinee op weg terug naar huis voor het eten. Ze brachten allerlei spullen naar buiten. De computer. Papieren. Dozen. Dat doen ze echt niet zomaar.'

'Hoe wist je wie ze waren? Het hadden net zo goed onze mensen kunnen zijn.'

'Nee. Ik had hen al een keer eerder gesproken. Toen waarschuwden ze me wat me te wachten stond.'

'Wanneer was dat?'

'Een dag eerder, op zaterdag, vlak nadat ik na mijn gesprek met u het politiebureau had verlaten. Ze wachtten me op in een auto op het plein. Ik moest tussen hen in op de achterbank gaan zitten. Een man en een vrouw. Ze wilden weten waarom u me had willen spreken en wat ik te maken had met de moord op Laurence Silbert. Ze denken dat ik met de Russische maffia onder één hoedje speel. Allejezus. Toen ik hen bij mij thuis zag, raakte ik in paniek.'

'Ze hebben beslist Tomasina's dossier over jou gelezen,' zei Banks.

'Tom Savage? Hoe bedoelt u?'

'Ze hebben op vrijdagochtend haar kantoor op zijn kop gezet en een groot deel van haar dossiers meegenomen. Die moesten ze natuurlijk allemaal stuk voor stuk doornemen en jij staat onder de "W". Waarschijnlijk zijn ze daar pas op zondag aan toegekomen en toen zijn ze meteen naar je toe gegaan, maar jij was er niet.'

'Hoe zijn ze haar op het spoor gekomen?'

'Via mij, ben ik bang. Je had haar visitekaartje achter de radiator bij Mohammed laten vallen en hij had het gevonden.'

'Bent u bij Mohammed geweest? Dat hebt u me helemaal niet verteld toen u me verhoorde.'

'Er is nog veel meer dat ik je niet heb verteld. Dat hoefde jij allemaal niet te weten.'

'En nu wel?'

'Het helpt je misschien te begrijpen wat er gaande is en waarom.'

Wyman zweeg om dit te laten bezinken. Hij zette zijn lege bord op de tafel en nam weer een slokje whisky. Zo te zien was zijn hand opgehouden met beven. 'Ze wisten dat ik in Rusland was geweest.'

'Dat is niet zo moeilijk te achterhalen. Zodra ze doorhadden dat ik belangstelling voor jou had, hebben ze je natuurlijk nagetrokken, maar Tomasina kwam pas later in beeld. Wanneer ben je in Rusland geweest?'

'Vier jaar geleden. Moskou en Sint-Petersburg. Ik was daar gewoon als toerist, verdomme. Ik had jaren voor die reis gespaard en ben er helemaal alleen naartoe gegaan. Carol had er geen zin in. Die ligt liever op een strand in Mallorca. Ik ben gek op de Russische cultuur. Ik ben een fan van Tsjechov, Dostojevski, Tolstoj, Tsjaikovski, Sjostakovitsj…'

'Genoeg,' zei Banks. 'Bespaar me dat culturele overzicht maar. Ik snap het zo ook wel.'

'Ze vertelden me dat ze op de hoogte waren van mijn bezoek,' vervolgde Wyman. 'Ze wilden een lijst hebben van alle mensen die ik daar had ontmoet en met wie ik had gesproken.'

'Wat heb je tegen hen gezegd?'

'De waarheid. Dat ik het me niet meer kon herinneren. Ik heb daar helemaal niemand ontmoet. Nou ja, dat natuurlijk wel, maar niemand… u weet wel. Ik heb daar musea bezocht, galerieën, het Bolsjoi, het Kremlin, en door de straten gewandeld.'

'En?'

'Ze geloofden me niet. Ze zeiden dat ze zouden terugkomen. Ze dreigden dat ze me van alles konden aandoen als ze dachten dat ik loog. Ik kon mijn baan kwijtraken. Ze konden mijn gezin tegen me opstoken. Het was vreselijk. Toen ik hen zondag bij mijn huis zag, raakte ik in paniek en ben ik ervandoor gegaan. Toen kwam ik zonder benzine te zitten. Ik heb even iets gedronken en probeerde intussen te bedenken wat ik moest doen. Ik begreep dat ze mijn auto natuurlijk zouden zoeken, dus ging ik te voet verder. Ik heb al die tijd buiten op de heide doorgebracht. Toen dacht ik aan u. U kwam tijdens ons gesprek op me over als een fatsoenlijke kerel. Ik dacht: als iemand deze ellende kan oplossen, bent u het wel. Ik heb niets gedaan, meneer Banks. Ik ben onschuldig.'

'Onschuldig zou ik je niet direct willen noemen,' zei Banks. 'Hoe wist je waar ik woonde?'

'Van die brand een tijdje terug. Het stond in de plaatselijke krant. Ik herinnerde me die plek wel van mijn wandelingen, toen die oude dame hier nog woonde.'

'Wat denk je eigenlijk dat ik voor je kan doen?'

'Alles rechtzetten. Hun de waarheid vertellen, in het bijzijn van een advocaat en anderen op het politiebureau. Ik vertrouw hen niet. Ik wil nooit meer met hen alleen zijn.'

Datzelfde gold ook voor Banks. Hij had Gervaise eerder al verteld dat hij een ontmoeting wilde regelen. Misschien kon hij Wyman het beste naar het bureau brengen. Dan had MI6 een extra stimulans om te komen opdagen. Met een beetje geluk kon de kwestie voor eens en altijd uit de lucht worden geholpen. 'Waarom vertel je me niet eerst wat er allemaal echt is gebeurd?' zei

Banks. 'Dat verhaal dat Hardcastle jou zou hebben gevraagd Silbert te bespioneren had je zeker uit je duim gezogen?'

Wyman liet zijn hoofd hangen. 'Ja. Mark heeft me nooit gevraagd Laurence in de gaten te houden. Hij heeft nooit gedacht dat hij misschien een verhouding met een ander had. Dat idee kwam van mij. Dat had ik allemaal bedacht.'

'Waarom loog je tijdens ons gesprek?'

'Dat leek me de gemakkelijkste manier om alles te verklaren zonder dat ik er zelf al te slecht van afkwam. Jullie konden onmogelijk aantonen dat ik loog. Niemand zou me tegenspreken.'

'Is wat je me nu vertelt dan wél de waarheid?'

'Ja. Ik heb immers niets meer te verliezen.'

Banks schonk nog een glas whisky voor Wyman in en wat wijn voor zichzelf. De regen bleef langs de ramen van de serre omlaag glibberen en bij de deur gorgelde een afvoerpijp. 'Als het niet Hardcastles idee was, waarom heb je het dan gedaan?'

'Doet dat er iets toe?'

'Ik vind van wel, zeker als het evenmin iets te maken had met de Russische maffia of de dood van jouw broer.'

'Rick? Ik heb u toch al eerder gezegd dat ik daar niets vanaf weet? Ik wist niet eens wat voor werk Laurence deed. Hoe kon het dan iets met Rick te maken hebben gehad?'

'Laat ook maar,' zei Banks. 'Ga verder.'

'Het was me helemaal niet om Laurence Silbert te doen. Ik wist vrijwel niets van hem, alleen maar dat het een rijke vent was die verkikkerd was op Mark. Hij was slechts een middel om het doel te bereiken. Mark hield van hem. Hij was degene die ik wilde kwetsen, die zelfvoldane kwal. Mark.'

'Je wilt me toch niet vertellen dat het dus wél om dat verrekte theater draaide? Om je regisseurscarrière?'

'U begrijpt het niet. Door zijn toedoen zou mijn baan overbodig worden. Als er een professionele toneelgroep kwam, zou hij hun artistiek leider worden en er ook nog eens heel goed voor betaald krijgen, terwijl ik de rest van mijn miezerige dagen mocht slijten tussen types als Nicky Haskell en zijn kornuiten. Hij vond het heerlijk om me dat in te peperen. Hij pestte me er zelfs mee. Ik heb heel wat uren werk in die toneelstukken gestopt. Het is mijn leven. Denkt u nu heus dat ik het zomaar over mijn kant zou laten gaan en me alles door zo'n nieuwkomer zou laten afnemen?'

'Ongelooflijk,' zei Banks hoofdschuddend. 'En daarom heb je dus twee levens verwoest?'

Wyman dronk nog wat whisky. 'Het was nooit mijn bedoeling dat er iemand zou omkomen. Ik wilde alleen maar een wig tussen hen drijven, in de hoop dat Hardcastle zou opsodemieteren naar Barnsley of hoe dat gat ook heet en ons met rust zou laten. Het is eigenlijk begonnen als geintje, nadat *Othello* me aan het denken had gezet. Ik vroeg me opeens af of dat in het echt ook mogelijk was, ziet u, of je iemand door middel van insinuaties en suggestieve beschrijvingen kon laten doordraaien. Mark was toch al een tikje jaloers vanwege Laurence' vele reisjes naar Londen en Amsterdam, of het nu zogenaamd zakenreizen waren of niet. Ik dacht dat ik dat misschien kon gebruiken. Mark had me verteld over die flat in Bloomsbury. Op een gegeven moment was ik tegelijk met Laurence, die daar voor zijn werk moest zijn, in Londen en heb ik de flat een tijdlang in de gaten gehouden. Toen zag ik Laurence naar buiten komen. Ik weet niet waarom, maar ik ben hem gevolgd, zag dat hij op een bankje in een park een man ontmoette en naar een huis in St. John's Wood ging. Ik had mijn fototoestel niet bij me. De rest weet u.'

'Je nam Tom Savage dus in de arm, omdat je niet zo vaak naar Londen kon als Laurence Silbert?'

'Inderdaad. Ik zei tegen haar dat ik haar zou bellen en haar een adres zou geven zodra ik wilde dat ze iemand zou volgen en foto's nam. Ze heeft vakwerk afgeleverd. Mark werd razend toen ik ze hem bij Zizzi liet zien. Ik had niet verwacht dat hij ze aan stukken zou scheuren, maar dat deed hij wel. Uiteraard waren de foto's op zich niet voldoende en moest ik een mooi verhaaltje ophangen over de dingen die ze ongetwijfeld deden wanneer ze boven waren. Die hand op zijn rug was echter een prachtig extraatje. Anders had het er waarschijnlijk heel onschuldig uitgezien.'

Een onschuldig gebaar. Opnieuw moest Banks aan Sophia denken. Was dat wat het gebaar van die vriend van haar de vorige avond was geweest? En verzon hij er nu zelf een mooi verhaal omheen? Hij zette haar uit zijn hoofd. Dat kwam later wel.

'Wat er toen gebeurde, heb ik totaal niet zien aankomen. Dat moet u van me aannemen. Sindsdien ben ik een wrak. Vraagt u het maar aan Carol. Arme Carol. Is alles goed met haar?'

'Je moet haar eigenlijk even bellen,' zei Banks. 'Ze is doodongerust over je.'

'Dat kan ik nu niet opbrengen,' zei Wyman. 'Laat me alstublieft eerst even bijkomen.'

Banks dronk zijn glas leeg. 'Luister,' zei hij, 'voor zover ik kan nagaan heb je weliswaar een hoop ellende teweeggebracht, de dood van twee mensen veroorzaakt en de politie heel veel tijd laten verspillen, maar formeel gezien heb je je niet schuldig gemaakt aan een misdaad. Uiteraard heeft de openbare

337

aanklager het laatste woord in deze kwestie, maar ik kan eerlijk gezegd geen steekhoudende aanklacht bedenken.'

'U moet me naar het bureau brengen,' zei Wyman. 'We moeten dit eerst allemaal oplossen, voordat ik weer naar huis kan. Ik wil niet dat ze me daar nog een keer komen opzoeken. Carol. De kinderen. Ik ben bereid elke straf te accepteren die u me oplegt, zolang u me maar helpt hen uit mijn leven te krijgen. Wilt u dat doen?'

Banks dacht even na. 'Ik wil het in elk geval proberen,' zei hij toen.

Wyman zette zijn whiskyglas neer en stond op. 'Nu meteen?'

'We bellen je vrouw wel vanaf het bureau,' zei Banks.

Terwijl ze naar de auto liepen, bedacht Banks dat hij eigenlijk te veel had gedronken om nog te mogen rijden – een blikje bier tijdens het eten en in de vrij korte tijd dat Wyman bij hem was geweest een paar glazen wijn. Ook was hij er in emotioneel opzicht niet al te best aan toe. Maar ja, het was al bijna middernacht en hij had niet het idee dat hij erg aangeschoten was. Wat moest hij anders doen? Wyman weer in de regen de heide op sturen? Hem in het logeerbed laten slapen? Derek Wyman die de volgende ochtend chagrijnig door zijn huis drentelde, dat was wel het laatste wat Banks wilde. Dat kon hij zelf ook wel. Hij wist dat hij die nacht toch niet zou slapen, dus kon hij die dwaze sukkel net zo goed naar het bureau brengen, zijn handen voorgoed van hem aftrekken en dan naar huis terugkeren om zich met een nieuwe fles wijn om zijn gebroken hart te bekommeren. Het was niet echt waarschijnlijk dat MI6 midden in de nacht zou komen opdagen voor een gesprek, maar als Wyman te zenuwachtig was om naar huis te gaan, was Banks wel bereid hem één nacht in een cel te stoppen en ervoor te zorgen dat er de volgende ochtend een advocaat aanwezig was om alles uit te praten.

De weg naar Eastvale was niet verlicht, alleen Banks' koplampen schenen dwars door de duisternis en de gestaag stromende regen voor hen, en de ruitenwissers zwiepten al even gestaag heen en weer.

Plotseling ontdekte hij in zijn achteruitkijkspiegel de vervormde gloed van de koplampen van een andere auto, die net iets te snel naderden en net iets te fel waren naar zijn zin. Ze begonnen te knipperen.

'Shit,' zei Banks. Hij begreep dat ze zijn huis in de gaten hadden gehouden in de hoop dat hij hen naar Wyman zou leiden of dat Wyman daar zou opduiken om hulp te zoeken nadat ze hem de schrik om het hart hadden gejaagd. Parasieten.

'Wat is er?' vroeg Wyman.

'Volgens mij zitten ze achter ons,' zei Banks. 'Ik denk dat ze bij mijn huis op wacht hebben gestaan.'

'Wat gaat u nu doen?'

'Zo te zien willen ze dat we stoppen.' Banks bedacht dat hij bij de eerstvolgende parkeerhaven ongeveer een kilometer verderop kon stilhouden. Hij had vrij veel vaart en zat ruim boven de maximumsnelheid, maar de auto achter hen kwam met nog altijd knipperende lichten steeds dichterbij.

'Niet stoppen,' zei Wyman. 'Pas wanneer we in de stad zijn.'

'Waarom niet?'

'Ik vertrouw hen gewoon niet. Ik zei toch dat ik alleen maar met hen wil praten wanneer er een advocaat bij is.'

Banks voelde Wymans onrust en merkte dat er bij hemzelf ook een lichte paranoia de kop opstak. Hij dacht terug aan de harteloze wreedheid die deze mensen bij Sophia thuis tentoon hadden gespreid, een wreedheid die, daar was hij van overtuigd, de oorzaak was van wat er tussen hen was voorgevallen. Ook herinnerde hij zich de verhalen die hij had gehoord, de dingen die Burgess hem had verteld, de manier waarop ze Tomasina en Wyman angst hadden aangejaagd, en ook dat het nog steeds mogelijk was dat zij achter de moord op Silbert zaten. Hij dacht aan de verholen dreigementen van meneer Browne. Het stond hem ook niet aan dat ze hem het ene moment wilden dwingen de zaak te laten rusten en het volgende voor hun karretje hadden willen spannen.

Paranoïde of niet, dacht Banks bij zichzelf, ik heb geen zin in een confrontatie met MI6 in dit niemandsland, midden in de nacht, zonder getuigen. Als ze het wilden uitpraten, reden ze maar achter hem aan naar Eastvale om daar in de veilige omgeving van het politiebureau, onder het genot van een mok warme chocolademelk en in de aanwezigheid van een advocaat, gezellig met elkaar te babbelen, precies zoals Wyman en hij zich dat hadden voorgesteld. Blijkbaar dachten zij daar anders over. Toen Banks langs de parkeerhaven schoot en het gaspedaal dieper indrukte, volgden ze zijn voorbeeld en probeerden ze hem zelfs in te halen op de smalle weg. De Porsche had een vrij krachtige motor, maar zij reden in een BMW, zag Banks, en beschikten zelf dus ook over de nodige pk's. Er kwam een bocht aan, maar daar waren ze kennelijk niet van op de hoogte, want toen ze ongeveer anderhalve autolengte op hen voorlagen, schoven ze op naar links. Ze waren vast en zeker van plan Banks geleidelijk tot stilstaan te dwingen, maar schatten de situatie dankzij de regen of hun gebrekkige kennis van de bochten in de weg, of misschien wel allebei, totaal verkeerd in, en Banks moest een flinke ruk aan het stuur geven om een botsing te voorkomen. Hij kende dit stuk van de weg vrij

339

goed en zette zich dan ook schrap toen de Porsche door een stapelmuur schoot en over de steile rand dook.

Banks zat vast in de autogordel en voelde de riem trekken toen deze de klap opving. Wyman, die met zijn gedachten heel ergens anders had gezeten, was vergeten de gordel om te doen en vloog door de voorruit; hij bleef half op de motorkap liggen, met zijn onderlijf nog altijd in de auto. Om een of andere reden waren de airbags niet opengegaan. Banks maakte zijn riem los en kroop moeizaam uit de auto om te zien wat er was gebeurd.

Wymans nek zat in een vreemde hoek gedraaid en uit een wond in zijn hals waar een grote glasscherf uitstak kolkte bloed over de motorkap. Banks liet de scherf zitten en probeerde de wond dicht te drukken, maar het was te laat. Wyman rilde een paar keer en toen gaf zijn lichaam het op. Banks had zijn hand op de hals van de man gelegd en voelde hem onder zijn handen sterven, voelde dat het leven uit hem wegvloeide.

Banks zocht steun bij de warme motorkap van de auto, die glibberig was van het bloed. Hij staarde naar de hemel boven hem en liet de regendruppels op zijn gezicht vallen. Hij voelde een stekende pijn in zijn hoofd. In de velden blaatten enkele schapen die door het lawaai waren opgeschrokken.

Er kwamen twee mensen, een jonge man en een jonge vrouw, met zaklampen in hun hand over de heuvelhelling naar hem toe lopen en de schuin striemende regen zat gevangen in de lichtstralen.

'Wat een puinhoop, hè?' zei de man toen ze bij de Porsche aankwamen. 'En nog wel zo'n mooie auto ook. Niet helemaal wat we in gedachten hadden. We wilden alleen maar even met hem praten. Erachter zien te komen wat zijn bedoeling was, waarom hij onze collega liet volgen. U had moeten stoppen toen we naar u seinden.'

'Hij kon jullie niets vertellen,' zei Banks. 'Hij was maar een leraar, meer niet.'

De man liet zijn lichtstraal over de motorkap van de Porsche glijden. 'Dood, zeker? Dan zullen we dus nooit weten wat hij precies van plan was.'

Banks wist niet wat hij daarop moest antwoorden. Hij schudde alleen maar zijn hoofd. Hij was duizelig en zijn knieën knikten.

'Alles goed met u?' vroeg de jonge vrouw. 'Er zit bloed op uw voorhoofd.'

'Ik mankeer niets,' zei Banks.

'Wij regelen dit wel,' ging ze verder. 'We gaan het volgende doen. Mijn vriend hier belt even een paar mensen. Die hebben ervaring met het opruimen van situaties als deze. We zorgen ervoor dat uw auto morgenochtend weer zo goed als nieuw voor uw cottage staat.' Ze zweeg even en wierp een blik op de Porsche. 'Maak daar maar overmorgen van,' merkte ze toen op. 'Het valt soms niet mee om vervangende onderdelen te krijgen voor auto's van buitenlandse makelij. We zullen erop toezien dat ze de airbags ook repareren.'

Banks gebaarde naar Wyman. 'Wat gebeurt er met hem?'

'Tja, niemand kan nu nog iets voor hem doen. Laat het maar aan ons over. Hij was radeloos over wat hij had gedaan, is een stuk gaan wandelen en van een klif gesprongen of gevallen. We willen toch geen moeilijkheden? Als ik u was, ging ik maar naar huis. Draai u om en loop weg.'

Banks staarde haar aan. Ondanks haar harde gezicht was ze best aantrekkelijk, maar haar ogen gaven niets prijs; ze toonden geen sprankje mededogen.

'Hij heeft helemaal niets gedaan,' zei Banks.

'Misschien niet,' zei de vrouw. 'Er worden nu eenmaal weleens fouten gemaakt. Het doet er niet toe. Laat ons dit afhandelen.'

'Jullie hebben hem vermoord.'

'Nu moet u eens goed luisteren,' zei de jonge man, die voor Banks kwam staan. 'Dat hangt er maar helemaal van af hoe je het bekijkt. Voor zover ik heb kunnen zien, reed u veel te snel. Het is duidelijk dat u hebt gedronken. Bovendien had hij ook nog eens de gordel niet om. Verder had u uw airbags moeten laten controleren. Ze werkten namelijk niet.'

'Daar weten jullie zeker ook helemaal niets vanaf?'

'Doe niet zo belachelijk. Als we jullie beiden dood hadden willen hebben, zou dat zijn gebeurd in omstandigheden die veel gemakkelijker waren weg te poetsen dan deze bende. Het was een ongeluk. Bovendien moet u niet vergeten dat hij verantwoordelijk was voor de dood van een van onze beste mensen en als u uw zin had gekregen, was hij daar ongestraft mee weggekomen. Hardcastle heeft hem nooit gevraagd Silbert te laten volgen. Het hele zieke, misselijkmakende plannetje is aan zijn brein ontsproten.'

'Hoe weet je dat?'

'Wat?'

'Ik snap best dat jullie een kopie van het verhoor in handen hebben gekregen. Die heeft de hoofdcommissaris jullie natuurlijk gegeven. Hoe wisten jullie echter dat het allemaal één grote leugen was, dat Wyman...?' Banks maakte zijn zin niet af, want opeens drong de waarheid tot hem door. 'Jullie hebben afluisterapparatuur in mijn cottage geplaatst. Vuile hufters die jullie zijn.'

De man haalde zijn schouders op. 'U bent vaak weg. Binnenkomen was geen enkel probleem.'

Banks keek opzij naar Wymans lichaam. 'Dít beschouwen jullie dus als gerechtigheid?'

'Ik geef toe dat het een rommeltje is,' zei de man, 'maar op een bepaalde manier is dit inderdaad gerechtigheid. Hoor eens, Silbert heeft ons geholpen een aantal grote jongens in te rekenen – verspreiders van porno, drugdealers, huurmoordenaars. Hij heeft ons zelfs geholpen enkele terroristen achter slot en grendel te krijgen. Die gore klootzak voor wie u het hier zo welsprekend staat op te nemen, heeft hem in feite gewoon vermoord.'

'Dat weten jullie heel zeker?'

'Hoe bedoelt u?'

'Ik ben er nog steeds niet helemaal van overtuigd,' zei Banks. 'Oké, Wyman heeft Hardcastle inderdaad opgestookt, maar het is nog altijd mogelijk dat jullie Silbert hebben vermoord. Wyman is gewoon een gemakkelijke zondebok, omdat hij vol schuldgevoel zat.'

'Waarom zouden we dat in vredesnaam doen? Ik heb toch al gezegd dat Silbert een van onze beste agenten was?'

'Misschien was hij wel een dubbelagent. Hoe zat het bijvoorbeeld met die Zwitserse bankrekeningen? Men heeft geprobeerd mij wijs te maken dat agenten die in het buitenland werken vaak hun eigen zakken spekken, maar wie weet? Misschien at hij wel van twee walletjes.'

'In dat geval kan de andere kant hem ook hebben gedood. Wat er ook is gebeurd, u zult er nooit achterkomen. Luister, dit is volkomen belachelijk en we schieten er geen steek mee op. We moeten snel handelen.'

'Wat gaan jullie nu doen?'

'Hebt u een voorstel?'

'Het is toch niet te geloven.'

'Het zal toch moeten. Wat u het beste kunt doen…'

Hij kreeg niet de kans zijn zin af te maken. Banks voelde de aandrang in zijn maag opborrelen en voordat hij goed en wel doorhad wat er gebeurde, raakte zijn vuist de kaak van de man al. Het ging zo snel dat de man niets had zien aankomen, ondanks alle oosterse-vechtsportervaring die hij ongetwijfeld bezat. Banks hoorde een bevredigend gekraak en voelde de klap helemaal tot aan zijn schouder nadreunen. Ook vreesde hij dat hij misschien een knokkel had gebroken, mogelijk zelfs twee, maar hij had de pijn er wel voor over als het inhield dat hij daardoor een deel van zijn woede kon luchten – woede vanwege Wyman, Sophia, de bomaanslag, Hardcastle, Silbert, de geheime inlichtingendienst. De man zakte in elkaar en viel als een zandzak op de grond. Banks koesterde zijn rechterhand in zijn linker en kromp ineen van de pijn.

'Carson,' riep de vrouw. Ze boog zich over hem heen. 'Carson? Gaat het?'

Carson kreunde en rolde zich om in de modder. Banks gaf hem een loeiharde trap tegen zijn ribben. Hij kreunde nogmaals en spuugde een tand uit. Banks wilde hem in zijn maag schoppen, maar ontdekte nog net op tijd dat de vrouw een pistool op hem gericht hield. 'Kappen,' zei ze. 'Ik gebruik dit ding liever niet, maar als het moet, doe ik het.'

Banks keek haar kwaad aan, zag dat ze meende wat ze zei en haalde een paar keer diep adem. Hij wierp nogmaals een blik op Carson, maar voelde niet langer de neiging hem pijn te doen. Hij liet zich tegen de auto zakken en probeerde met zijn rechterhand nog altijd in de linker gevleid op adem te komen.

'De waarheid is dat dit niet heeft plaatsgevonden,' ging de vrouw verder. 'We zijn hier zelfs nooit geweest. U krijgt uw auto zo goed als nieuw terug. Wymans lichaam zal aan de voet van een klif worden aangetroffen en er verandert helemaal niets. U kunt nog zulke mooie verhalen ophangen, maar ik kan u nu al garanderen dat niemand een woord zal geloven van wat u zegt. Indien nodig creëren we een dossier over u waardoor u de rest van uw leven in de gevangenis mag slijten. Wanneer wij met u klaar zijn, zullen zelfs uw familieleden en beste vrienden nooit meer met u willen praten. Is dat duidelijk?'

Banks zweeg. Wat viel er nog te zeggen? Alle beledigingen en vergeldingsdreigementen die hij zou kunnen uiten, waren pure bluf in vergelijking met de macht die deze mensen bezaten. Hij begreep dat de klap die hij had uitgedeeld de enige voldoening vormde die hij ooit zou krijgen. Carson lag nog steeds te kreunen met zijn gebroken kaak. Banks' knokkels klopten in hetzelfde ritme als het gebonk in zijn hoofd.

De vrouw had het pistool in haar ene hand en haar gsm in de andere. Ze was heel rustig en haar handen trilden niet. 'Draai u om en loop weg,' zei ze. 'Nu.'

Banks' benen trilden nog steeds, maar deden wat hij wilde. Hij klom zonder iets te zeggen naar de berm langs de weg. De nacht hing als een donkere, natte cape om hem heen. Er was maar één plek waar hij nu naartoe wilde, één plek waar hij nog naartoe kon. Aanvankelijk nog wat wankel, maar allengs krachtiger en sneller begon Banks aan de lange wandeling naar huis. Hij kon niet zeggen of de nattigheid die hij op zijn gezicht voelde uit regen, bloed of tranen bestond.

Dankbetuiging

Ik wil graag alle mensen bedanken die het manuscript hebben gelezen en suggesties hebben gedaan om het te verbeteren – in het bijzonder Sheila Halladay, Dinah Forbes, Carolyn Marino en Carolyn Mays. Er zijn nog veel meer mensen aan wie ik dank ben verschuldigd vanwege hun grote inzet en hun steun – mijn agenten Dominick Abel en David Grossman; Jamie Hodder Williams, Lucy Hale, Kerry Hood, Auriol Bishop, Katie Davison en Kate Howard van Hodder; Michael Morrison, Lisa Gallagher, Sharyn Rosenblum, Wendy Lee en Nicole Chismar van Morrow; en Doug Pepper, Ellen Seligman, Ashley Dunn en Adria Iwasutiak van McClelland & Stewart. Verder gaat mijn dank ook uit naar alle vertegenwoordigers en boekverkopers die zich zo enorm inspannen om de boeken bij de lezers te krijgen, en naar u, omdat u ze leest.

Een speciaal bedankje voor Julie Kempson vanwege haar hulp met allerlei technische en juridische zaken. Voor alle fouten die mogelijkerwijs zijn blijven staan, neem ik vanzelfsprekend alle verantwoording op me.

NSBOEK15